Stefan Żeromski

LUDZIE BEZDOMNI

Wydawnictwo GREG® Kraków

Tytuł:
LUDZIE BEZDOMNI

Autorki opracowania:
ANNA POPŁAWSKA
HONORATA LISZKA

Korekta:
AGNIESZKA NAWROT
AGNIESZKA WOŹNY
MARIA ZAGNIŃSKA

Projekt okładki:
BROS s.c.

Ilustracje:
JOLANTA ADAMUS LUDWIKOWSKA

Na okładce wykorzystano fragment kopii obrazu Aleksandra Gierymskiego *Pomarańczarka* ze zbiorów prywatnych

ISBN 978-83-7327-236-1
Wydanie II rozszerzone i uzupełnione

Wydawnictwo GREG
31-979 Kraków, ul. Klasztorna 2B
tel. (12) 643 55 14, fax (12) 643 47 33

Księgarnia internetowa: www.greg.pl
tel. (12) 644 98 90, w godz. 8.00–17.00

Skład i łamanie:
BROS s.c.

Druk i oprawa:
Zakład Poligrafii – Alicja Genowska

Autor: Stefan Żeromski
Tytuł: *Ludzie bezdomni*
Rodzaj literacki: epika
Gatunek literacki: powieść (powieść modernistyczna)
Czas akcji: lata 90. XIX w.
Miejsce akcji: Paryż, Warszawa, Cisy, Zagłębie Dąbrowskie
Bohaterowie: Tomasz Judym (główny), Joanna Podborska, Wiktor Judym, Natalia Orszeńska, Karbowski, Korzecki, Les-Leszczykowski, Węglichowski, Krzywosąd Chobrzański
Problematyka: obowiązki jednostki wobec społeczeństwa, problem „bezdomności" społecznej, politycznej i rodzinnej

Wenus z Milo

Miejsce akcji – Paryż

Tomasz Judym wracał przez Champs Elysées[1] z Lasku Bulońskiego[2], dokąd jeździł ze swej dzielnicy koleją obwodową. Szedł wolno, noga za nogą, wyczuwając coraz większy wskutek upału ciężar własnej marynarki i kapelusza. Istny potop blasku słonecznego zalewał przestwór. Nad odległym widokiem gmachów rzucających się w oczy od Łuku Tryumfalnego wisiał różowy pyłek, który już począł wżerać się niby rdza nawet w śliczne, jasnozielone liście wiosenne, nawet w kwiatuszki paulowni[3]. Z wszystkich, zdawało się, stron płynął zapach akacji. Na żwirze, dokoła pniów, pod budynkami, w rynsztokach leżały jej białe kwiatki z ośrodkiem czerwonawym, jakby skrwawionym od ukłucia śmierci. Pył bezlitosny zasypywał je niepostrzeżenie.

Zbliżała się godzina spaceru wielkiego świata i Pola drgać zaczynały od ruchu karet. Na drewnianym bruku dudnił jednostajny łoskot, jakby oddalona mowa wielkiej fabryki. Przebiegały piękne, lśniące rumaki, migotała ich uprząż, pudła, sprychy lekkich pojazdów – i mknęły, mknęły, mknęły bez ustanku wiosenne stroje kobiece o barwach czystych, rozmaitych i sprawiających rozkoszne wrażenie, jakby natury dziewiczej. Kiedy niekiedy wynurzała się z powodzi osób jadących twarz subtelna, wydelikacona, tak nie do uwierzenia piękna, że widok jej był pieszczotą dla wzroku i nerwów. Wyrywał z piersi tęskne westchnienie jak za szczęściem – i ginął unosząc je w mgnieniu oka ze sobą.

Judym znalazł pod osłoną kasztanów brzeg wolnej ławy i z wielką satysfakcją usiadł tam w sąsiedztwie starej i wąsatej niańki dwojga dzieci. Zdjął kapelusz i wlepiwszy wzrok w rzekę pojazdów, walącą środkiem ulicy, z wolna wystygał. Na chodnikach przybywało coraz więcej osób ubranych wykwintnie – lśniących cylindrów, jasnych paltotów i staników. W pewnej chwili stare babsko z chytrymi oczami wprowadziło między strojny tłum młode koźlątko z sierścią jak śnieg bielutką. Stado dzieci postępowało za koziołkiem uwielbiając go gestami, oczyma i tysiącem okrzyków. Kiedy indziej wielki obdartus czerwony na gębie przeleciał jak fiksat, wywrzaskując głosem ochrypłym rezultat ostatniego biegu koni. I znowu spokojnie, równo, uroczo płynęła rzeka ludzka na chodnikach, a środkiem rwał jej nurt bystry, uwieńczony pianą tkanin przecudnych, lekkich, w oddali niebieskawozielonych...

Każdy rozpuszczony liść rzucał na biały żwir z okrągłych kamyków wyraźne odbicie swego kształtu. Cienie te posuwały się z wolna, jak mała wskazówka po białej tarczy zegara. Na ławkach było już pełno, a tymczasem cień opuścił miejsce zajęte przez

[1] *Champs Elysées* - Pola Elizejskie, główna spacerowa arteria Paryża.

[2] *Lasek Buloński* - miejsce wypoczynku paryżan, podmiejski lasek.

[3] *paulownia* - drzewo ozdobne o wonnych fioletowych kwiatach.

Judyma i ustąpił je roztapiającej kaskadzie słońca. Naokół innego *asilum*[4] nie było, więc doktor rad nierad wstał i powlókł się dalej ku placowi Zgody. Z niecierpliwością wyczekiwał, kiedy można będzie przemknąć się wskroś istnego odmętu karet, powozów, dorożek, bicyklów[5] i pieszych na zakręcie głównej fali pędzącej od bulwarów w stronę Pól Elizejskich. Wreszcie stanął pod obeliskiem[6] i poszedł w głąb ogrodu des Tuileries. Tam było prawie pusto. Tylko nad nudnymi sadzawkami bawiły się blade dzieci i w głównym szpalerze kilku mężczyzn rozebranych do koszuli grało w tenisa. Minąwszy ogród Judym zwrócił się ku rzece z zamiarem wędrowania w cieniu murów na placyk przed kościołem Saint-Germain-l'Auxerrois i ogarnięcia bez troski miejsca na imperialu[7]. W owej chwili stało w jego myśli puste kawalerskie mieszkanie aż na Boulevard Voltaire, gdzie od roku nocował, i mierziło go pustką swych ścian, banalnością sprzętów i nieprzezwyciężoną, cudzoziemską nudą wiejącą z każdego kąta. Pracować mu się nie chciało, iść do kliniki – za nic na świecie.

Znalazł się na Quai du Louvre i z uczuciem błogości w karku i plecach zatrzymał pod cieniem pierwszego kasztana bulwaru. Ospałym wzrokiem mierzył brudną, prawie czarną wodę Sekwany. Gdy tak sterczał na podobieństwo latarni, zapaliła się w nim myśl, jakby z zewnątrz wniesiona do wnętrza głowy: „Dlaczegóż, u licha, nie miałbym pójść do tego Luwru?..."

Skręcił na miejscu i wszedł na wielki dziedziniec. W cieniach przytulonych do grubego muru, w które zanurzył się niby w głębie wody, dotarł do głównego wejścia i znalazł się w chłodnych salach pierwszego piętra. Dokoła stały odwieczne posągi bogów, jedne wielkości niezwykłej, inne naturalnej, a wszystkie prawie z nosami i rękoma uszkodzonymi w sposób bezbożny. Judym nie zwracał uwagi na tych zdegradowanych władców świata. Czasami zatrzymywał się przed którym, ale przeważnie wówczas, gdy go uderzył jakiś zabawny despekt boskich kształtów. Nade wszystko interesowała go sprawa odpoczynku w doskonałym chłodzie i z dala od wrzawy ulicy paryskiej. Szukał też nie tyle arcydzieł, ile ławki, na której by mógł usiąść. Zdybał ją po długiej wędrówce z sali do sali w narożnym zetknięciu się dwu długich galerii, przeznaczonym na schronicnic dla Wenus z wyspy Melos.

W zakątku tworzącym jakby niewielką izbę, oświetloną jednym oknem, stoi na niewysokim piedestale tors białej Afrodyty[8]. Sznur owinięty czerwonym pluszem nikomu do niej przystępu nie daje. Judym widział już był ten cenny posąg, ale nie zwracał nań uwagi, jak na wszelkie w ogóle dzieła sztuki. Teraz zdobywszy w cieniu pod ścianą wygodną ławeczkę jął dla zabicia czasu patrzeć w oblicze marmurowej piękności. Głowa jej zwrócona była w jego stronę i martwe oczy zdawały się patrzeć. Schylone czoło wynurzało się z mroku i, jakby dla obaczenia czegoś, brwi się zsunęły. Judym przyglądał się jej nawzajem i wtedy dopiero ujrzał małą, niewidoczną fałdę

---

[4] *asilum* (łac.) - azyl, schronienie.

[5] *bicykl* - nazwa pierwszych rowerów.

[6] *obelisk* - mowa o słynnym obelisku egipskim zdobiącym plac Zgody w Paryżu.

[7] *imperial* - górna, otwarta część autobusu.

[8] *tors Afrodyty* - Wenus z Milo, starożytna marmurowa rzeźba z końca II w. p.n.e. przedstawiająca grecką boginię miłości, znaleziona na wyspie Milo w 1820 r., będąca ozdobą zbiorów muzeum w Luwrze.

między brwiami, która sprawia, że ta głowa, że ta bryła kamienna w istocie – myśli. Z przenikliwą siłą spogląda w mrok dokoła leżący i rozdziera go jasnymi oczyma. Zatopiła je w skrytości życia i do czegoś w nim uśmiech swój obraca. Wytężywszy rozum nieograniczony i czysty, posiadła wiadomość o wszystkim, zobaczyła wieczne dnie i prace na ziemi, noce i łzy, które w ich mroku płyną. Jeszcze z białego czoła bogini nie zdążyła odejść mądra o tym zaduma, a już wielka radość dziewicza pachnie z jej ust rozmarzonych. W uśmiechu ich zamyka się wyraz uwielbienia. Dla miłości szczęśliwej. Dla uczestnictwa wolnego ducha i wolnego ciała w życiu bezgrzesznej przyrody. Dla ostrej potęgi zachwytu zmysłów, którego nie stępiły jeszcze ani praca, ani zgryzota, siostry rodzone, siostry nieszczęsne. Uśmiech bogini pozdrawia nadchodzącego z daleka. Oto zakochała się w pięknym śmiertelniku Adonisie...[9] Cudne marzenia pierwszej miłości rozkwitły w łonie jej jako kwiat siedmioramienny amarylisa. Barki jej wąskie, wysmukłe, okrągłe dźwignęły się do góry. Dziewicze łono drży od westchnienia... Długi szereg wieków, który odtrącił jej ręce, który zrabował jej ciało od piersi i zorał prześliczne ramiona szczerbami, nie zdołał go zniweczyć. Stała tak w półmroku „wynurzająca się", Anadiomene[10], niebiańska, która roznieca miłość. Obnażone jej włosy związane były w piękny węzeł, *krobylos*. Podłużna, smagła twarz tchnęła nieopisanym urokiem.

Gdy Judym wpatrywał się coraz uważniej w to czoło zamyślone, dopiero zrozumiał, że ma przed sobą wizerunek bogini. Była to Afrodite, ona sama, która się była poczęła z piany morskiej. I mimo woli przychodziła na myśl nieskromna legenda o przyczynie onej piany wód za sprawą Uranosa[11]. A przecież nie była to Pandemos[12], nie była nawet żona Hefajstowa ani kochanka Anchizesa[13], tylko jasny i dobry symbol życia, córka nieba i dnia...

Judym zatonął w myślach i nie zwracał uwagi na osoby, które się obok niego przesuwały. Było ich zresztą mało. Ocknął się dopiero wówczas, gdy usłyszał w sąsiedniej sali kilka zdań wyrzeczonych po polsku. Zwrócił głowę z żywą niechęcią w stronę tego dźwięku, pewny, że zbliża się ktoś „z kolonii", ktoś, co siądzie przy nim i zabierze na własność minuty rozmyślania o pięknej Wenus. Zdziwił się mile, zobaczywszy osoby „pozaparyskie". Było ich cztery. Na przedzie szły dwie panienki – podlotki, z których starsza mogła mieć lat siedemnaście, a druga była o jakie dwa lata młodsza. Za nimi ciężko toczyła się dama niemałej wagi, wiekowa, z siwymi włosami i dużą a jeszcze piękną twarzą. Obok tej matrony szła panna dwudziestokilkuletnia, ciemna brunetka z niebieskimi oczami, prześliczna i zgrabna. Wszystkie stanęły przed posągiem i w milczeniu go rozpatrywały. Słychać było tylko ciężkie, przytłumione sapanie

[9] *Adonis* - według mitologii greckiej młodzieniec, w którym zakochała się Afrodyta. Gdy zginął na polowaniu, bogini uprosiła Zeusa, by wskrzesił jej kochanka. Odtąd Adonis pół roku spędzał z boginią, a pół w świecie zmarłych - Hadesie.

[10] *Anadiomene* (gr.) - wynurzająca się; jeden z przydomków Afrodyty, która według legendy wynurzyła się z piany morskiej u wybrzeży Cypru.

[11] *Uranos* - według mitologii greckiej Uranos (Niebo) i Gaja (Ziemia) stanowili pierwszą parę bogów.

[12] *Pandemos* (gr.) - należąca do całego ludu, przydomek Afrodyty jako opiekunki wolnej miłości.

[13] *żona Hefajstowa... kochanka Anchizesa* - Afrodyta była żoną boga ognia i sztuki kowalskiej Hefajstosa, a także kochanką Anchizesa, ojca Eneasza.

starej damy, szelest jedwabiu odzywający się za każdym ruchem podlotków i chrzęst kart Bädeckera[14], które przewracała starsza panna.

— Wszystko to pięknie, moje serce — rzekła matrona do ostatniej — ale ja muszę usiąść. Ani kroku! Zresztą warto popatrzeć na tę imość. Tak... jest tu nawet ławeczka.

Judym wstał ze swego miejsca i wolno odszedł kilka kroków na bok, jak gdyby dla obejrzenia biustu z innej strony. Te panie spojrzały sobie w oczy z wyrazem pytania i przyciszyły rozmowę. Tylko najstarsza z panien, zajęta Bädeckerem, nie widziała Judyma. Otyła babcia energicznie usiadła na ławce, wyciągnęła nogi ile się dało, i na jakieś szepty młodych towarzyszek odpowiadała również szeptem właściwym starym paniom, który ma tę własność, że w razie potrzeby może zastąpić telefonowanie na pewną odległość:

— A, Polak nie Polak, Francuz nie Francuz, Hiszpan czy Turek, to mi jest wszystko jedno. Niech mu Bóg da zdrowie za to, że stąd wylazł. Nogi mi odjęło z kretesem... A teraz patrz jedna z drugą na tę, bo to przecie nie byle co. Już ją człowiek raz widział dawnymi czasy. Jakoś mi się wtedy inna wydała...

— A bo to pewno inna... — rzekła młodsza z turystek.

— Nie myśl no o tym, czy inna, czy nie inna, tylko się przypatrz. Spytają później w salonie o taką rzecz, a ty ni be, ni me...

Druga panienka bez zachęty obserwowała Wenus w sposób zadziwiający. Była to śniada blondynka z twarzą o cerze mętnej, smagławej. Czoło miała dość wąskie, nosek prosty, wargi cienkie i zawarte. Nie można było określić, czy jest ładna, czy brzyd-

[14] *Bädecker* (pot. bedeker) - przewodnik dla zagranicznych turystów (od nazwiska wyd. K. Bädeckera).

ka. Wywierała wrażenie śniącej czy rozmarzonej, bo powieki miała prawie przymknięte.

Judyma zaciekawiła ta twarz, więc stanął i nieznacznie ją śledził. Patrzyła na marmurowe bóstwo od niechcenia, a jednak z takim wyrazem, jakby go się uczyła na pamięć, jakby je spod oka wzrokiem chłonęła. Kiedy niekiedy wąskie i płaskie jej nozdrza rozszerzały się lekko od szybkiego westchnienia. W pewnej chwili Judym zauważył, że powieki spuszczone z nabożeństwem i dziewiczą skromnością dźwignęły się ociężale i źrenice dotąd zakryte widzą nie tylko Wenus, ale i jego samego. Zanim wszakże zdążył zobaczyć barwę tych oczu, już się skryły pod rzęsami.

Tymczasem najstarsza z panien odczytała cały rozdział o historii posągu i zbliżyła się do pluszowego sznura. Oparłszy na nim ręce zaczęła przyglądać się rzeźbie z ciekawością, entuzjazmem i oddaniem się, właściwym tylko niewiastom. Można by powiedzieć, że w owej chwili przystępowała do zobaczenia Wenus z Milo. Oczy jej nie były w stanie nic prócz posągu zauważyć, pragnęły i usiłowały zliczyć wszystkie piękności, wszystkie cechy dłuta Skopasa...[15], o których mówił Bädecker, spamiętać je i ułożyć w głowie systematycznie jak czystą bieliznę w kufrze podróżnym. Były to oczy szczere aż do naiwności. Zarówno jak cała twarz odzwierciedlały subtelne cienie myśli przechodzących, oddawały niby wierne echo każdy dźwięk duszy i wszystko mówiły bez względu na to, czy kto widzi lub nie, ich wyraz.

Judym po kilkuminutowej obserwacji tej twarzy nabrał przekonania, że gdyby piękna panna pragnęła szczerze zataić otrzymane wrażenie, mowa oczu natychmiast je wyda. Stał w cieniu i przyglądał się grze uczuć przesuwających się po jasnej twarzy. Oto mało wiedząca ciekawość... Oto pierwszy promyczek wrażenia sunie się po brwiach, przyciska rzęsy i zmierza ku wargom, ażeby je zgiąć do miłego uśmiechu. Te same uczucia, które Judym przed chwilą miał w sobie, widział teraz na licach nieznajomej. Sprawiało mu to szczerą przyjemność. Rad by był zapytał, czy się nie myli, i usłyszał z pięknych ust wynurzenie wrażeń. Nigdy jeszcze w życiu nie doświadczał takiej chęci rozmawiania o sztuce i słuchania z pilnością, co sądzi o ulatujących wrażeniach drugi człowiek...

Tymczasem ów drugi człowiek, zajęty statuą, na śledztwo ani na badacza żadnej uwagi nie zwracał.

— Pamiętam — rzekła dama w wieku — inną grupę z marmuru. Była to jakaś scena mitologiczna. Geniusz czy amorek ze skrzydłami całuje śliczne dziewczątko. Jest to może cokolwiek niewłaściwe dla was, moje sroki, ale tak piękne, tak urocze, tak *agréable*[16], tak *sensible*[17]...

Najstarsza z panien podniosła głowę i, wysłuchawszy całego zdania z uwagą, rzekła przerzucając kartki:

— Coś tu zauważyłam... *L'Amour et Psyché*...[18] Antoine Canova. Czy to nie to?

---

[15] *Skopas* - słynny rzeźbiarz grecki, żyjący na przełomie IV i III w. p.n.e.; mylnie przypisywano mu autorstwo Wenus z Milo.

[16] *agréable* (fr.) - przyjemny.

[17] *sensible* (fr.) - tu: przemawiający do uczucia.

[18] *l'Amour et Psyché - Amor i Psyche*; tu chodzi o rzeźbę mitologicznych kochanków, dzieło Antoine'a Canovy (1757-1822), słynnego włoskiego rzeźbiarza.

— A może i Psyche. Tylko że waham się, czy wam to pokazać — dodała ciszej.

— W Paryżu! Jesteśmy teraz w Paryżu! Musimy umoczyć wargi w pucharze rozpusty... — szepnęła brunetka do starej damy w sekrecie przed młodszymi towarzyszkami.

— A co mię tam ty obchodzisz! Ty sobie oczy wypatruj na wszelkie Amory malowane i rzeźbione, ale te oto...

— Babcia myśli, że my rozumiemy cokolwiek... — rzekła z przepyszną miną najmłodsza. — Nie wiem tylko, po co tyle czasu tracić na oglądanie tych rozmaitych korytarzy z obrazami, kiedy na ulicach jest tak bosko, taki Paryż!

— Ależ, Wando... — jęknęła brunetka.

— No, pani to rozumie, a ja zupełnie nic! Co w tym jest ciekawego? Wszelkie te muzea i zbiory zawsze mają w sobie coś z trupiarni, tylko że są jeszcze nudniejsze. Na przykład... Cluny[19]. Jakieś doły, pieczary, kawałki odrapanych murów, cegły, nogi, ręce, gnaty...

— Cóż ty mówisz?

— No więc nie? — Weźmy Carnavalet...[20] Piszczele, paskudne, zakurzone trupo-sze, stare rupiecie spod kościołów. W dodatku trzeba koło tego chodzić z miną uroczystą, nadętą, obok każdej rzeczy stać kwadrans, udając, że się patrzy. Albo i tutaj: obrazy, obrazy i obrazy bez końca. No i te figury...

— Moje dziecko — wtrąciła babka — są to arcydzieła, że tak powiem...

— Wiem, wiem... arcydzieła. Ale przecież wszystkie obrazy są do siebie podobne jak dwie krople wody: wylakierowane drzewa i gołe panny z takimi tutaj...

— Wando! — krzyknęły wszystkie trzy towarzyszki z przestrachem, oglądając się dokoła.

Judym nie wiedział, co czynić ze swoją osobą. Rozumiał, że należałoby wyjść, aby nie słuchać mowy osób, które nie wiedzą, że jest Polakiem, ale żal mu było. Czuł w sobie nie tylko chęć, ale nawet odwagę wmieszania się do tej rozmowy. Stał bezradnie, wytrzeszczonymi oczyma patrząc przed siebie.

— No to chodźmy do tego „Amora i Psyche"... — rzekła stara dama dźwigając się z ławeczki. — Tylko gdzie to jest — wbij zęby w ścianę...

— Niech babcia nie zapomina, że dziś jeszcze raz miałyśmy być w tamtym prawdziwym Luwrze[21].

— Cicho mi bądź! Czekajcie no... Gdzież jest ów Canova? Pamiętam, byliśmy tam z Januarym... Szło się jakoś... Zaraz...

— Jeżeli panie pozwolą, to wskażę im najbliższą drogę do Amora... to jest... Antoniego Canovy... — rzekł dr Tomasz zdejmując kapelusz i zbliżając się wśród ukłonów.

Na dźwięk mowy polskiej w jego ustach wszystkie trzy dziewice odruchowo zbliżyły się do starej damy, jakby się przed zbójcą chroniły pod jej skrzydłami.

— Aa... — odezwała się babka wznosząc głowę i mierząc młodego człowieka okiem dość niechętnym. — Dziękuję, bardzo dziękuję...

---

[19] *Cluny* - pałac w Paryżu należący do opactwa z Cluny, siedziba muzeum, zawierającego bogate zbiory z zakresu rzemiosła i sztuki stosowanej z XIV, XV i XVI w.

[20] *Carnavalet* - muzeum historyczne Paryża, zawierające zbiory z okresu rewolucji 1789 r.

[21] ... *w tamtym prawdziwym Luwrze* - Wanda ma na myśli magazyn o tej nazwie przy ulicy Rivoli.

– Panie darują, że gdy się słyszy... W Paryżu tak rzeczywiście... bardzo, bardzo rzadko... – plótł Judym tracąc pewność nóg i języka.

– Pan stale w Paryżu? – spytała ostro.

– Tak. Mieszkam tu od roku. Więcej niż od roku, bo jakieś piętnaście miesięcy... Nazywam się... Judym. Jako lekarz studiuję tutaj pewne... To jest właściwie...

– Więc mówi pan, że jako lekarz?...

– Tak jest – mówił dr Tomasz, oburącz chwytając się wątka rozmowy, pomimo że wyciągała na wierzch kwestie tyczące się jego osoby, których nie znosił. – Skończyłem medycynę w Warszawie, a obecnie pracuję tutaj w klinikach, w dziedzinie chirurgii.

– Miło mi poznać pana doktora... – cedziła dama dość ozięble. – My wojażujemy, jak pan widzi, we czwórkę, z kąta w kąt. Niewadzka... To moje dwie wnuczki, sieroty, Orszeńskie, a to ich i moja najmilsza przyjaciółka, panna Joanna Podborska.

Judym kłaniał się jeszcze z wrodzonym plątaniem się nóg, gdy pani Niewadzka rzekła z akcentem żywego interesu w tonie mowy:

– Znałam, tak, nie mylę się, kogoś tego nazwiska, pana Judyma czy pannę Judymównę, na Wołyniu bodaj... zdaje się, że to tak, na Wołyniu... A pan z jakich okolic?

Dr Tomasz rad by był udać, że nie słyszy tego pytania. Gdy jednak pani Niewadzka zwróciła ku niemu wejrzenie, mówił:

– Ja pochodzę z Warszawy, z samej Warszawy. I z bardzo byle jakich Judymów...

– Dlaczegóż to?

– Ojciec mój był szewcem, a w dodatku lichym szewcem na Ciepłej ulicy. Na Ciepłej ulicy... – powtórzył z kłującą satysfakcją. Uniknął wreszcie chwiejnego gruntu i grzecznych delikatności, w czym nie był mocny i czego się w przesadny sposób obawiał. Panie umilkły i posuwały się z wolna, równolegle, szeleszcząc sukniami.

– Bardzo się cieszę, bardzo... – mówiła spokojnie pani Niewadzka – że miałam sposobność zawarcia tak miłej znajomości. Więc pan zbadał tutaj wszelkie dzieła sztuki? Zapewne, mieszkając stale w Paryżu... Jesteśmy bardzo obowiązane...

– „Amor i Psyche" będzie chyba w innym gmachu – rzekła panna Podborska.

– Tak, w innym... Wyjdziemy na dziedziniec.

Gdy tam stanęli, pani Niewadzka zwróciła się do Judyma i z imitacją uprzejmości rzekła:

– Tak ostro pan wymienił zatrudnienie swego ojca, że czuję się prawdziwie upokorzoną. Zechce mi pan wierzyć, że nie miałam intencji pytaniem o jakieś tam koligacje sprawić mu przykrości. Po prostu nałóg starej baby, która długo żyła i dużo ludzi na świecie widziała. Miło jest, to prawda, zetknąć się z człowiekiem, którego osoba mówi o dawnych rzeczach, ludziach, stosunkach, ale o ileż przyjemniej, o ileż...przyjemniej...

– Ojciec pana, ten szewc, robił damskie obuwie czy męskie kamasze? – zapytała przymrużając oczy młodsza z panien Orszeńskich.

– Trzewiki, głównie trzewiki, w dość odległych jedna od drugiej chwilach przytomności, najczęściej bowiem robił po pijanemu awantury, gdzie się dało.

– No, to już zupełnie w głowie mi się nie mieści, jakim cudem pan został lekarzem, i do tego – w Paryżu!

Panna Podborska cisnęła na mówiącą spojrzenie pełne rozpaczliwego wstydu.

– W tym, co nam pan o sobie wyznał – rzekła stara jejmość – widzę dużo, dużo odwagi. Doprawdy, że po raz pierwszy zdarzyło mi się słyszeć taką mowę. Proszę pana doktora, jestem stara i różnych ludzi widziałam. Ile razy zdarzyło mi się obcować z... indywiduami nie należącymi do towarzystwa, z osobami... jednym słowem, z ludźmi pochodzącymi ze stanów zwanych – słusznie czy niesłusznie, w to nie wchodzę – gminem, to zawsze ci panowie usiłowali starannie ominąć kwestię swego rodowodu. Znałam co prawda i takich – mówiła jakby z pewnym zadumaniem – którzy w jakimś okresie życia, zwykle w młodości, przyznawali się z emfazą do swego stanu kmiecego czy tam do czegoś, a później nie tylko że ta ich demokratycznie-chełpliwa prawdomówność szła sobie na bory, na lasy, ale prócz tego miejsce jej zajmowały jakieś herby przylepione do drzwiczek karety, jeśli ją fortuna postawiła przede drzwiami mieszkania.

Judym uśmiechnął się szyderczo, kilka kroków szedł w milczeniu, a później zwrócił się do panny Podborskiej z pytaniem:

– Jakież wrażenie zrobiła na pani Wenus z Milo?

– Wenus... – rzekła brunetka, jakby ją to pytanie zbudziło ze snu przykrego. Twarz jej oblał rumieniec, wnet znikł i skupił się w prześlicznych ustach, które nieznacznie drgały.

– Ma caluteńkie plecy poszarpane, jakby ją kto przez cztery dni z rzędu prał ekonomskim batem... – rzekła kategorycznie panna Wanda.

– Prześliczna... – półgłosem wymówiła panna Natalia, zwracając w stronę Judyma swe matowe oczy. Drugi raz doktor miał możność spojrzeć w te oczy i znowu krótko gościło we wszystkich władzach jego duszy nieuchwytne zatrwożenie. We wzroku tej dziewczyny było coś, jakby zimny, niepołyskujący blask księżyca, kiedy nad senną ziemią tarcza jego we mgłach się kryje.

Panna Podborska ożywiła się i zaraz twarz jej ukazała wewnętrzne wzruszenie.

Symbolizm – Wenus z Milo

– Jakaż ona piękna! jakaż prawdziwa! Gdybym w Paryżu mieszkała, przychodziłabym do niej... no, milion nie milion, ale co tydzień, żeby się napatrzeć. Grecy w ogóle stworzyli świat bogów tak cudowny... Goethe...

Usłyszawszy wyraz „Goethe" Judym doznał niesmaku, czytał bowiem z tego poety coś, a nadto niegdyś.

Los zdarzył, że stara dama zatrzymała się w przedsionku prowadzącym do sali „Amora i Psyche" – i niemym znakiem w dużych bladych oczach pytała Judyma o drogę. Kiedy się znaleziono w obliczu wygłaskanej grupy, owego malowidła w białym marmurze, wszyscy umilkli. Judym ze smutkiem myślał, że właściwie rola jego już się skończyła. Czuł, że wyrwawszy się z wiadomością o papie z Ciepłej nie może towarzyszyć tym paniom i szukać ich znajomości. Znowu w umyśle jego przesunął się pokój „na Wolterze"[22] i stara, wstrętna żona *concierge'a*[23] ze swymi wiekuistymi pytaniami bez sensu. W chwili kiedy najbardziej nie wiedział, co czynić, i nie był

---

[22] *„na Wolterze"* - na bulwarze Woltera.

[23] *concierge* (fr.) - dozorca.

pewny, w jaki sposób wypada się rozstać, pani Niewadzka jakby zgadując, o czym myśli, rzekła:

– Wybieramy się do Wersalu[24]. Chciałybyśmy zobaczyć okolice, być po drodze w Sèvres, w Saint-Cloud...[25] Te wartogłowy pędziłyby z miejsca na miejsce dzień i noc, a ja formalnie upadam. Czy jeździłeś pan do Wersalu? Jak wygodniej? Koleją? Piszą tu o jakimś tramwaju pneumatycznym[26]. Czy to co lepszego niż pociąg?

– W Wersalu byłem dwa razy tym właśnie tramwajem, który wydał mi się bardzo dogodny. Idzie wprawdzie wolno, pewnie dwa razy wolniej niż wagon kolejowy, ale za to daje możność obserwowania okolicy i Sekwany.

– A więc jedziemy tramwajem! – zawyrokowała panna Wanda.

– O którejże godzinie wychodzi stąd ten c z u p i r a k?

– Nie pamiętam, proszę pani, ale to tak łatwo się dowiedzieć. Stacja główna mieści się tuż obok Luwru. Jeżeli panie pozwolą...

– O! czyliż śmiałybyśmy pana trudzić...

– Ale dowie się pan, co to szkodzi, moja babciu. Pan tutejszy, paryżanin... – deklamowała panna Wanda odrobinę parodiując ton mowy Judyma.

Tomasz kłaniając się odszedł i zadowolony, jakby mu się przytrafiło coś niesłychanie pomyślnego, biegł pędem ku stacji tramwajowej na Quai du Louvre. W mgnieniu oka wyszukał konduktora, wbił sobie w głowę wszystkie godziny oraz minuty i wracał prostując się co chwila i poprawiając krawat... Kiedy zawiadamiał te panie o terminie odjazdu i udzielał im wskazówek, jak się kierować w Wersalu, panna Wanda wypaliła:

– A więc jedziemy do Wersalu. Bagatela! Do samego Wersalu... Jedziemy tramwajem jakimś tam – a pan z nami.

Zanim Judym zdołał zebrać myśli, dodała:

– Już babcia orzekła, że *malgré tout*[27] może pan jechać...

– Wanda! – z rozpaczą prawie zgrzytnęła pani Niewadzka rumieniąc się jak dziewczątko. Po chwili zwróciła się do Judyma i usiłowała wywołać przyjazny uśmiech na drżące jeszcze wargi:

– Widzi pan, co to za diabeł czubaty, choć już dopomina się o długą suknię...

– Czy istotnie pozwoliłyby panie towarzyszyć sobie do Wersalu?

– Nie śmiałabym prosić pana, bo to może przerwie zajęcia, ale byłoby nam bardzo przyjemnie.

– Bynajmniej... Byłbym wielce szczęśliwy... Tak dawno... – bąkał Judym.

– Panie, o dziesiątej! – rzekła do niego panna Wanda z palcem wzniesionym do góry i wykonywując oczami cały szereg plastycznych znaków porozumienia.

---

[24] *Wersal* - pałac i park pod Paryżem wzniesiony przez Ludwika XIV, siedziba królów francuskich do 1789 r., obecnie muzeum; *Sèvres* - miasteczko pod Paryżem słynące z fabryki porcelany.

[25] *Saint-Cloud* - dawna rezydencja cesarza Napoleona III, ogromny park otaczający pałac jest ulubionym miejscem spacerów paryżan.

[26] *tramwaj pneumatyczny* - dawny typ tramwaju poruszanego sprężonym powietrzem.

[27] *malgré tout* (fr.) - mimo wszystko.

Doktór już lubił tę dziewczynę zupełnie jak dobrego koleżkę, z którym można paplać bez miary o wszystkich rzeczach i niektórych innych. Trzy osoby starsze od panny Wandy zachowywały niezgrabne milczenie. Judym czuł, że wtargnął do towarzystwa tych pań. Rozumiał swą niższość społeczną i to, że jest w tej samej chwili szewskim synem tudzież aspirantem do „towarzystwa". Odróżniał w sobie te obydwie substancje i do krwi gryzł dolną wargę.

Po obejrzeniu medalionów Davida d'Angers[28], z których kilka wniosło do serc obecnych coś jak gdyby modlitwę, wycofano się z muzeum na dziedziniec, a stamtąd na ulicę.

Stara pani przywołała fiakra i oświadczyła swoim pannom, że jadą do sklepów. Judym pożegnał je z elegancją, której w tym właśnie momencie pierwszy raz w życiu zażywał — i oddalił się. Na piętrze omnibusu dążącego w stronę Vincennes wpadł w głębokie i misterne rozmyślania. Było to w jego życiu zdarzenie kapitalne, coś w rodzaju otrzymania patentu albo fabrykacji pierwszej samoistnej recepty. Nigdy jeszcze nie zbliżał się do takich kobiet. Mijał je tylko nieraz na ulicy, widywał czasem w powozach i marzył o nich z nieugaszoną tęsknotą, w skrytości ducha, do której nie ma przystępu myśl kontrolująca. Jakże często, będąc uczniem i studentem, zazdrościł lokajom ich prawa przypatrywania się tym istotom cielesnym, a przecież tak podobnym do cudnych kwiatów zamkniętych w czarownym ogrodzie. Zarazem przyszły mu na myśl jego kobiety: krewne, znajome, kochanki... Każda mniej lub więcej podobna do mężczyzny z ruchów, z ordynarności, z instynktów. Myśl o tym była tak wstrętną, że przymknął oczy i z najgłębszą radością słuchał szelestu sukien, którego jeszcze uszy jego były pełne. Każdy bystry ruch nogi wysmukłych panien był jak drgnienie muzyczne. Połyski ślicznych mantylek, rękawiczek, lekkich krez otaczających szyje, rozniecały w nim jakieś szczególne, nie tyle namiętne, ile estetyczne wzruszenie.

Nazajutrz wstał wcześniej niż zwykle i z wielkim krytycyzmem zbadał swą garderobę we wszelkich jej postaciach. Około dziewiątej wyszedł z domu, a że czasu było jeszcze aż nadto, postanowił iść piechotą.

Przeciskając się wśród tłumu rozmyślał o dyskursie, jakim bawić będzie te panie, układał w myśli całe dialogi nad wyraz wdzięczne, a nawet flirtował w imaginacji, co aż do owej chwili poczytywał był za plugastwo. Przy stacji tramwajów było pusto. Judym zatrzymał się pod jednym z drzew i pełen niepokoju oczekiwał przybycia wczorajszych znajomych. Co chwila rozlegał się ryk statków nurzających się w falach Sekwany, wrzał turkot omnibusów na mostach i przyległych ulicach. Po tamtej stronie rzeki wybiła gdzieś czystym dźwiękiem godzina dziesiąta. Judym słuchał tego głosu jakby uroczystego słowa zapewnienia, że piękne istoty nie przyjdą, że nie przyjdą dlatego mianowicie, że on ich oczekuje. On, Tomasz Judym, Tomek Judym z Ciepłej ulicy.

Stał tak, patrząc na szarą, ciężką wodę i szeptał do siebie:

— Ulica Ciepła, ulica Ciepła...

Było mu nad wszelki wyraz głupio, jakoś niesmacznie i gorzko. W dalekim krańcu przelotnego wspomnienia snuł się obraz brudnej kamienicy...

[28] *Jean Pierre David d'Angers* - rzeźbiarz francuski, portrecista, wykonał m.in. słynny medalion z podobizną A. Mickiewicza.

Podniósł głowę i otrząsnął się. Obok niego przesuwali się ludzie wszelkiego typu, a między innymi wędrowny herold „Intransigeanta"[29] dźwigający na wysokim drągu treść ostatniego numeru tej gazety przyklejoną do poprzecznej deski. W owej chwili roznosiciel spuścił ogłoszenie na dół, wsparł się na jego kiju i gawędził ze znajomym. Tytuł gazety skojarzył się w umyśle Judyma z przeróżnymi myślami, w których szeregu błąkało się uprzykrzone, niemiłe, bolesne prawie pojęcie: ulica Ciepła, ulica Ciepła...

O rodzinie swej, o warunkach, w jakich żywot jej upływa, myślał w owej chwili niby o czymś niezmiernie obcym, niby o typie pewnej familii małomieszczańskiej, która nędzną egzystencję swoją pędziła za panowania króla Jana Kazimierza. Te damy, które zobaczył dnia poprzedniego, stały się dlań tak szybko istotami bliskimi, siostrzanymi, przez wykwintność swych ciał, sukien, ruchów i mowy. Żal mu było, że nie przychodzą, i prawie nieznośnie na samą myśl, że mogą nie przyjść wcale. Jeżeli tak będzie, to dlatego, że z tych szewców wiedzie swój „rodowód"...

Postanowił jechać do Wersalu, ukłonić się im z daleka i wyminąć... Cóż go mogą obchodzić jakieś panny z arystokracji „czy tam z czego"? Chciałby tylko zobaczyć raz jeszcze, przyjrzeć się, jak toto chodzi, jak patrzy na byle obraz ciekawymi oczami...

„Juścić – myślał gapiąc się na wodę – juścić jestem cham, to nie ma co... Czyliż umiem się bawić, czym kiedy pomyślał o tym, jak należy się bawić? Grek połowę życia przepędzał na umiejętnej zabawie. Włoch średniowieczny udoskonalił sztukę próżnowania, to samo takie kobiety... Ja bym się zabawił na wycieczce, ale z kim? Z kobietami mego stanu, z jakimiś, przypuszczam, pannami «miastowymi», ze studentkami, z białogłowami jednym słowem, co się nazywa. Ale z tymi! To jest tak jakby wiek dziewiętnasty, podczas kiedy ja żyję jeszcze z prapradziadkami na początku osiemnastego. Nie posiadam sztuki rozmawiania, zupełnie jakby pisarz prowentowy chciał układać dialogi *à la* Lukian[30] dlatego, że umie pisać piórem... Nie bawiłbym się, tylko bym dbał, żeby nie zrobić czegoś z szewska. Może to i lepiej... Ach, jak to dziwnie... Każda z tych bab tak jakoś żywo interesuje człowieka, każda, nawet ta stara, to istota nowoczesna, wyobrazicielka tego, co tytułujemy kulturą. A ja, cóż ja... szewczyna..."

– Nie powiedziałam, że doktorek będzie już na nas czekał! – zawołała tuż za nim panna Wanda.

Judym odwrócił się prędko i ujrzał przed sobą wszystkie cztery znajome. Twarze ich były wesołe. Wśród miłej rozmowy panie wdrapały się na imperial, Judym z precyzją windował tam babcię. Gdy się znalazły tak wysoko, przed oczyma ich ukazała się ruchliwa toń Sekwany. Pędziła między granitowymi brzegi zdyszana, udręczona, jakby w ostatnim wysiłku robiła bokami. Nieczysta, zgęstniała, bura, prawie ciemna woda, w której chlupały parostatki rycząc co chwila, sprawiała smutne wrażenie, jak niewolnica, której szczupłe ręce obracają ciężkie żarna.

– Jaka mała, jaka wąska... – mówiła panna Joanna.

– Phi!... wygląda jak wnuczka Wisły!

---

[29] *„Intransigeant"* - „Nieprzejednany", dziennik wychodzący w Paryżu w latach 1880-1940, reprezentował początkowo poglądy republikańskie, potem prawicowe i nacjonalistyczne.

[30] *dialogi à la Lukian* - Lukian z Samosat (II w. n.e.), grecki pisarz i filozof był autorem *Dialogów bogów* i *Dialogów umarłych*.

– Zupełna karykatura Izary...[31] – rzekła panna Natalia.

– To prawda! Panno Netko, pamięta pani Izarkę, Izunię, naszą jasnozieloną, czystą jak łza... – unosiła się panna Wanda.

– Ech, jak łza... – wtrącił Judym.

– Co, nie wierzy pan! Babciu, ten pan formalnie wyznał, że nie wierzy w czystość Izary.

– Rzeczywiście, jakaż to okropna woda! – mówiła wiekowa dama usiłując zamazać co prędzej ostatnie słowa panny Wandy, które nie wiedzieć czemu wywołały rumieniec jak przelotny obłoczek na twarzy panny „Netki".

W chwili kiedy Judym zamierzał spełnić coś statystycznie-uczonego o wodzie Sekwany, tramwaj beknął przeciągle i wyginając swe wagony na zwrotnicach, niby członki długiego cielska, posunął się wzdłuż brzegu czarnej rzeki. Gałęzie kasztanów z długimi liśćmi kołysały się tuż obok twarzy jadących. Sadza i ostre pyły miejskie wżarły się już w jasną zieloność miękkich powierzchni i obłóczyły je z wolna jak gdyby w śniedź rudawą. Dzień był chmurny. Co chwila przemykały się nad okolicą już to głębokie cienie obłoków, już popielate światło zasępionego przedpołudnia. Ale nikt na to uwagi nie zwracał, gdyż przyciągały wszystkich domki z różowego kamienia na przedmiejskich ulicach.

– Cóż to za kamienie? Co za kamienie, panie, panie? – nastawała panna Wanda. Zanim jednak zdążył zebrać myśli, już mu dała pokój, z uśmiechem zwracając głowę w przeciwną stronę. Nad ogrodami, które ze wzgórza zbiegały tam ku rzece, unosił się i wypełniał całe powietrze zapach róż upajający, rozkoszny... Gdzieniegdzie między drzewami widać było ogromne rabaty przebijające się na zewnątrz zielonej zasłony płomieniem pąsowej i żółtej barwy. Judym obserwował twarze swych pań. Wszystkie, nie wyłączając staruszki, były jakby natchnione. Zwracały się mimo chęci w kierunku źródła prześlicznej woni i z przymkniętymi powiekami, z uśmiechem na wargach wciągały ją nozdrzami. Szczególniej twarz panny Natalii przykuwała w owej chwili jego uwagę. Ta istota, pochłonięta przez zapach różany, zdawała się być niby jasny motyl, dla którego ten kwiat został stworzony i który sam jeden ma do niego tajemnicze prawo.

Spomiędzy ogrodów wydzierały się tu i ówdzie sczerniałe mury i kominy fabryk, podobne do wstrętnego kadłuba i obmierzłych członków jakiegoś pasożyta, który z brudu się rodzi i nim żyje. Nad wodą i daleko wzdłuż brzegu wlokły się domy przedmieścia biedne, ordynarne i małe. W pewnym miejscu otworzył się przed wzrokiem, jak czeluść, skład węgla roztrząsający na sąsiednie ściany, drzwi i okna swój czarny oddech. Daleko w przestrzeni widać było przymglony las Meudon.

– Cóż pani się najbardziej podobało w Paryżu?– rzekł Judym do panny Natalii, która obok niego siedziała.

Było to jedno z zapytań przygotowanych jeszcze wczoraj, jak lekcja.

– W Paryżu? – mówiła rozciągając ten wyraz z uśmiechem na ślicznych wargach. – Podoba mi się, to jest sprawia mi przyjemność, wszystko... Ruch, życie... Jest to jak burza! Na przykład w okolicy Gare Saint-Lazare – nie wiem, jak się ta ulica nazywa – gdy się jedzie w powozie i gdy się widzi tych ludzi pędzących trotuarami, te fale, fa-

[31] *Izara* - prawy dopływ Dunaju, przepływa przez górną Bawarię.

le... Hucząca powódź... Raz widziałam powódź okropną u stryja, w górach. Woda nagle wezbrała... Wtedy chciało się wołać na nią: wyżej, prędzej, leć! Tu to samo...

– A pani? – zapytał Judym pannę Wandę.

– Mnie... to samo... – mówiła prędko – a oprócz tego Louvre. Tylko nie ten malowany. Fe!... Wie pan, tamten. Teraz, rozumie się, skieruje pan swoje pytanie do „ciotki" Joasi, chociaż od niej trzeba było zacząć, bo ona jest nauczycielką i kochaneczką. Widzi jegomość – mała rzecz, a wstyd. Otóż ja panu powiem. Pannie Joasi podoba się *primo* „Rybak", *secundo* „Myśl", trzecio „Wenus", czwarto... Zresztą nam się wszystkim ogromnie podoba i „Rybak", i „Myśl"... Babci...

– Cóż to za myśl?

– To pan tego nawet nie wie! A wiecie co... „Myśl" wymalowana, w nowym ratuszu. Z zamkniętymi oczami, chuda, młoda, dla mnie osobiście wcale nieładna.

– Ach, w ratuszu...

– W ratuszu, ach... Teraz „Rybak" w galerii jakiej to?..

– Właśnie ciekawi jesteśmy, w jakiej? O to nam tylko chodzi... w jakiej... – wtrąciła babka.

– Zaraz... Myśli babunia, że takiego głupstwa nie wiem. O, przeprasza się delikatnie szanowną publiczność: za Sekwaną, w tym ogrodzie, gdzie to woda i te kaczki z czubami...

– Luksemburskim... – szepnęła panna Natalia.

– W Ogrodzie Luksemburskim!

– Zna pan „Rybaka"[32] Puvis de Chavannes'a?– rzekła panna Podborska.

– „Rybaka"? nie przypominam sobie...

– Taki z pana znawca i paryżanin – drwiła panna Wanda wydymając wargi ze wzgardą.

– Alboż to ja jestem znawca i paryżanin? Ja jestem pospolity chirurg...

Kiedy to mówił, ukazał mu się obraz, o którym była mowa. Widział go przed rokiem i uderzony niewypowiedzianą siłą tego arcydzieła zachował je w pamięci. Z czasem wszystko, co stanowi samo malowidło, szczególną rozwiewność barw, rysunek figur i pejzażu, prostotę środków i całą jakby fabułę utworu, przywaliły inne rzeczy i zostało tylko czujące wiedzenie o czymś nad wszelki wyraz bolesnym. Wspomnienie owo było jak mętne echo czyjejś krzywdy, jakiejś hańby bezprzykładnej, której nie byliśmy winni, a która przecie zdaje się wołać na nas z ziemi dlatego tylko, że byliśmy jej świadkami. Panna Joanna, która rzuciła pytanie o „Rybaka", siedziała na końcu ławki za obydwiema panienkami i babcią. Czekając odpowiedzi wychyliła się trochę i uważnie przyglądała Judymowi. Ten, z konieczności, patrząc w te oczy jasne, prawdziwie jasne, podniecony ich wynurzeniem zachwytu, które zastępowało w zupełności tysiąc słów opisu płótna Puvis de Chavannes'a, zaczął przypominać sobie nawet barwy, nawet pejzaż. Uniesienie tych oczu zdawało się przytaczać mu obraz, podpowiadać dawno zatarte wrażenie. Tak, pamiętał... chudy człowiek, a właściwie nie człowiek, lecz antropoid[33]

---

[32] *„Rybak"* - obraz malarza francuskiego P. Puvis de Chavannese'a (1824-1898), właściwy tytuł „Ubogi rybak".

[33] *antropoid* - małpa człekokształtna.

Symbolizm – obraz pt. „Rybak"

z przedmieścia wielkiej stolicy, obrosły kłakami, w koszuli, która się na nim ze starości rozlazła, w portkach wiszących na spiczastych kościach bioder, stał znowu przed nim ze swą podrywką zanurzoną w wodę. Oczy jego spoczywają niby to na pałąkach trzymających siatkę, a jednak widzą każdego człowieka, który przechodzi. Nie szukają współczucia, którego nie ma. Ani się żalą, ani płaczą. „Oto jest pożytek wasz ze wszystkich sił moich, z ducha mojego..." – mówią doły jego oczu zapadłych. Stoi tam ten wyobraziciel kultury świata, przerażający produkt ludzkości. Judym przypomniał sobie nawet uczucie zdumienia, jakie go zdjęło, gdy słyszał i widział wrażenie innych osób przed tym obrazem. Skupiały się tam tłumy wielkich dam, strojnych i pachnących dziewic, mężczyzn w „miękkie szaty odzianych". I tłum ten wzdychał. Łzy ciche płynęły z oczu tych, którzy tam przyszli obarczeni łupami. Posłuszni rozkazowi nieśmiertelnej sztuki przez chwilę czuli, jak żyją i co stwarzają na ziemi.

– Tak – rzekł Judym – prawda, widziałem ten obraz Puvis de Chavannes'a w Galerii Luksemburskiej.

Panna Joanna cofnęła się za ramię pani Niewadzkiej. Doktor ujrzał tylko jej białe czoło otoczone ciemnymi włosami.

– Jak tam panna Netka beczała... Jak beczała!... – szepnęła Judymowi panna Wanda prawie do ucha. – Zresztą my wszystkie... Mnie samej leciały z oczu łzy takie ogromne jak groch z kapustą.

– Ja nie mam zwyczaju... – uśmiechnęła się panna Natalia.

– Nie? – spytał doktor, leniwie mierząc ją wzrokiem.

– Bardzo mi żal było tego człowieka, szczególniej tych jego dzieci, żony... Wszystko to takie chude, jakby wystrugane z patyków, podobne do suchych witek chrustu na pastwisku... – mówiła rumieniąc się, a jednocześnie z uśmiechem przymykając oczy.

– Ten „Rybak" zupełnie podobny jest do Pana Jezusa, ale to jak dwie krople wody. Niech babcia powie...

– „Rybak"? A tak, podobny, istotnie... – mówiła stara pani, zajęta rozpatrywaniem krajobrazu.

Tramwaj wjechał w ulicę miasteczka Sèvres i zatrzymał się przed piętrowym domem. Podróżni z imperialu mogli zajrzeć wprost do numerów austerii[34]. Nie był to widok dla panien. Pijany żołnierz, w kepi na bakier, obejmował wpół wstrętną dziewczynę i para ta wychyliwszy się z okna robiła do jadących małpie miny. Na szczęście tramwaj puścił się w dalszą drogę. Ledwie wydostał się za ostatnie domy mieściny, na pustą i smutną przestrzeń w szczerym polu, ściemniło się raptem. Zerwał się ostry wiatr. Las najbliższy oblókł się w jakąś szarą ciemność i wkrótce gęsty, gruby deszcz sypnął jak ziarno. W wagonach powstała panika. Smugi deszczu wdzierały się pod daszek tnąc z boku i zalewały ławki. Wszystkie panie zbiły się w gromadkę i w miejscu najbardziej zasłoniętym otuliły się sukniami, ile mogły. Judym po rycersku osłaniał je od deszczu swoją figurą. Gdy tak stał, plecami wsparty o poręcz, zauważył wysuniętą z głębi mnóstwa skupionych sukien czyjąś nóżkę. Stopa w płytkim lakierowanym pantofelku na wysokim obcasie wspierała się o żelazny pręt balu-

[34] *austeria* - gospoda.

strady, a wysmukła noga w czarnej, jedwabnej pończosze odsłonięta była daleko. Judym przemyśliwał, komu należy przypisać ten uroczy widok. Poczytywał go za wynik trafu i nieuwagi, toteż lękał się wznieść oczy i tylko z cienia rzęs spełniał złodziejstwo z włamaniem się i premedytacją. Pociąg wszedł w olbrzymią aleję wersalską. Rozrosłe, odwieczne drzewa zasłoniły nieco podróżnych od deszczu. Panie starały się jako tako otrząsnąć i wygładzić swe szaty. Śliczna nóżka nie znikała. Krople deszczu pryskały na błyszczącą skórę strącając niby uderzeniami palców lekki pył z krótkiej przyszwy i ginęły w miękkim jedwabiu. Judym wiedział już teraz, czyja to własność. Podniósł oczy na twarz panny Natalii i uczuł, jak zatapiają się w nim zimne kły rozkoszy. Panienka miała, jak zwykle, oczy spuszczone. Czasami tylko jej brwi, dwie linijki nieznacznie zgięte, unosiły się nieco wyżej niby dwie dźwignie ciągnące do góry uparte powieki. Na wargach, z których dolna była leciutko odchylona, stał uśmiech nieopisany, uśmiech pełen jadu i swawoli.

„Ach, tak..." – myślał Judym przypatrując się tej twarzy szczególnej.

Panna Natalia wyczuła wzrok jego. Barwa jej policzków przeszła w bladość, która, zdawało się, roztopiła w sobie uśmiech otaczający usta. Wówczas jeszcze bardziej modrymi stały się cienie dokoła zamkniętych oczu i ostrzejszą linia chrząstkowatego nosa.

Tramwaj zajechał dość szybko na plac przed pałacem wersalskim i podróżni spiesznie opuścili jego obmokłą górną platformę. Doktór zdobył i utorował dla swych towarzyszek miejsce w małej budce stacyjnej, gdzie wbiło się tyle osób, że literalnie trudno było poruszyć ręką. Zdarzyło się, że doktor Tomasz stał za plecami panien Joanny i Natalii. Reszta pasażerów tramwaju tłocząc się do budyneczku w rejteradzie przed deszczem wprost złożyła ciało ostatniej z tych panien na piersiach Judyma. Twarz jej znajdowała się tuż obok jego wąsów. Rozstrzępione przez modę i deszcz płowe włosy panny Natalii snuły się po jego twarzy, ustach, oczach, wywołując wstrząsające dreszcze. W całym zgromadzeniu panowało milczenie. Przerywał je tylko ciężki oddech jakiegoś astmatycznego grubasa. Deszcz nieprzerwanymi strugami, z chlupaniem ściekał z daszka i zasłaniał otwarte drzwi jakby ciemną kotarą.

W pewnej chwili panna Natalia usiłowała poruszyć się, ale tylko lewym ramieniem oparła się na barku Judyma. Wówczas jeszcze wyraźniej zarysował się przed jego rozmarzonymi oczyma profil jej twarzy. Chciała o czymś mówić, ale tylko uśmiechnęła się prędko... W pewnej chwili uniosła wiecznie spuszczonych powiek i przez moment czasu śmiało, badawczo, upajająco patrzała mu w oczy.

Tuż obok drzwi stała pani Niewadzka. Miała najwięcej ze wszystkich powietrza, a mimo to dech jej był ciężki, a twarz mocno czerwona.

— Wiecie wy, moje pannice — rzekła swym szeptem donośnym — że wolałabym moknąć na deszczu, niż łykać oddechy tych m a r s z a n d e w e n ó w.

— Skądże babcia wie, że to są *marchands de vin*[35]?

— Bagatela! — rzekła staruszka błyskając wypukłymi oczyma. — Dmą mi wprost na twarz dwie skwaśniałe piwnice i jeszcze się będzie pytała, skąd wiem...

[35] *marchands de vin* (fr.) - handlarz win.

Mówiła to do panny Wandy, ale Judym słyszał ich rozmowę. Co do niego, to nie miał wcale zamiaru przekładać deszczu nad ścisk w lokalu tramwajowym. Rzekł jednak do pani Niewadzkiej po polsku:

— Moglibyśmy rzeczywiście prędko przebyć plac. To blisko... Ale panie zmokną... Nie mamy nawet parasola...

Mówiąc te słowa podał się nieco naprzód, jak gdyby miał zamiar wyprowadzić starszą panią z tłumu. Wtedy całe jego ciało zetknęło się z ciałem panny Natalii, odzianym w delikatne, wiotkie suknie. Rozpłomienionymi oczyma wpatrywał się w blade, zimne, kamienne rysy twarzy o spuszczonych powiekach.

Deszcz z wolna ustawał i tylko z rynny sąsiedniego domu zlewała się z nieustającym głośnym szelestem struga wody. Kilku mężczyzn uzbrojonych w parasole wysunęło się z domku. Wolnego miejsca przybyło, a mimo to panna Natalia przez zachwycającą chwilę nie zmieniała swej sytuacji. Wreszcie i ona posunęła się ku drzwiom w ślad za młodszą siostrą, która już przez wyciąganie rąk na zewnątrz drzwi badała, czy deszcz jeszcze pada. Nim ustał zupełnie, zaświecił na chwilę wesoły blask słońca. Kamienie pochyłego placu migotały jakby obsypane szkłem tłuczonym, a widok ten wywabił wszystkich z ciasnej nory. Judym podał ramię babci i całe towarzystwo szybko podążyło ku pałacowi. W długich i wielkich salach, wobec ścian zawieszonych historycznymi malowidłami, jednolita gromadka jak gdyby się rozdzieliła. Każda z osób przypatrywała się na swoją modłę lichym płótnom niższego piętra. Wkrótce te malunki poczęły nużyć. Judym szedł jak gdyby przez długie, długie strzyżone aleje i martwił się bezwiednie, że końca ich – ani śladu. Był już zresztą w Wersalu, więc ani komnaty królewskie, ani sala lustrzana nie zaciekawiały go bardzo. Stąpał wolno po prawicy starej damy, która stawała co kilka kroków i przykładając do oczu lornetkę na długiej rączce szyldkretowej niby to obserwowała malowidła. Szereg bitw Napoleońskich, tłumy wojska, teatralne twarze i gesty wodzów, dzikie spienione rumaki – przesuwały się w oczach doktora jakby szeregi odległych, młodzieńczych rojeń. Gdzieś daleko zatrzymano się przed białym, marmurowym posągiem umierającego Korsykanina. Kiedy całe towarzystwo wracało z tamtej okolicy pałacu i kiedy znowu mijano sale pełne batalii, stara pani ujęła wpół pannę Joannę i rzekła:

— Jesteśmy daleko stąd, w świecie bohaterów... Marzymy, marzymy.

Panna Joanna zarumieniła się, a raczej szczerwieniła się, i zmięszana bąkała:

— Nie... ale gdzież tam!... co znowu!... Ja tylko tak sobie...

Od tej chwili, pomimo że Judym bardzo niewidocznie ją śledził, trzymała się na wodzy i usiłowała spędzić z twarzy historię doznanych wrażeń. Szczegółowo zwiedzono apartamenty królewskie. Gdy już pani Niewadzka z miną bardzo uroczystą wysłuchała wszystkiego, co jej rozpowiadał z nadzwyczaj plastycznymi ruchami oprowadzający szwajcar, i gdy obszedłszy małe saloniki skierowała swe towarzystwo ku wyjściu, panna Wanda obejrzała się poza siebie i syknęła:

– Panno Netko, idziemy!

Judym poszedł za wzrokiem najmłodszej z dziewic i przypatrzył się pannie Joannie. Stała oparta o jedno z niewielkich krzeseł, kryte nikłym błękitnawym adamaszkiem, i patrzyła w okno. Wyraz twarzy jej był tak dziwny, że Judym wstrzymał się mimo woli. Później zbliżył się do niej i rzekł nawiązując myśl do tego, co portier mówił przed chwilą:

– Myśli pani o Marii Antoninie[36]?

Spojrzała na niego z zakłopotaniem, jak osoba ujęta na gorącym uczynku, i wahającym się głosem mówiła:

– Widać stąd, przez to okno, wielki dziedziniec i bramę. Tamtędy... Tamtędy wdarł się motłoch. Pijane kobiety, mężczyźni uzbrojeni w noże. Maria Antonina widziała z tego okna! Doznałam tak dziwnego wrażenia... Cały ten straszny tłum krzyczał: „Śmierć Austriaczce!" I tędy, tymi drzwiami uciekła, tędy uciekła...

– Panno Joasiu... – nawoływano.

– Ale wspomniała pani o wrażeniu.

– Wspomniałam o wrażeniu – mówiła spuszczając oczy i blednąc jeszcze bardziej. – My, proszę pana, jesteśmy bardzo tchórzliwe. Boimy się nie tylko na jawie, ale i w tak zwanych marzeniach. Ja zlękłam się bardzo tego motłochu, o którym właśnie myślałam.

– Motłochu? – mówił Judym.

– Tak... To jest krzyku ich. Zlękłam się, sama nie wiem, czegoś takiego...

Podniosła oczy niewinne, o przedziwnym jakimś wyrazie strachu czy boleści. Jeszcze raz rzuciła na małe izdebki wejrzenie pełne serdecznego żalu i poszła prędko za towarzyszkami.

W powrocie z Wersalu do Paryża koleją zatrzymano się w Saint-Cloud. Stanąwszy na wzgórzu, tuż za dworcem kolejowym, panny wydały okrzyk. U nóg ich leżała, ciągnąc się w głąb kraju i gubiąc w rudych mgłach, pustynia kamienna: – Paryż. Barwa jej była czerwonawa, ryża, tu i ówdzie rozdarta przez dziwaczny znak ciemny, przez Łuk Tryumfalny, wieże kościoła Notre-Dame albo wieżę Eiffla. Z krańców niedościgłych dla oka mgły zabarwiały się błękitnawymi smugi. Stamtąd płynęły dymy fabryczne snując się z kominów podobnych w dali do grubych biczysk. Te baty pędzą rozrost pustyni. Odgłos jej życia tam nie dochodził. Wydawało się, że skonała i zastygła w swej kamiennej, chropawej formie. Jakieś dziwne wzruszenie ogarnęło przybyłych, wzruszenie takie, jakiego doświadcza się tylko na widok wielkich zjawisk przyrody: w górach, pośród lodowców albo nad morzem.

Judym siedział obok panny Tali, ale nawet o tym sąsiedztwie zapomniał. Tonął oczyma w Paryżu. W głowie jego przegryzały się myśli bez związku, własne, niepodzielne, niżej świadomości stojące postrzeżenia, z których się zwierzyć człowiek nie jest w możności. Wtem zadał sobie wyraźne pytanie:

„Dlaczegóż tamta powiedziała, że się zlękła wyjrzawszy oknem z sypialni Marii Antoniny?"

Oderwał oczy od widoku miasta i chciał znowu przypatrzeć się pannie Joasi. Teraz dopiero lepiej zauważył, jaki jest jej profil. Broda miała kształt czysto sarmacki czy kaukaski[37]. Wysuwała się nieco, a w taki sposób, że między nią i dolną linią nosa tworzyła się jakby prześliczna parabola, w głębi której kwitły różowe usta. Gdy tylko rysy twarzy rozwidniał blask wrażenia, w mgnieniu oka wargi stawały się żywym ogniskiem. Wyraz ich zmieniał się, potężniał albo przygasał, ale zawsze miał w sobie

---

[36] *Maria Antonina* - żona Ludwika XVI, znienawidzona przez lud francuski, została ścięta na gilotynie.

[37] *kształt kaukaski* - dawniej rasę białą nazywano kaukaską.

jakąś szczególną siłę prawdziwej ekspresji. Patrzącemu przychodziła do głowy myśl uparta, że nawet impuls zbrodniczy odzwierciedliłby się w tej twarzy z taką samą szczerością jak radość na widok rozkwitłych irysów, wesołych barw krajobrazu, dziwnych fantazji malarskich, a również na widok pospolitych przedmiotów. Widać było, że każda rzecz staje wobec tych oczu jako zjawisko naturalne i dobre. Czasami jednak przebijała się w nich zmęczona niechęć i uśmiech zabity. Ale i w tym było coś dziecięcego: szczerość, szybkość i potęga.

Jak wyraz twarzy, tak samo ruchy panny Joanny miały w sobie coś... niepodobnego... Jeżeli chciała oddać słowami to, co czuła, bardzo żywo, prędko, na mgnienie oka wznosiła ręce, a przynajmniej brwi, jakby uciszała wszystko zdolne zagłuszyć ową melodię jej myśli, wyrazów, uśmiechów i poruszeń ciała.

„Kogo ona przypomina? – myślał doktór, od niechcenia patrząc na jej czoło i oczy. – Czym jej nie widział gdzie w Warszawie?"

I oto przyszło mu do głowy miłe a nielogiczne notabene[38], że ją przecie widział wczorajszego dnia przed tym białym uśmiechniętym posągiem...

Na dworcu Saint-Lazare rozstał się z turystkami.

Stara pani zawiadomiła go, że nazajutrz wyjeżdża ze swą „bandą" do Trouville[39], a stamtąd do Anglii.

Judym pożegnał je ostentacyjnie i wrócił trochę znużony do swojej klety.

W pocie czoła

Czas akcji

Po upływie roku, jednego z ostatnich dni czerwca Judym zbudził się w Warszawie. Była godzina dziesiąta rano. Przez uchylone okna włamywał się do pokoju łoskot ulicy Widok, starodawny, znajomy łoskot d r y n d tłukących się o kamienie wielkości bułki chleba. Z dołu, z wąskiego dziedzińca, na który wychodziła większość okien *chambres garnies*[40], gdzie się w przeddzień zatrzymał, wlokły się już w górę na skrzydłach ciepła rozprażone wapory. Judym zerwał się, zbliżył do okna i przez szpary między jego połowami oglądał figurę stróża z mosiężną blachą na czapie, który z rodzimym grubiaństwem tłumaczył coś starej damie w czarnej mantylce. Młodość kipiała w żyłach doktora. Czuł w sobie uśpioną siłę, jak człowiek, który jest u podnóża wielkiej góry, stawia krok pierwszy, żeby wstąpić na jej szczyt daleki – i wie, że wejdzie. Nie strząsnął ze siebie dotąd znużenia po drodze „Paryż-Warszawa", jednym tchem odbytej, ale w przeddzień doznał tylu miłych uczuć, że kazały mu w zupełności zapomnieć o sadzy węgla, którą

[38] *notabene* (łac.) - w dodatku.

[39] *Trouville* - port francuski nad kanałem La Manche.

[40] *chambres garnies* (fr.) - pokoje umeblowane do wynajęcia.

był przesiąkł. Gdy z okien wagonu widział krajobraz, wioski z ich białymi chatami, bezbrzeżne pola, zboża dojrzałe – nie wyczuwał wielkiej różnicy między tym krajem a ziemią francuską. Tu i ówdzie sterczały dziwne kształty fabryk i wskroś jasnego nieba szły dymy. Do wagonu wsiadali wieśniacy bynajmniej nie głupsi od francuskich, czasami tak mądrzy, że aż miło, rzemieślnicy i robotnicy – tacy sami jak francuscy. Słuchając ich rozmów mówił do siebie co chwila: „A bo to prawda, że jesteśmy barbarzyńcami, półazjatami? – Nieprawda! – Tacyśmy sami jak każdy inny... Walimy naprzód i kwita! Żeby tu wsadzić jednego z drugim, to widziałoby się, czyby i tak potrafili, wycackani przez ich parszywe konstytucje..."

To miłe, optymistyczne wrażenie Judym przywiózł w sobie do miasta jakby żywy i słodki zapach pól rodzinnych. Wyspał się setnie, a teraz pierwszym rzutem oka witał „starą budę", Warszawę.

Wraz z tym spojrzeniem – przyszli mu na myśl krewni. Czuł konieczność odwiedzenia ich nie tylko z obowiązku, ale także dla samego widoku swoich twarzy. Wyszedł z hotelu i posuwając się noga za nogą zginął w tłumie, który przepływał chodnikiem ulicy Marszałkowskiej. Cieszyły go bruki drewniane, rozrost drzewek, które już pewien cień rzucały, nowe domy powstałe na miejscu dawnych ruder.

Miejsce akcji – warszawskie dzielnice biedoty

Minąwszy ogród i plac za Żelazną Bramą, był u siebie i przywitał najściślejszą ojczyznę swoją. Wąskimi przejściami, pośród kramów, straganów i sklepików wszedł na Krochmalną. Żar słoneczny zalewał ten rynsztok w kształcie ulicy. Z wąskiej szyi między Ciepłą i placem wydzielał się fetor jak z cmentarza. Po dawnemu roiło się tam mrowisko żydowskie. Jak dawniej siedziała na trotuarze stara, schorzała Żydówka sprzedająca gotowany bób, fasolę, groch i ziarna dyni. Tu i ówdzie włóczyli się roznosiciele wody sodowej z naczyniami u boku i szklankami w rękach. Sam widok takiej szklanki oblepionej zaschłym syropem, którą brudny nędzarz trzyma w ręce, mógł wywołać torsje. Jedna z roznosicielek wody stała pod murem. Była prawie do naga obdarta. Twarz miała zżółkłą i martwą. Czekała w słońcu, bo ludzie tamtędy idący najbardziej mogli być spragnieni. W ręce trzymała dwie butelki z czerwoną cieczą, prawdopodobnie z jakimś sokiem. Siwe jej wargi coś szeptały. Może słowa zachęty do picia, może imię Jego, Adonai[41], który nie może być przez śmiertelnych nazywany, może w nędzy i brudzie jak robak wylęgłe – przekleństwo na słońce i na życie...

Z prawej i lewej strony stały otworem sklepiki, instytucje kończące się niedaleko od progu – jak szuflady wyklejone papierem. Na drewnianych półkach leżało w takim magazynie za jakie trzy ruble papierosów, a bliżej drzwi nęciły przechodnia gotowane jaja, wędzone śledzie, czekolada w tabliczkach i w ponętnej formie cukierków, krajanki sera, biała marchew, czosnek, cebula, ciastka, rzodkiew, groch w strączkach, kubły z koszernymi serdelkami i słoje z sokiem malinowym do wody.

W każdym z takich sklepów czerniała na podłodze kupa błota, która nawet w upale zachowuje właściwą jej przyjemną wilgotność. Po tym gnoju pełzały dzieci okryte brudnymi łachmany i same brudne nad wyraz. Każda taka jama była siedliskiem kilku

---

[41] *Adonai* (hebr.) - Wszechmocny, określenie Boga zamiast właściwego imienia Jahwe, które przepisy religii żydowskiej zabraniały wymawiać.

osób, które pędziły tam żywot na szwargotaniu i próżniactwie. W głębi siedział zazwyczaj jakiś ojciec rodziny, zielonkowaty melancholik, który od świtu do nocy nie rusza się z miejsca i patrząc w ulicę trawi czas na marzeniu o szwindlach.

O krok dalej rozwarte okna dawały widzieć wnętrza pracowni, gdzie pod niskimi sufitami skracają swój żywot schyleni mężczyźni albo zgięte kobiety. Tu widać było warsztat szewski, ciemną pieczarę, z której wywalał się smród namacalny, a zaraz obok fabrykę peruk, jakich używają pobożne Żydówki. Było takich zakładów fryzjerskich kilkanaście z rzędu. Blade, żółte, obumarłe dziewczyny, same nie czesane ani myte, pracowicie rozdzielały kłaki... Z dziedzińców, drzwi, nawet ze starych dachów krytych blachą lub cegłą, gdzie szeregiem tkwiły okna facjatek, wychylały się twarze chore, chude, długonose, zielone, moręgowate i patrzały oczy krwawe, ciekące albo zobojętniałe na wszystko w niedoli, oczy, które w smutku wiecznym śnią o śmierci. Przy pewnej bramie Judym zetknął się z kupcową dźwigającą na obu rękach ciężkie kosze z jarzyną. Była całkiem rozmamłana. Perukę zsunęła w tył niby kaszkiet i ogolone jej ciemię bieliło się jak łysina starca. Wypukłe oczy patrzały przed siebie z wyrazem męczarni, która przeistoczyła się w spokój — bez żadnego życia, jakby były skorupami jaj, w nabrzmiałych wenach[42] czoła i szyi krew zdawała się głośno stukać. Na progu jednego ze sklepów siedział stary, zgarbiony Żyd-tragarz. Zostawił wśród ulicy dwie szafy związane sznurem, które aż do tego miejsca przydźwigał na plecach, i jadł surowy ogórek zagryzając ten obiad kawałkiem chleba.

Judym szedł prędko, mrucząc coś do siebie. Mury o kolorze zakurzonego grynszpanu albo jakiejś zrudziałej czerwoności, niby pstre, ubłocone gałgany, nasunęły mu się przed oczy. Ciepła... Chodniki były jak niegdyś zdruzgotane, bruk pełen wądołów. Nie było tu już ani jednego przechodnia w cylindrze, rzadko trafiała się dama w kapeluszu. Ogół idących podobny był do murów tej ulicy. Szli ludzie w ubraniach do pracy fizycznej, najczęściej bez kołnierzyków. Przejeżdżająca dorożka zwracała uwagę wszystkich. Z dala już dostrzegł Judym bramę rodzinnej kamienicy i zbliżył się do niej z niemiłym uczuciem tak zwanego „fałszywego wstydu". Trza było witać osoby niskiej kondycji. Teraz, gdy wrócił z zagranicy, było mu to przykro, bardziej niż kiedykolwiek. Wszedł co tchu w bramę z nieuświadomionym planem: unikać obcych...

Dziedziniec rozchodził się w trzy strony świata. Nad jedną jego szyją wznosiła się jakaś hałaśliwa fabryczka, która była dla Judyma nowością, drugą po dawnemu zajmował skład węgla, a trzecia prowadziła do kilkupiętrowej oficyny. Tam właśnie Judym skierował swe kroki. Gdy stanął w sieni brudnej jak apartament Lucypera, usłyszał w suterenie szczęk znajomy: to „sąsiad" Dąbrowski, ślusarz, ciął swoją sztukę. Judym zeszedł po schodach i zajrzał w sionkę, która prowadziła na lewo od drzwi ślusarza. Widać tam było czeluść otwartą, prowadzącą do rodzinnej sutereny. Kwaśny chłód przystąpił do Judyma i odepchnął go stamtąd. Z warsztatu ślusarza wyszedł mały umorusany chłopak i zaczął się przyglądać gościowi. Judym szybko pobiegł na górę. Minął pierwsze piętro, drugie i dopiero na wysokości strychu zwolnił kroku. Miał przed sobą okienko bez szyb, pewien rodzaj strzelnicy w murze. Cegła, zamykająca ten otwór z dołu, była tak wyślizgana przez dzieci, które się tam bawiły, że przybrała

[42] *wena* - żyła.

kształt owalny. Ileż to razy on sam, Judym, wyłaził przez ten otwór na zewnątrz muru i wisiał w powietrzu! W kącie czerniał wodociąg ogólny, rozprowadzający wilgoć na całą ścianę. Nad nim aż do sufitu sięgała plama kopciu z lampy naftowej. Ściany były pełne cienia i smutku, jak deski składające trumnę.

Ostatnia kondygnacja schodków prowadziła do mrocznej sieni, która przecinała wzdłuż poddasze. Judym stanął przede drzwiami w głębi i zastukał raz, drugi, trzeci. Nikt mu nie odpowiedział. Gdy jeszcze raz kołatał klamką, z drzwi sąsiednich wysunęła się dziewczyna lat trzynastu i zmierzyła go wzrokiem dojrzałej kokietki. Nie pytana rzekła:

– A kogo to pan szuka?

– Tu jest mieszkanie Wiktora Judyma?

– Tutaj.

– Nie wie panienka, czy jest kto w domu?

– Dopiero była ciotka, musi być... A może i zeszła na podwórze z d z i e c i a m i.

Mówiąc to wychyliła się jeszcze bardziej i zaglądała Judymowi w oczy ze śmiałością wielkomiejską. W tej chwili w głębi mieszkania rozległ się straszny wrzask, jakiś potok wyrazów złorzeczących, klątw ordynarnych bez związku, zlewających się jakby w ryk bydlęcia. Judym zdziwiony nastawił ucha, a potem cicho spytał się dziewczyny, co to znaczy. Uśmiechnęła się filuternie i rzekła:

– To tam moja babka, wariatka.

– Wariatka? Trzymacie ją w domu?

– A w domu. Gdzież mamy trzymać?

Naturalizm

Odsunął dziewczynę na bok i zajrzał do wnętrza. W kącie, pod piecem, siedziało widmo człowiecze, za ręce i nogi przywiązane do haka wystającego z ziemi. Siwe kudły nakrywały głowę i ramiona tej istoty, a jakieś stargane łachmany resztę ciała. Czasem spod włosów ukazywały się straszliwe oczy jak dwa błyskające płomienne miecze, kiedy niekiedy usta ciskały ładunek okropnych wyrazów. Judym instynktownym ruchem cofnął się do sionki i zaczął wypytywać dziewczynę.

– Czemuż jej nie oddacie do szpitala?

– A ja wiem czemu! To dobre! Nie można oddać.

– Dlaczego nie można?

– Bo nie ma miejsca. A po drugie, skądże my weźmiemy pieniędzy na to, żeby za nią płacić.

– Czemuż ją tak przykuwacie?

– A ba! Czemu? Bo złapie siekierę, nóż, tasak i pozabija dzieci, ojca, mamunię. To taka szelma zła, że proszę siadać!

– Dawno już chora?

– Albo ona chora? Wariatka, nie chora. Żebym ja takie zdrowie miała jak ta. Przyjdzie ją ojcu wiązać, to się tak utargają oboje, że no! Ojciec to samo nie ułomek, a ledwo tę psiakrew ujeździ...

Judym machnął ręką i uciekł po schodach. Gdy stanął na dziedzińcu, dostrzegł w jego szyi pod murem fabryki mnóstwo dzieci skaczących, biegających, rozbawionych. Na kupie opalonych belek siedziała ciotka Pelagia, kobieta stara, łaskawy chleb od lat wielu jedząca u siostrzeńca, a brata Judymowego, Wiktora. Była to jejmość chuda, chorowita i zrzędna. Rzadko kto słyszał od niej dobre słowo, a dzieci nabrały się szturchańców ile wlezie. Judym szedł ku niej wolno, krzywiąc się pod wąsem i mocując ze sobą. Przykro mu było witać się na placu, wobec lokatorów i gapiów. Doświadczał nieprzyjemnego uczucia półodrazy, zbudzonej i wydobytej na jaw przez szczególne politowanie, stanowiące rdzeń uczuć familijnych. Ciotka Pelagia odwróciła głowę i spostrzegła go, ale nie ruszała się z miejsca. Gdy przyszedł i dotknął nosem jej zabrudzonego rękawa w okolicach dłoni, schyliła się prędko i cmoknęła go z dala we włosy.

– Kiedyż T o m c i u przyjechał? Nic my nie wiedzieli... – rzekła z właściwą jej oschłością.

– Wczoraj wieczorem dopiero. Jakże zdrowie ciotki?

– Ej... jakież ta moje zdrowie... Tak k i p i ę. Teraz ciepło, to siedzę tutaj we dnie, a p r z y ń d z i e zima, to się może nareszcie skończy.

– Ech, nie lubię też tych wszelkich...

– A wiem...

– Ciotka nieźle wygląda. Cóż słychać u Wiktorów? Jakże on?

– A cóż... Jak to Wiktor.

– No?

– Jest ta w tej fabryce.

– U Milera?

– Gdzie zaś! W żelaznej, ale przy stalowni.

– Przy stalowni! – zdziwił się Judym.

– A w stalowni.

– Dlaczegóż to?

– Przerzucił się. Mówi, że woli. No i łatwiej mu będzie... te... Ale to T o m c i u winien, nie kto inny... – rzekła obojętnie, prostując fałdy spódnicy.

– Ja winien jestem, że się Wiktor przerzucił?

– Że się przerzuca, to temu T o m c i u winien. Jak był głupim drągalem, to robił, co wlazło. Wziąłże T o m c i u kłaść mu w głowę mądrości i teraz mu się odechciało roboty. Zabrał się do nie swoich rzeczy. Książki czyta. A jakże... To uczony człowiek! – uśmiechnęła się szyderczo, pokazując białe zęby.

Judym słuchał obojętnie. Później zapytał:

– Dużo zarabia?

– Nie, niedużo. Ona musiała stanąć do roboty, bo przyszła bieda.

– Gdzież ona?

– W fabryce cygar. Rozchodzą się rano, a ja muszę dzieci pilnować, strawę gotować, dom cały obrządzić. Gdzież T o m c i u będzie mieszkał, niby na stałe? Tutaj czy gdzie we świecie? – zapytała z udaną obojętnością.

– Jeszcze nie wiem, dopierom wrócił.

Rozmowa się urwała. Judym patrzał spod oka na skrawek asfaltu zabłąkany w tym miejscu i leżący tam wśród brył kamiennych jak gdyby wskutek czyjegoś roztargnienia, na drzewko wyrastające wprost z asfaltowej skorupy. W sąsiedztwie pniaka leżała krata ścieku podtrzymująca przeróżne odpadki. Słońce dogrzewało. W cieniu

Naturalizm

wysokiego muru fabryki bawiło się stado dzieci. Jedne z nich były mizerne tak bardzo, że dawała się widzieć w tych przeźroczystych twarzach sieć żył błękitnych; inne opaliły na słońcu nie tylko swe buziaki, ręce i szyje, ale także skórę kolan wyłażących obszernymi dziurami. Pośród wierzgającej gromady pełzało jakieś małe, rachityczne, ze sromotnie krzywymi nogami i ze śladami ospy na gołych, mizernych gnatach. Cała ta banda sprawiała wrażenie śmieci podwórza czy zeschłych liści, które wiatr miota z miejsca na miejsce. Rej wodził między całą hałasującą czeredą chłopak ośmioletni, wysmukły, bez czapki, ubrany w ojcowskie inekspyrmable[43] i matczyne trzewiki. Kawaler ten darł się wniebogłosy, do czego uprawomocniała go komenda nad resztą w prowadzeniu jakiejś batalii. Kiedy przebiegał jak jeleń, dążąc ku środkowi dziedzińca, Judym go poznał:

– Przecie to Franek!

– A Franek... – rzekła ciotka.

Dr Tomasz zatrzymał siostrzeńca i wywołał tym na jego fizys oznakę szczerego niezadowolenia. Z tłumu posunęła się naprzód dziewczyna młodsza od Franka i zbliżyła się do ciotki. Była to Karolina, siostrzenica Judymowa. Oczy miała duże, w szarej, znędzniałej twarzy palące się jak węgle spod grzywy, która zakrywała jej brwi i kończyła się na nosie. To dziecko miało fizjonomię starą i chytrą, spojrzenie uparte i badawcze, jak człowiek, który już przeżył gorycz setki zawodów i którego już nie okłamują złudzenia. Judym przyciągnął Karolę do siebie i ucałował. Nie broniła mu tego. Wpatrywała się tylko w jego oczy swym ciężkim wzrokiem, jakby z zapytaniem, co jej z tego przyjść może. Franek palnął „wujka" w mankiet i bąknąwszy coś mdłego na kilka pytań, wydalił się w kierunku kupy kolegów. Dyskurs z ciotką nie kleił się, a natomiast, jak to często w takich razach bywa, przychodziły Judymowi do głowy myśli własne, nowe, nie nadające się wcale do zużytkowania ich w tej rozmowie. Te dzieci biegające w ciasnym zaułku, ogrodzonym przez nagie i niezmierne mury, przypominały, nie wiadomo czemu, stado wiewiórek zamkniętych w klatce. Gwałtowne ich ruchy, nieustanne skoki domagały się szerokiego placu, drzew, trawy, wody...

– Tomciu by się chciał pewnie zobaczyć jak najprędzej z Wiktorem? – rzekła ciotka nie lubiąca nigdy udawać szczerości uczuć, których nie żywiła.

– Ano, rozumie się.

– Z nim trudno się tera zetknąć. Czasem to i trzy dni, trzy noce w domu go nie ma.

– A gdzież on bywa?

– Ba, wie to kto? Może zresztą dziś akurat przyńdzie...

– To ja tu wpadnę wieczorkiem, a teraz chciałbym się z bratową przywitać. Można do niej zajść do fabryki, wpuszczą mnie tam?

– Czasem to i wpuszczą. Niech Tomciu spróbuje. Przecie wam, panom doktorom, łatwiej niż nam, hołocie...

– Gdzież się ta fabryka znajduje? – zapytał Judym, któremu ta rozmowa zaczęła już ciężyć.

Ciotka wskazała mu kierunek drogi i adres.

[43] *inekspyrmable* - spodnie.

Wysunąwszy się z tego domu, doktór szedł ulicami w stronę przedmieścia ze zwieszoną głową, machinalnie szukając oczyma fabryki cygar. Nie było tam już jednolitego szeregu kamienic i rzadziej trafiały się domy piętrowe. Natomiast szły w dal drewniane, niskie, odrapane budynki, niepodobne ani do dworów, ani do chałup wiejskich, a przypominające jedne i drugie.

Domostwa te były obwieszone jaskrawymi szyldami i zbryzgane błotem. Brud nie puszczał wzroku przechodnia do wnętrza mieszkań i mógł wcale skutecznie zastępować żaluzje. Od frontu mieściły się tam zresztą głównie sklepiki. W jednym sprzedawano nędzne kiełbasy, w drugim, bardziej może mizerniejszym, liche trumny.

Gdzieniegdzie ze środka tych zagród miejskich, okrytych starą ceglaną dachówką albo papą, na której rozkłada się już tu i ówdzie pleśń zielona, strzelała w górę nowa kamieniczka, szybko postawiona, jakby wydmuchnięta z piasku. Taka figura, z niewidocznym dachem, z trzema ślepymi ścianami i jedną uzbrojoną w szereg okien, sterczała wśród siedzib starego, niemal średniowiecznego kształtu, jak drogowskaz nowego porządku rzeczy, zwiastujący aneksję tych okolic na rzecz rozwoju wielkiego miasta z jego bezlitosną, surową linią, z jego brukiem i więziennym, nagim, chropawym murem. Jeszcze częściej połać domów niskich przerywał ogromny tors fabryki z tęgimi murami, szeroką bramą i baterią kominów. W dali na horyzoncie dachów ukazywały się wszędzie te kominy i kominy.

Środkiem ulicy, po zrujnowanym bruku, wlokły się noga za nogą wozy z cegłą, wytrząsające na wsze strony pył różowy. Odstawiali je woźnice przysypani tym kurzem od czubka głowy do obcasa, z twarzami bezmyślnymi jak cegły. Kiedy indziej dudnił wielki wóz frachtowy z pakami poobwijanymi w rogoże. Na szczycie takiego statku siedział zazwyczaj monstrualny Żyd w czerwonym barchanowym kaftanie, wywijał batem i wrzeszczał na parę koni, stawiających każdy krok nowy z niezmiernym wysiłkiem. Jeden z wozów zagrodził Judymowi drogę wjeżdżając w bramę dużego budynku. Numer domu wskazywał właśnie instytucję, której doktór Tomasz poszukiwał. Stwierdzał to również ckliwy i niemiły zapach tytoniu, który otaczał zabudowania i panował na znacznej przestrzeni ulicy. Judym wszedł w bramę i zwrócił się do szwajcara z zapytaniem, czyby nie można zobaczyć się z robotnicą nazwiskiem Judymowa. Stróż nie chciał słuchać o niczym, dopóki nie uczuł w garści czterdziestówki. Pod wpływem tego wrażenia zaczął forsownie myśleć, a wreszcie znikł na chwilę i przyprowadził jakiegoś kapcana okrytego pyłem. Ten po długich debatach kiwnął na Judyma palcem i wprowadził go do wnętrza bocznej oficyny. Proszek tabaki wdzierał się tam do nosa, gardła, płuc przychodnia i podwajał szybkość oddechu. Na pierwszym piętrze ukazała się duża sala, formalnie wypełniona przez tłum kobiet złożony z jakich stu osób, pochylonych nad długimi a wąskimi stołami. Kobiety te, rozebrane w sposób jak najbardziej niepretensjonalny, zwijały cygara prędkimi ruchami, które na pierwszy rzut oka czyniły wrażenie jakichś kurczów bolesnych. Jedne z nich schylały głowy i trzęsły ramionami jak kucharki wałkujące ciasto. Te zajęte były zwijaniem grubo siekanego tytoniu w liście, które poprzednio zostały szybko a misternie przykrojone. Inne kładły zwinięte cygara w prasy drewniane. Duszące powietrze, pełne smrodu ciał pracujących w upale, w miejscu niskim i ciasnym, przeładowane pyłem starego tytoniu, zdawało się roz-

Miejsce akcji – fabryka cygar

dzierać tkanki, żarło gardziel i oczy. Za pierwszą salą widać było drugą, daleko obszerniejszą, gdzie w ten sam sposób pracowało co najmniej trzysta kobiet. Przewodnik nie pozwolił Judymowi zatrzymywać się w tym miejscu i poprowadził go dalej przez wąskie schody i sionki, obok maszyn suszących liście, obok młyna mielącego tabakę i sieczkarni krającej różne rodzaje tytoniu – do izb, gdzie pakowano towar gotowy. Wrzała tam szalona praca. Przechodząc Judym zauważył dziewczynę, która paczki cygar oklejała banderolą. Szybkość ruchów jej rąk wprawiła go w zdumienie. Zdawało mu się, że robotnica wyciąga ze stołu nieprzerwaną tasiemkę białą i mota ją sobie na palce. Z rąk leciały do kosza pod stołem gotowe paczki tak szybko, jakby je wyrzucała maszyna. Ażeby zrozumieć sens jej czynności, trzeba było wpatrywać się usilnie i badać, gdzie jest początek oklejania każdej torebki.

Za tą salą otwierała się izba przyćmiona, gdzie, według słów przewodnika, pracowała bratowa Judyma. Okna tej izby zastawione były siatkami z drutu, których gęste oka, przysypane rudym prochem miejscowym, puszczały mało światła, ale natomiast powstrzymywały od emigracji miazmaty wewnętrzne. Leżały tam w kątach sąsieki grubo krajanego tytoniu. W środku sali było kilka warsztatów, na których towar pakowano. Z każdego stołu wybiegała zakrzywiona rurka, a z niej strzelał poziomo z sykiem długi język płonącego gazu. Dokoła każdego stołu zajęte były cztery osoby. Przy pierwszym Judym zobaczył swoją bratową. Miejsce jej było w rogu, tuż obok płomyka gazowego. Z drugiej strony stał, a raczej kołysał się na nogach, wysoki człowiek o twarzy i cerze trupa. Dalej, w drugim końcu, siedział stary Żyd w czapce zsuniętej na oczy tak nisko, że widać było tylko jego długą brodę i zaklęsłe usta. W sąsiedztwie Judymowej po lewej stronie stała dziewczyna, która nieustannie brała z kupy garść grubego tytoniu, rzucała ją w szalę, a odważywszy ćwierć funta, podawała człowiekowi kołyszącemu się na nogach. Doktor wstrzymał się przy drzwiach i stał tam długo, usiłując znowu zrozumieć manipulację tej czwórki. Był to widok ludzi miotających się jak gdyby w drgawkach, w konwulsyjnych rzutach, a jednak pełen nieprzerwanej symetrii, metody i rytmu. Po stolnicy, przy której te osoby były zatrudnione, między Judymową a jej sąsiadem przebiegały ciągle dwa blaszane naczynia, z jednej strony rozszerzone w kształcie czworokątnych kielichów, z drugiej równoległościenne. Formy te były wewnątrz puste. Judymowa w każdej chwili chwytała jedną z nich w lewą rękę, zwracała szerokim otworem ku dołowi i opierała na kolanie. Prawą ręką ujmowała ze stosu kartkę z wydrukowaną etykietą fabryki, otaczała tą ćwiartką koniec blaszanej formy, zawijała rogi papieru i kleiła je lakiem, który błyskawicznym ruchem topiła w płomyku gazowym. Ledwie zawinięty róg przytknęła palcem, całą formę brał z jej rąk sąsiad mężczyzna, podczas gdy ona odbierała stojącą przed nim, dla wykonania tej samej pracy. Mężczyzna zwracał blachę otworem do góry. Koniec jej wyższy, oblepiony etykietą, zanurzał w stosowne wyżłobienie stolnicy. Przyjmował z rąk dziewczyny ważącej tytoń szalkę. Wsypywał ćwierć funta w otwór naczynia i tłokiem odpowiadającym kształtowi blaszanki ubijał zawartość. Dokonawszy tego przez dwa rytmiczne schylenia ciała, wyjmował formę z pełnej już tytoniu papierowej torebki i sięgał po nową, którą w tym czasie Judymowa oblepiła. Trzeci pracownik paczkę zostawioną wydobywał z otworu i zaklejał z drugiej strony, maczając lak w ogniu, na wzór towarzyszki z przeciwnego końca warsztatu.

Pracownicy jednego stołu ładowali w ciągu doby roboczej tysiąc funtów tytoniu w ćwierćfuntowe paczki. To znaczy, że dostarczali ich cztery tysiące. Na zapakowanie jednej tracili nie więcej czasu jak dziesięć sekund. Były to zgodne ruchy, nagłe a niestrudzone rzuty rąk, jak błysk światła lecące zawsze do pewnego punktu, skąd odskakiwały niby sprężyste ciała. Judym widział tak jak na dłoni to, co chłopi zowią „sposobem": *usus*[44], wypróbowany w krwawym trudzie szereg środków cudacznych, które stanowią najkrótszą, najłatwiejszą a niezbędną do przebycia linię między dwoma końcowymi punktami pracy. Przypomniały mu się własne „sposoby" w klinice, na sali operacyjnej, i tym głębiej zanurzyły jego uwagę w trud istot, które miał przed sobą. W głębi izby stał stół zupełnie podobny do pierwszego z brzegu, a obok płomyka robiła kobieta w czerwonej chustce na głowie. Szmata zupełnie okrywała jej włosy. Widać było spod niej duże, wypukłe czoło. Żyły skroni i szyi były nabrzmiałe. Zamknięte oczy po każdym małpim ruchu głowy otwierały się, gdy trzeba było przylepić lakiem rożek papieru. Wtedy te oczy, spoglądając na płomyk gazowy, błyskały jednostajnie. Twarz kobiety była wyciągnięta i ziemista jak wszystkie w tej fabryce. Na spalonych, brzydkich, żydowskich wargach co pewien czas łkał milczący uśmiech, w którym zapewne skupiło się i w który z musu zwyrodniało westchnienie zaklęsłej, wiecznie łaknącej powietrza, suchotniczej piersi. Błysk pracowitych oczu i ten uśmiech wraz z całą czynnością przypominały szalony ruch koła maszyny, na którego obwodzie coś w pewnym miejscu migota jak płomyczek świecący.

Naturalizm

Gdy Judymowa ujrzała szwagra, ręce jej drgnęły i nie trafiły z lakiem do płomienia, a z oczu stoczyły się dwie łzy grube prędzej, nim z ust wybiegło słowo radosnego powitania. Stanęła w pracy i oczami pełnymi łez patrzała na gościa.

Człowiek wpychający tytoń w torebki nie widział Judyma. Nie otrzymawszy formy we właściwym momencie, spojrzał na Judymową takim wzrokiem, jakim patrzeć by mogło chyba koło trybowe na drugie koło, gdyby tamto w biegu stanęło.

Judym podszedł do bratowej, przywitał ją skinieniem głowy i rzekł, że czekać jej będzie na dziedzińcu fabrycznym o godzinie dwunastej. Do południa zostawało nie więcej nad kwadrans czasu, więc wyszedł z sal cygarowych i czekał w sieni przy wejściu. W czarnych norach na dole siedziały tam stare baby, w milczeniu segregujące liście tytoniowe. Zasypane tabaką, wychudłe, nędzne, siwe, potworne, z czerwonymi oczami, były jak Parki[45] odprawiające tajemnicze misterium[46] swoje. Z głębi oczodołów tych istot spoglądały na Judyma, gdy czekając na bratową stał we drzwiach, źrenice o wyrazie tak srogim i pełnym zemsty, że zmuszony był ich unikać i odwrócił się plecami.

Skoro tylko uderzyła godzina obiadu, Judymowa pierwsza zbiegła ze schodów. Za nią wysypał się cały tłum kobiet. Bratowej doktora sprawiało to widać niemałą przyjemność, że mogła pochwalić się przed wszystkimi swym szwagrem. Mówiła ciągle i głośno:

---

[44] *usus* (łac.) - zwyczaj, praktyka.

[45] *Parki* (Mojry) - w mitologii greckiej uosabiające przeznaczenie córki Nocy: dwie młodsze, Kloto i Lachezis, przędły nić ludzkiego życia, którą w godzinie śmieci przecinała najstarsza z nich, Atropos.

[46] *misterium* - u starożytnych Greków niedostępne dla nie wtajemniczonych obrzędy religijne.

– Kiedyż brat przyjechał? Cóż u brata słychać? Był brat u nas na Ciepłej?

Jej brudna, sterana twarz promieniała zadowoleniem i pychą. Wargi rozchylające się od szczerego śmiechu ukazywały rzadkie, zielone zęby. Oczy świeciły się jak węgle. Wyszła w towarzystwie Judyma z bramy fabrycznej i dążąc na obiad z przyzwyczajenia co tchu pędziła ulicą. Doktor jej nie wstrzymywał i sam biegł po bruku. Dopiero gdy byli przy bramie kamienicy na Ciepłej, Wiktorowa stanęła i uderzyła się ręką po fizjonomii:

– Jezus! czegóż ja lecę jak oślica? Bratam przegnała tyli kawał.

– Nic, nic, będziemy mieli więcej czasu do rozmowy. Czy Wiktor będzie?

Twarz jej sposępniała.

– Gdzież ta! On je obiady u Wajsów, tam u jednych z fabryki. Mieszkają na Czerniakowskiej.

– No i słusznie. Trudno wymagać, żeby chodził tyli kawał drogi.

– A tak i on mówi... – rzekła prędko.

Gdy się wdrapywali na schody, doszedł Judyma zapach mięsiwa smażonego na tłuszczach, który znał dobrze z lat dziecięcych. Przez drzwi kuchenki, otwarte na korytarz, buchało gorąco i zaduch, jak się zdawało, nie do wytrzymania. Wiktora Judyma nie było w domu. Obiad gotowała ciotka. Teraz już prawie nie spostrzegła obecności doktora Tomasza. On także nie nasuwał się jej przed oczy i chętnie z pierwszej stancji, która pełniła zarazem obowiązki kuchni i mieszkania ciotki, wsunął się do drugiej, sypialni Judymów. Było to niskie poddasze. Sufitu dosięgało się głową. Stały tam dwa łóżka zawalone pościelą, a między nimi komoda okryta szydełkową serwetą. Nad łóżkami wisiały fotografie krewnych w tużurkach (w środku fotografia doktora w mundurze studenckim), wszystkie w ramkach wyciętych laubzegą. Gdzieś w kącie szczękał zegar z długimi wagami. Doktor objął wzrokiem te sprzęty i niektóre z nich przypomniał sobie: były w suterenie rodziców...

Brat Wiktor nie nadszedł, w mieszkaniu było piekielnie gorąco, więc Judym wyszedł obiecując wrócić wieczorem. Z myślą ukrycia się przed skwarem, wszedł do Saskiego Ogrodu, usiadł w bocznej alei i niepostrzeżenie zapadł w marzenia. Od dawien dawna, od czasu kiedy w szkołach zaczął się uczyć dla samej nauki, snuły mu się po głowie pewne nieokreślone idee z dziedziny chemii, fizjologii... Dosięgał zawsze myślami jakiegoś potężnego światła, tysiąc razy silniejszego od elektryczności, które oczom lekarza odsłoni wnętrze płuc suchotnika. Tworzył kolosalne odkrycia w terapii gruźlicy, budował szpitale, jakich świat nie widział. Drugą chimerą, która go ścigała, było zużytkowanie nieczystości wielkich miast. Trzecią, wynalezienie jakiegoś nowego środka lokomocji, który by zniweczył siłę wzrostu miast fabrycznych i rozproszył te zbiorowiska cegieł i ludzi po całym kraju. Rojenia uczniowskie przeistoczyły się później w silne, skryte namiętności. Ileż to godzin strawił nad swoim nowym motorem! W mieszkaniu studenckim miał kąt zastawiony butlami i retortami, które, zdawało się, mieściły w sobie cudowne tajemnice. Z czasem owo wielkie światło, jak aureola rozwidniające młodość biednego studenta, przygasło pod tchnieniem krytycyzmu, ale mistyczna jego zorza strzelała przy każdej okoliczności. Miejscem, które te wielkie wynalazki miały uszczęśliwić, była zawsze „stara buda". Od chwili zapro-

Judym – marzenia o poprawie bytu ubogich

wadzenia nowych, Judymowych kolei datował się jej rozwój nieznany. Warszawa – ogrom, rozsiadła na przestrzeni mil, z sosnowymi parkami, tonąca w drzewach, gdzie skasowaną została suterena i poddasze, gdzie wytępiono gruźlicę, ospę i tyfus...

Obecnie przyszły znowu dawne widziadła. Koncepcje nieuchwytnych pomysłów, szlaki samej istoty wynalazku wdzierały się w mrok niby długie linie światła i ukazywały figury tajemnych rzeczy, które tam leżą.

W ogrodzie było mnóstwo ludzi. Judym ani się obejrzał, kiedy minęło popołudnie. Ku wieczorowi nadciągać zaczęły istne hordy Żydów, aleję główną, boczne i wszystkie dróżki zalała powódź ludzka. Nie było już gdzie spacerować, więc całe towarzystwa sterczały na ulicach albo poruszały się kilka kroków w prawo i w lewo. Tłum ten był jaskrawo ubrany. Kobiety miały na sobie modne barwy. Cały ich ogrom mienił się od pąsowych i jaskrawoniebieskich staników, od fioletowych i czerwonych kapeluszów z ptasimi skrzydłami albo z kwiatami, które za każdym ruchem osoby kiwały się nad jej głową. Mężczyźni fason modnych ubrań doprowadzili do stanu wulgarności, przesady i absurdu. W pięknym parku było duszno. Zdawało się, że zwieszone liście więdną, że trawy obumierają i dobrotliwy zapach lewkonii kona nie mogąc zwyciężyć ludzkiego zaduchu.

O zmierzchu Judym wyszedł z ogrodu w stronę placu Teatralnego. Gdy zapalono latarnie, był na Bankowym. Jaskrawy blask rewerberu[47] padł właśnie na chodnik prowadzący w kierunku ulicy Elektoralnej. W świetle tym widać było fale ludzi spływające bezustannie za ciemną sylwetkę banku jakby w szyję naczynia. Judym stanął. Te czarne masy głów i tułowiów, sunące prędko niby mrówki, zbudziły w nim uczucie fizycznej odrazy. Zdawało mu się, że spogląda na sunące ławy robactwa. Wmieszać się w motłoch mieszkający tam, za tym placem – przenigdy! Przenigdy!

Zawrócił na miejscu z mocnym postanowieniem zobaczenia się z bratem kiedy indziej – i wszedł do wykwintnej restauracji.

Nazajutrz wstał o godzinie piątej rano i poszedł do brata. Gdy wchodził w bramę, słońce oświetlało górne części oficyn i udzieliło nawet tym biednym, różowobrudnym ścianom uroku swojego przyjścia. Zdawało się, że nędzne okna, za którymi kryje się ubóstwo, te jakby znużone oczy chorego domu stoczonego wewnątrz przez biedę, wieczyście pozbawione blasku wesela, teraz, w tej jedynej chwili, otwierają się, patrzą w niebiosa i modlą się do słońca. Gdy doktor Tomasz zastukał we drzwi mieszkania, stanął w nich brat Wiktor, już ubrany. Był to słuszny mężczyzna. Nosił dużą jak łopata, zapuszczoną brodę, która otaczała jego rysy niby rama. Twarz miał bladą, nie opaloną, o skórze jak gdyby przesiąkniętej czymś czarnym. Gdy spojrzał na brata, oczy mu się zaśmiały jak u dziecka, mimo że słowa, które wymówił na przywitanie, miały prawie zimny ton urzędowy:

Wiktor – wygląd

– Jak się masz, Tomek...

– Cóż u ciebie słychać... – rzekł doktór, również bez czułości witając brata.

– Ano tak... idzie...

– Wiesz, odprowadzę cię.

– Dobra... – rzekł Wiktor biorąc blaszankę.

---

[47] rewerber - tu: latarnia uliczna.

Gdy się znaleźli w ulicy, szli przez czas pewien obok siebie w milczeniu, po prostu nie wiedząc, od czego zacząć. Wreszcie Wiktor rzekł:

– W Paryżuś był?

– Byłem.

– Teraz tu zostaniesz?

– Pewno. Trzeba będzie tu osiąść. Zobaczę, jeszcze nic nie wiem. Chciałbym tu być, ale czy wyżyję...

– No, i po tylu latach nauki jeszcze byś nie wyżył! – uśmiechnął się z niedowierzaniem i odrobiną ironii.

– Tak ci się to zdaje.

– Pewnie, że mi się zdaje. Co ja m o g i ę wiedzieć?

Judym zauważył to „mogię" i wnet go poczęło drażnić. Znowu szli milcząc. Ulice były prawie puste. Kiedy niekiedy jechał wóz z jarzynami albo pieczywem. Nadzwyczajnie hałasując przemknęła się dorożka wioząca niewyspaną osobę z jakiegoś

wczesnego pociągu. O ściany kamienic rozbijał się łoskot kroków ludzi idących do pracy z blaszankami w ręku.

W pewnej chwili wyminął braci stary Żyd dźwigający na plecach w ogromnym koszu dwa wielkie połcie mięsa. Stróże na całej długości ulic rozbijali miotłami suchy kurz i brud wczorajszy.

– Mówiła mi ciotka, że przerzuciłeś się znowu... – zaczął doktór.

– A tak. Pożarłem się z Raczkiem, tam z jednym majstrem. Niech go tam zresztą jasności!...

– O co?

– A o co? Ścierpieć my się nie mogli i dość. Mówi, że ja nie na robociarza, że w kamaszkach, w żakiecie chodzę, w krawacie... To, mówi, nie tego... A jemu psiąkrwi co do moich kamaszków! Idę do roboty jak każdy inny facet, w takiej, o, koszuli i w takich portkach...

– Pewnie, ale po co się drzeć o byle co?

– E, o byle co! My ta wiedzieli, o co się drzemy... – rzekł Wiktor spluwając. – On mi się tylko czepiał, drań, ja wiem. Bo co mu do mnie! Mogię na mieście w święto papierowy kołpak włożyć na łeb i chodzić w tym po alejach, to i tak mu nic do tego, chałujowi. Wzienem, zrugałem raz i drugi – no i trza się było wylać z tamtej budy.

– Jakże ci teraz?

– Z początku była bryndza, ale jak raz zaprowadzili tę gruszkę Bessemera czy ta jakiego, i nadałem się. Robota jest ciężka, oczy żre, ale tu wolę.

– Widzisz, to ci chcę powiedzieć, że ty może wolisz, ale Teosia musiała stanąć do roboty. Ja wczoraj byłem w tej jamie, gdzie ona chodzi.

– Ja jej nie zmuszał.

– Tyś jej nie zmuszał, ale brak zmuszał. Powiem ci, że ona w tym tytoniu długo robić nie powinna. To jest za ciężka praca.

– Teraz letkiej pracy mało na świecie – rzekł Wiktor obojętnie. – Cóż ja miałem robić? Przecie nie próżnuję.

– Ja też ci nie robię wyrzutów, tylko mi żal twojej kobiety.

– I mnie jej żal, ale cóż na to poradzić... – rzekł Wiktor w tonie ironicznym, z boku rzucając okiem na brata. – Tyś wyszedł na ludzi, a my zostali w swoim stanie. Żałujesz... „mojej kobiety"... Ja to samo... Ale choćbyś żałował i przeżałował, to się psu na budę nie zda. Już nie trzeba, jak ja się staram, żeby się wybić na ludzi...

– Myślisz, że ci ubliża to, co mówi taki Raczek!

– Nie ubliża mi! Kazałbym ja ci chodzić w grubych buciorach, w zgrzebnych gałganach, w drelichu, jak bele chłopu od kanalizacji, co ze wsi przylazł... Tobyśmy zobaczyli...

– Ubranie o wartości człowieka nie stanowi... – rzekł doktór, myśląc jednocześnie, że ta maksyma stanowi wyświechtane słowo, pasujące do treści skarg Wiktora jak kwiatek do kożucha.

Tamten szedł kilkanaście kroków nic nie mówiąc. Raptem zwrócił się do Tomasza i rzekł szorstko:

– Widzisz, tak: tyś tera pan, a ja taki se człowiek, mało co lepiej ubrany od naszego nieboszczyka ojca. Wzięła cię ciotka z domu, wychowała, dała cię do szkół – no i dobrze, bardzo dobrze. To mię, sumiennie ci mówię, szczerze cieszy. Twoje życie było jak różyczka w ogrodzie, a moje, uważasz... Jak się ty będziesz ubierał, mnie to nic a nic nie obchodzi, chociaż to ubranie, twoje, nosisz z tej racji, że cię, widzisz, ciotka wzięła. Bez tego to cóż byś ty był? A jak sobie ja kupię żakiet, tom do tego żakietu doszedł własnymi pazurami, jakbym go z muru wygrzebał. Uważasz mię?

Doktora zakłuły te słowa.

– Zdaje ci się – rzekł – że moje życie było jak różyczka w ogrodzie. Żebyś ty wiedział...

– Skąd ja mam co wiedzieć! – krzyknął prawie Wiktor. – Byłeś to brat dla mnie! Pamiętam, że ciotka raz przyjechała dryndą, jak my oba na bosaka łachali po rynsztokach. Ciebie wzięła, boś był przystojniejszy – i koniec. Przychodziłeś do nas czasami na jakie godzinkie, aleś był wystrojony, potem w mundurze, i boczyłeś się na mnie, obdartusa z terminu.

– Co ty...

– No, no, ja ta na wiatr nie gadam! Dopiero jakeś poszedł do uniwersytetu, zetknęliśmy się, ale to co innego, i zresztą...

– Ciotce zawdzięczam wiele – mówił doktór patrząc w ziemię. – Gdyby nie ona, zostałbym był na naszym podwórzu. To prawda. Ona mię w świat wepchnęła, ale też com ja z jej powodu przeżył!

– Tyś przeżył?

– Wiesz przecie, kim była nasza ciotka.

– Przecie, że wiem.

– Była to podobno niegdyś cudna dziewczyna. Toteż prędko z sutereny ruszyła w świat...

– Cóż ty będziesz we flanelę obwijał? „Ruszyła w świat" – tere fere... To była, podobno, najpierwsza granda w Warszawie! Jeden facet, co mu ojciec nieboszczyk buty robił, rozpowiadał staremu, że to, mówię ci, hrabiowie, nie hrabiowie...

– No dobrze, dobrze! – mruknął Tomasz z niecierpliwością.

– Gniewa cię to? – śmiał się tamten ordynarnie.

– Chcę ci powiedzieć, jak było, boś o tym zaczął, a nie wiesz: zebrała sobie kupę pieniędzy, mieszkanie najęła na drugim piętrze, cztery pokoje... miała śliczne meble. Czego tam nie było!

– Podobno szyk najpierwszy!

Judym – dzieciństwo, młodość

– Tak jeszcze stała, gdy mnie wzięła do siebie. Była już wtedy przekwitła, życia dawniejszego nie prowadziła, ale bywało u niej mnóstwo znajomych. Grało to w karty, piło. Przychodzili najrozmaitsi ludzie, młode i stare baby. Tam ja to rosłem „jak różyczka w ogródku"... – mówił z bolesnym uśmiechem. – Pierwszych lat byłem na posyłkach, froterowałem, czyściłem posadzki, myłem w kuchni garnki, rondle, nastawiałem samowary i latałem, latałem bez końca za sprawunkami. Jeszcze dziś pamiętam ten dom, te schody kuchenne! Ile ja tam cierpień... Może we dwa lata wzięła ciotka i wynajęła pokój w korytarzu z osobnym wejściem jednemu studentowi. Płacił niedużo, ale za to miał obowiązek mnie uczyć i przygotować do gimnazjum. Ten facet mię uczył sumiennie i przygotował. Radek się nazywał... Poszedłem do sztuby. Ciotka płaciła wpis, nie mogę powiedzieć, ale też za to używała na mnie co się zmieści. Dowiedziałem się później, gdy byłem starszy, że dużo przegrała w karty. Wówczas nie rozumiałem wcale tego, co się tam działo. Doświadczałem tylko na sobie bez ustanku, że ciotka jest coraz bardziej skąpa i wściekła. Formalnie wściekła. Opanowywała ją czasami jakaś furia i gnała po pokojach, z jednego w drugi. Nie daj Boże wpaść jej wtedy w ręce!

Sypiałem zawsze w przedpokoju, na sienniku, który wolno mi było przywlec z ciemnego pasażyka za pokojem ciotki wówczas dopiero, gdy się już wszyscy goście od niej wynieśli. Kładłem się spać późno w nocy, a wstawać musiałem najwcześniej ze wszystkich. Z czasem gości przychodziło coraz mniej, ale za to wynajęła trzy pokoje, do których wchodziło się ze wspólnego korytarza, sublokatorom. I wtedy nie wolno mi było kłaść się spać przed powrotem ostatniego z tych nędznych nocnych włóczykijów. Wstawać musiałem, gdy jeszcze wszyscy spali. Prał mię, kto chciał: ciotka, służąca, lokatorowie, nawet stróż w bramie wlepiał mi, jeśli nie kułaka w plecy, to przynajmniej słowo, często twardsze od pięści. I nie było apelacji. Moje lekcje, gdy Radek się wyprowadził po skończeniu b u d y, odrabiałem w kuchni, na stole zawalonym rondlami, wpośród ziemniaków i masła. Ileż to razy ciotka mię wyganiała precz, za byle winę! Ile razy musiałem błagać na klęczkach, żeby mię znowu przyjęła do swego „domu"! Czasami w przystępie świetnego humoru dawała mi swoje rozklapane trzewiki, w których ku szczerej radości całego gimnazjum chodzić musiałem. Trafiła się zima, kiedy s y p a ł o się w prunelowych pantoflach z wysokimi obcasami, albo inna, w której całym ciągu mogłeś był widzieć na śniegu ślad moich bosych nóg, choć niby to były okryte przyszwami. Jakem się tylko przywlókł do piątej klasy, b r y k n ą ł e m stamtąd. Ale całe moje dzieciństwo, cała pierwsza młodość upłynęły w nieopisanym, wiecznym przestrachu, w głuchej nędzy, którą teraz dopiero pojmuję. A zresztą, a zresztą... co to gadać...

— To ci ciocia dopiero... — śmiał się Wiktor. — Nieboszczyk ojciec nie lubił o niej gadać, o tej ciotce, a jak się tylko u r ż n ą ł zdrowo, to zaraz na nią klął co się zmieści.

Tomasz machnął ręką i szedł w milczeniu.

Ulice pełne już były światła słonecznego. Przy domach otulonych drzewami słały się fiołkowe, pachnące cienie.

Tomasz i Wiktor zawrócili właśnie w kierunku dzielnicy fabrycznej i stanęli na wzgórzu, skąd ją całą można było widzieć. Z głębi odległych murów ciągnęła w szczere pole Wisła, wygięta jak ogromny łuk z jasnego srebra. Zdawało się, że płonie białym blaskiem, zapalona przez słońce poranne. Spragnione oko chwytało daleki widok tej swobodnej wody, zielonej równiny łąk, sinych lasów, nikłymi liniami ginących w przestworzu. Bliżej nad Wisłą ciemniały kępy jakichś drzew rozłożystych.

Bracia usiedli pod murem ogrodowym na trawniku i milcząc patrzyli w krajobraz, który mieli przed sobą. Z niziny fabrycznej, z owej masy ślepych murów bez okien, z wąskich i podłużnych budowli, które cienkimi rurami wydychały kłęby pary, przecudne w promieniach słońca, jak ruchome bryły srebrne, dochodził nie milknący łoskot żelaza. Doktór Tomasz ulegał złudzeniu, że te dźwięczne uderzenia młotów, owe jęki jak gdyby targanych łańcuchów wydaje para buchająca na wsze strony z dachów okrytych zadymioną papą. Zdawało mu się, że drżący z jakiegoś nienasyconego pośpiechu, dziki, zdławiony i twardy ryk motorów daje się umiejscowić, że go widać w ogromnych kłębach burego dymu, magających ciągłe i prędkie półkola. Ten dym mnóstwa wysokich kominów z cegły, i wąskich, okrągłych, z blachy spojonej, gangrenował już przestwór czystego nieba, zniżał się, wałęsał nad gmachami i zalewał ulice niby szara mgła, w której traciły wyrazistość kształtów domy, latarnie, wozy i ludzie. Kiedy niekiedy dawały się uczuć w równych odstępach czasu dwa idące po sobie ciosy młota parowego, dzięki którym ziemia drżała w odległości kilkudziesięciu kroków od fabryki. Po rozbitym bruku ulicy toczyły się wozy ciągnione przez ogromne koniska. Wehikuł taki składający się z dwóch słupów złączonych, które, leżąc na grubych osiach, dźwigały ciężar żelaza, przewłóczył z miejsca na miejsce bryły „gęsi" surowcowych[48], podobne do zastygłych skib grudy, płaskie sztaby żelaza, proste albo zwinięte jak wstążki relsy, drągi, ogromne części mostów, krat, maszyn. Niektóre z nich słychać było w sąsiedniej ulicy. Jakieś dwa ogony długich kutych sztab, wysunięte poza tylne koła wozu, przy każdym jego wstrząśnieniu trzepały się o siebie, wydając wrzask nieznośny. Zdawało się, że to wściekłość obłąkana, skuta łańcuchami, w diabelskiej furii wali ogonem i wyszczekuje w męczarni ostatnie swoje tchnienie.

Kiedy Judymowie siedzieli, przeczekując nerwami wędrówkę jednego z najhałaśliwszych transportów, nagle z drugiego trotuaru dał się słyszeć głos:

– Judym! Czegoż ty tam siedzisz... Judym!

Bracia nierychło ten głos usłyszeli. Wreszcie Wiktor rzucił okiem i wnet wstał z miejsca. Z drugiej strony ulicy szedł młody człowiek wysokiego wzrostu, blondyn, z jasną, krótką brodą i niebieskimi oczami. Twarz jego była po fabrycznemu przybladła, ale usta zachowały jeszcze uśmiech i barwę zdrowia. Miał na sobie zniszczone ubranie i perkalową koszulę. Głowę jego okrywał duży kapelusz z rondem w postaci skrzydeł.

– To nasz nowy pomocnik tego inżyniera, co pierwszy ustawiał „gruszkę"[49] – rzekł Wiktor.

Młody człowiek zbliżył się do nich i zaczął rozmawiać. Co parę chwil rzucał bystre, jasne, prawdziwie badawcze spojrzenie na Tomasza.

– To mój brat – rzekł Wiktor – doktór. Wrócił w tych dniach z Paryża.

Technik wyciągnął rękę i powiedział niewyraźnie, jak zwykle przy prezentacji, jakieś nazwisko.

Rozmawiając o rzeczach obojętnych, wszyscy trzej schodzili wolno w dół ulicy. Wiktor, pełen zadowolenia, że może się pochwalić takim bratem, choć usiłował tego nie zdradzać, mówił dużo, a wreszcie, nie pytając Tomasza, prosił młodego inżynierka, czyby doktór nie mógł zwiedzić fabryki, a osobliwie stalowni. Ten wahał się przez chwilę, a wreszcie przyrzekł protegować gościa. Zeszli w wąską uliczkę utworzoną przez nagie mury fabryk i stanęli u ciasnych drzwi. Była już zapewne godzina siódma. Na podwórzu fabrycznym otoczył ich szczęk młotów i głuche warczenie motorów dynamoelektrycznych o sile blisko tysiąca koni. Wiktor gdzieś znikł i doktor został sam na sam z młodym zawodowcem. Ten prowadził go przez sale, gdzie heblowano sztaby żelaza długie kilkadziesiąt łokci, gdzie borowano w nich dziury za pomocą świdrów i gdzie skromne maszynki w mgnieniu źrenicy wybijały w płytach grubych na dwa palce duże otwory z taką łatwością, jakby rzecz szła o przedziurawienie palcem plastra miodu. W jednym miejscu nitowano kraty mostów za pomocą śrub rozpalonych do białości, gdzie

Miejsce akcji – huta

[48] *„gęsi" surowcowe* - odlew surowego żelaza w formie zwanej „gęsią".

[49] *gruszka Bessemera* - wynaleziony przez angielskiego inżyniera Henryka Bessemera (1813-1898) piec do wytopu stali; ma on kształt gruszki zawieszonej w stalowym pierścieniu.

indziej cięto nożycami sztaby jak płótno. Z ogromnych izb warsztatowych Judym przeszedł do pustej hali, gdzie pracowało zaledwie kilkunastu ludzi. Tu spajano relsy.

Doktór Tomasz ciekawie przyglądał się tej robocie. Mało tam miały do czynienia maszyny. Działały za to wyłącznie muskuły i młoty na długich toporzyskach. W rogu sali dłubał nad czymś mężczyzna o takim kadłubie, o takich bryłach mięśni, że Judym przypatrywał mu się jakby nieznanemu gatunkowi człowieka. Widział podobne kłęby bicepsów, ale tylko w marmurze i na rysunkach. Zdawało się, że gdyby to ramię podniosło się, ta pięść w mur trzasnęła, toby go w mgnieniu oka zgruchotała na szczątki. I był to wspaniały widok, gdy siłacz ujął swój młot i zaczął do spółki z towarzyszem łączyć uderzeniami dwa rozpalone końce szyn. Doktorowi nie chciało się stamtąd wychodzić. Z żywą ciekawością przyglądał się siłaczowi, rozpatrywał i przepowiadał sobie na nim muskuły. Z daleka, posuwając się za swym inżynierem, cieszył się widokiem kowalskiego kadłuba.

— To także silny chłop! – rzekł towarzysz.

— Który?

— A ten...

Obok potężnego kowala stał bokiem odwrócony człowiek młody, lat może dwudziestu ośmiu, z twarzą tak piękną, że Judym, ujrzawszy ją, stanął jak wryty. Były to ostre rysy chudej twarzy, regularne i jakby wyrzeźbione z kości. Górną wargę ocieniał mały, czarny wąsik. Człowiek ten był prawie szczupły, tylko jakoś przedziwnie kształtny. Ruchy miał nie szybkie, lecz pewne swego celu, nieodzowne i harmonijne.

— Czyż to także kowal? – szepnął Judym. – W porównaniu z Herkulesem wygląda jak chrabąszcz.

— Ej, tak źle nie jest.... – uśmiechnął się przewodnik.

Symbolizm – kowal

Wkrótce potem chudy robotnik, gdy kolej na niego przyszła, dźwignął swój młot i zaczął uderzać. Wtedy dopiero Judym zobaczył. Młot obiegał krąg rozsunięty i trzaskał w żelazo z ogłuszającą potęgą. Nagie ręce wyrzucały go w prawo i w tył i zadawały sztabie cios z boku, a od samej ziemi poczęty. Korpus ciała stał prosto, jakby w tej czynności nie brał udziału. Tylko biodra wzdrygały się pewnym, minimalnym ruchem, który ukazywał stopień samej siły, i mięśnie łopatek naciągały koszulę. Snopy iskier wyfruwały spod młota w kształcie gwiazd błękitnych i złotych. Otaczały wspaniałą figurę rycerza jakby aureolą, należną wielkiej mocy i cudownej piękności. Po ostatnim uderzeniu młody kowal usunął się w kąt hali melodyjnym ruchem, wsparł ręce na toporzysku i świstał przez zęby. Krople potu stały na jego czole i płynęły strugami z usmolonej twarzy.

Z szopy kowalskiej wchodziło się do odlewni żelaza i stali. Dym słomy wolno węglejącej, zapach przeróżnych kwasów i duszne, do ostatka wynaturzone powietrze wypełniały te hale grobowe, czarne, ziejące ogniem. Grunt ich zryty i sprzewracany dymił się i parzył nogi. Czarne, ranami okryte ściany dygotały jak gdyby z wiecznego bólu. W jednym końcu olbrzymiej szopy stało naczynie w kształcie gruszki. Podstawa jego była szeroka, szczyt zwężał się i zakończony był niedużym otworem. Ta wielka retorta obracała się na poziomej, wewnątrz próżnej osi, która wprowadzała do środka ogrzane powietrze z maszyny wiatrowej. Całe to naczynie mogło przechylać się w taki sposób, że przez otwór górny wylewała się we właściwej chwili zawartość. Gdy

Judym wszedł do sali, „gruszka" stała pionowo, naładowana warstwami surowca i koksu. Puszczono prąd powietrza o temperaturze ośmiuset stopni, które z dołu wdziera się do wnętrza i dmie z olbrzymią siłą. Wówczas przez otwór w górze zaczął wybuchać czarny kopeć, w którym błyskał kiedy niekiedy rozdymający się płomień. Mroczne kłęby napełniły budynek i wypływały przez ogromne wrota. Dym strzelał w górę ze wzrastającą szybkością, był coraz bielszy i cieńszy. W pewnych odstępach czasu miliardy gwiazd leciały z jego głębi. Gdy koks spalił się całkiem, zaczął spomiędzy nich buchać z przeraźliwym hukiem wielki płomień, długi, drgający. Zrazu był czerwony, później bladł, błękitniał, wreszcie przybrał jakiś kolor, który oślepiał. W samym prawie ogniu, tuż przy gruszce, było kilku ludzi. Na czele ich stał młody technik. Iskry przepaliły mu rondo kapelusza, zniszczyły ubranie. Twarz jego wznosiła się ku płomieniowi. Zakrwawione oczy badały kolor ognia, ażeby po jego barwie osądzić, czy stal się już wytwarza.

W pewnej chwili dał rozkaz, ażeby wrzucić w paszczę naczynia krzemionkę (*silicium*), która się w tej temperaturze 1400 stopni asymiluje mechanicznie z żelazem.

Płomień szalał. Słup jego, zwężony jak miecz obosieczny, wydawał zduszony ryk – i leciał. Zdawało się, że ten ogień wydrze się ze swego miejsca, zerwie i buchnie w górę. Wzrok nie był w stanie znieść blasku, który rozświctlił ponurą halę.

Wówczas na galerii z żelazną balustradą, za płomieniem, a w połowie jego wysokości, zdawało się, że w samym ogniu, jak salamandra, ukazała się czarna figura.

Doktór ciekawie wlepił wzrok i śledził ruchy tej postaci.

Robotnik długie narzędzie, pewien rodzaj miotły kominiarskiej, zanurzył w ciecz parskającą.

Wtedy doktor poznał w tej czarnej osobie swego brata – i serce zapaliło się w nim, jakby w nie zleciała iskra z płomienistego ogniska.

Mrzonki

Doktor Czernisz – sylwetka

Powrót z wywczasów letnich doktora Antoniego Czernisza stanowił dla świata lekarskiego jak gdyby otwarcie roku. Doktór Czernisz był prawdziwie niezwykłym człowiekiem. Jako lekarz zajął jedno z pierwszych miejsc nie tylko w Warszawie. Imię jego było na ustach publiczności, powtarzało się w pismach specjalnych i nieobce było naukowemu światu zagranicy. Owszem, wyznać trzeba, że tam cieszyło się większym uznaniem niż w domu.

Dr Czernisz pochodził ze sfery ludzi biednych. O własnej sile ukończył nauki, zdobył sobie imię w świecie i byt. Stosunkowo dość późno, bo dopiero po czterdziestym roku życia, gdy już był człowiekiem zamożnym, ożenił się z kobietą wielkiej piękności. Pani Czerniszowa była „jedyną nadzieją" zrujnowanej rodziny półarystokratycznej. Wyszła za mąż nie z miłości prawdopodobnie, lecz z przekonania. Była to swego czasu żywa bojowniczka emancypacji. Z biegiem czasu dzieci przychodzące na świat, obowiązki i stosunki usunęły ją od życia szerszego, ale nie zburzyły jej aspiracyj i wierzeń. Do sprawy uczciwej zawsze przyłożyła ręki. Już to nie były dawne prace tchnące entuzjazmem, ale jeszcze tkwił w nich pewien umiarkowany zapał. W salonach doktorostwa Czerniszów gromadziła się sfera myśląca. Wszystko, co Warszawa miała wybitnego, znajdowało tam gościnę. Przyjęcia rozłożone były w ten sposób, że jednego tygodnia w umówione środy zbierała się inteligencja wszelkich zawodów, drugiego – tylko lekarze. Jeżeli w dniu niewłaściwym przybłąkał się ktoś spoza koła medycznego, był gościem pani. Grono lekarskie nie trwoniło swych zebrań środowych na gawędkę. Zgromadzenia te, początkowo obejmujące grupę najbliższych przyjaciół gospodarza, literalnie wciągały ludzi. Jeżeli kto miał ukończoną pracę, to ją tam czytał; jeżeli nastręczył się komu w praktyce niezwykły wypadek, to tam był podawany do wiadomości kolegów. Przybył ktoś ze świata, z wycieczki naukowej, tam zdawał sprawę z tego, co widział i do stosowania w kraju, w granicach sztuki lekarskiej, za słuszne uważał. Posiedzenia nie miały charakteru napuszonego, ale też nie trąciły szlafrokiem. Liczono się z nimi, a co ważniejsza, lubiono je. Gospodarz, człowiek skromny a mądry, pełen dystynkcji i słodyczy, pani domu czarująca każdym słowem i gestem, salony, w których znajdowało się urządzenie wytworne, niejedno dzieło sztuki, a nade wszystko owa atmosfera myśli, wyższości prawdziwej i kultury – przyciągały wszystkich.

Judym, który doktora Czernisza znał będąc jeszcze studentem, złożył mu w pierwszych dniach września swe uszanowanie i został zaproszony do koła.

W połowie następnego miesiąca odbyła się pierwsza środa lekarska. Dr Tomasz wybrał się na to zgromadzenie... z odczytem. Wahał się bardzo długo, lękał i zapalał, aż wreszcie postanowił przedstawić rzecz swoją. Napisał ją dawno, jeszcze w Paryżu. Teraz przypiął do niej wstęp i trochę cyfr statystycznych miejscowych. Dr Czernisz zachęcał go do czytania tej pracy (której zresztą wcale nie znał) usilnie i wymownie, prosił, a nawet zobowiązywał.

– Jak to? – mówił – kolega pytasz się, czy masz nam pan wyrazić myśl, którą przywiozłeś z Paryża po dwuletnich blisko studiach... Więc cóż mamy czytać, gdy się zejdziemy? To, co wiemy wszyscy, co tu między sobą obgadaliśmy tysiąc razy?...

Judyma przekonywały te argumenty tym skuteczniej, że za granicą zdarzało mu się czytać w towarzystwach różne wypracowania. Było w tym nawet nieco ambicji z lichszego kruszcu... Powstrzymywała go tylko jakaś trwoga czysto lokalna. W dniu oznaczonym jeszcze raz zbadał swój rękopis, ubrał się w czarne szaty i o zmroku wyruszył. Gdy miał już przekroczyć bramę domu, uczuł mocne ściśnienie w gardle, które wnet zwyrodniało w zupełną chęć odwrotu. Była nawet chwila zupełnego tchórzostwa... Mimo to przycisnął wreszcie guzik dzwonka, nad którym widniało nazwisko „Dr Czernisz". Wnet usłyszał z bólem w głowie kołatanie we drzwiach zasuwki, szereg tępych dźwięków, wydających coś jak bełkot czy jak śmiech szyderczy...

Wszedł na marmurowe schody zasłane szerokim, barwnym chodnikiem, do rzęsiście oświetlonego przedpokoju i poczuł na ramieniu dłoń gospodarza. Otoczył go gwar mężczyzn żywo rozmawiających.

Niezgrabnie, potykając się na dywanach, zawadzając o meble, przyszedł wreszcie, prowadzony przez Czernisza, do kozetki, z której podnosiła się śliczna kobieta.

Miała może lat trzydzieści. Była ubrana bez elegancji, ale z takim wdziękiem obłóczyły ją te proste suknie, że Judym uczuł zaraz swoją wrodzoną szewską strachliwość i wprowadził w czyn nie mniej szewskie ukłony oraz maniery. Pani Czerniszowa spostrzegła to jego stropienie się i wnet nie tylko zrozumiała je z całą żywością natur szlachetnych, ale sama czuła się równie zmieszaną i nieszczęśliwą. W tej chwili dr Tomasz przypomniał sobie, że bez względu na ten brak jasności umysłu, który w danej chwili przechodził, ma jeszcze czytać, zabrać głos wśród tych ludzi obcych, pewnych siebie, przygotowanych do sądu, do rozmowy i do wyładowania konceptu.

Doktorowa mówiła z nim o Paryżu i usiłowała to sprawić, ażeby się poczuł swobodnym. W części jej się to udało.

Judym powziął dla niej rozpaczliwą sympatię. Zaczął mówić... Tymczasem ktoś inny przysiadł się z lewej strony, ktoś trzeci odwołał ją w drugi koniec salonu.

Rozglądając się, gdy sam został, Judym spostrzegał wielu lekarzy. Znał ich z widzenia, ze szpitala i z ulicy. Uściśnieniem ręki mógł przywitać ledwie paru. Siedział w swym fotelu sztywnie, ze zdrętwiałymi nogami, które jak kłody tkwiły na miękkim dywanie – i przechodził męczarnie oczekiwania. Co chwila u drzwi brzęczał dzwonek i nowa osoba ukazywała się w jasnym świetle. Gdy już salon i przyległe gabinety napełniły się zupełnie, dr Czernisz swym cichym, miękkim głosem zawiadomił zebranych, iż kolega dr Judym, świeżo przybyły z Paryża, odczyta pracę swą pod tytułem... *Kilka uwag czy Słówko w sprawie higieny...* Judym słuchał tego zawiadomienia z formalnym przerażeniem. Jednakże, gdy oczy zgromadzonych zwróciły się do niego, ochłódł, wstał pewien siebie, zbliżył się do małego stoliczka, wydobył swój rękopis z bocznej kieszeni surduta. Gwar wolno, jakby niechętnie, zamieniał się na szept, w którym brzmiał dźwięk mętny... Judym... Judym... niby akord gasnący w przestrzeni.

Judym – odczyt

Dr Tomasz zaczął czytać. We wstępie, ukutym robotą kowalską ze zdań i wyrazów pełnych erudycji, była mowa o współczesnym stanie higieny. Nie tylko sentencje, w których ten sam rzeczownik powtarzał się kilkanaście razy, ale i myśli były twarde tudzież znane jak *Powrót taty.* Prelegent czuł na sobie i widział niby we mgle spojrzenia zimne, ostre i już ubarwione drwiną. Ale to mu dobrze zrobiło. Czytał o nowych usiłowaniach w sprawie dezynfekcji, stosowanych w szpitalach, które zwiedził, o nowych środkach i zabiegach, na przykład o chinozolu, o przeróżnych stosowaniach sublimatu, o wszystkim, słowem, co z książek i czasopism obcych wygrabił. Zaczęło to poniekąd interesować słuchaczów. Ciekawość ich wzrosła, gdy opisywał nowe środki dezynfekcjonowania mieszkań prywatnych, jak niepolimeryzowany formaldehyd – i inne. – Ta kwestia wypełniła pierwszą część rozprawki.

Na początku drugiej Judym zadał sobie pytanie, co nauka, tak bardzo w ogóle interesująca się sprawą zdrowotności, przedsiębierze dla higieny życia motłochu. Ażeby zbadać tę kwestię ze stron rozmaitych, zaczął opowieść o zjawiskach, które miał możność widzieć w Paryżu i gdzie indziej. Mówił tedy o trybie życia tak zwanej armii rezerwowej przemysłu, o bandach koczujących, przepojonych absyntem, balujących w sali du Vieux-Chęne, przy ulicy Mouffetard, albo w sali de la Guillotine itd. Była to długa historia.

Słuchano jej z pewnym zajęciem. Prelegent opuściwszy ten przedmiot zwrócił się do opisu instytucji noclegowej, Château-Rouge.

Los ubogich w Paryżu; naturalizm

– Chodziłem tam często – mówił – a nawet, wyznać muszę, spędziłem w tej norze jedną całą dobę. Nigdy nie wyjdzie mi z pamięci ten sen nocy zimowej. Wchodzi się tam z małej uliczki Galande, leżącej w sąsiedztwie Notre-Dame, w najstarszej dzielnicy paryskiej. W pobliżu kwitnie sławny szynk Père-Lunettes. Klientela dawnego pałacu „pięknej Gabrieli"[50] (D'Estrées) jest dwojakiego gatunku. Pierwszą stanowią „goście" zwiedzający, drugą – biedacy, którzy tu znajdują tani absynt i kilkugodzinny przytułek. Tak zwana *consommation*[51] kosztuje w Château-Rouge 15 centymów, za co gość ma prawo siedzenia przy stole tudzież oparcia dwu rąk i głowy na jego krawędzi aż do godziny drugiej w nocy. W czasie mroźnych i dżdżystych wieczorów goście, z których, rzecz prosta, ani jeden nie posiada własnego mieszkania, leżą po prostu jedni na drugich. Wyrzuceni po pierwszej w nocy, rozłażą się w cztery strony świata. Jedni idą spać pod mosty, na fortyfikacje, do Lasku Bulońskiego, na Vincennes... Inni, którzy mają w kieszeni kilkanaście groszaków, szukają jakiegoś *marchand de sommeil*[52]. Największa ilość nocuje w Château, po czym jedni idą do Hal Centralnych, ażeby za dwa *sous*[53] spożyć *soupe au riz*[54], a w ciągu dnia za kilkanaście, czasami za kilkadziesiąt centymów pomagać urzędowym tragarzom. Inni, zbieracze ogryzków papierosowych, niedopałków cygar, czekają przy pomniku E. Doleta[55], na placu Maubert, już o godzinie szóstej rano, i robotnikom dążącym do fabryk sprzedają torebki z wytrząśniętym tytoniem po 10 centymów sztuka. Château-Rouge może w sobie pomieścić kilkaset osób. W zimowe noce bywa ich tam pięćset. W pierwszej izbie z bufetem zbierają się przeważnie kobiety i dzieci, ponieważ kopci się tam w blaszanym piecu. W drugiej, dawnej sypialni pięknej kochanki Henryka IV, leżą na gołej podłodze sami mężczyźni. Za prawo snu do drugiej w nocy właściciel pobiera od każdego 10 centymów. W izbie trzeciej, ozdobionej freskami, którą zowią „senatem", ludzie śpią na stołach i na ziemi. Tam zbieracze niedopałków wydmuchują z gilz swój towar i układają go w torebki, tam *les dos*[56] czekają cierpliwie na swe *marmittes*[57], nocne pracownice, które ich utrzymują. Tam śpią znużeni akrobaci podwórzowi, częstokroć tatuowani, drobni rzemieślnicy, ludzie, których zajęcie stanowi pławienie psów w rzece, otwieranie dorożek przy dworcach kolejowych, wyławianie zdechłych kotów, i inne fachy, nie nadające się do ogłoszenia. Z lewej strony od „senatu" jest izba, zwana *salon des morts*[58], gdzie pokotem leżą pijani, chorzy albo osoby cieszące się względami gospodarza. Istnieje wreszcie tzw. „salon", z freskami wyobrażającymi dzieje zbrodniarza

---

[50] *„piękna Gabriela"* - kochanka króla francuskiego, Henryka IV.

[51] *consommation* (fr.) - najniższa obowiązująca konsumpcja, uprawniająca do zajęcia miejsca w restauracji.

[52] *marchand de sommeil* (fr.) - handlarz snem, właściciel taniego domu noclegowego.

[53] *sou* (fr.) - drobna moneta francuska.

[54] *soupe au riz* (fr.) - zupa z ryżu.

[55] *E. Dolet* - drukarz i pisarz francuski z okresu odrodzenia, za postępowe poglądy stracony na placu Maubert, gdzie obecnie stoi jego pomnik.

[56] *les dos* (fr.) - sutenerzy, alfonsi.

[57] *marmittes* (fr.) - dziewczyny uliczne.

Gamahu, zabójcy M-me Bannerich. Zwykle jakiś nędznik o[illegible]
mazy gościom zwiedzającym albo im śpiewa w *argot parisien*[illegible]
ją bezdenną nędzę rodu ludzkiego, jak ta, na przykład, zaczynaj[illegible]

C'est de la prison que j't'écris;
Mon pauv' Polyte,
Hier je n'sais pas c'qui m'a pris,
A la visite;
C'est des maladi's qui s'voient pas,
Quand ça s'déclare,
N'empêch' qu'aujourd'hui j'suis dans l'tas,
A Saint-Lazare!...[60]

Kiedy do Château-Rouge wszedłem po raz pierwszy, miałem na głowie cylinder, więc uprzejmy właściciel pałacu wziął mię za Anglika zwiedzającego osobliwości miasta i z lampą w ręce oprowadzał po swej instytucji. Była to noc późna. Rozmowa nasza i światło budziły niektórych gości. Spod muru podniosła się uliczna dziewczyna w łachmanach, z twarzą obrzękłą, spieczoną przez jakiś ogień wewnętrzny, i przez kilka minut patrzała na mnie dużymi oczami. Ten wzrok był tak straszliwy, tak nieopisany, że, jeśli wolno użyć słów poety[61]: „aż dotąd pali moją duszę”...

Tego rodzaju wyskok liryczny zdziwił słuchających. Poczytywano go za zwrot krasomówczy i puszczono płazem niefortunną przygrywkę na sentymentalnej fujarce. Judym tymczasem uczuł w sobie istotny „ogień”, który pali duszę. Opowiadał o dzielnicy Cité Jeanne d'Arc, w sąsiedztwie szpitala Salpętrière, mieszczącej kilkadziesiąt mieszkań wyrobniczych. Każda familia ma tam swój kąt, lecz wszyscy przez cienkie ściany słyszą nawzajem swe kłótnie; dzieci całymi gromadami snują się po schodach, rynsztokach i ulicy, zarażając się wzajemnie chorobami i zepsuciem. Kobiety żyją w nierządzie, mężczyźni hulają. Nawet ten cień ogniska domowego znika u mieszkańców Cité Dore, Cité des Khroumirs oraz Cité de Femme en Culotte za północno-zachodnimi fortyfikacjami. Jedno z takich obozowisk składa się z alei chałup otoczonych śmietnikami, po których łaziła dawniej właścicielka gruntu, eks-śmieciarka, nie wiadomo czemu w męskie szaty ubrana, i zbierała komorne. Drugie zbiorowisko składa się z istnych chlewów wzniesionych na wolnych terenach, gdzie dzieci śpią na kupach gałganów i brudu, gdzie Haussonville[62] widział wiekową niewiastę skrobiącą żyły mięsne ze starej kości śmietnikowej na skórkę sczerniałego chleba — tudzież parę starców, „mającą za mieszkanie budę na kołach”, w której ci „ludzie” przenosili się z jednej *cité* do drugiej.

---

[59] *argot parisien* (fr.) - żargon paryski.

[60] *C'est de la prison...* (fr.) - Piszę do ciebie z więzienia, mój biedny Hipolicie, nie wiem sama, co mi się wczoraj stało w czasie wizyty; to jedna z chorób, których się nie dostrzega, kiedy się zaczynają, co nie przeszkadza, że dziś jestem z całą bandą u Świętego Łazarza.

[61] *słowa poety...* - Adama Asnyka z wiersza *Ta łza, co z oczu twoich spływa* (cytat niezbyt dokładny).

[62] *Haussonville* - Gabriel (1843-1924) konserwatywny polityk i pisarz francuski.

...zecież nie przyprawia o smętek. I my mamy ...” za murem powązkowskim[63] oraz dzielnicę ... gorszą od Cité des Khroumirs. Warto choć ...ami w stronę żydowskiego cmentarza. Moż...yczki, warsztaty i mieszkania, o jakich się fi... rodziny sypiające pod pułapami sklepików, ...a. W tym samym gnieździe kilku rodzin leżą ...handlowe, przemysłowe, familijne, miłosne ...ących tłuszczach, kaszlą i plują suchotnicy, ...czalni wlokący kajdany żywota. Te miejsca ...i. A jedynym na to wszystko lekarstwem jest

A na wsi? Czyliż nie jest zjawiskiem pospolitym lokowanie dwu rodzin z mnóstwem dzieci w jednej izbie, a raczej w jednym chlewie folwarcznym, gdzie znajduje się spiżarnia, odgrodzona deskami, z kupą gnijących ziemniaków i zbiorem żywności, jak kapusta, buraki itd.? Robotnicy nieżonaci (fornale), tak zwani stołownicy, mięso dostają tylko na Wielkanoc i Boże Narodzenie, a tłuszcz w strawie okraszonej stęchłą słoniną, czyli tzw. sadłem, w homeopatycznej[64] dozie, gdyż przy większej ilości, z racji silnego odoru i smaku sadła, strawa nie byłaby jadalną. Specjalnego pomieszczenia dla siebie ci ludzie nie mają. Śpią w stajniach i oborach pod żłobami, dziewczęta zaś w jednej jakiejś izbie, nierzadko razem z kupą mężczyzn. U żonatych parobków w jednej izbie, wśród błota zalegającego od ścian na wiosnę, hodują się razem dzieci i prosięta.

Zgromadzeni przyjmowali te wszystkie szczegóły w milczeniu, które nie wiedzieć co oznaczało. Tymczasem mówca wchodził w fazę, o jakiej marzył. Uczuł w sobie jakby zarzucenie się żelaznego haka na czekające ogniwo i szarpnięcie całej duszy na wysokość zimnego męstwa. Wówczas dowodził, że jakkolwiek tego rodzaju objawy dzikości są rezultatem bardzo wielu przyczyn, to przecież mają także jedną – w obojętności lekarzy.

— Umiemy – mówił – pilnie tępić mikroby w sypialni bogacza, ale ze spokojem wyłączamy z zakresu naszego widzenia fakt przemieszkiwania dzieci pospołu z prosiętami. Któryż z medyków tego wieku zajął się higieną hotelu Château-Rouge? Kto z nas tu w Warszawie wdał się w to, jak mieszka rodzina żydowska na Parysowie?

— Co to ma być? – spytał prawie szeptem jakiś głos z głębi sali.

— *Ce sont*[65] *des* flaki z olejem... – rzekł blondyn o twarzy Apollina trąc swe binokle w rogowej oprawie.

Judym słyszał szyderczy ton i widział złe uśmiechy, ale brnął dalej w swoim podnieceniu:

— Czy nie jest naszym obowiązkiem szerzyć higienę tam, gdzie nie tylko jej nie ma, ale gdzie panują stosunki tak okropne? Któż to ma czynić, jeśli nie my? Życie na-

---

[63] *„Paryż” za murem powązkowskim* - aluzja do placu Parysowskiego, którego okolice zamieszkiwała uboga ludność Warszawy.

[64] *homeopatyczny* - tu w znaczeniu: drobny, nikły, w śladowych ilościach.

[65] *Ce sont* (fr.) - to są.

sze całe składa się z pasma poświęceń. Wczesną młodość spędzamy w trupiarni, a całość wieku w szpitalu. Praca nasza jest to walka ze śmiercią. Co może się porównać z pracą lekarza? Czy praca na roli, czy w fabryce, czy „zajęcie" urzędnika, kupca, rzemieślnika nawet żołnierza? Każda myśl tutaj, każdy krok, każdy czyn, musi być zwyciężaniem ślepych i strasznych sił natury. Ze wszech stron, z oczu każdego chorego patrzy w nas zaraza i śmierć. Gdy zbliża się cholera, gdy wszyscy ludzie tracą rozsądek, zamykają w pośpiechu szachrajskie kramy swoje i uciekają, lekarz sam jeden idzie naprzeciwko tej niedoli kraju. Wówczas dopiero widać jak w lustrze, czym my jesteśmy. Wówczas słuchają naszych rad, naszych zleceń, postanowień i rozkazów. Ale gdy mór przemija, plemię chlebożerne wraca do swego zgiełku i urządza się tak, jak z tym silniejszym w gromadzie dogodniej. Rola nasza się kończy. Idziemy między tłum i zgadzamy się z rozsądkiem stada. Zamiast ująć w ręce ster życia, zamiast według praw nieomylnej nauki wznosić mur odgradzający życie od śmierci, wolimy doskonalić wygodę i ułatwiać życie bogacza, ażeby pospołu z nim dzielić okruchy zbytku. Lekarz dzisiejszy – to lekarz ludzi bogatych.

Judym – ocena lekarzy

– Proszę o głos! – rzekł wysoki, chudy staruszek z faworytami białymi jak mleko.

– Proszę o głos! – ostro, z niedbałością rzekł ów blondyn w binoklach, z lekka unosząc się na krzesełku w stronę gospodarza domu.

Przez salę płynął szmer znamionujący głęboką niechęć.

– Medycyna dzisiejsza – ciągnął Judym – jako fakt bierze powód choroby i leczy ją samą, bynajmniej nie usiłując zwalczać przyczyn. Ciągle mówię o leczeniu nędzarzy...

W sali ktoś półgłośno się roześmiał. Szmer był coraz wyraźniejszy i niegrzeczny.

– Ja tu nie mówię o nadużyciach ordynarnych, o praktykach przeróżnych lekarzy kolejowych, fabrycznych itd., lecz zawsze o położeniu higieny. Mówię o tym, że gdy człowiek pracujący w fabryce, gdzie po całych dniach płukał sztaby żelaza w kwasie siarczanym, w wodzie i wapnie gaszonym, dostaje zgorzeli płuc i uda się do szpitala, zostanie wykurowany jako tako, to ów człowiek wraca do tegoż zajęcia. Jeżeli pracownik zajęty w cukrowni przy wyrobie superfosfatu przez oblewanie węgla kostnego kwasem siarczanym, gdzie całe wnętrze szopy napełnia się parą kwasu siarkowego i gdzie gazy po spaleniu pikrynianu potasu wdychane wywołują zgorzel płuc – ulegnie tej chorobie, to po wypisaniu go ze szpitala wraca do swojej szopy. W lodowniach browarów... *pleuritis purulenta...*[66]

– To rzecz jakiejś opieki nad wychodzącym ze szpitala, a bynajmniej nie lekarza... – rzekł gospodarz.

– Lekarza obowiązek... – właśnie wykurować. Gdyby zaczął szukać miejsc odpowiednich dla swoich pacjentów, byłby może dzielnym filantropem, ale z wszelką pewnością złym lekarzem... – wołał ktoś inny.

– Zawsze „opieka", zawsze „filantrop" – bronił się Judym. – Nie jest moim zamiarem żądać, ażeby lekarz szukał miejsca dla swych uzdrowionych pacjentów. Stan lekarski ma obowiązek, ma nawet prawo zakazać w imieniu umiejętności, ażeby chory wracał do źródła zguby swego zdrowia.

---

[66] *pleuritis purulenta* (łac.) - zapalenie opłucnej z wysiękiem ropnym.

– Dobre sobie! Znakomita idylla! Co też kolega!... – słychać było ze stron wszystkich.

– To właśnie, coście tu szanowni koledzy swoimi protestami stwierdzili, nazywam lekceważeniem i zgoła pomijaniem przyczyn choroby, kiedy idzie o ludzi biednych. My lekarze mamy wszelką władzę niszczenia suteren, uzdrowotnienia fabryk, mie-

szkań plugawych, przetrząśnięcia wszelkich krakowskich Kazimierzów[67], lubelskich dzielnic żydowskich. W naszej to jest mocy. Gdybyśmy tylko chcieli korzystać z przyrodzonych praw stanu, musiałaby nam być posłuszna zarówno ciemnota, jak siła pieniędzy...

To rzekłszy Judym złożył zeszyt i usiadł. Nie był to wcale koniec odczytu. Istniała tam jeszcze część trzecia, zawierająca przeróżne liryczne projekty. Do wygłoszenia tego ustępu, oddzielonego w rękopisie trzema gwiazdkami, dr Tomasz nie czuł się na siłach, formalnie tchu nie miał. Miny zgromadzonych, zakłopotanie gospodarza, sama wreszcie atmosfera zebrania wyraźnie znamionowała zbazgranie się prelegenta zupełne. Lekcja ani była dość silna, żeby rozjątrzyć i wstrząsnąć, ani dość nowa, ażeby czymkolwiek olśnić. Patrzono na Judyma ze spokojem i bez gniewu, a te wejrzenia mówiły: „Widziało się, żeś lew srogi, a tyś tylko d u d y czyjeś, i to kto wie, czy nie ośle..."

Gdy się zupełnie uciszyło, wstał z krzesła staruszek z faworytami, dr Kalecki, i zaczął wyłuszczać swe zdania sformułowane i pełne życia:

---

[67] *krakowski Kazimierz* - dzielnica Krakowa dawniej zamieszkiwana prawie wyłącznie przez ludność żydowską.

– Kolega Judym – mówił – dał nam rzecz piękną, pochlebnie i wymownie świadczącą o jego uczuciach altruistycznych, żywości imaginacji – i studiach w Paryżu. Miło jest w dzisiejszych czasach, niestety bardzo przesiąkniętych utylitaryzmem, spotkać lekarza z czuciem tak żywym, z sercem tak gorącym i pełnym tkliwości. Toteż ośmielę się złożyć w imieniu zgromadzonych koledze Judymowi szczery wyraz wdzięczności za jego pracę...

Po tym zwrocie, który Tomaszowi zdał się być natrząsaniem z jego nędzy, dr Kalecki przystąpił do odczytu ze strony krytycznej i mówił:

– Rzecz poruszona przez kolegę Judyma właściwie składa się z kilku kwestii, a zahacza o niebo i piekło. Z tego wszakże, cośmy słyszeli, dadzą się, jak myślę, wydzielić trzy sprawy główne: *primo* – sprawa czysto naukowa: sprawa higieny żywota klas ubogich, *secundo* – sprawa społeczna, *tertio* – środki zaradcze. Każdy z tych punktów – to góra obrosła dzikim lasem, zawalona odłamami skał, przecięta jarami, gdzie jeszcze wiedźmy nocują. A więc – co się tycze punktu pierwszego. Nie będę wspominał o tym, co tu kolega prelegent nam przedstawił. Są to fakty sumiennie spostrzeżone i barwnie opowiedziane. Fakty, dodam od siebie, bardzo smutne. Co się tycze stosunków francuskich, to, rzecz prosta, kwestię muszę zostawić na uboczu, gdyż jej nie badałem specjalnie. Wiem jednakże z pewnością, iż cele miłosierdzia pochłaniają w Paryżu dziesięć milionów, wyraźnie, dziesięć milionów franków rocznie. Nie jest to suma mała. Wiadomo również, że istnieją tam całe stowarzyszenia łotrów żebrzących, całe syndykaty utrzymujące baby, które na ulicach symulują porody, rozsyłające mniemanych epileptyków, obłąkanych, wszelkiego rodzaju kaleki – itd. W ogóle nie należy zapominać, kiedy się te sprawy roztrząsa, o wiecznie mądrym zdaniu Herberta Spencera[68]: „Wymawiając słowa – biedny człowiek, nie myślimy wcale – zły człowiek". Nie chcę przez to powiedzieć, że lekceważę takie zjawisko jak Cité de Femme en Culotte...

Przejdźmy do stosunków naszych. Kolega prelegent ubolewał tutaj nad dolą parobków, żydostwa itd. W istocie rzecz się ma i tu, i tam nieświetnie, ale z naciskiem to muszę sformułować, choćby się kolega Judym miał na mnie gniewać, że to nie są rzeczy lekarza. *Amicus Plato, sed magis amica veritas*[69] – to darmo. Tak to wygląda, jakby lekarz pogotowia ratunkowego wezwany do dwu szewców, którzy się skłuli nożami, zamiast ich opatrzeć, rozpoczął prelekcję o szkodliwości bójek. Co tu mogą zaradzić lekarze? Oświecać, oświecać ciemny motłoch folwarczny i wpływać na jego chlebodawców – to i wszystko. Ale to się robi, robi się na pewno, jak stwierdzają koledzy praktycy z prowincji. Robi się więcej, niżby sądzić można z daleka, z wysokości takich czy innych paradoksów[70]. Jak wszędzie, tak i tutaj najlepszą cząstkę obiera sobie, a przynajmniej powinna obierać filantropia, owa siostra miłosierdzia ludzkości. Patrzmy na stan rzeczy. Mamy przed oczyma wzrost ducha miłosierdzia, ofiarno-

---

[68] *Herbert Spencer* - (1820-1903) angielski filozof pozytywista.

[69] *„Amicus Plato..."* (łac.) - *Wprawdzie Plato jest przyjacielem, lecz większą przyjaciółką prawda.* Wyrażenie przypisywane Arystotelesowi (IV w p.n.e.), który będąc uczniem Platona, odrzucił jego idealistyczną teorię idei jako pierwowzorów rzeczy.

[70] *paradoks* - sąd wyrażający myśl sprzeczną z ogólnie uznanymi zasadami.

ści, istnego zapału klas wyższych do spieszenia z pomocą tam, ku tej nizinie, którą dr Judym z taką swadą maluje. Ileż to ofiar spłynęło do sakwy jałmużniczej w ciągu tego roku, ile łez otartych zostało bez żadnego frazesu, w sekrecie nawet przed obrońcami „ludu". Nie będę nazywał, nie będę wytykał palcem tych spomiędzy kolegów tutaj zebranych, którzy spieszą na każde wezwanie cierpiącej niedoli, którzy czas swój, zdrowie i życie niosą w ofierze, bez myśli o tym, że spełniają jakąś tam misję. Po prostu czynią, co trzeba, co wskazuje obowiązek serca, sumienia... źle mówię, przyzwyczajenia albo wprost – nałogu.

– Brawo! brawo!... – słychać było żywe okrzyki ze wszystkich kątów lokalu.

– A teraz rzućmy jeszcze okiem... Czy w istocie tak źle jest z nami? Oto powstają wystawy higieniczne, towarzystwa przeciwżebracze, urządza się przytułki noclegowe, funduje kąpiele dla ludu, zabawy – a wreszcie towarzystwo higieniczne, nic nie mówiąc o dziełach miłosierdzia dokonywanych w ciszy. Panowie, nie mamy potrzeby rumienić się wobec zarzutu kolegi dra Judyma, jakoby lekarz dzisiejszy był lekarzem ludzi bogatych. We wszystkich tych sprawach, na które patrzymy, stan lekarski nie tylko dawał inicjatywę, ale może z dumą o sobie mówić: *magna pars fui*[71]. Kolega Judym jest młodym człowiekiem. Serce podyktowało mu słowa goryczy, bo samo, widać, wiele cierpień zniosło. Dziś on się może jeszcze do zawziętości, do stronniczego uprzedzenia względem medyków warszawskich nie przyzna, ale gdy mu szron włosy ubieli, na pewno potwierdzi moje słowa, że wydał dziś sąd zły i krzywdzący. My mu to wszystko już dziś szczerze i zupełnie z serca odpuszczamy...

Judym uczuł w sobie ni z tego, ni z owego coś w rodzaju skruchy. Nawet w myśli nie postało mu nigdy przypuszczenie, że to, co mówił o rzeczach higieny, można mu będzie z serca odpuścić. Zanim jednak zdołał zorientować się w gąszczu nowych a tak niezwykłych uczuć, wstał doktor Płowicz, który był jednocześnie z drem Kaleckim o głos prosił, i ostrym, donośnym tonem rzekł, co następuje:

– Szanowny kolega Kalecki sformułował wszystko, co o materiach przez prelegenta poruszonych rzec by można. Według mnie kolega Kalecki w jednym tylko miejscu użył barwy zbyt nikłej na odparcie zarzutów doktora Judyma. Mówię o tym punkcie, gdzie autor odczytu narzuca lekarzowi dzisiejszemu obowiązek ulepszania stosunków społecznych. Jest to pretensja dzika, a przemienia się w napaść formalną, gdzie surowy krytyk twierdzi, że praca lekarza polega na udoskonalaniu życia bogaczów, ażeby pospołu z nimi dzielić się okruchami zbytku. Ja tu wiele rzeczy pominę zupełnym milczeniem. Nie będę się rozwodził nad tym, że rdzeniem życiowym, istotą spraw ludzkich niezwalczoną jest dążność każdego człowieka do kultury, wyższości, życia w pięknym mieszkaniu, nawet *horribile dictu*![72] dążność do bogactwa. Nie wiem, dlaczego lekarz miałby być wykluczony od uczestnictwa w podziale tych zresztą marnych bogactw tutejszego padołu. Chyba dlatego, że, jak sam przyznaje nasz srogi zoil[73], harujemy ze wszystkich zawodowców najciężej i w najpodlejszych warunkach. Ale,

---

[71] *magna pars fui* (łac.) - brałem wielki udział (zwrot przysł.).

[72] *horribile dictu* (łac.) - strach się przyznać.

[73] *zoil* - złośliwy, małostkowy krytyk; nazwa pochodzi od imienia greckiego mówcy Zoilusa (II w p.n.e.), autora zjadliwych krytyk kierowanch przeciw Homerowi.

jak zaznaczyłem, nie będę się nad tym rozwodził, bo, co tu w bawełnę obwijać, nie ma nad czym. Gdy doktor Judym zawiesi na swych drzwiach tabliczkę z godzinami przyjęć, gdy będzie miał do okrycia i wykarmienia nie tylko swe studenckie ciało, ale także osoby drogiej kobiety i dziecka, wówczas da Bóg doczekać, może usłyszymy od niego mniej surowe słowo na temat przywar stanu lekarskiego.

Chcę tu podnieść rzecz inną, mianowicie zwrócić uwagę kolegi Judyma na tę okoliczność, że jego myśli i wzloty altruistyczne nie mają silnego gruntu. Lekarze nie trzymają wcale w ręku władzy, jaką im kolega przypisuje. Gdyby najszczerzej i najusilniej chcieli zmusić szynkarza z Château-Rouge do zastosowania tak zwanych wymagań higieny, to im się to w żadnym razie nie uda. Świat jest to chytry przemysłowiec, który nie myśli wcale pieniędzy zebranych wydawać w tym celu, ażeby biedny pracowniczek mógł sobie lepiej a wygodniej przepędzać życie. Dla sprawdzenia, że tak jest, trzeba zstąpić z wyżyny na padół. Kazania, choćby i bardzo piękne, nic tu nie poradzą.

To powiedziawszy doktor Płowicz usiadł. Nastało milczenie trwające czas pewien, milczenie kłopotliwe i przykre.

– Chciałem dorzucić parę wyrazów... – rzekł Tomasz głosem wątłym, chwiejnie dźwigając się ze swego krzesełka.

– Prosimy... – szepnął ktoś z głębi.

– Otóż, otóż... nie myślałem, że mój wywód, to jest... moje przedstawienie rzeczy sprowadzi tak niespodziewane opinie. Nie miałem myśli obrażania stanu lekarskiego, owszem, pragnąłem go uczcić za pomocą tego, com mniemał o jego roli w społeczeństwie ludzkim. Zdaje mi się to być dziwnym, że szanowni koledzy znaleźli w tym właśnie kamień obrazy. Przecie ja nie wymagałem od lekarzy ani filantropii, broń Boże! ani tego, żeby nie byli ludźmi bogatymi. Czyż ja nie mówiłem? Mówiłem i powtarzam, że lekarz dzisiejszy jest sługą, lekarzem-sługą ludzi bogatych. Czy sam jest bogaczem, to rzecz drugorzędna. Ponieważ zaś moja myśl zrozumianą nie została, więc ją rozwijam w inny sposób. Lekarz dzisiejszy nie chce nawet zrozumieć, a raczej usiłuje nie zrozumieć tej prawdy, że sprowadzając do zera posłannictwo swoje współdziała z chytrym, jak mówi dr Płowicz, światem-przemysłowcem. Nie należy służyć „mamonie". Mieć ją można – mnie to ani grzeje, ani ziębi. A teraz co do mieszkań, przytułków i tych poczciwych kąpieli... Sądzę, że szanowny kolega Kalecki źle zapatruje się na znaczenie tych instytucji. Fundowanie kąpieli dla ludu przez osoby postronne, przez filantropów, uważam za dążność chybioną...

Judym – postulaty wobec lekarzy

– Paradne! – zawołał ktoś na sali.

– ... gdyż odwraca naszą uwagę od tego, czyim obowiązkiem jest kąpiel dla swoich pracowników urządzić. Jeśli dyrektor kopalni węgla wychodzi z podziemia, to ma do dyspozycji wannę urządzoną przez właściciela kopalni. Cóż byśmy sądzili, gdyby dla takiego dyrektora fundował wannę kolega doktór Płowicz z własnych, krwawo zapracowanych, a jednak marnych funduszów? Tymczasem gdy chodzi o jakiegoś człeczynę poniżej sztygara stojącego na drabinie socjalnej, nic nie mamy przeciwko temu, ażeby doktór Płowicz z własnego majątku fundował mu sposób ablucji[74] zabrudzone-

[74] *ablucja* - obmycie.

go siedliska duszy. Oto gdzie leży kwestia. Utyskujemy, łamiemy ręce nad brudami miast, nad niechlujstwem ludu, my, lekarze, a gdy nastręcza się możność od jednego zamachu skasować niechlujstwo...

— Ciekawa rzecz, gdzie się ta możność nastręcza?

— ... żądając otwarcia łaźni przez tego, w czyim interesie potem i brudem okryli się ludzie — my na miasto, do filantropa. To samo...

— Ale kto ma nastawać, kto? Jaki organ, jakim sposobem?

— My, lekarze! My, sól ziemi, my, rozum, my, ręka kojąca wszelką boleść...

— Jakim sposobem, jakim cudem?

— Zmówmy się między sobą, naradźmy, wydajmy uchwałę i walczmy z głupotą społeczeństwa, które nie widzi, co to jest ulica Krochmalna albo Kazimierz krakowski...

— Kpisz pan czy o drogę pytasz!

— Bynajmniej! Jeżeli przychodzą do mnie po radę, to niech jej słuchają! W przeciwnym razie nie leczę, nie leczę wcale! Jeśli nie niszczę źródeł śmierci...

Mówiąc to wszystko Judym tracił stopniowo a szybko poczucie pewności siebie. Formalne, kategoryczne a śmiałe zaprzeczenia wydarły mu z głowy najsilniejsze argumenty. Chciał mówić jeszcze o mnóstwie kwestii, ale podobnie jak przedtem — stracił odwagę. W tej samej chwili, gdy on nie wiedział, co właśnie dalej mówić, nastało w sali zupełne milczenie. W przeciwległym kącie grono zebrane przy stoliku zaczęło głośno rozmawiać o czym innym. Gospodarz uniósł się ze swego miejsca i oczyma dał znać żonie, że czas prosić do kolacji. Większość zebranych wstawała...

Judym usiadł na swym miejscu spocony, z uczuciem, jakby miał głowę pełną suchego piasku. Widział, że goście przechodzą grupami do sali jadalnej... Nie był pewny, czy ma wyjść, czy zostać. Gdy się wahał, usłyszał obok siebie głos dra Czernisza:

— Kolega będzie łaskaw... Proszę...

Wtedy wstał ze swego miejsca i wraz z innymi przeszedł do pokoju stołowego. Przy kolacji, która dla niego była prawdziwą męczarnią, miał w sąsiedztwie doktorową Czerniszową, która zadawała mu jakieś uprzejme pytania, zmuszała do wypowiadania bezmyślnych zdań o literaturze, malarstwie, nawet o jakimś bilu angielskim...[75]

Chwilami czuł dziką wściekłość, miał formalny impuls, żeby powstać i zdzielić tę piękną kobietę pięścią między oczy. Jak na urągowisko nie tylko trzymał, ale ze wszystkich stron widział w umyśle racje swoje, głębokie fikcje obmyślone w samotności. Nikt nań uwagi nie zwracał, więc mógł w przerwach między pytaniami gospodyni ćwiczyć do woli swój *esprit d'escalier*[76]. Kiedy niekiedy tylko zatrzymywało się na nim w przelocie czyjeś spojrzenie i wówczas widział w nim drwinę, której bezlitosne oblicze zakryte było kapturem towarzyskiej przyzwoitości.

Późno w nocy skończyła się kolacja. Część zgromadzenia wróciła do salonu. Inni z cygarami wędrowali do gabinetu, niektórzy zaś po angielsku wymknęli się za drzwi. Do szeregu ostatnich należał Judym. W bramie kamienicy, która była od dawna zamknięta, kilku z uczestników zebrania „wypukiwało" stróża stękającego przed opuszczeniem izdebki. Grono to milczało i gdy się drzwi otwarły, pożegnano Judyma

[75] *bil angielski* - ustawa przyjęta przez parlament angielski i zatwierdzona przez króla.

[76] *esprit d'escalier* (fr.) - spóźniony dowcip.

Chmielnicki – sylwetka

szybkim „dobranoc" i uchyleniem kapeluszów. Został i szedł w tę samą stronę tylko jakiś otyły, niski, wiekowy eskulap, którego Judym zauważył na zebraniu. Była to figura rozlana, o żydowskich rysach i ruchach.

– Kolega w którą stronę? – spytał Judym.

– Ja? W stronę Krochmalnej... A kolega?

– Na Długą.

– No to idziemy w jednym kierunku.

– Niekoniecznie.

– Owszem. Dlaczego? Ja mogę zboczyć. Przyznam się zresztą koledze, że milej mi będzie iść razem. O tej godzinie... po prostu strach jest iść piechotą. W naszej okolicy niech Bóg zachowa!

– A, jeżeli tak.

Judym szedł wielkimi krokami. Grubas biegł przy nim, sapiąc i wydmuchując dym z cygara, którego niedopałek żarzył się w samych niemal jego wąsach.

Gdy już oddalili się znacznie od mieszkania doktorostwa Czerniszów, dr Chmielnicki rzekł:

– Szczerze dziś współczułem koledze...

Judym miał inne wyobrażenie o tym współczuciu, zauważył był bowiem przypadkowo tłuściocha, jak prześcigał innych we wzgardliwym nadymaniu ust i w obfitości min ironicznych.

– Dlaczegoż to kolega miał mi współczuć?...

– Jak to dlaczego? Czy kolega może dziś czuć przesyt z nadmiaru krytyki życzliwej? U nas, niestety, tak zawsze. Jeżeli ktoś wyrasta nad głowy tłumu, zaraz go...

– Szanowny kolego, ja nie marzyłem o wyrastaniu nad jakiekolwiek głowy.

– Ja wiem, ja rozumiem! Mówię nie o zamiarze, lecz o fakcie...

– Żałuję teraz, że czytałem moją elukubrację...[77]

– Ależ dlaczego?

– Dlatego, że ten wyskok sprowadził między innymi takie oto drwiny szanownego kolegi.

– Kolega się mylisz! Na honor... Mnie imponują ludzie odważni. A co znaczy być wyśmiewanym, być zadręczonym tym wiecznym śmiechem, jak chory indyk przez stado, to ja wiem najlepiej.

– Jak to?

– Proszę kolegi, od pierwszej klasy przez całe gimnazjum, przez cały uniwersytet, przez całe życie jestem śmieszny. Dlaczego? Ja nie wiem. Oczywiście przede wszystkim dlatego, że mam przyjemność być z Żydów, a po wtóre dlatego, że się nazywam Chmielnicki. Przodkowie moi, nawiasem mówiąc wcale nie lichwiarze ani nie oszuści, pochodzili z miasteczka Chmielnika, więc ich zwano Chmielnickimi. Gdyby byli wiedzieli, ile z racji tego nazwiska wycierpi ich potomek, wcale niegłupi doktór, byliby wybrali dla siebie i dla mnie nie tyle kozackie nazwisko. Mogliby się byli przecie nazwać Staszowskimi, Stopnickimi, Oleśnickimi, Kurozwęckimi, Pińczowskimi, Bu-

[77] *elukubracja* - utwór mozolnie wypracowany, ale bez talentu.

skimi. Byłoby to im, a i mnie, najzupełniej obojętne. Ze mnie drwili nawet profesorowie. Pamiętam, w Dorpacie nasz nieboszczyk prosektor[78] pyta mię pewnego razu przy całym audytorium:

– Panie Chmielnicki, czy aby wierzysz w nieśmiertelność duszy?

Pytanie było żartobliwe, ale kategoryczne. Odpowiedziałem:

– Panie profesorze, tak jest, ja wierzę.

– A gdzież ona jest ta pańska dusza?

– Jak to gdzie? Jest w ciele człowieka.

– W całym ciele czy w jakiej części siedzi pańska dusza, panie Chmielnicki?

– W całym ciele siedzi, profesorze.

– A jeżeli człowiekowi urzynają nogę, cóż się dzieje z duszą? Czy urzynają również kawałek duszy?

Pomyślałem chwilę i mówię:

– Nie. Wtedy zapewne dusza podnosi się cokolwiek wyżej.

Ten dialog szeroko i daleko uczynił mnie sławnym. Gdybym dziś dał światu nieomylny sposób leczenia gruźlicy, zawsze pamiętano by, że to ten „Czerkies" Chmielnicki, co ma nieśmiertelną duszę, która w miarę okoliczności podnosi się wyżej.

– Proszę kolegi, czyliż jest choć jeden człowiek, który by nie dźwigał na plecach takiego kosza śmieszności? My sami każdemu z przechodzących wrzucamy jakąś bryłkę ciężaru. To samo czynią z nami bliźni nasi. Nic darmo...

– Nie, nie! Co innego jest to, o czym kolega mówisz, a co innego specjalne brzemię moje. To nie kosz, który można zrzucić, lecz garb. Niosę zawsze taki, jakiego ciężar poznałeś pan dzisiejszego wieczora.

– Ależ to co innego.

– Tak, co innego, bo to było, daruje kolega, zasłużone, cokolwiek zasłużone, moje zaś jest to śmieszność, którą się niesie bez własnej winy.

– Więc ja dziś zasłużyłem...

– No, nie! Ja się mało znam. Ale, proszę kolegi, jak można... Takie ostre wystąpienie przeciwko uznanym prawdom, a nawet, powiem sumiennie, przeciwko... oczywistości. Medycyna to jest medycyna, to jest fach. Ja się nauczyłem, wydałem pieniądze, włożyłem ogrom pracy, ja umiem, mam patent – więc leczę. Dlaczego medycyna ma być związana z filantropią, a inżynieria nie, prawo nie, filologia nie!

– Nic nie chcę słyszeć o filantropii!

– No, to z tymi obowiązkami społecznymi. Dlaczego nie ma obowiązków społecznych rzeźnik, stolarz, poeta, tylko lekarz?...

– Wie pan co, nie mówmy o tym.

– Możemy nie mówić, jeżeli kolega nie życzysz sobie mówić o tym ze mną. Ale mnie kolegi żal.

– Ech, jeszcze stoję na nogach...

– Kolega wspomniałeś o tych biednych szajgecach z Parysowa... Ach, Boże! To była krótka wzmianka, ale w niej malowało się coś takiego... Dzisiaj już mało kto mówi u nas o Żydach jak o ludziach. Jeżeli się o nich mówi, to po to tylko, żeby ich

[78] *prosektor* - kierownik prosektorium.

przyrównać do „robactwa", które oblazło i żre „ludzi". Kiedy czytam dzisiejsze pisma, pisma, które jawnie wzywają do nienawiści, do wygładzania, wyrzucania, tępienia Żydów, dzisiaj, i to w imię zasad Jezusa Chrystusa...

– Proszę kolegi...

– Proszę kolegi, ja każde niedzielne wydanie pism... tych pism antysemickich odchorowuję...

– Po cóż się wzruszać byle czym!

– Byle czym!

– No tak. Pisma takie wydają szuje, nędzne łajdaki, które na szerzeniu nienawiści między ludźmi, na niszczeniu solidarności robią majątki. Z tego zatrutego posiewu budują sobie kamienice. Ale czy wy sami dużo zrobiliście dla podniesienia żydowskiej masy?

– Czy wiele zrobiliśmy? Życie w to kładziemy. Pracujemy dzień i noc.

– Więc dlaczegóż, kolego, mówisz, że nie mam racji wzywając medyków do roli, jaka im się należy?

– Bo tamto robimy dla Żydów, my, Żydzi. Tu gra rolę miłość.

– Właśnie, właśnie. Miłość! Mało też zrobiliście nadymani przez waszą „miłość". Ja chciałem udowodnić lekarzom, co powinni czynić pod naciskiem nie miłości bynajmniej, lecz wskazań zimnego rozumu.

Byli na Długiej, przed bramą domu, w którym mieszkał dr Tomasz. Na odgłos dzwonka dr Chmielnicki zorientował się dopiero, że gawędząc przycwałował aż tak daleko. Właśnie przejeżdżała dorożka, więc ją zatrzymał i gramoląc się na stopień perorował:

– Kolega się mylisz! Medycyna – to fach.

Zlazł raptem znowu, potknął się w rynsztoku, chwycił Judyma za klapę paltota i mówił mu w sekrecie:

– Medycyna to interes jak każdy inny. Nie zapomnij kolega o tym...

– Dobrze, dobrze. Nie mam możności o tym zapomnieć, nie mam nawet środka. Ale gdyby mi danym było przeżyć na tym świecie pięćdziesiąt lat jeszcze, ujrzałbym wszystko to, o czym dziś mówiłem, jako fakty zrealizowane. Medycyna będzie wykreślała drogi życia masom ludzkim, podniesie je i świat odrodzi.

– Mrzonki...

– Tak samo z pewnością mówili w zeszłym wieku ci „medycy", co to z narzędziami swego „fachu" objeżdżali dwory pańskie pokornie wypytując się, czy kto nie jest słaby, gdy im kto twierdził, że stan lekarski będzie zajmował to ogromne stanowisko, jakie już ma dzisiaj. Kolega się żalisz na szyderstwa, które cię spotykają. Pomyśl, co by cię czekało, ciebie, Żyda-lekarza, sto lat temu?...

Doktor Chmielnicki wwalił się w dorożkę i krzyknął na woźnicę pragnąc zagłuszyć wzmiankę o żydostwie:

– Krochmalna!...

Smutek

Piątego października doktor Judym wyszedł na spacer w Aleje Ujazdowskie. Był to dzień piękny. Słońce rozlewało ciepło łagodne i blask jeszcze jasny, ale już odchodzący za dziewiątą górę, za dziesiątą rzekę. Szereg drzew Alei, których widok tak dużo wspomnień nasuwał, okryło się już rdzą czerniejącą. W dali, spomiędzy koron kulistych jeszcze, wysuwały się gałęzie bez liści jak smutny jakiś drogowskaz. Ze szczytów sączyły się barwy trupie, zgniłe, czerwonorude i coraz niżej wsiąkało w ciemną zieloność jasno żółte zniszczenie. Tu liść jeszcze żywy otoczył płomień śmierci jakby obwódką dziwnej żałoby, gdzie indziej strawił go do rdzenia, pozostawiając tylko prążki zielone. Błękit niebieski rozciągniony nad tą wąską smugą przestrzeni był już nikły, zasnuty przędziwem chmurek zwianych i płynących wiotkimi pasmami w dal niedościgłą dla oka.

Doktór minął bramę i wolno schodził w głąb parku. Ogromne liście klonów płynęły z drzew i migały przed oczyma nad ziemią to tu, to tam, jak złote ptaki. Liście orzechów włoskich i drzew octowych plamiły zieloność trawników niby krew rozlana i skrzepła. Na dnie pustego parku, w cieniu sokor królewskich niedostępnym dla słońca, spoczywał i wyciągał się mrok chłodny. Daleko, w przecięciach szpalerowych, oświetlone czuby żółtych kasztanów buchały płomieniami jak jęzory żywego ognia. Wszędzie stał rozlany w chłodnym powietrzu miły, ostry zapach liści zwiędłych.

Unikając miejsc ludnych Judym szedł dawną aleją na koniec parku. Rosły tam najściglejsze, prawdziwie niebotyczne topole, szeleszczące jeszcze twardymi liśćmi; cicho szumiały srebrne, długowłose wierzby, co patrzą w obumarłe wody kanałów – i świerki jak posępne mnichy w czarnych habitach, zamykające odległe widoki, marzyły w samotności. Powiew śmiertelny obszedł już wokoło te drzewa i na straży ich postawił wylękłą ciszę.

Dalekie głębie wydawały kiedy niekiedy szmer prędko gasnący, który i człowieka zmuszał do cichego westchnienia.

Gdy w pewnej chwili rozległ się gwar i śmiech dziecięcy, wydał się czymś dziwnym i rażącym wśród surowego szeptu, który mówi o śmierci.

Na gładkie łączki, niby jeziora lśniące między kępami zarośli, zstępowały smugi światła prawie białego i ostrymi rysami przerzynały chłodne murawy. Tuż obok drogi zasłanej liśćmi taiły się baseny wody nieruchomej, ślepej i głuchej, która przyjmując w siebie poszarpane plamy firmamentu dawała jakieś kłamliwe ich odbicie, brzask srebrzący się a niepochwytny. Rysowały się tam czarne pnie i gałęzie olch nachylonych. Każdy ptak siadający dla wypoczynku strącał z nich mnóstwo liści. Chłodne oddechy jesienne niosły te zwłoki skurczone i osadzały na zawsze w cichej powierzchni. Zielona woda płaszczyzn bardziej otwartych pieściła w łonie swym gałęzie kasztanów z liśćmi tak żółtymi, że się wydawało, jakoby płynna jasna farba sączyła się z nich i w głębi odmien-

Opis przyrody – impresjonizm

nej tonęła. Liście te były zwieszone, przejrzyste, delikatne, a rzucały na środek wody ruchome odblaski, które z jej barwą zlewały się w podobiznę przepysznie lśniącego brązu. W jednym miejscu słońce, znalazłszy wśród przerzedzonych liści obszerną drogę, rzuciło się w głąb wody jak wytrysk roztopionego złota o barwie zbyt trudnej dla źrenicy. Między drzewami co chwila migały błyszczące pudła powozów pędzących na gumowych kołach. Głuchy turkot ich przerywający milczenie był głosem, który z zimnem przyrody harmonizował. To był wyraz bogactwa, czegoś tak obojętnego jak ona sama. W umyśle budziły się skojarzenia, które milczą, chociaż istnieją, podobnie jak dźwięk w natężonych strunach.

Doktór Tomasz w powszedniej trosce życiowej nie roztrząsał ich ani kształtował, ale one z dnia na dzień jak miriady niewidzialnych mikrobów asymilowały się z umysłowością. Teraz spajały się w silne sylogizmy[79] i od zjawiska przechodziły do zjawiska, sięgając do głębin treści. Były to myśli parweniusza, który trafem stanął u drzwi pałacu kultury. Tkwiła w nich przede wszystkim skryta pod maską miłości ubogich drapieżna zazdrość indywidualna względem cudzego bogactwa. Od wieków płonęła jak piekielny ogień w sercu przodków, była najsilniejszym, choć najskrytszym ich uczuciem. W duszy ostatniego potomka nie zionęła już z niej śmiertelna, ślepa zemsta, tylko wysnuwał się głęboki, rozległy żal. Niegdyś, za czasów dzieciństwa i młodości, wytryskiwała z tego samego źródła potężna energia człowieka z ludu, który cwałem biec musi tam, gdzie wszyscy inni „dobrze urodzeni" równo, systematycznie i bez trudu idą. Później wyłamywały się z tej zazdrości złudy oryginalne, hipotezy, plany i gwałtowne marzenia, które nieraz przeradzają się w namiętności i łamią siłę nawet pieniędzy. Teraz, w dniu spaceru, wszystko pierwszy raz owiał jak gdyby chłód jesienny. Judym uczuł w sobie nie dającą się określić jasnymi słowy agonię tych właśnie dawnych marzeń. Uczucie jego znosiło proces podobny do lotu strzały rzuconej z tęgiej cięciwy i pędzącej jeszcze w przestrzeń, kiedy na wielkiej wysokości zwalnia biegu, uczuwa nagle swój ciężar, który ją wkrótce, choć nie wiadomo kiedy, odwróci grotem na dół i porwie ku ziemi. W którąkolwiek stronę rzuciła się dusza młodego lekarza, wszędzie uderzała w jakąś siłę zdradziecką podobnie jak pływak, z męską mocą wyrzucający ramiona wśród wodnej przestrzeni, zajęty zwalczaniem tylko jej słabego oporu, gdy się z nagła uderzy piersiami o pal nieznany. Judym uczuł pierwszy raz w życiu, że pal mocniejszy jest niż piersi ludzkie. I pierwszy raz zastanowił się nad tym, że można pływać tylko po wiadomej, przez wszystkich sprawdzonej toni. Z cichego szelestu liści płynęło do jego serca rozumienie, że się na świecie nie jest niczym osobliwym, że się będzie jednym z wielkiego szeregu. Był to jakby bezwiedny rachunek z samym sobą, zbieranie do kupy rzeczy już zdobytych dla sporządzenia skrzętnego ich rejestru. Wypadało z tych obliczeń, że to, co już zostało zdobyte, to jest los bardzo wielki. Ale zarazem nie ginął jeszcze z oczu przestwór dawny, owszem, roztwierał się daleki, nieobeszły... To, co chce uczynić, co mógłby, za co życie swe gotów jest położyć człowiek nowoczesny, doktór Judym widział w głębi swego serca. I czuł, że od tych prac musi cofnąć ręce.

Judym – opis przeżyć

[79] *sylogizm* - wnioskowanie pośrednie polegające na wyprowadzeniu nowego sądu, zwanego wnioskiem, a dwóch innych sądów, zwanych przesłankami.

Wszystko, czym dusza jego żywiła się, tak samo jak ciało chlebem, w czyn się zamienić nie mogło, musiało pozostać sobą, tym samym, marzeniem. Ze wszystkich tych zazdrości i pragnień ofiarnego działania na dużym polu, z żarłocznych egoizmów, które się przeistoczyły w czucia nadindywidualne, wolno teraz idących drzemać w przymusową bezsilność, sączył się smutek jak palące krople trucizny. Napojone nim serce obejmowało świat, ludzi i rzeczy jakby w minucie pożegnania.

Smutek, smutek...

Rozkuwał marzenia z kajdan myśli i przenikał duszę na wskróś, jak noc przenika wodę. Zostawał z człowiekiem sam na sam niby ulotny a niewątpliwy cień jego postaci. W którąkolwiek stronę, od jakiej rzeczy wzrok było obrócić, wił się po ziemi niedocieczony a wszędzie obecny.

Doktor Judym szedł pustym szpalerem, z głową zwieszoną, z rękami w kieszeniach paltota. Czasami potrącał nogą kasztan świeżo wyłuskniety, błyszczący wśród suchych liści, albo świstał przez zęby aryjkę gdzieś niegdyś słyszaną i licho wie dlaczego trzymającą się pamięci. Stanął u końca alei nad wodą i chciał przejść na drugą stronę szosy, ażeby skierować się ku pałacowi, a potem ku wyjściu. Karety jedna za drugą pędzące wstrzymały go na miejscu. Leciała jedna, tuż za nią druga, trzecia... Judym ścisnął zęby i zmrużonym okiem przeprowadzał te pojazdy. Do melodii jego aryjki przyczepiło się słowo:

– Powozy, powozy, powozy...

Trzeba było jeszcze stać na miejscu, gdyż z oddali pędził ostrym kłusem czwarty, lśniący wolancik.

Doktór wsparł się na niskiej barierze i ociężałym wzrokiem spotykał jadące osoby. Nagle doznał takiego wrażenia, jakby go ze wszech stron otoczyło promienne światło wiosny i zapach róż. W powozie siedziały trzy panienki, z którymi swego czasu zetknął się w Paryżu i jeździł do Wersalu. Starsza z nich, panna Natalia, odwróciła głowę i poznała doktora. Gdy nieśmiałym ruchem niósł rękę do kapelusza, skinęła mu głową i rzekła coś do towarzyszek. Wówczas odwróciła się panna Joanna i Wanda zajmująca przednią ławeczkę. Doktór zobaczył tylko twarz i uśmiech pierwszej, gdyż konie porwały wolant i uniosły go między drzewa. Uśmiech ten snuł się przez mgnienie oka w jego źrenicach jak błysk światła. Potem z wolna rozwiał się w nicość.

Promienie słoneczne gasły na wodzie i zamierały w głębinie liści, jakby ustępując przed ostrym chłodem, który się z wody i z ziemi dźwigał. Sennie i z posłuszeństwem, niby na rozkaz tych martwych fal niewidocznych, płynęły żółte liście i kołysały się na powietrzu. Zdawało się, że wybierają dla siebie mogiły zstępując z ciemnych schodów. Judym szedł w swoją drogę ze spuszczonymi powiekami, zatopiony w marzeniach.

Praktyka

Proroctwo doktora Płowicza co do dalszych losów Judymowych spełniło się o tyle, że istotnie tablice z wyszczególnieniem godzin przyjęcia umocowane zostały nie tylko na drzwiach mieszkania doktora Tomasza, ale także u wejścia do sieni kamienicy, w której zamieszkał. Szyldy te opiewały, że doktór przyjmuje w godzinach popołudniowych, między piątą a siódmą. Całe ranki spędzał w szpitalu na oddziale chirurgicznym, gdzie pełnił obowiązki asystenta. Stołował się, jak za czasów studenckich, na mieście, a od godziny piątej, stosownie do wskazań spiżowymi literami wyrytych na tablicach, siedział w „gabinecie" aż do siódmej. Nie pozwalał sobie ani najdrobniejszego przekroczenia godziny piątej, tym mniej wydalania się przed siódmą. Już w chwili wynajęcia lokalu zdecydował, że trzymać się będzie tego przepisu jak najściślej, toteż wykonywał go ze skrupulatnością nieubłaganą, odtrącając wszelkie impulsy i mamidła przez wzgląd na kształcenie w sobie charakteru, a osobliwie wytrwałości. Prawda, że w ciągu miesiąca września, października, listopada, grudnia, stycznia i lutego nie zjawił się w tym mieszkaniu ani jeden pacjent, ani jeden „kulawy pies niosący w zębach rubla", jednak nie upoważniało to wcale do zrywania tablic, a tym mniej do jakichkolwiek przerw i uchybień w kształceniu woli. Było i jest rzeczą wiadomą, że początki praktyki... itd. Toteż doktór Tomasz czekał niezachwianie.

Judym – tryb życia w Warszawie; pierwsze niepowodzenia

Lokal składał się jak gdyby z trzech pokojów. Największy z nich (właśnie „gabinet") oddzielony był sienią od znacznie szczuplejszego, który stanowił „poczekalnię". Zarówno sień, jak poczekalnia przepołowione były forsztowaniami, pierwsza na sień i pseudokuchnię, druga na poczekalnię właściwą i, jeżeli godzi się tak go nazywać, pokój sypialny. Cały apartament mieścił się na dole, od frontu, co zaopatrywało go wprawdzie w turkot ulicy Długiej oraz w wilgoć, ale za to pozbawiało światła dziennego. Co się tyczy umeblowania, to doktór Judym żywił i wprowadzał w czyn mniemanie radykalne: „Po co – myślał – mam meblować mieszkanie, *cui bono*[80]? Czy mój pacjent zyska co na tym? Czy może ja za pomocą kanap i obrazów zyskam pacjentów? Bynajmniej!"

Co postanowił, to wykonał, a raczej nie wykonał w tym mieszkaniu nic prawie. W „gabinecie" stał stolik przykryty bibułą, na nim kałamarz, pióro i papier do pisania recept. Obok stolika czekały cztery drewniane stołki. Przy ścianie nudziła się stara sofa obita czymś wzorzystym.

W „poczekalni" mogło się rozsiąść wygodnie co najmniej pięciu pacjentów. Była tam kanapa, dwa fotele, parę stołków, „Tygodnik Ilustrowany", pojedyncze numery różowego czasopisma „Głos" i jakiś impresjonistyczny rysunek w ramkach na ścia-

[80] *cui bono?* (łac.) - po co? dla czyjego dobra?

nie. Wszystkie te meble, z wyjątkiem naturalnie „Tygodnika", „Głosu" i rysunku, kupione zostały za gotówkę na ulicy Bagno w pewnym bardzo renomowanym składzie bardzo „hrabskich" mebli. Podłogi zostały świeżo pomalowane olejną farbą, w przedpokoju umieszczono lustro (wszystko ku wygodzie i niezbędnej potrzebie pacjentów). Co prawda lustro miało właściwości szczególne. Pacjent najbardziej trzeźwo usposobiony mógł dostać pomieszania zmysłów ujrzawszy w tej tafli szklanej swe oblicze... Nos ukazywał się tam zawsze rozdęty jak kolba dubeltówki, jedno oko w czole, a drugie tuż przy prawej dziurce nosa, usta literalnie od ucha do ucha i nad podziw imitujące buzię nosorożca. Obowiązki gospodyni mieszkania, służącej a zarazem portierki, która by na pierwszy odgłos dzwonka otwierała drzwi pacjentom, przyjęła niejaka pani Walentowa, małżonka wędrownego bednarza. Mieszkała w suterenie tego samego domu, a tuż pod „gabinetem" doktora Judyma, co w znacznej mierze ułatwiało komunikowanie się za pośrednictwem walenia obcasem w ziemię. Pani Walentowa było to babsko stare, grube, skręcone przez rozmaite suterenowe łamania, niewątpliwie żłopiące monopol w dużej ilości, aczkolwiek w sekrecie – jednym słowem grzmot warszawski.

Jako wyręczycielka mamy spełniała czynności mniej więcej piętnastoletnia córka, dosyć ładne dziewczątko, czekające tylko odpowiedniego wieku, ażeby wyjść na ulicę z ciemnicy suterenowej.

Te białogłowy zagospodarowały się w mieszkaniu doktora Tomasza z taką wszechwładzą, że mowy być nie mogło ani o ukróceniu ich praw, ani tym mniej o jakiejś zmianie trybu postępowania. Wyrzec się ich usług nie było możności, gdyż zaczynały obydwie ryczeć jednym strasznym bekiem, wzywając na świadectwo głód, chłód, nędzę, bóle, łamania... Procesować się o wszelkie rzeczy ginące nie wypadało, gdyż zaklinały się z miejsca na tyle i takich sakramentów, że chyba człowiek wyzuty ze wszelkiej delikatności mógłby je podejrzewać o krzywoprzysięstwo. Co się działo ze świecami, z naftą, węglem kamiennym, cukrem, chlebem, herbatą, masłem, ze składowymi częściami garderoby męskiej itd. – to jest wieczną tajemnicą. Każdy prawie przedmiot kupiony za pieniądze tyle istniał w świecie zjawisk rzeczywistych, o ile figurował w rachunku. Poza tym bytował tylko w imaginacji Judyma podsycanej przez niektóre ze zmysłów. Świec nabytych nigdy, literalnie nigdy nie było. Wstępując nocną porą w progi domowe doktór Tomasz zawsze lazł omackiem i nadaremnie szukał zapałek, lichtarza, lampy... Że jednak świece rzeczywiście w mieszkaniu egzystowały i płonęły, o tym świadczyła wielka obfitość kropel zastygłej stearyny nie tylko na lichtarzu, na podłodze, na obiciu kanapy, stołków, na prześcieradłach łóżka, ale także dziwnym zbiegiem okoliczności na inekspresymablach i żakietach wiszących w szafie na klucz zamkniętej. Lampa była wiekuiście wewnątrz pusta, z upalonym knotem, ale za to niewątpliwie naftą pooblewana ze strony zewnętrznej i cuchnąca tym szlachetnym paliwem z odległości pięciu kroków, co w każdym razie wskazywało, że co kupiono, to wylewano ze szczodrobliwością. Cukru i bułek dr Tomasz nigdy w szafie nie znalazł, choćby się z głodu wił pod jej drzwiami, natomiast nie zamiecione okruszyny słały się wszędzie, a szczególniej w łóżku... Jedna poręcz wyściełanej otomany, kupionej za gruby pieniądz, wkrótce okryta została jakimś szczególniejszym tłuszczem, a druga uczerniona szuwaksem i zwalana błotem, jak to mówią, do cna. Wyobraźnia doktora widziała niby w biały dzień na jednym z wałków cennego mebla wypomadowaną głowę panny Zośki, a na drugim oparte tejże Zośki kopyta (wyobraźnia widziała mianowicie kopyta – nie nogi). Stolik świeżo „na moje sumienie" politurowany, kiedy go kupowano w sklepie, był wkrótce zbiorowiskiem okrągłych śladów (wymownie świadczących o tym, że jednakże samowar doktorski produkuje znakomity wrzątek). Z początku dr Tomasz usiłował wytworzyć stosunek pełen życzliwości, braterski. Nim upłynął miesiąc, już walczył, a w listopadzie był zwyciężony i wzięty do niewoli. Odtąd, jeżeli nawet zastał Zośkę wylegującą się na kanapie z kopytami obarczonymi błotem, jeżeli nawet spostrzegał Walentową żłopiącą herbatę z arakiem przy stole obficie zastawionym jego wiktuałami, stosował jedynie możliwą, aczkolwiek mało skuteczną metodę włoską: *guarda e passa*[81]. Nie było innej rady... Zamykał się w swoim „gabinecie", a resztę mieszkania oddawał *in direptionem*[82].

W godzinach przyjęcia doktór Tomasz nie ośmielał się czytać książek. Siedział za swym stolikiem wyprostowany i czekał. Tak było we wrześniu, w październiku... Z czasem pozwolił sobie na czytanie gazet w pozie już to siedzącej, już leżącej. Przy końcu grudnia tegoż roku czytanie gazet odkładał w ciągu doby na godziny przyjęć, a po Nowym Roku zaczął znosić do gabinetu na te właśnie godziny rozległe utwory Zoli, Jokaja, Dumasa, Lama. W sieni zawsze o tej porze siedziała Walentowa na wyściełanym krzesełku, z nogami okręconymi jakimś grubym wojłokiem. Z początku tak zwanej wizyty baba kaszlała, stękała, wzdychała na świadectwo czuwania – w środku stopniowo zacichała, a wkrótce potem dawało się słyszeć tęgie chrapanie. Bywały dnie takie, że w ciągu drugiej części programu rozlegał się rumor i łoskot. Walentowa w trakcie drzemki zlatywała z chwiejnego krzesła. Po każdym takim wypadku doktór musiał jej dawać kopiejki na arak, gdyż przysięgała na wszelkie świętości, że to słabość z głodu i czczości tak nią rzuca o ziemię. Kilkakrotnie wzywano młodego eskulapa do mieszkańców domu w raptownych wypadkach zasłabnięć, przeważnie poniedziałkowej natury. Raz w jesieni przyszedł stary introligator z sąsiedniej kamienicy, zadzwonił, zbudził Walentową i narobił istnego piekła. Judym badał go, stukał, pukał, wyginał, kładł na sofie, gniótł, oglądał ze wszystkich stron i wypuścił, rozumie się, bez pobrania honorarium. Po tym zdarzeniu nastała cisza trwająca dobre dwa miesiące.

Pewnego dnia w marcu, znowu w godzinie przyjęć, dał się słyszeć cichy głos dzwonka. Walentowa otwarła drzwi i wpuściła małą, chudą damę w czerni, o twarzy wywiędłej, suchej i mizernej.

Przybyła spytała o doktora Judyma i powziąwszy wiadomość, że jest u siebie, weszła do gabinetu.

„Pacjentka, jak mi Bóg miły!..." — jął myśleć doktór Tomasz i doznał ciepłego uczucia na samą myśl o pierwszym rublu zapracowanym we własnym apartamencie.

Dama wśród ukłonów obustronnych zajęła miejsce i rozejrzała się po umeblowaniu.

— Pani dobrodziejka jest cierpiąca? — zapytał doktor.

— O, tak, panie konsyliarzu... Od lat, od całego szeregu lat...

---

[81] *guarda e passsa* (wł.) - spójrz i idź dalej (cytat z *Boskiej Komedii* Dantego).

[82] *in direptionem* (łac.) - na rozgrabienie.

— I jakież to cierpienie?

— Gdybyż to jedno! Cały szereg chorób, które inną osobę, mniej wytrzymałą, dawno by wpędziły do grobu.

— Ale główna, zasadnicza?

— Czy ja wiem, panie konsyliarzu. Zapewne wątroba...

— Wątroba... Otóż...

— Bo to jakaś duszność, bezsenność, kaszel, bóle...

— Więc są bóle? I to w tej okolicy?

— Ach, jakie bóle! Język ludzki wyrazić tego nie jest w stanie!

— Bóle... rozdzierające, uczucie rozdzierania, nieprawdaż?

— Tak, bywa i to. Nieraz budzę się rano, to jest, podnoszę się rano przepędziwszy noc bezsenną i jestem tak upadająca...

— Proszę pani, apetyt?

— Ale któż by na to wszystko zwracał uwagę, panie konsyliarzu, któż by przykładał swoje cierpienia do tego, co znosi nieszczęśliwa ludzkość.

„Patrzajcież... — myślał Judym — a to co znowu?"

— Zapewne pan konsyliarz słyszał... — zaczęła dama poprawiając się na krześle i przyciskając do piersi swoją torebkę — o naszym stowarzyszeniu, którego celem jest nawracanie dziewcząt, pojmuje pan konsyliarz, złego prowadzenia się.

Tu dama spuściła oczy i zaczęła patrzeć w kąt gabinetu.

— Nic a nic nie słyszałem... — rzekł Judym.

— Otóż... celem naszego stowarzyszenia jest — po pierwsze...

I jazda! Minęło pół godziny, trzy kwadranse, godzina... Dama bez przerwy mówiła o celach stowarzyszenia. Na początku drugiej godziny zaczęła mówić o środkach, a właściwie o braku środków.

Gdy upłynęło mniej więcej sześć kwadransów od chwili zaczęcia tej dyskusji, nastąpiła wreszcie prośba o wsparcie zasiłkiem stowarzyszenia, które itd.

Doktór bez wahania wyjął rubla papierowego, położył go na stole i rozprostował palcami. Dama niezwłocznie wzięła datek, zapisała coś w karneciku i znowu wśród słów biblijnych, ukłonów, uśmiechów i dziękczynień wionęła za drzwi.

Walentowa po wyjściu kwestarki dostała wściekłego kaszlu. Doktorowi, gdy stał na środku gabinetu i świstał przez zęby, wydało się, że g r z m o t, który, rozumie się, podpatrywał przez dziurkę od klucza, pęka ze śmiechu, że się dusi i parska...

Takie były w krótkim zarysie dzieje początkowe kariery doktora Judyma. Resztki funduszu zostawionego przez ciotkę wyczerpały się, kredyt u sklepikarzy był poderwany, a przyszłość nadchodziła mglista. Od chwili wypowiedzenia niefortunnej lekcji o pauperyzmie w salonach doktora Czernisza Judymowi było w świecie lekarskim nijako. Nie mógł się skarżyć na to (nie miał prawa), żeby ktokolwiek odsunął się od niego czy świadomie stronił, ale czuł dokoła siebie próżnię i wyziębłe miejsce. Starsi i młodsi koledzy witali go, jak dawniej, uprzejmie; byli tacy, co może nawet niżej kłaniali mu się kapeluszami, ale w powietrzu drgała rada: bierz manatki, filozofie, i ruszaj w świat, bo tu nic nie wysiedzisz...

Doktór Tomasz rozumiał to sam znakomicie, że w organizmie żywym uczepił się jak obce ciało, które tamuje krążenie krwi pulsującej. Gdyby się był zbliżył do ludzi wybitnych, zasięgnął ich wskazówek, odwiedzał ich jako gość i domownik, stałby się wkrótce jednym z trybów tej maszynerii i zyskał klientelę. Rozumiał to wszystko bardzo pięknie, wiedział, jak by być mogło, co by należało zrobić, ale dzikie myśli i uparte trzymanie się tego, co one już spłodziły, powstrzymywały go od zmiany trybu postępowania.

Zdecydował się iść drogą, którą sobie był obrał, no i szedł, rzecz prosta, w niezupełnie całych butach.

W tym czasie (przy końcu marca) wczesnym rankiem przybiegła Wiktorowa z wiadomością o mężu. Rozpowiadała, jak co było, głosem z płaczu oślizgłym blisko godzinę, a później, wymieniwszy wszelkie szczegóły skrupulatnie, zabrała się i odeszła do swej fabryki.

Doktór długo siedział w mieszkaniu, pełen myśli iście marcowych. Wszystko szło dziwnie źle, opacznie, piętrzyło się, jak zator kry na rzece, tamując bieg życia. Rozmyślał o tym, że musi obecnie pomagać bratowej, utrzymywać i ją, i całą familię w zastępstwie Wiktora, gdyż zostawić ten obowiązek wyjątkowo na barkach biednej kobiety nie było możności. Tymczasem finanse były w stanie opłakanym. Pełen gorzkich myśli udał się Judym do swego szpitala. Wyszedł stamtąd wcześniej niż zwykle, czuł bowiem w sobie jakąś niemoc wewnętrzną przeszkadzającą mu w pracy. Ze wstrętem powlókł się do mieszkania Wiktora. Zastał tam tylko ciotkę, która coś pod oknem ścibała, i dzieci dokazujące w sąsiedniej izbie. Ciotka miała oczy przekrwione od płaczu, usta zacięte, nos jeszcze bardziej ostry. Przywitała go wzrokiem pełnym niechęci, prawie odrazy. Zawsze na niego krzywo patrzała jako na pupila i spadkobiercę siostry swej, którą przed laty okropnymi słowami wyklęła... Teraz, widać, zawziętość wzmogła się i dosięgła ostatniej granicy.

Judym nie zwracał na starą uwagi. Usiadł w kącie i sennym okiem przypatrywał się izbom dotąd nie uporządkowanym. Widok zdziczałych dzieci nasunął mu myśl, żeby teraz, kiedy nic lepszego nie ma do roboty, zająć się edukacją tych siostrzeńców. Wziął na spytki chłopca i przekonał się, że urwis czyta jako tako, choć z ciężkim stękaniem, ale poza tym ani be, ani me. Owa sztuka czytania było to dzieło ciotki, która teraz spod oka patrzyła na praktyki Judymowe. Karola zaledwie umiała rozróżnić litery.

Był prawie zmrok, kiedy doktor stamtąd wyszedł. Brnął z nastawionym kołnierzem, ze wzrokiem upadłym, pełen wewnętrznej nudy i lenistwa. Odruchowo, nie widząc ani ludzi, ani ulic, żeglował w stronę cukierni, gdzie czasami czytywał dzienniki. Na rogu, szybko skręcając w dzielnicę ludniejszą, zetknął się z doktorem Chmielnickim.

— O, cóż to kolega tak siarczyście maszeruje? — zawołał grubas — o małoście mię nie uszkodzili...

— Ja? Ale gdzież tam — idę...

— Widzę, widzę — do chorego.

— Akurat! — parsknął Judym na całe gardło.

— Nie do chorego? — spytała chluba miasta Chmielnika z odrobiną ironii w głosie.

— Nie mam wcale chorych! — rzekł Judym i wyciągnął rękę na pożegnanie.

— Zaraz, czekajcie chwileczkę! Jeżeli wam do zdechlaków nie pilno, to dlaczegóż nie uciąć gawędki?

— Kiedy zimno. Chodź kolega na kawę, to będziesz gadał, a ja posłucham.

— Dobra! Idę na świeżego „Kuriera", akurat mam odrobinę czasu.

Poszli ulicą i wkrótce zasiedli przy marmurowym stoliku w pięknej cukierni. Dr Chmielnicki wyładowywał ze siebie półgłosem rozmaite świeże kawały, z wielkim obiektywizmem wciągając do tej serii kawały, gdzie jego rodacy prezentowali się nieszczególnie. Judym śmiał się z anegdot, ale tym śmiechem warg, w którym oczy nie biorą żadnego udziału i który zbyt przeczulona subtelność narratora mogłaby poczytywać za impertynencję. W trakcie jednej ze szczególnie jakoby paradnych historyjek „Czerkies" znienacka zapytał:

— Ale, ale, może byście wyjechali na prowincję?

— Czego? — krzyknął dr Tomasz.

— Nic, nic! Ja tu mam misję wyszukania asystenta dla mojego kolegi Węglichowskiego, który jest dyrektorem zakładu w Cisach. Jeśli wy nie chcecie, to trzeba będzie szukać kogoś innego. Na śmierć zapomniałem...

— No, to ja nie pojadę na prowincję.

— To nie jest jakaś ordynarna prowincja, jakieś Kurozwęki (choć to stamtąd niedaleko) ani tym podobny Łagów. Uchowaj Boże!

— Nie jadę do Kurozwęk ani nawet do Łagowa.

— Ach! Czy ja was biorę za kołnierz i ciągnę do Łagowa? Mówię tylko, *relata refero*[83]. Niezwłocznie obraza! Rozumie się, że wy nie możecie tam jechać. Jak to? Być w Paryżu u Lucas Championiera[84] i potem jechać do Cisów. To przecie nonzensa.

— Spodziewam się, że to nie tylko „nonzens", ale nadto nonsens.

— Bez wątpienia. No, ale nie idzie za tym, żebyśmy nie mieli deliberować nad kwestią obsadzenia asystentury u tego kochanego „Węglicha".

— Co to znaczy słowo „Węglich"?

— Węglichowski jest moim kolegą z Dorpatu. Mieszkaliśmy razem. Tęgi lekarz... mógłby z niego być, gdyby nie to, że ten człowiek zawsze wszystko brał lekko. Nie lubi czytać — ot, co jest. A od chwili znanego przewrotu w medycynie warszawskiej, kto nie czyta, kto nie pozuje na uczonego, ten musi szukać jakichś Cisów. Znasz kolega Cisy?

— Nie znam. Słyszałem o tym coś... To w Kieleckiem, zdaje się...

— Aj, „zdaje się"... Jak można takich rzeczy... „Cudze rzeczy znać dobrze, a swoje potrzeba!"

— Kolega mi aplikuje niniejszą sentencję w sensie admonicji[85] czy tylko jako wzór krajowego przysłowia?

— Doskonale, paradnie! Ale wracając do „Węglicha"...

— Ach, z tym „Węglichem"...

— Ależ posłuchajcie! Wy tam młodsi znacie się między sobą, łatwiej możecie wskazać odpowiedniego człowieka. Miejsce wcale niezłe. Dają tam sześćset rubli...

— Fiu — fiu...

---

[83] *relata refero* (łac.) - zwrot przysłowiowy: powtarzam to, co mi powiedziano.

[84] *Lucas Championier* - (1843-1913) znakomity chirurg francuski.

[85] *admonicja* - napomnienie, nagana.

– Pyszny lokal i całkowite utrzymanie.

– A cóż trzeba robić?

– Zwyczajne rzeczy. Głupstwa. Latem zjeżdża się dosyć chorych, więc pospołu z innymi lekarzami trzeba się nimi zająć. Kąpiele, uważacie, wanny, natryski – o, takie rzeczy. Figle w gruncie rzeczy, a w okolicy praktyka jak sto tysięcy diabłów. To nie jest byle co. Może kto z waszych znajomych skusi się na te Cisy.

Judym zamyślił się, kazał sobie podać jeszcze jedną filiżankę kawy, wypił ją duszkiem, odstawił i rzekł do Chmielnickiego:

– No, dobrze, ja mogę jechać na to miejsce.

– A co? Nie powiedziałem? Pyszna myśl!

– Gdzież jest ten doktór Węglichowski?

– Jest właśnie w Warszawie i jutro zgłosi się do was.

– No, to już może ja do niego?

– A dlaczego? Przyjdzie do was. O której godzinie?

– Między piątą a siódmą.

– Tam u was, na Długiej?

– Na Długiej.

– Dobra!

Dr Chmielnicki zapisał sobie coś w notesiku patrząc do jego wnętrza lewym okiem jak przez lupę, złożył gazetę na sąsiednim stoliku, gdzie właśnie jakaś „piękna Iza" szczerzyła zęby do wymokłego lowelasa, i podał Judymowi prawicę.

– A więc do jutra! Świetna myśl...

– Zobaczymy... – mruknął doktor Tomasz zwieszając głowę.

Gdy dr Chmielnicki zniknął, pogrążył się w rozmyślaniach:

„Tak, tak... Trzeba dokądś iść, to darmo. Wiktorowa się nie wyżywi, a i ja czyż długo bym potrwał z taką sumą pacjentów jak obecnie. Pojadę. Może nie na zawsze, może na rok, na dwa. Może gdy wrócę, będzie, do stu tysięcy diabłów, co innego".

Za powrotem do domu, w nocy i następnego dnia bez przerwy myślał o wyjeździe. Żałował Warszawy całym sercem. Porzucenie jej było dla niego tym przykrzejsze, że sam był z urodzenia łykiem, mieszczuchem, znającym wieś z wycieczek letnich, z romansów, opowiadań ustnych, z rysunków. O tym, jak to się zimą mieszka wśród tych pól olbrzymich, po których zamieć tańcuje, nie myślał nigdy. Teraz to wszystko snuło mu się przed oczyma i przygnębiało.

Nazajutrz o godzinie piątej zasiadł w swym fotelu i spokojnie oczekiwał kataklizmów mających nastąpić. Minęły zaledwie dwa kwadranse, gdy dzwonek mocno szarpnięty zadrżał jakby ze strachu i począł krzyczeć na starą o roztwieranie drzwi co rychlej. Wszedł do mieszkania i zapytał o Judyma pan niskiego wzrostu w zniszczonych bobrach. Gdy doktor Tomasz wybiegł na jego spotkanie, usłyszał oczekiwane nazwisko:

– Węglichowski.

Węglichowski – wygląd

Był to człowiek lat pięćdziesięciu kilku, niski, bodaj za mały, chudy, kościsty. Należał do rasy jędrnych, zdrowych, zwinnych staruszków, którzy prawie nie zmieniają się w ciągu piętnastu, dwudziestu lat od czasu, gdy posiwieli. Twarz miał przyjemną, o rysach regularnych, ze skórą rumianą koloru wypieczonego chleba. Z natury krótka, kędzierzawa broda, bieluteńka jak mleko i takież wąsy zdobiły ją harmonijnie i dopełniały mile barwę twarzy, nadając obliczu wyraz szczególnego wdzięku. Mimo woli witało się tę głowę myślą: „Jaki to przystojny, jaki ładny staruszek!" Włosy na jego skroniach, zupełnie tak samo białe jak broda, srebrzyły się dokoła łysiny. Nade wszystko uderzały oczy. Właśnie uderzały. Czarne jak tarki, błyskotliwe, mieniły się od postrzeżeń, znamionując rozum, a raczej spryt pierwszorzędny. Dr Węglichowski ubrany był w skromne, czarne suknie, które na nim dziwnie dobrze leżały. Jego zwykły stojący kołnierzyk, czarny, niemodny krawat były w harmonijnej zgodzie z całą postacią, a jednocześnie wskazywały na dbałość o siebie daleką od elegancji, na czyściuchostwo, które stało się przywarą, nałogiem, prawem.

Wszedłszy do gabinetu doktor Węglichowski zmierzył badawczym spojrzeniem (wcale nie ukradkiem ani przelotnie) wszystkie sprzęty, usiadł na podanym krześle z dala od stolika, strzepnął jakąś prószynkę z klapy surduta, zmrużył powieki i wlepił w Judyma swe mądre oczy. Ten doznał bardzo niemiłego uczucia przymusu, a raczej podwładności wobec tego człowieka, którego pierwszy raz w życiu widział i z którym był mocen rozejść się bez zwłoki. Poznanie wewnętrzne mówiło mu, że nie mógłby władać tym staruszkiem za pomocą żadnej siły: ani za pomocą pieniędzy, ani za

pomocą siły nauki. Jakby dla skasowania tej obserwacji twarz dra Węglichowskiego rozwidnił grzeczny uśmiech:

— Przyjaciel mój z czasów dorpackich, doktor Chmielnicki, mówił mi, że kolega zgodziłbyś się wyjechać z Warszawy w charakterze asystenta...

Słowa te brzmiały miękko i cicho.

— Tak, wspomniałem koledze Chmielnickiemu... — odrzekł Judym bez własnej woli i wiedzy tym samym tonem — chociaż zależałoby to od wielu okoliczności.

– Zależałoby od wielu okoliczności... Kochany panie... Czy znasz kolega Cisy?

– Nie, ani trochę, tak dalece, że wczoraj nie umiałem powiedzieć, gdzie, w jakiej guberni, w jakiej okolicy kraju leżą te Cisy.

Dyrektor Węglichowski milczał przez taką akurat chwilę, jaka mogła w sobie zawrzeć zdanie: Dziwi mię, że się tym chwalisz...

– Czemu chcesz wyjechać z Warszawy, kochany panie? – rzekł głośno.

– Dla bardzo prostej przyczyny: nie mam tu z czego żyć.

– Z czego żyć... – powtórzył doktór Węglichowski jak echo, takim głosem, jakby nie tylko racja wydała mu się zupełnie wystarczającą, ale nadto jakby położenie młodego lekarza bez praktyki uważał za całkiem wzorowe i z prawem zgodne.

– Zresztą – ciągnął doktor Tomasz niechętnie – są jeszcze inne powody. Nie chcę ich ukrywać przed panem. Miałem tu w jesieni roku zeszłego odczyt, który jest wyrazem moich stałych i niezmiennych przekonań, a który nie podobał się ogółowi lekarzy. Nie mam nadziei, żebym kiedykolwiek mógł tutaj stworzyć sobie możność jakiejś szerszej działalności.

Dyrektor nie spuszczał z Tomasza oka, gdy ten mówił frazesy powyższe. Oczy jego nie tylko przypatrywały się twarzy mówiącego, ale wywłóczyły zeń prawdę, jak magnes rusza i ciągnie z ich miejsc martwo leżące opiłki żelaza. Po długiej chwili takiego indagowania wzrokiem dr Węglichowski rzekł:

– Wiem o tym. Opowiadano mi tę historyjkę ze wszelkimi szczegółami. Wiedziałem o niej, gdym się tu wybierał. Kochany pan byłeś w Paryżu?

– Byłem.

– Rok z górą?

– Tak jest.

– No i mówisz po francusku?

– Mówię.

– Płynnie, wykwintnie, po parysku?

– Czy tak znowu po parysku, tego twierdzić nie mogę. Mówię z zupełną swobodą.

– Z zupełną swobodą... Czy nigdy nie zdarzyło ci się widzieć za granicą urządzeń kąpielowych? Na przykład hydropatycznych[86] wanien?...

– Owszem, widziałem to w Paryżu, a szczególniej w Szwajcarii, w Albis, w Baden, na Righi i w innych miejscach. Jeździłem tam ze znajomym, pewnym inżynierem z górnictwa, który tułał się po takich zakładach. Wyciągnąłem go z ogródka systemu Kneippa[87] w Zurychu i woziłem z miejsca na miejsce. Znudziło mnie to prędko, więc zostawiłem go na pastwę kąpielowym w doskonałym Righi Kaltbad.

– Kaltbad... Doskonałym... Proszę kochanego pana, czy możesz mi określić, jakie jest twoje usposobienie: czy lubisz towarzystwo, tańczysz, bawisz się?

Judym musiał powtórzyć sobie w myśli to pytanie, ażeby przede wszystkim samemu sobie zdać sprawę, jakie właściwie jest jego usposobienie.

---

[86] *hydropatyczny* - wodoleczniczy.

[87] *ogródek systemu Kneippa* - zakład leczniczy, w którym stosuje się metodę wodolecznictwa wprowadzoną przez ks. Sebastiana Kneippa (1821-1897).

— Zdaje mi się... — rzekł ze śmiechem — że dosyć lubię towarzystwo, tylko nie bardzo umiem być człowiekiem miłej zabawy, gdyż pochodzę...

— Kochany panie, wiem, skąd pochodzisz, i dlatego tu przyszedłem... — przerwał dyrektor głosem szorstkim i patrząc mu w oczy tak prosto, jakby w tym wzroku i brzmieniu mowy istotna prawda zamknięta była. — Lekarz, kochany panie, ma w herbie lancet. Zresztą, o czymże to mówimy! Czy znasz warunki utrzymania w Cisach?

— Nie znam.

— Otóż są takie: lokal, światło, opał, całkowite utrzymanie, usługa, konie itd. Pensji sześćset rubli rocznie. Prócz tego możesz czynić użytek z gabinetu i narzędzi do praktyki osobistej zimą, latem zaś urządzisz sobie ambulatorium w specjalnym budynku poza parkiem. Istnieje tam nadto mały szpitalik, także poza parkiem, w dominium pani Niewadzkiej. Bo nie wiem, czy wiesz, że egzystuje zakład Cisy i majątek tegoż nazwiska, własność pani Niewadzkiej.

— Pani Niewadzkiej? — zapytał Judym, oszołomiony mnóstwem tych wiadomości.

— Tak jest. Stara babina, bardzo uczynna, kochany panie, bardzo... Matrona...

— Czy ta pani nie podróżowała w roku zaprzeszłym, czy nie była we Francji?

— Była, a jakże, z wnuczkami.

— Z dwiema wnuczkami i nauczycielką?

— Tak, z panną Podborską. Skądże wiesz o tym, kochany panie?

— Ależ bo je spotkałem... Jeździłem z nimi do Wersalu.

Staremu dyrektorowi oczy się zaświeciły.

— Widzisz, kochany panie, to ładnie się składa. Nasza dziedziczka będzie zadowolona, gdy w nowym asystencie pozna towarzysza wycieczki. Co się tyczy lekarskiej strony Cisów, to ta przedstawia się, jak następuje.

Tu dr Węglichowski rozwinął przed Judymem historię tej instytucji: pierwsze lata istnienia, rozkwit, później prawie zupełny upadek, bliskość ruiny całego przedsięwzięcia, zmiany różnych zarządów, a wreszcie swój w całej sprawie współudział. Na odchodnym wydobył z bocznej kieszeni surduta sprawozdanie roczne na ozdobnym welinie, z widokami, mapą, tablicą i wręczył je Judymowi.

— To wszystko, co mogę powiedzieć na razie. Rozważ to, panie kochany, rozpatrz się. Kiedyż mógłbyś mi dać decyzję ostateczną?

— Dam ją, dam ją... jutro.

— Jutro o tej samej porze?

— Tak, ale to już ja zgłoszę się do szanownego kolegi.

— Proszę, proszę... W mieszkaniu Chmielnickiego. Więc o tej porze?

— O tej porze...

— Żegnam cię, kochany panie, i życzę: przynieś mi jutro zgodę.

Doktór Węglichowski wyciągnął rękę z życzliwym uśmiechem i przez chwilę zatrzymał w niej dłoń Judyma. Później prędko się oddalił.

Judym – decyzja wyjazdu do Cisów, opis przeżyć

Było ciemno. Judym nie kazał babie przynosić światła i po wyjściu dyrektora błądził zamyślony z kąta w kąt gabinetu. Już się zdecydował na wyjazd. Rozpoczynał jak gdyby nową stronicę życia. Czasami błąkał się w jego myślach zgryźliwy frazes: „Filister zabiera się do robienia kariery, filister, filister" — lecz szybko ta gorzka nuta ginęła w cichej rozkoszy, jak tęsknota ściskająca piersi. W mroku napływającym do pokoju zdawały się być z nim uśmiechy dziewicze i śliczne twarze, już prawie zapomniane, uparcie wymykające się od schwycenia ich wyobraźnią, jakby między ciemnymi drzewami szły w przestworze. Ukazywały się i cofały w ciemny obłok. Tam jedna z nich w ramie bujnych czarnych włosów, twarz biała, tak biała, że zdaje się światło naokół rozlewać.

Oto druga – szczupła, delikatna. Chowa w sobie milczącą a szaloną namiętność, która porywa, która wypełnia duszę zapachem, rozkoszą i westchnieniami...

Swawolny Dyzio

Jednego z ostatnich dni kwietnia dr Judym ukończył wszelkie rachunki z miastem Warszawą, spakował manatki do walizy, którą bez żadnego zgoła wysiłku mógł nosić z miejsca na miejsce, wręczył honoraria i napiwki starej, Zośce, stróżowi – wsiadł do powozu i kazał się zawieźć na dworzec. Uregulowanie rachunków odbyło się na konto przyszłej pensji w Cisach. Dr Węglichowski nadesłał był Judymowi listownie rodzaj zaliczki w kwocie stu rubli i uprzejmie żądał przyjęcia jej celem spłaty długów i opędzenia kosztów podróży. Dr Tomasz burzył się w duchu na wydawanie pieniędzy, których jeszcze nie zarobił, ale koniec końców nie tylko zużytkował tę sumę, ale zużytkował tak gruntownie, że po opłaceniu biletu klasy drugiej w wagonie dążącym z Warszawy do ostatniej stacji kolejowej przed Cisami została mu w kieszeni trocha łupaków[88] miedzianych i dwie marki po siedem kopiejek każda. Gdy pociąg ruszył, Judym wsunął się do przedziału, gdzie służący ulokował jego walizę, i znalazł miejsce w rogu sofy. W *coupé*[89] siedziały już trzy osoby: jakiś wiekowy oficer i dwie panie. Osoby te miały dużą ilość kufrów, a zabierały się do drogi systematycznie: pan umieścił swą szablę i czapkę w rogu, panie rozstawiły obfity zbiór koszyków, skrzynek, pudeł, neseserów itd. Gdy przebyto most, Pragę, resztki zabudowań, gdy nasunął się pierwszy las, brzozy jak senne marzenia wynurzające się z ciemnej głębiny sosen, pola z ich nikłą runią zbóż jasnych, dr Tomasz nie mógł od okna wzroku oderwać. W niebiosach, gdzie przecudny, dobrotliwy błękit zdawał się roztwierać ostatnie swoje zasłony, płynęły wiotkie chmurki. Na ziemi wszystko tchnęło życiem, rozrostem i pięknem. Czasami odmykał się przestwór równiny dalekiej, to znowu zasłaniały go wsie, dwory i piękne, prawdziwie czcigodne sylwety kościołów.

Judym nasycał oczy tym krajobrazem, gdy wtem drzwi otworzyły się i nie tyle weszła, ile wdarła się do przedziału dama wysoka i chuda prowadząc za rękę chłopczyka mniej więcej dziesięcioletniego. Dama była niepiękna i, jak się rzekło, chuda

---

[88] *łupaki* - drobne monety.
[89] *coupé* (fr.) - przedział w wagonie.

w sposób taki, że widzowi mimo woli przychodził do głowy akt dziękczynienia za to, że istnieją, chwała Bogu, szaty damskie i że uwalniają śmiertelnych od widoku dam tego rodzaju – w negliżu. Nowo przybywająca miała spory nos, usta ściągnięte i oczy zmrużone. Konduktor i jeszcze jakiś funkcjonariusz wagonowy wrzucili za nią do przedziału kupy węzełków, skrzynek, wózków, drewnianych koni wielkości źrebięcia, parę walizek i pudełek kartonowych. Dama zostawiła to wszystko razem i każdą rzecz z osobna losowi naturalnemu. Zepchnęła tylko niektóre meble krępujące swobodę jej ruchów na nogi sąsiadom... Ukończywszy to zajęcie padła na sofę i wzięła się do oglądania towarzyszów drogi. Mały Dyzio stał pośród sprawunków nawalonych w przejściu między siedzeniami i, gwiżdżąc, również przyglądał się obecnym. W ręce trzymał brudny patyk ze sznurem uwiązanym do niego w kształcie bata. Włosy tego chłopięcia były szare, a rosły jakoś naprzód, w kierunku widza. Cała postać, a szczególnie oczy, włosy i ręce przypominały rysia czy żbika. Ubranie było wytarte niepospolicie i świadczyło o jakichś piekielnych walkach z ziemią, wodą i smarowidłami. Pończochy wypchnięte na kolanach i przedziurawione odsłaniały nogi okryte krwią i mnóstwem siniaków.

— Dyziu, usiądź... – rzekła matka głosem omdlewającym.

Mówiąc to patrzyła nie na swego potomka, lecz na Judyma, jakby do niego mianowicie zwracała się z tą serdeczną i troskliwą radą.

Dyzio zachował się tak, jakby słowo matki rzeczywiście skierowane było do kogo innego. Z żywą ciekawością pochylił się ku oficerowi siedzącemu w kącie przedziału i zaczął szczegółowo oglądać guziki munduru biorąc każdy z nich w palce zawalane rozmaitymi substancjami. Wojskowy zgodził się bez protestu na tę badawczość młodocianej imaginacji i z niejakim uśmiechem czekał końca oględzin. Tymczasem Dyzio dostrzegł pałasz wiszący w kącie na haku i sięgnął śmiałą ręką po tę broń między głowy dwu pań. Wówczas oficer usunął go od siebie i towarzyszek delikatnie, z uprzejmością i w milczeniu.

— Dyziu, zachowaj się jak należy... – rzekła matka — bo pan oficer wyjmie pałasz i utnie ci głowę.

Żywy chłopczyk znowu nie wysłuchał słów matki z należytą uwagą. Zamierzył był właśnie dostać się do okna i ruszył w tym kierunku po nogach osób siedzących. Rozległ się krzyk dam i pana w mundurze, oskarżający Dyzia, że włazi na odciski. Dyzio z miną tryumfatora obojętnego na wszystko przedarł się, dokąd zamierzył. Rozkraczywszy nogi stanął na dwu siedzeniach i wychylił się za szybę ruchem tak lekceważącym wszelkie niebezpieczeństwo, że obecni w przedziale zobaczyli raptem odwrotną część jego ubrania zdartą, kto wie czy nie bardziej niż pończochy. Jedna z pań zwróciła się do stroskanej matki i rzekła:

— Proszę pani, synek może wylecieć za okno...

— Dyziu, na miłość boską, nie przechylaj się tak bardzo, bo ta pani mówi, że możesz wylecieć za okno!

Znowu żadnego skutku! Przez pewien czas wszyscy byli zaambarasowani tak wypiętą pozą chłopczyny, ale krzyk trwogi buchnął z piersi wszystkich, kiedy malec nachylił się jeszcze bardziej, widocznie chcąc dostać rękoma tabliczki przymocowanej pod oknem. Dla zachowania równowagi stanął wtedy na jednej nodze, a druga w miarę ruchów tułowia wierzgała po przestworze około głów pań siedzących. Oficer zerwał się z miejsca, ujął kawalera za pasek i wciągnął do wagonu. Wtedy Dyzio sprezentował, co umie. Przede wszystkim wydarł się z rąk i rzucił znowu do okna. Gdy mu to po raz drugi zostało wzbronione, zaczął szarpać się, kopać nogami na wszystkie strony bez względu na to, czy razy jego obcasów trafiały w kuferki, czy w stopy z odciskami.

– Proszę pani – krzyknął oficer – co to jest! A to ślicznie wychowany chłopak! Może pani będzie łaskawa!...

– Dyziu, zaklinam cię na wszystkie świętości!– wołała zmęczona matka.

Ten nie uznawał się za zwyciężonego: oficera łokciami odepchnął, a w kierunku matki wywiesił język tak długi, że można go było za pieniądze pokazywać. Nie było rady. Zostawiono Dyzia w spokoju, ale i on się jakoś umitygował. Patrzał tylko ze szczególną niechęcią na oficera i spluwał przed siebie. Po pewnym czasie usiadł między matką i Judymem. Nogi wyciągnął aż na przeciwległą ławkę, ręce wpakował w kieszenie kurtki i wlepiał w każdą osobę z kolei swe sowie oczy. Była to cisza pozorna, wkrótce bowiem zaczął atakować Judyma. Zaglądał mu w oczy, wpierał się w niego ramieniem, łokciem, kolanem, wreszcie wywlókł spod ławy swój bat, koniec biczyska wtłoczył w nogę doktora Tomasza i zaczął nim oburącz świdrować. Doktor odjął patyk i usunął rękę chłopca. Nie na wiele się to przydało, gdyż wkrótce zaczęła się ta sama historia. Matka Dyzia przyglądała się tej procedurze z kwaśną miną – a wreszcie wyseplenila:

– Proszę cię, nie rób tego... Po co to? Czy grzeczny chłopczyk bawi się w ten sposób, czy to ładnie? Już tyle razy mama cię prosiła, żebyś nie zaczepiał panów w wagonie. Robisz tym mamie ogromną przykrość... Chyba chcesz, żeby nas i z tego *coupé* pan konduktor wyrzucił jak z tamtego. Co? powiedz otwarcie...

Dyzio skierował na rodzicielkę przelotne spojrzenie i wziął się do nowej czynności. Na ławce leżał kapelusz Judyma. Chłopczyk chwycił go w ręce sposobem cyrkowym, zaczął kręcić, wyrzucać w górę i łapać na patyk.

– Ach, Dyziu, Dyziu... – jęczała dama. – Nie rób tego, bo ręczę ci, że ten pan rozgniewa się i znowu zwymyśla mamę tak samo jak pan pułkownik. Chyba chcesz, żeby ten pan zwymyślał mamę. Powiedz otwarcie... Chyba chcesz...

– No, chcę, żeby mamę zwymyślał... – mruknął syn nielitościwy.

Nic tedy nie skutkowało. Dopiero znużenie wzięło górę nad żywością usposobienia. Usiadł na wolnym miejscu, ku powszechnemu zadowoleniu ziewnął raz i drugi... Wreszcie usnął. Judym z całą pieczołowitością umieścił jego kończyny na sofie, a sam wyniósł się z przedziału. Nie wrócił tam aż w Iwangrodzie[90], kiedy trzeba było zabrać walizkę dla przeniesienia jej do innego wagonu. Ze szczerą satysfakcją myślał o tym, że się z Dyziem rozstaje.

Jakaż była jego złość, gdy ujrzał matkę ze swawolnym synem wstępujących do wagonu, gdzie siedział. Była tam salka drugiej klasy wspólna dla znacznej części pasażerów, toteż Dyzio używał co się zmieści.

Około godziny trzeciej po południu zbliżano się do stacji, na której Judym miał wysiąść, i dalszą drogę, to jest pięć mil, odbyć końmi. Wydobywszy się z wagonu

[90] *Iwangród* - nazwa Dęblina z czasów zaborów.

i minąwszy dworzec drugorzędnej stacyjki zastał duży, parokonny powóz i furmana w błyszczącej liberii. Walizę przyniósł w ręku bardzo stary Żydek i umieścił ją na koźle. Doktór skoczył jeszcze do bufetu, żeby kupić papierosów. Gdy prędko biegł z powrotem, ujrzał Dyzia i jego matkę sadowiących się właśnie do jego powozu. Ręce mu opadły i dawno nie używane szewskie przekleństwo splamiło mu usta. Znużona matka Dyzia już wiedziała od woźnicy, że ma jechać z jakimś panem, już poznała walizkę i z bardzo ujmującym wyrazem twarzy czyniła zbliżającemu się miejsce obok siebie.

W pierwszej chwili Judym zasadniczo zdecydował się nie jechać za żadne skarby świata. Ale szereg prędkich zestawień i obliczeń funduszu wywołał w jego umyśle inną decyzję, a na oblicze wyraz szczęścia i słodyczy. Z tym piętnem na twarzy zbliżył się do damy i zawiązał rozmowę pełną wykwintnych ogólników. Wkrótce tobołki umieszczone zostały, gdzie się dało, Dyzio, z obawy, ażeby broń Boże nie spadł pod koła, wskutek usilnych próśb matki zasiadł na ławeczce w nogach i landara wwaliła się w bagnistą uliczkę żydowskiej mieściny.

Dama ciągnęła dyskurs nieustannie, wtedy nawet, gdy powóz przechodził istne konwulsje w dołach, wybojach, bajorach i suchych grobelkach miejskich. Judyma mdłości ogarniały na samą myśl, że ta zabawka towarzyska trwać będzie na przestrzeni pięciu mil, ze wzmianek bowiem matki Dyzia okazywało się, że jadą do Cisów. Ale wkrótce za miastem doznał pociechy, gdy mu prosto w twarz wionął oddech wilgotny, lecący z niedocieczonego przestworza, z pól, z lasów. Role po długich deszczach rozmiękłe, porznięte brunatnymi smugami bruzd mokrych, już tu i ówdzie jaśniały szarożółtą barwą wysychając w miejscach wzniesionych. Nad nimi kurzył się lekki, siwy opar. Niwki ozimin snuły się wzdłuż i w poprzek cudną barwą swoją, która w oddali mieniła się rozmaicie, to zielono, to niebieskawo, jak kolor piórek na szyi pawia. Wysoko stały białe obłoki jakby zaspy śniegów spiętrzonych, pomalowane ślicznymi cieniami. W głębi ich skrzydeł rozlegał się istny chór skowronków. Nad jasną runią pastwisk magały się czajki, co chwila wydając okrzyk swój wesoły.

Konie rwały ostrego kłusa i spod kół zaczęły się rozlatywać bryzgi tężejącego błota. Wiatr przeszkadzał mówieniu, toteż „konwersacja" stawała się cokolwiek mniej dokuczliwą. Judym tonął oczyma w nowym pejzażu. Był on dla niego nowym prawdziwie. Wsi, a raczej ziemi, gleby, przestworu w tej porze roku doktór nigdy jeszcze nie widział. Budził się w nim święty instynkt praczłowieczy, mglista namiętność do roli, do siewu i pielęgnowania zboża. Uczucia jego rozproszyły się i błąkały w tych szerokich widokach. Tam pod lasem, który dopiero zaczęły barwić liście, wśród wzgórza otoczonego drzewami leży miejsce na dom. Olchy i sokory jeszcze są czarne. Tylko wysmukła, strzelista brzoza okryła się już cienką mgłą liści tak szczelnie, że nagie pręty już się ukryły. Dokoła pniów uśmiechają się bladoniebieskie przylaszczki. Obok lasu ciągnie się wąska dolina, a środkiem niej przepływa strumień. Jakiś człowiek idzie po zboczu górki, schyla się, coś tam robi, nad czymś pracuje, coś sadzi czy sieje...

„Szczęść ci Boże, człowieku... Niech się stokrotnie urodzi twe ziarno..." – myśli Judym i zatapia oczy w tym miejscu, jakby było domem jego rodzinnym. Ale oto staje mu w oczach inny dom: suterena, wilgotny grób, pełen śmierdzącej pary. Ojciec wiecznie pijany, matka wiecznie chora. Zepsucie, nędza i śmierć... Co oni tam robili, czemuż mieszkali w jamie podziemnej, umyślnie zbudowanej na to, żeby hodować w ciele choroby, a w sercu nienawiść do świata?...

I znowu pieści się z oczyma to wzgórze uśmiechnięte do słońca...

Powóz mijał wioski, karczmy, lasy, rozdroża, i mknął gościńcem błotnistym. Słupy wiorstowe dość często nasuwały się przed oczy i upalono już ze dwie mile drogi, kiedy Dyzio dał znak życia. Do tej chwili pogrążony był w pewien rodzaj somnambulizmu[91]. Siedział zmartwiały jak bryła soli, wyłupionymi oczyma wodząc po rowach. Właśnie Judym tłumaczył matce coś interesującego, gdy uczuł, że go malec zaczyna łechtać po łydkach. W pierwszej chwili sądził, że mu się zdaje, ale wkrótce, rzuciwszy okiem, zobaczył na obliczu łobuza znamię chytrości i wywieszony język, którym ten pomagał sobie niejako w procedurze łechtania. Dyzio wsuwał rękę między nogawicę spodni Judyma i cholewkę jego kamaszka, odchylał skarpetkę i wodził po gołej skórze długą, ostrą słomą. Judym nie zwracał na to uwagi, w nadziei, że mania psotnicza ominie małego towarzysza drogi. Stało się przeciwnie. Dyzio wynalazł pod siedzeniem jakiś zabłąkany długi, ostry badyl i tym sięgał aż do kolana. I to mu nie wystarczyło: wyskubywał nitki ze skarpetek, usiłował zdjąć kamasz, zawijał ineksprymable, dopóki się dało, itd. Poczęło to wreszcie doktora drażnić. Odsunął szorstkim ruchem rękę łobuza raz, drugi, trzeci. Wszystko na nic. Język, wywieszony na bok, coraz bardziej wskazywał, że gotują się nowe eksperymenty. I rzeczywiście: Dyzio zaczął zbierać dłonią duże i lepkie bryzgi błota, które osiadały na wachlarzu powozowym, lepił z nich wielką pigułę i pakował na gołe ciało za cholewkę doktorskiego kamaszka. Judym wyrzucił pierwszą taką bryłę. Gdy malec ulepił drugą i wpakował ją znowu, odepchnął go mocniej, a gdy wreszcie po raz trzeci przygotowywał się do tejże czynności, rzekł do niego:

— Słuchaj, jeżeli się zaraz nie ustatkujesz, to ci zerżnę skórę.

Chłopak uśmiechnął się zjadliwie, zebrał ręką nową garść błota i rozpostarł je na obnażonej nodze. Wtedy Judym kazał furmanowi stanąć. Skoro tylko powóz się wstrzymał, otwarł drzwiczki, jednym zamachem skoczył na ziemię i wyciągnął ze sobą Dyzia. Tam ujął go za kark lewą ręką, przechylił w sposób właściwy na kolanie i wysypał mu prawą około trzydziestu klapsów spod ciemnej gwiazdy. W trakcie tej operacji słyszał rozdzierający krzyk damy, czuł szarpanie za rękawy, nawet drapanie paznokciami, ale nie zwracał uwagi. Matka nieszczęsnego skazańca zerwała Judymowi kapelusz z głowy, rzuciła go w pole i wrzeszczała jak obłąkana. Gdy doktora dłoń zabolała od razów, wrzucił chłopaka na siedzenie powozu, wyciągnął swoją walizkę, wziął ją w rękę i kazał jechać.

— Proszę pana doktora, jakże to jechać? — rzekł furman — jakże jechać? Niechże pan doktór wsiada.

— Nie wsiądę! Jedź do Cisów z tą panią. Ja idę piechotą...

Furman zafrasował się i zmartwił. Patrzył to na Judyma, to na damę.

— Jedź, kpie, kiedy ci mówię! — krzyknął doktór w pasji.

Woźnica wahał się jeszcze i mruczał:

---

[91] *somnambulizm* - poruszanie się i wykonywanie czynności w głębokim uśpieniu; stan ten nie pozostawia po przebudzeniu śladów w świadomości.

— Pan administrator kazał mi jechać po nowego doktora. Jakże tu?... Ładnie to tak, żeby... Ij... u Boga Ojca!...

Ruszył ramionami i stanął.

— Jedź, do licha!

— To choć niech pan doktór wsiądzie na kozieł!

— Nie wsiądę! Słyszałeś?

— Słyszałem. Ale żeby na mnie nie było.

Splunął na bok, podciął z lekka konie i ruszył noga za nogą. Jeszcze obejrzał się i zobaczył Judyma idącego z walizą w ręku brzegiem drogi. Wtedy ruszył prędzej i powóz oddalać się zaczął.

Doktór maszerował z ciężarem swoim sapiąc potężnie i klnąc na czym świat stoi. Otwierała mu się przed oczyma najgłupsza pod słońcem sytuacja, ale nie chciał się już cofnąć. Nie był w stanie przywołać furmana i zmienić tonu oświadczenia. Jak na złość nigdzie nie było widać ani wsi, ani ludzi. Gdzieś daleko zza pochyłego garbu wzgórza, z jakiegoś widocznie rozdołu, wznosiły się nikłe, śniade słupy dymów. Doktór szedł w tamtą stronę suchą miedzą wśród pól rozoranych. Rzeczywiście ujrzał z wyniosłości dużą wieś w nizinie. Było do niej jeszcze daleko, ale marzenie o wynajęciu furmanki skracało drogę. Stanął wreszcie u progu pierwszej chaty zmęczony, literalnie w pocie czoła. Mokra i przepadająca rola, w której brnął, ostre powietrze i znużenie wprawiały go we wściekłość. Szedł od chaty do chaty pytając się o konie. Tu nie było ich wcale, tam nie chciano wynająć, gdzie indziej przypatrywano mu się ze śmiechem.

Wreszcie trafił się pewien młody gospodarz, który od razu zgodził się jechać. Zaprzągł do wasąga parę małych bułanków i bocznymi drogami, przez dziury i wertepy pomknął jak strzała. Dobry humor wrócił, a nawet wstąpiła w eskulapa swada burszowska. Trafił się na rozstajnych, błotnistych szlakach sklep z trunkiem. Woźnica tam utknął, zaczął koniom podwiązywać ogony, majstrować koło wozu, wchodzić do izby, wychodzić stamtąd ociężale... Judym zrozumiał, że jego towarzysz ma chęć wypić kieliszek „Leopolda".

Zawołał tedy:

— Gospodarzu, weźcie sobie flaszeczkę gorzałki.

— Jakąże, proszę wielmożnego pana, wziąć, małą czy dużą? – spytał tamten bez namysłu.

Judym zawahał się. Jakże było powiedzieć, że małą.

— Juści z tych większych.

W chwili gdy to mówił, przypomniał sobie stan kasy i przeraził się, czy aby ma dosyć pieniędzy...

Na szczęście wystarczyło jeszcze kopiejek, ale zostało ich kilka zaledwie w kieszeni. Chłop wyjął korek piorunem i zmusił Judyma do z a p r ó b o w a n i a. Kiedy ten obrzęd został spełniony, sam wziął się do flaszki. Wypił z połowę, resztę schował do kieszeni i wlazł na siedzenie. Teraz zaczęła się prawdziwa jazda! Małe, zwinne konięta rwały jak sarny, wóz wpadał w wyrwy pełne „bajecznego" błota, rozwalał kałuże stojące między opłotkami i leciał w siarczystych bryzgach. Ziemia w tej okolicy była mocno gliniasta, toteż drogi były śliskie. Wóz na pochyłościach zataczał się jak na lodzie i tylko szybkość jazdy wstrzymywała go od wywrotu. Z każdej górki chłop popędzał konie i leciał na łeb na szyję wprost do jamy głębokiej a kisnącej zwykle w takim „dołku". Orczyki biły szkapiny po nogach i zmuszały do wściekłego galopu. Z jednej drogi woźnica zawracał w inną, leciał dróżkami wąskimi jak miedze, nieraz do szerszych szlaków jechał w poprzek pola. Judym nabrał przekonania, że nie dąży w kierunku Cisów. Ale było mu najzupełniej wszystko jedno. Ta wariacka wyprawa była dlań źródłem prawdziwej satysfakcji. Wiatr świszczał koło uszu, błoto pierzchało w nos, w oczy, trafiało do ust i kupami leżało na ubraniu.

Gdy tak przejechali z półtory mili drogi, chłop zaczął śpiewać. Po każdej śpiewce, zwykle nie nadającej się do druku, wysączał z butelki potężny łyk i zacinał konie. Mijali jakieś wsie, objeżdżali lasy, pędzili przez pastwiska.

– Daleko do Cisów? – spytał doktor.

Furman zwrócił na niego białe oczy i coś wybełkotał. Zarazem wrzasnął ochrypłym głosem i z szerszego nieco gościńca skręcił co pary w szkapach na boczną drogę. Miejsce było pochyłe i wóz szedł na ukos. W pędzie szturchnął się o przykopę. Judym nagle uczuł, że leci w przestrzeń, i padł głową w miękki zagon. Leżał tam bez ruchu nie mając siły poruszyć ani rączką, ani nóżką. Widział obłoki, głębię firmamentu i gdzieś daleko smugę lasu. Dźwignął się wreszcie, usiadł i zaczął się trząść ze śmiechu. Był cały okryty gliną, gdyż rozwalił po drodze ze trzy zagony. W sąsiedztwie leżał chłop wśród błota, przysypany słomą siedzeń, i martwym wzrokiem patrzał na wóz wywrócony do góry nogami. Konie zeszły w rów i z apetytem szczypały młodą trawkę. Od czasu do czasu spoglądały obojętnymi oczyma na gospodarza, jakby mu miały zamiar wyrazić zdanie:

„Widzisz, ośle, coś tu narobił"!

Po długiej bezwładności woźnica ruszył się wreszcie i wziął do dźwigania wasągu. Okazało się wtedy, że wóz ma złamaną rozworę. Gdy go postawiono na koła, wyglądał jak człowiek z przetrąconym kręgosłupem. Chłop krzątając się koło odrobienia złego miał ruchy coraz bardziej mdlejące, a koniec końców wgramolił się na wóz i runął do jego wnętrza z jakimś śpiewnym bełkotem. Judym był w położeniu rozpaczliwym. Nogi jego aż do kolan tonęły w rzadkiej glinie, palto, kapelusz, twarz, ręce okryte były urodzajną, wymierzwioną glebą. Zgnieciona walizka dzieliła losy jej właściciela. Nie było rady...

Zostawił lekkomyślnego woźnicę wraz z końmi i wasągiem na drodze, a sam wziął walizę i ruszył przed siebie. Zbliżał się wieczór. W odległości kilku wiorst widać było wieże kościelne i jaskrawe dachy miasteczka. W tę stronę ciągnął eskulap pogwizdując i co chwila parskając śmiechem. Upalił już tym trybem ze dwie wiorsty drogi, gdy nagle usłyszał za sobą tętent kilku koni. Z szerokiej alei przecinającej gościniec wypadły dwie amazonki, a obok nich dwaj jeźdźcy, i ostrym kłusem pędząc zrównały się z Judymem. Konie ich były zmydlone, zbryzgane błotem i buchały parą. Pierwsza z amazonek jechała w szeregu z młodym człowiekiem, który siedział na ślicznym, gniadym koniu. Był pochylony na siodle w stronę swej damy i coś żywo mówił. Zaledwie obydwoje zwrócili swe twarze w stronę wędrowca... Ale dość było dla Judyma tego momentu, żeby poznać pannę Natalię. Ona raz jeszcze odwróciła głowę, ale tylko na sekundę, na jedną sekundę... Widziała go niewątpliwie, uśmiechnęła się, ale wnet skierowała oczy gdzie indziej, jakby nie miała chwili czasu do stracenia, jakby nie miała prawa zajmować się nawet rzeczą tak śmieszną, jak Judym w tej chwili.

On stał zmaltretowany. Słyszał szatański, parskający śmiech panny Wandy, która w drugim rzędzie z jakimś starszym towarzyszem jechała galopem, ale nie zwrócił na to uwagi. Wszystkę pochłonęła tamta, przechylona w siodle ku lewej stronie, z mocą i wdziękiem jak w krześle osadzona, podająca się wraz ze skokiem rumaka, cudowna w każdym ruchu...

Stał tak długo w miejscu zgłupiały, śmieszny dla samego siebie i nieszczęśliwy nad wszelki wyraz. W rowie bełkotała woda zbrudzona iłem, jakby i ona śmiała się do rozpuku.

Jeszcze za dnia doktór był w miasteczku i wnet otoczony został przez chmary Żydków, dziadów, włóczęgów, którzy go witali chichotem.

– Co to za miasto? – spytał pierwszego z brzegu.

– Miasto? Dlaczego miasto?

– No?

– To miasto nazywa się Cisy.

– Dobrze! – krzyknął Judym z radością. – S z a j g e c, weź ten kuferek i nieś go za mną do zakładu. Wiesz, gdzie zakład?

– Jak ja nie mam wiedzieć, gdzie zakład? P a n d o b r o d ż y z daleka? P a n d o b r o d ż y s z e cokolwiek z a b ł o c z u ł...

– To nie twoja rzecz, krajowy cudzoziemcze! Nieś to do zakładu.

Długie, starodrzewne aleje, zniżające się ku wielkiemu parkowi, otwarły się przed oczyma doktora. Tragarz objaśniał go, gdzie jest zakład, gdzie kursal[92], gdzie zamek, gdzie pałac „hrabiny", gdzie czyja willa. W alejach i w parku było pusto, toteż nikt nie spostrzegł przybycia doktora odzianego w gliniany kostium.

Miejsce akcji – uzdrowisko w Cisach

W dużym przedsionku zakładowym Żydziak wynalazł człowieka mianującego się portierem, który z rozdziawioną gębą i niedowierzaniem odprowadził przybysza do pokojów „młodego doktora". Judym jął co tchu zrzucać z siebie mokre obuwie i ubranie, myć się i przebierać w suchy, czarny kostium. Wkrótce był gotów. Za chwilę miał wyjść, chciał bowiem przedstawić się swoim nowym zwierzchnikom. Czekał tylko na paltot, który portier zabrał do czyszczenia. Skorzystał z tej chwili, żeby przypatrzeć się mieszkaniu. Składało się z dwu pokojów, a raczej z dwu salonów. Za oknami, przy których stał, o jakie pół łokcia wyniesionymi nad poziom, ciągnęła się na wprost nich wąska aleja młodych drzew, przeważnie grabowych. Jedne z nich były już tęgimi pniami, kiedy inne trwały jeszcze w okresie pacholęctwa. Gałęzie ostatnich były poobcinane i wyglądały jak urwisy w szkole, ze łbami ostrzyżonymi przy samej skórze. Równolegle z tą aleją ciągnął się duży, kilkułokciowy, stary i gruby mur, nakryty mocnym daszkiem z cegieł. Oblekła go już pleśń, zielona wilgoć powyżerała od ziemi. Teraz z wiosną i na nim puszczał się młody, aksamitny porost. Między szeregami drzew szła w odległą dal parku wąska, wygracowana dróżka. Środkiem była już sucha, ale w zagłębieniach jej grzbiet ograniczających nęciły oko ciemnosiwe pasy wilgoci. Młode

[92] *kursal* (niem. Kursaal) - dom zdrojowy.

listki grabowe, które dopiero co na świat się urodziły, zmarszczone i tak delikatne, jakby się kurczyły nawet od pocałunków promieni słonecznych i od westchnień pachnącego wiatru, zdawały się badać za pomocą delikatnych cieniów swoich żółty piasek, ciemną, pulchną ziemię i mdłe trawki wybijające się z gruntu. Były tak cudne i tak wesołe jak oczy dziecięce. Gruby mur, za którym już się kryło słońce, rzucał na alejkę i jej śliczne tajemnice cień czarny niby drzwi więzienia. Tylko w samym końcu parku, gdzie się mur zwracał pod kątem prostym i przecinał odległy wylot alei, jeszcze chropawa powierzchnia miała na sobie świetlistą suknię. Zdawało się, że ciężka ściana ma w tamtym miejscu jakby swoje oblicze pełne zadumy, że w głąb rozkwitającego parku spogląda niewidzialnymi oczami i że powszechny, radosny uśmiech stamtąd wypływa. Bliżej okien, za murem, rosły dwie kolosalne topole. Pnie ich sękate wydzierały się z głębi wiotkiej tkaniny młodocianego zadrzewienia jak torsy okute w kolczugę kryjącą mięśnie tak silne i nie dające się przebić, jak ona. Skądś z wysoka, nie wiadomo z którego drzewa, leciały na ścieżkę złotoróżowe łuski pęków...

Judym stał przy otwartym oknie. Czuł w sobie zjednoczenie z tym, na co spoglądał. Przez jego ciało zdawała się płynąć siła natury stwarzająca rozrost drzew i wykwitanie liści. Judym uczuł w sobie tę siłę i uczuł władzę spożytkowania jej w wielkiej pracy. Nadzieja trudów, które przewidywał w tym miejscu, poiła go rozkoszą. Patrzał w przestrzeń i uderzał ją silnymi oczyma.

Nareszcie, nareszcie! Oto miejsce, gdzie mu będzie wolno włożyć jarzmo i drzeć starą glebę głęboko sięgającym pługiem. Będzie tu siał, będzie pracował za tłum ludzi, będzie oddawał światu wszystko, co wziął od niego. Nie pożałuje ramion, nie będzie skąpił potu! Niechże wiedzą, jak się wywdzięcza ten z motłochu, kogo przyjmą do swej kultury, komu udzielą cząsteczki swych praw do czynu.

W owej chwili siły jego duszy spoczęły na czymś nieuchwytnym, jakby na dźwięku płynącym w przestrzeni, jakby na szeleście grabowych liści, który pośród drzew zamierał.

Było to krótkie, radosne błogosławienie tajemnych potęg świata za owo święte prawo człowieka do pracy i za siły, za mocne barki, które do niej służą.

Cisy

Miejsce akcji – Cisy

Zakład kuracyjny Cisy leży w dolinie między dwoma łańcuchami wzgórz porosłych pięknym lasem. Środkiem doliny przepływa strumień tworzący w samym parku dwa stawy, z których drugi jest motorem maszyn zakładowych. Dokoła stawów ściele się olbrzymi park łączący się z lasami na wzgórzach sąsiednich. Zakłady kąpielowe (tj. łazienki, hydropatia, natryski etc.) mieszczą się w gmachu zwanym, Bóg raczy wiedzieć dlaczego, „Wincentym", a stoją nad drugim stawem. Z tej samej strony na wzgórzu świeci się wspaniały kursal, otoczony gajem roślin, klombów kwiatowych, gazonów, trawników, alejek zacisznych i szpalerów. W obrębie parku tudzież poza nim, przy drogach dążących w różne strony, a nawet wprost wśród lasu stoją wille. Jedne z nich skupiły się w szereg jak chaty we wsi, inne szukają samotności i odgradzają się od świata gąszczami ogrodów.

Z drugiej strony stawu, w połowie wyniosłości królującej nad okolicą, wznosi się pałac i liczne murowane zabudowania dominium Cisy. Jeszcze wyżej za pałacem, na szczycie góry widać kościół z dwiema strzelistymi wieżami, które ukazują się oczom, wszędzie, gdziekolwiek by się w okolicy było.

Nazajutrz po przyjeździe dr Judym składał wizyty, zwiedzał miejscowość, uczył się tajemnic zakładu – i był oszołomiony. Miał tutaj nie tylko poznać wszystko z dokładnością przed zaczęciem zbliżającego się sezonu, ale nadto brać udział w rządzie...

Dziś tedy obznajomił się ze składem chemicznym źródeł, jutro studiował maszyny wprowadzające wodę do wanien, badał system ksiąg kancelaryjnych, orientował się w procedurze gospodarczej, w prowadzeniu hotelu itd. To tu, to ówdzie ukazywały się przed nim całe perspektywy rzeczy, których wcale nie znał, i nikły, przywalone innym szeregiem zjawisk. Nade wszystko interesował go szkielet przedsiębiorstwa, jego budowa materialna. Zakład leczniczy Cisy był instytucją akcyjną o kapitale stałym wysokości blisko trzechkroć stu tysięcy rubli. Spólników było dwudziestu kilku. Ci wybierali spośród siebie radę zarządzającą, złożoną z prezesa i dwu wiceprezesów, komisję kontrolującą, również z trzech członków, tudzież dyrektora, administratora i kasjera. Obowiązki prezesa rady zarządzającej pełnił wybitny adwokat stale mieszkający w Moskwie. Jednym z wiceprezesów był *honoris causa*[93] wspólnik Leszczykowski zamieszkały aż w Konstantynopolu, a drugim bogaty przemysłowiec warszawski pan Stark. Dyrektorem był dr Węglichowski, administratorem Jan Bogusław Krzywosąd Chobrzański, wreszcie kasjerem oraz szczęśliwym małżonkiem damy, z którą dr Tomasz podróż odbywał z Warszawy, i ojcem swawolnego Dyzia niejaki pan Listwa.

Sporo czasu upłynęło, nim dr Tomasz nauczył się historii tego zakładu, która w Cisach była istotną *magistra vitae*[94]. Historia, a raczej rozmaite minione historie miały tam wpływ dobitny na bieg spraw codziennych. O ile ją dr Tomasz mógł poznać z ust wielu, historia zakładu była następująca:

Cisy – historia uzdrowiska

Cisy znane były ze swych wód jeszcze w początkach zeszłego stulecia. Tu i ówdzie trafiają się w pamiętnikach wzmianki, że w Cisach leczył się taki a taki dygnitarz. Nie była to jednak miejscowość kuracyjna w szerszym znaczeniu tego wyrazu. Korzystały z wód rozmaite osoby, ale tylko dzięki uprzejmości właściciela dóbr cisowskich, źródła bowiem znajdowały się w parku otaczającym stary zamek rodowy. Od niepamiętnych czasów majątki te należały do rodziny Niewadzkich. Ostatnio był ich właścicielem mąż owej staruszki, którą Judym poznał w Paryżu. W ciągu siódmego dziesiątka lat tego wieku ów pan Niewadzki wyjechał z kraju. Kiedy powrócił do Cisów, był starcem złama-

[93] *honoris causa* (łac.) - honorowy tytuł naukowy.

[94] *magistra vitae* (łac.) - popularne łacińskie przysłowie: *historia magistra vitae est* - historia jest nauczycielką życia.

nym i nieuleczalnie chorym. Ogrom cierpień przeżytych zmienił zasadniczo jego poglądy. Główną myślą starca było teraz dobro bliźnich, a że sam był chory, więc i uczynki jego miłosierne skierowały się przede wszystkim do wspomagania ludzi cierpiących. Kąpiele w wodzie ze źródeł w jego parku uznane zostały za skuteczne, więc pan Niewadzki wszystkie siły wytężył w tym celu, żeby urządzić zakład leczniczy w Cisach. Dla przyspieszenia tej sprawy darował projektowanej instytucji miejscowość obejmującą kilkadziesiąt morgów przestrzeni wraz z parkiem, źródłem, częścią przyległych lasów i z budynkami, jakie się w obrębie terenu znalazły. Sam stworzył spółkę, do której wciągnął przyjaciół, przeważnie po świecie rozsianych. Największą sumę udziałów wziął stary kolega i towarzysz, kupiec znad Bosforu, Leszczykowski. Inne rozebrali adwokaci, lekarze, przemysłowcy. Na czele zakładu stał w pierwszych latach dyrektor nieodpowiedni, który usiłował z tej nowo powstającej miejscowości uczynić od razu kurort europejski. Budowano tedy wspaniałe gmachy i wille, a urządzano je z przepychem, który by mógł zadowolić najdalej sięgające wymagania. Te ryzykowne eksperymenty popchnęły całe przedsięwzięcie ku ruinie. Do Cisów zjeżdżały z całego kraju, a nawet z daleka familie arystokratyczne dla rozrywki. Zakład usiłował zyskać sobie opinię stacji letniej europejskiej i urządzał się coraz wykwintniej. W tym czasie zmarł założyciel, Niewadzki. Na posiedzeniu rocznym okazało się, że Cisy nie tylko nie dają żadnego dochodu, ale wykazują deficyt. Wobec tego, a głównie, jak to zwykle u nas, wobec ubytku podpory, która tę rzecz dla idei dźwignęła, całe przedsięwzięcie chwiać się zaczęło. Wówczas zgłosił się ów handlarz dywanów z Konstantynopola. Wsparł ducha stowarzyszonych, załatał deficyt swoim groszem, otwarcie wymógł na ówczesnym dyrektorze zrzucenie się z tej godności i znalazł nowego, również kolegę swojego i nieboszczyka właściciela, mianowicie dra Węglichowskiego, który bodaj czy nie więcej od dwu pierwszych świata obszedł. Gdy tylko doktór Węglichowski ster wziął w ręce, zaraz rzeczy poszły innym torem. Przede wszystkim nowy dyrektor zrzekł się prowadzenia części gospodarczej. Mianowano administratorem znowu wspólnego kolegę, Krzywosąda Chobrzańskiego.

Następny rok nie był już wcale szeregiem zabaw, tańców, teatrów, wyścigów, gonitw, strzelań do gołębi, polowań etc., lecz istotnym sezonem kuracyjnym. Wzięto się do reorganizacji łazienek, hotelu itd., słowem, do budowania istotnej stacji leczniczej. Dr Węglichowski projektował wiele nowych rzeczy i przedstawiał je radzie. Jeżeli się nie zgadzała, pisał list do Leszczykowskiego, a ten bez wahania załatwiał sprawę własnym sumptem. Taka stanęła niepisana umowa.

Les-Leszczykowski – sylwetka

Stary Leszczykowski był wdowcem. Miał pasierbów Greków, którzy go ssali jak gąbkę. Był to człowiek bogaty. Burza wyrzuciła go na brzeg Bosforu w jednym obdartym surducie i w krypciach bez podeszew. Bywał tragarzem okrętowym, zamiataczem ulic, roznosicielem dzienników europejskich, ajentem w pewnym sklepie francuskim, subiektem, komiwojażerem, a wreszcie właścicielem ogromnych magazynów, handlarzem dywanów, przemysłowcem itd. W trakcie tych zajęć z jego pięknego nazwiska zostały tylko pierwsze trzy litery, możliwe dla wymówienia w handlu persko-turecko-angielsko-francuskim. Sam się, nieborak, zwał starym „Les" i odmieniał ten strzępek przez przypadki. Leszczykowski był synem ubogiego szlachcica spod Cisów. Już w sławnej szkole wojewódzkiej kieleckiej zbratał się z pankiem Niewadzkim, z Węglichowskim i Krzywosądem. Twarde życie i dziwne jego koleje na zawsze wyrwały go ze strony rodzinnej. Syn rolników od prapradziada Piasta – został kupcem. Pracował po kilkanaście godzin na dobę i nigdy sobie nie udzielał świąt ani wakacji. Był to nie człowiek ułomny, lecz jakby zbiorowisko sił maszyny stalowej, zuchwałych i niezwalczonych. A przecież ten „M. Les" wśród wielorakich prac swoich dniem i nocą myślał o czym innym. Trzeźwy, chytry handlarz, którego ani Ormianin, ani Greczyn nie ubiegł w sprycie, którego Anglik nie wyprzedził w żelaznej systematyczności, był w głębi duszy marzycielem i ascetą. Sypiał na twardym łóżku, mieszkał w ciasnej izbie, ubierał się byle jak. Pewną sumę przeznaczał „ssakom" – pasierbom, a resztę słał w różne strony. Co dnia prawie na jego biurku leżał list „w ludzkim" języku, pisany nieraz z dalekich lądów świata. I żaden nie był odrzucony. M. Les był bystry.

Nigdy go nie podszedł oszust i nie wyłudził grosza, ale ostatni uczciwy fantasta ciągnął zeń tysiące franków. Najukochańszą wszakże myślą M. Lesa był zakład leczniczy cisowski. Stary szczwany kramarz śnił wiecznie o przekształceniu swego zakątka, o ucywilizowaniu go jak najwyżej. Gromadził pieniądze, odkładał żelazne sumy, ciułał jak sknera pewne „ciche kasy" na niesłychane przedsiębiorstwa, jakie założy pod Cisami w swoim Zagórzu i okolicy: gdy tylko wróci...

„Ciche kasy" brał pierwszy lepszy inżynier jadący na studia, malarz potrzebujący Paryża, lekarz, technik (zawsze wynalazca *in spe*[95]), wreszcie inny jaki. I znowu zaczynały się specjalne operacje w celu napełnienia próżni. Tak płynęły lata. Gdy Niewadzki ufundował zakład leczniczy w Cisach, który, rzecz prosta, nie mógł pozostać

---

[95] *wynalazca in spe* (łac.) - przyszły wynalazca.

bez dodatniego wpływu na los okolicy, stary Leszczykowski mruknął: „Trzeba to wspierać". I wspierał po swojemu, ze swoją już nie żelazną, ale stalową wytrwałością i ze swym dziecięcym zaufaniem.

W kilka dni po przyjeździe do Cisów doktór Judym otrzymał z Konstantynopola ogromny list. W piśmie tym stary emigrant rekomendował się młodemu lekarzowi i zawierał z nim znajomość. List pisany był straszną polszczyzną. Plątały się tam wyrazy angielskie, francuskie, greckie, bułgarskie, a częstokroć stały dźwięki zagadkowe, prawdopodobnie tureckie czy perskie. Wewnątrz była gabinetowa fotografia starego Lesa. Ten list i fotografia dziwnie się dopełniały. Zdawało się, że spojrzenie oczu mówi to wszystko, co się w słowach zawrzeć nie mogło, czego język wyłamany w służbie pieniędzy oddać nie miał siły. Trudno było wzrok oderwać od chudej twarzy i od ciemnych, wlepionych w patrzącego oczu. Silnie sklepione czoło, nos wystający i wąskie usta miały w sobie piętno rezygnacji, niezłomności i uporu. Judym przeczytał kilkakrotnie ten list cudaczny i dziwnie przyzwyczaił się do jego stylu, jakby go uznał nie tylko za zjawisko normalne, ale nawet za konieczne. W zdaniach, powtarzających się to tu, to tam, opisywał się ten człowiek daleki, a tak przecie mocny, że zdawał się chodzić po miejscach, o których w liście mówił. Znał w Cisach wszystko od *a* do *z*. Zwracał uwagę młodego lekarza na drobiazgi, których ten wcale jeszcze nie dostrzegał. W końcu listu była prośba o fotografię i częste, bardzo częste listy.

„Kocham – pisał M. Les – młodych, bo oni śmiało biorą się do pracy. Ludzie to są zwykle *lazy*[96], wiesz pan doktór, jak Anglik powie. A ja nie cierpię! Człowiek nasz, Polak, coś zrobi i wnet się zestarzeje. Po to pracuje, żeby nic nie robić. Wtedy jak nic nie robi, korzysta z pracy młodego, jego krew pije i jego ramieniem się podpiera, tego młodego, a sam udaje, że to jego jest *labour*[97]. Nie tak robi Anglik. On wiecznie idzie! *Forward!*[98] Do końca życia. A nie może już nastarczyć, to nie leży innym na drodze, idzie na świeżą trawkę, do spacerowania. Wtedy młody na jego miejsce przychodzi i od tego miejsca rozpoczyna, gdzie tamten stanął. A my to jeszcze wierzymy w *kismet*[99] jak Turcy. Kiedy przecie wszystko leży tu! Wszystko można zrobić! Gdybym ja był jeszcze młody, ja bym wszystko zrobił. Mnie się zdaje, że my będziemy razem się wspierali, mój panie doktór Judym..."

Krzywosąd Chobrzański – sylwetka

Od chwili ujęcia steru przez doktora Węglichowskiego i administracji przez Krzywosąda upłynęło lat kilkanaście. Cisy stały się zakładem uczęszczanym, renomowanym, znanym powszechnie. Osobą wielce wpływową był administrator Krzywosąd Chobrzański. Był to stary kawaler, przystojny, wysokiego wzrostu i pięknej figury. Nosił długie, spuszczone w dół wąsy, które zarówno jak resztki włosów na skroniach czernił tanią farbą, wskutek czego miały kolor zielonkawoszary. Ubierał się prawie zawsze w długie buty, szerokie hajdawery i coś w rodzaju czamarki. Człowiek ten przeszedł Europę wzdłuż i w poprzek. Mówił chyba wszystkimi językami indoeuro-

[96] *lazy* (ang.) - ociężali, leniwi.

[97] *labour* (ang.) - praca.

[98] *forward!* (ang.) - naprzód!

[99] *kismet* (arab.) - przeznaczenie.

pejskimi, a przynajmniej chętnie wygłaszał słowa w najrozmaitszych dialektach – i wszystko prawie umiał. Jeżeli była mowa o chemii, wtrącał się do takiej rozmowy częstokroć trafnie. Jeżeli kto zaczął dyskurs o malarstwie, rzeźbie, literaturze, kucharstwie, złotnictwie, rymarstwie, podrabianiu obrazów, handlu starożytnościami, krawiectwie, szewstwie, płatnerstwie, a przede wszystkim o wszelkiego rodzaju mechanice, Krzywosąd z każdej z tych dziedzin zdradzał zapas wiadomości fachowych. Nie dość na tym: znajomość każdego z tych kunsztów umiał czynem potwierdzić. Na wigilię on sam gotował zupę i przyrządzał ryby. Wprawdzie zupa była oryginalna, bo jeśli ją przesolił w sposób żołnierski, to dla złagodzenia ostrości smaku sypał do wazy funt cukru. Wszystkie siodła w zakładzie były jego roboty, a raczej jego przeróbki. Jeżeli jakieś stadło zaręczało się lub pobierało w ciągu sezonu, Krzywosąd wypraszał sobie tę łaskę, żeby on mógł robić obrączki. W całych Cisach pełno było dzieł jego. Sam reperował wszelkie maszynerie, murował z mularzami, rąbał i piłował z cieślami, heblował i malował ze stolarzem, kopał z ogrodnikiem.

Dyrektor Węglichowski miał zegarek emaliowany, dar Krzywosąda i jego dzieło. Tak przynajmniej świadczył podpis wydrapany na kopercie tego zegarka jakimś ostrym rylcem: *„J. B. Krzywosąd de Chobrzanowice Chobrzański eques polonus fecit Lutetiae Parisiorum. Anno Domini 1868"*[100]. W sieni kursalu stał zegar szafkowy, grający na żądanie, za pociągnięciem sznurka, ucieszną aryjkę. Zegar ten był jakoby rozbity i odbudowany przez Krzywosąda na podziw.

W czytelni zakładowej stało jego arcydzieło, tzw. *Groupe allégorique.* Był to stolik, na którym sklejone kamienie, krzyształki, ułamki porcelanowe, szkła, korale itp. tworzyły jakieś niby wichry, jeziora, pieczary. Z głębi tych pieczar miał wychodzić na pogodę zakonnik, ale, co prawda, nigdy nie wychodził. Szczyt zdobiły rozmaite alegoryczne figurki, kogutki, żołnierzyki, chorągiewki, wieńce cierniowe, a w środku siedział biały ptak ze szkła, w rodzaju gęsi, z czarnymi oczami, co mu nadawało pozór, jakby był w okularach. W sali do gry w karty stał inny majstersztyk Krzywosąda. Była nim szafa starożytna kością wykładana, z okuciem tak przecie misternym, że aż słabo się robiło. Na górnym gzymsie tego mebla widniała data utrwalona za pomocą inkrustacji: *„A. D. 1527".* Rzecz prosta, że administrator był tylko odnowicielem tego zabytku wieków minionych, aczkolwiek złośliwi twierdzili, że był właśnie twórcą nie tylko szafy, inkrustacji i okucia, ale także owej daty na szczycie.

J. B. Krzywosąd Chobrzański znalazł się w Europie w tym samym czasie, co M. Les. Kiedy jednak drugi udał się na wschód, Krzywosąd poszedł na zachód. Faktycznie poszedł własnymi nogami przez Śląsk, Czechy, Bawarię do Francji. Tułał się w Paryżu, Londynie, Brukseli, zarabiając na chleb, czym się dało. W Paryżu był retuszerem u podrzędnego fotografa na rue Picpus. Do Londynu zwabił go kolega, który tam uczepił się w fabryce broni. Krzywosąd pracował przez czas pewien jako zwyczajny robotnik, nabrał, jak mówiono, wiele wprawy w fachu rusznikarskim. Łatwiej wszakże było przyzwyczaić do tej roboty ręce niż wdrożyć szlacheckiego ducha. Uciuławszy nieco grosza Chobrzański wraca na kontynent i wędruje do Bru-

[100] *J. B. Krzywosąd...* - wykonał J. B. Krzywosąd z Chobrzanowic Chobrzański, szlachcic polski, Paryż, Roku Pańskiego 1868.

kseli. Nie znaczy to wcale, że był próżniakiem. Ani trochę! Umiał on wstać o świcie, dzień spędzić bez wytchnienia przy twardej pracy i późno w nocy skłonić głowę na nędznym posłaniu. Chodził w zniszczonej odzieży, a gotów był i tę oddać biedniejszemu, byleby o tym ludzie wiedzieli. Gdy ktokolwiek zgłosił się do niego o wsparcie, o pożyczkę, każdemu jej udzielił, ale chciał, żeby też jemu wyświadczono to i owo dla zasług. Od warsztatu w Londynie odepchnęła go jakaś siła niewytłumaczona, żądza czegoś lepszego. Krzywosąd nie myślał ani o spokojnym życiu, ani o wielkim bogactwie, choć lubił dostatek. Wśród najcięższych kolei losu dążył zawsze do sławy, do wyniesienia, do znaczenia, do wpływu i rozgłosu wśród swoich. Chętnie podjąłby trud bohaterski, byleby tylko nie stawał się jarzmem codziennym, pracą obowiązującą jego tak samo jak wszystkich, ordynarną i stałą. Mimo to był przez czas dość długi kasjerem w pewnej dystrybucji[101] brukselskiej.

Przywykał już nawet do tego zajęcia, gdy grono kolegów koczujące w Monachium dało znak życia. Monachium, które widział w przejeździe do Paryża, podobało mu się niezmiernie. Ruszył tedy do „Mnichowa". Znalazł tam całą kolonię. Byli to malarze, studenci, artyści wszelkiego kalibru, rzemieślnicy i sieroty bezdomne, *„die unglücklichen Polen"*[102]. Wrzało tam jak w ulu. Toczyły się spory, tworzyły stronnictwa, partie, odbywały zgromadzenia, sądy, a nawet bójki. Chobrzański wszedł, rzecz prosta, do jednego ze stronnictw i wkrótce objął tam dowództwo. Był to kierownik energiczny. Zaprowadził w swojej partii taki ład, że częstokroć wykonanie przepisów kończyło się w biurze policji. Adwersarzy, których trafnie nazywał „ptakami plwającymi we własne gniazdo", zwalczał ręką tak żelazną, że mu grożono wybiciem szyb i skóry. Gdy własnego mieszkania nie miał, groźby redukowały się do nastawania na całość skóry, co znowu umiał odeprzeć krzyżową sztuką zażywając sękatego kija. Wnet po przyjeździe, nim trafiły się późniejsze roboty, pozował malarzom. Jego piękna twarz, pełna dziwnego wyrazu melancholii, dumy i hardości, pociągała artystów. Zyskał sobie opinię ciekawej głowy i znany był dość szeroko jako *„unglücklicher Pole"*. Z czasem ta ściśle etnograficzna nomenklatura przeistoczyła się w mniej określoną: *„unglückliche Fratze mit vielen Konsonanten"*[103], ale też wówczas Krzywosąd tylko swojej braci pozował, i to nie inaczej jak na koniu.

Stosunki z malarzami pchnęły go do całkowicie innej dziedziny. Naród malarski, zmieniający miejsce pobytu, niedbały, dziś tarzający się w złocie, a jutro głodu bliski, stał się źródłem zarobków Krzywosąda. Oto, dajmy na to, wyjeżdża jakiś malarzyna w górę, opuszcza Monachium i dąży w świat szeroki. „Wójt" kupuje od niego za byle co albo po prostu dziedziczy sprzęty artystyczne, stare ubiory, nieraz jakieś połamane zbroje, draperie, nie dokończone studia, szkice, rysunki, a choćby potłuczone ramy. Dla innego trzeba zreparować stylowe siodło, zeszyć kostium, naprawić mebel, skleić jakiś zabytek. Krzywosąd brał to wszystko w ręce i robił. Raz dobrze, drugi raz

[101] *dystrybucja* - tu: sklep z wyrobami tytoniowymi.

[102] *die unglücklichen Polen* (niem.) - nieszczęśliwi Polacy.

[103] *unglückliche Fratze mit vielen Konsonanten* (niem.) - zwrot nie dający się dosłownie przetłumaczyć, określający w dosadnym humorystycznym skrócie wrażenie, jakie wywierały na obcokrajowcach melancholiczna fizjonomia Krzywosąda oraz twarde brzmienie jego rodowitego języka.

źle, ale robił. Przypatrywał się dziwnym procesom tworzenia, podsłuchiwał dyskusje, badał ów ogromny kraj, państwo malarza, i zdobywał encyklopedyczne wykształcenie w zakresie antykwarsko-graciarsko-rzemieślniczo-artystycznym. Jeżeli czego nie umiał zrobić, to przynajmniej wiedział, jak się to robi. Gdyby i tu wytknął mu kto brak stanowczości, to w żadnym razie nie mógł zaprzeczyć, że o istnieniu całego mnóstwa rzeczy, zupełnie obcych przeciętnemu zjadaczowi chleba, Krzywosąd potrafił gadać. Z czasem w dużej izbie na Schwantalerstrasse mieścił się dziwaczny zakład. Były tam i narzędzia stolarza, i warsztat ślusarski, tygle, retorty, kupy ram, flaszki z różnobarwnymi płynami, skóry, żelastwa. Na ścianach wisiały szkice i obrazy, częstokroć dzieła sztuki, pseudoperskie dywany, przeróżne kawałki oręża i zbroi. Po upływie lat kilkunastu spędzonych w Monachium Krzywosąd wyszedł na fabrykanta starożytności. Czasem udało mu się zlepić z ułamków według istniejącego wzoru jakąś podobiznę starożytnego sprzętu czy mebla i odstąpić to antykwariuszowi, wymyć sczerniałe malowidło kupione za byle co i puścić w świat jako „szkołę włoską" czy „holenderską". Szczególniejszą miłością „wójta" cieszył się styl gotycki. Krzywosąd widział ten styl wszędzie, tam nawet, gdzie był inny. Szczytem pochwały w jego ustach było słowo: – gotyk! Stąd zbiory jego zawierały tyle rzeczy spiczastych. Wszystko, co tylko miało kształt ostrołuku, zasługiwało na uwagę, a więc: żelazne ozdoby sztachet, klucze, okucia drzwi, lichtarze chłopskie z okolic Jeziora Bodeńskiego, klamerki u pasków, ramy itd., nie mówiąc już o istotnych ułamkach gotyku.

U Krzywosąda zbierały się nieraz rozmaite grupy burszów[104] i artystów. Stary wąsal częstował tę młódź lekkomyślną niesłychaną szpagatówką „swego chowu", serem, który sam wyrabiał, i suchym chlebem, którego jeśli sam nie piekł, to przynajmniej osobiście archaizował w swych bezdennych szafach do stanu spleśnienia na kolor biały. W drodze szczególnej łaski pozwalał wówczas byle komu zbliżać się do „broni" rozwieszonej na ścianach oraz wywłóczył skądś ze spodu stare, zagwazdane rysunki i z wyrazem zupełnej niedbałości, jakby obwieszczał rzecz najobojętniejszą w świecie, mówił wskazując palcem ten lub ów bohomaz:

– Piotr Paweł Rubens...[105]

Albo:

– Szkoła bolońska...[106] Trzeci okres Gwido Reniego...

Po rysunkach takich mistrzów zaczynała się prezentacja innych zbiorów, jak na przykład książeczki pt. *Priapeia*[107], w oprawie białej, z cielęcej skóry. Książeczka ta była w kilku miejscach przebita na wylot. Kiedy zapytywano, co znaczą te rozdarcia, Krzywosąd objaśniał, że to było ulubione dziełko Karola XII[108], które wszakże służyło mu nieraz za cel do strzałów z pistoletu. Była tam również laska Seweryna Go-

---

[104] *bursz* - student.

[105] *Piotr Paweł Rubens* - (1577-1640) znakomity malarz flamandzki epoki baroku.

[106] *szkoła bolońska* - kierunek w malarstwie włoskim, powstały pod koniec XVI w.; twórcy jego dążyli do syntezy osiągnięć renesansu; jednym z przedstawicieli tego kierunku był Gwidon Reni (1575-1642).

[107] *Priapeia* - utwory na cześć Priapa, greckiego bożka płodności; ze względu na frywolność ukazywały się zazwyczaj anonimowo.

[108] *Karol XII* - (1682-1718) król szwedzki znany z zamiłowania do zabaw wojennych.

szczyńskiego, zwana czasami laską Wincentego Pola. Był sztylet Beniowskiego[109] wysadzany muszelkami – mundur oficera z czasów Księstwa Warszawskiego, dopełniony przez Krzywosąda w ten sposób, że spłowiałe wypustki zastąpione zostały innym, mniej więcej zbliżonym kolorem, a guziki i szlify odpowiednimi guzikami i szlifami uniformu piechoty francuskiej z czasów Napoleona III. Za szkłem wisiał żupanik atłasowy ześcibany z nie pasujących do siebie kawałków – stał dziwny, pokruszony sprzęcik, zwany apteczką Stanisława Augusta, leżała faja z terakoty na zgiętym cybuchu, zwana fajką Stefana Batorego itd.

Nie wszystkim jednak i nie zawsze „wójt" pokazywał swe zbiory. Było na przykład kilku ludzi wśród młodej kolonii, którzy go irytowali i wpędzali w zły humor. Jeden z takich, zetknąwszy się z antykwariuszem, zaraz po stereotypowym pytaniu o zdrowie dodawał:

– A cóż Van-Dycki[110], jakże tam? W robocie, co? No, i jakże udają się?

Drugi wymoczek udawał głuptasa i kiedy Krzywosąd pokazywał zbiory, wtrącał ślamazarne pytanie:

– A ja gdzieś czytałem, tylko nie pamiętam, w jakim dziele, że Szczerbiec[111], miecz Bolesławowski, to podobno jest w pańskich rękach, tylko pan unika o tym rozgłosu, żeby go panu stańczycy[112] przez nastawionych zbirów nie wykradli. Nam by go pan mógł pokazać... Złożylibyśmy przysięgę, że ani mru-mru...

Miał jednak Krzywosąd i swoich wielbicieli. Tym pokazywał wydobyte z dna inkrustowanej szafy kawałki haftowanej materii i zapewniał, że jest to urywek szaty, której druga część znajduje się w Cluny – jakąś miniaturkę w sczerniałej ramce... O tym obrazku szeptem i z mruganiem mówił, że jest przez pewnego handlarza ukradziony z Brery[113] w Mediolanie...

Gdy zarząd Cisów przeszedł w ręce doktora Węglichowskiego, Krzywosąd począł się przed M. Lesem uskarżać w listach na tęsknotę i pisywał te listy tak często, że to wnet uderzyło chytrego kupca. M. Les mruknął do siebie:

– Ta zielona małpa coś knuje.

Miał on dziwną predylekcję do Krzywosąda. Bardzo często kupował jego bezcenne antyki, jego Rubensy i Ruysdaele[114], buławy hetmańskie i pamiątki autentyczne po królach. Składał to wszystko w pewnym zielonym kufrze i nazywał go „gabinetem zielonej małpy".

Nareszcie pewnego razu Krzywosąd wyznał w liście, że ma zamiar wracać. M. Les nie sprzeciwiał się i biedny wędrowiec wrócił do Warszawy, a wkrótce potem objął administrację zakładu w Cisach.

---

[109] *Beniowski* - Maurycy August (1741-1786) szlachcic węgierski zasłynął licznymi podróżami i przygodami; bohater poematu Juliusza Słowackiego.

[110] *Van Dyck* - Antoni (1599-1641, malarz flamandzki.

[111] *Szczerbiec* - miecz koronacyjny królów polskich.

[112] *stańczycy* - konserwatywne stronnictwo w Galicji, reprezentujące program ugodowy wobec zaborców.

[113] *Brera* - słynna galeria sztuki w Mediolanie.

[114] *Ruysdael* - Jakub (1628-1682) znakomity pejzażysta holenderski.

Lokal jego tutaj mieścił się na dole starego „zamku". Prowadziła do tego mieszkania brama (rozumie się: gotycka), a właściwie jej resztki grożące ruiną, które Krzywosąd starannie podpierał. Dalej szły na prawo wąskie i strome schodki aż do drzwi mieszkania. Przed progiem wisiał krużganek otoczony żelazną balustradą. Zarówno schody, jak krużganek były świeżo dobudowane przez administratora. Dla przyśpieszenia procesu archaizacji tych gotyków nie zamiatano tam nigdy śmieci i nie sprzątano śladów pobytu wróbli, które całymi stadami pod drzwiami wysiadywały. Krzywosąd kochał ptaki. Rozmawiał z nimi i sypał tyle okruszyn chleba, że wróble miały tam istną synekurę i nie odlatywały z krużganku.

Kiedy doktór Tomasz zbliżał się z uszanowaniem wolnym krokiem do drzwi administratora dla złożenia mu pierwszej wizyty, zobaczył scenę tego rodzaju. U wejścia na schody tłoczyło się, wrzeszczało wniebogłosy kilkanaście sztuk dzieci folwarcznych, Żydków z miasteczka i innej hołoty. Wysoko stał Krzywosąd w pantoflach i reniferowej sczerniałej kurcie. Na poręczy ganku siedział chowany sokół, o którym słyszał już doktór Tomasz całą historię. Sokół ten chorował przez całą zimę i ulegał kuracji. Krzywosąd lał mu w gardło oliwę i sadzał go przy kaloryferze w takim gorącu, że biedne ptaszysko dostawało, widać, czegoś w rodzaju pomieszania zmysłów, bo palacze znajdowali je częstokroć leżące obok drzwiczek wielkiego pieca, wśród węgli i popiołu. Tylko błyskanie oczu wskazywało wówczas, że jeszcze żywot kołacze się w nieszczęsnym pacjencie. Teraz, gdy słońce wiosenne świeciło tak jasno, sokół pierwszy raz wyniesiony został na dwór. Siedział na balustradzie mocno ściskając pręt żelaza, rozglądał się, ruszał i dawał wielostronne znaki zdrowia. Krzywosąd pragnął widocznie pokazać chłopakom nie tylko ptaka, ale i jego sztuki. Schylił się tedy i tkał mu pod dziób swą głowę przemawiając jednocześnie:

— K ą s i pana, k ą s i...

Chodziło o to, że sokół powinien był pieszczotliwie szczypać dziobem resztki farbowanych włosów. Czy świeże powietrze, czy może lepszy stan zdrowia wpłynął na sokoła tak fatalnie, dość że kiedy administrator ukląkł i podstawiał coraz bliżej łysinę, ptak dźwignął się na łapy, nasrożył i z całej siły huknął „pana" dziobem w czerep, aż szczęknęło. Zgromadzeni wydali okrzyk radości, zaczęli klaskać w ręce i podskakiwać. Tymczasem Krzywosąd przyniósł długi pręt i przemówił do sokoła:

— To ja do ciebie, łajdaku, jak do rodzonego siostrzeńca z pieszczotami, a ty mię będziesz kuł po łbie! *Va-t'en!*[115]

To mówiąc zrzucił ptaka na ziemię i zaczął go okładać prętem, aż pierze leciało. Sokół rozpuścił skrzydła i na piechotę z wrzaskiem uciekł w głąb mieszkania, do którego drzwi zostały zatrzaśnięte.

Judym otwarł te ciężkie podwoje i wszedł ostrożnie do wnętrza. Składało się ono z dużej, sklepionej sieni o kamiennej posadzce tudzież z dwu izb mieszkalnych. Z przedsionkiem sąsiadowało pomieszczenie na kaloryfer, gdzie właśnie sokół znosił w tej chwili tak bardzo zasłużoną karę. Dawały się stamtąd słyszeć jego zuchwałe wrzaski. Judym wkroczył do izby na lewo i zaraz w progu szepnął:

— Twardowski! Jak mi Bóg miły, Twardowski...

---

[115] *Va-t'en!* (fr) - idź precz!

W istocie mieszkanie to przypominało do złudzenia lokal mistrza. Mury tu były ogromnie grube, okna zakratowane, sufity sklepione. W pobliżu okna stały warsztaty gospodarcze i krzesło z wysokim oparciem, skórą obite. W głębi było szerokie, drewniane, starożytne łoże z baldachimem opartym na słupkach misternie rzeźbionych. W kątach leżały stosy żelastwa, rzemieni, klepek. Na ścianach wisiały owe sławne obrazy, o których Judym tyle już słyszał.

Gdy Krzywosąd po egzekucji przyszedł wreszcie do izby, zajął się gościem z żywością. Posadził go w fotelu, co na Judyma wywarło taki urok, jakby go zanurzono w wannie, i puścił się w dyskurs uprzejmy. Gdy rozmowa zeszła na Cisy, Krzywosąd wyrażał się o całej instytucji z taką samą niedbałością, jaka cechowała jego mowę w trakcie pokazywania rysunków Rubensa. Judym zauważył również, że administrator używał takich tylko zwrotów stylowych, które by dobrze malowały jego władzę w tym miejscu. Mówił tedy:

– Kazałem przebudować cały zamek... Muszę wziąć się jeszcze do urządzenia parku. Mam na myśli całkowite odrestaurowanie łazienek, tylko że oto jak na złość brak mi czasu...

Mówił ciągle:

– To się zrobi, to się każe zrobić.

Szczególnie często powtarzał zdanie:

– To mi, wic pan doktór, pasowało... To mi dobrze robiło... Bawiło mi oko, więc kazałem zbudować...

Judymowi ten rodzaj pewności mącił nieco wyrazistość spostrzeżeń. Wiadomą było skądinąd rzeczą, że na przykład przebudowanie gmachów zależało nie tylko od tego, czy administratorowi „dobrze" albo „źle robiły", ale również od innych przyczyn, głównie zaś od decyzji rady zarządzającej.

Później przekonał się, że jednak taki sposób wyrażania gustów i wpływu tych gustów na bieg spraw cisowskich – wcale nieźle malował istotny stan rzeczy.

Kasjerem zakładu był pan Listwa, którego Krzywosąd w oczy i za oczy nazywał starym niedołęgą albo jeszcze złośliwiej – przedętą fujarą. Pan Listwa był mężem matki Dyzia i ojczymem tego chłopczyka. Niedołęgą w ścisłym znaczeniu tego wyrazu, a tym mniej „przedętą fujarą" kasjer cisowski nie był, ale też i do rodu farysów[116] już się nie mógł kwalifikować. W gruncie rzeczy był to człowiek zgipsiały w ciężkich warunkach, a osobliwie w kajdanach małżeństwa. Żona i Dyzio tak urozmaicali życie pana Listwy, że praca w kancelarii zakładu, zimnej i wilgotnej, wysiadywanie tam wśród ksiąg, kwitów, rachunków – była dla niego jedyną wprawdzie, ale za to istotną rozkoszą. Kasjer czuł, że żyje wtedy dopiero, gdy wychodzi z domu. W obrębie progów rodzinnych przypominał coś w guście złamanego parasola: krył się w ciemnych kątach, ustępował z placu i milczał. Mimo tak skromnej postawy był kozłem ofiarnym we wszelkich zatargach z Dyziem, który na wiekowym ojczymie wprawiał się w dowcip. Były chwile, że pan Listwa próbował opozycji. Ale te eksperymenty mijały szybko i trafiały się coraz rzadziej. Wszystko sprowadzał do absolutnego poziomu jeden jedyny dźwięk padający z „jej" ust:

– Hipolicie!

---

[116] *farys* - w krajach arabskich zaszczytny tytuł rycerski, tu: człowiek o szlachetnych ideałach i dążeniach.

Kwiat tuberozy

Poznanie Cisów zajęło Judymowi tyle czasu i tak go absorbowało, że o zwiedzeniu szpitala nie było mowy. Co dnia prawie obijał się o jego uszy ten wyraz: „szpitalik". Dr Węglichowski kilkakrotnie wspominał mu wśród innych wiadomości:

— Pamiętaj, kochany panie, że masz pod sobą szpitalik...

— Może byśmy go mogli obejrzeć... — gorączkował się Judym.

— Nic pilnego! Poznaj no kolega zakład, tamto rzecz uboczna. Mówię dlatego, że i tamto...

Tak schodziło. Nareszcie pewnego dnia doktór nie mógł wytrzymać. Rozpytywał się detalicznie, gdzie ów szpital się mieści, i poszedł sam, żeby przynajmniej zobaczyć rozmiary i jakość budynku. Nadzieja pracy samoistnej w swoim, niemal własnym szpitalu nęciła jego entuzjazm.

Za bramą parku rozchodziły się pod kątem prostym dwie ogromne aleje lipowe. Jedną z nich przybywało się do Cisów ze świata, od strony kolei — druga prowadziła do pałacu, kościoła i szpitala. Było tej drogi więcej niż wiorsta, drogi szerokiej, ale bagnistej. W chwili kiedy ją Judym przebywał, podsychała już, ale jeszcze tu i ówdzie gładko z wierzchu zmulona i wymyta glina pod nogą rozstępowała się i lgnęła do niej bryłami. Wielkie drzewa stojące nad tą drogą już okrywały się liśćmi; w rowach szumiały strumienie płynnego iłu, szybko z góry biegnące.

W duszy Judyma było takie wesele jak chyba nigdy jeszcze w życiu. Gdy się zbliżał do zabudowań folwarku rozrzuconych na dużej przestrzeni, serce silnie biło mu w piersiach. Wiatr wiosenny owiewał go jakimiś marzeniami, po prostu uczniowskimi. Śniły mu się na jawie zdarzenia, bohaterstwa, szalone operacje i niewysłowione pocałunki czyichś ust pachnących. Z obojętną miną, jak na trzeźwego eskulapa przystało, wyminął kilka domów, mieszkań rządcy, kasjera, ekonoma, i szedł na lewo ku kościołowi, zostawiając po prawej stronie szeroką drogę wjazdową w stronę pałacu.

Obok kościoła świeżo wzniesionego z czerwonej cegły — budowy pięknej, z dwiema strzelistymi wieżami w stylu gotyckim — mieściło się probostwo. Dalej krył się w drzewach znacznie dawniejszy, obszerniejszy dom: szpital.

Judym nie miał zamiaru wchodzić do środka. Pragnął to uczynić w towarzystwie swego zwierzchnika. Poszedł najprzód obejrzeć kościół, który właśnie był otwarty. Brakowało tam jeszcze posadzki, bocznych ołtarzów w nawach, konfesjonałów, malowideł, ławek. Ceglane filary stały w piasku. Tu i ówdzie mieściły się ławy zbite naprędce z tarcic. Tylko w prezbiterium były już stalle rzeźbione. Panowało tam światło różnobarwne, przyćmione przez kolorowe witraże. Właśnie ksiądz odprawiał mszę cichą. Przed głównym ołtarzem stała gromadka ludzi. Judym obszedł lewą nawę i wolno, bez żadnego szelestu, po piasku, który zupełnie tłumił odgłos jego kroków, zbliżył się do prezbiterium. Gdy tam stanął, ujrzał w ławkach kolatorskich trzy swoje znajome paryskie – panny: Natalię, Joannę i Wandę. Z brzegu siedziała panna Natalia. Doktór poznał ją bardziej przez słodkie zemdlenie zmysłów, przez jakiś chłód wewnętrzny ściekający po twarzy i piersiach niż siłą wzroku. Miała na głowie lekki kapelusik, a twarz zasłoniętą woalką barwy rudawordzawej. Tło ciemnych, brązowych tafli rzeźbionego drzewa otaczające jej głowę sprawiało, że wyglądała jak przecudny rysunek sangwiną[117]. Ostre, medalowe rysy jej nosa i brody znaczone były w tkaninie woalki, podczas kiedy oczy znać było tylko jak ciemne wgłębienia. Judym przez chwilę miał wzrok do tej głowy wprost przykuty. Nie wiedział, czy ma się ukłonić, gdyż nie był pewien, czy go spostrzeżono. Za chwilę dopiero złożył ukłon. Panna Natalia ledwie widocznym ruchem schyliła głowę. Wtedy także oczy Judyma spotkały się z oczami panny Joanny i oddały sobie w przelotnym błysku przywitanie dusz młodych i czystych, tułających się na ziemi we wzajemnej tęsknocie. Twarz panny Joanny pełna była uśmiechów, pomimo że oczy i wargi jej starały się nie wyrażać ich szczerze.

Judym – spotkanie z Orszeńskimi i Niewadzką w Cisach

Nabożeństwo skończyło się wkrótce i garstka mieszczek gwarząc opuszczała kościół. Doktór szedł pospołu z tłumem, aby nie było śladu, że czeka na wyjście panien. Ale za drzwiami kościoła krążył to tu, to tam, niby dla poznania architektury pięknej świątyni. Gdy tak stał z głową zadartą obserwując kamienne łuki, otworzyły się boczne drzwiczki prowadzące do zakrystii i wyszedł tamtędy ksiądz jeszcze młody, który dopiero co mszę odprawił, a z nim trzy panny.

Nastąpiło spotkanie. Doktór przywitał panienki i przedstawił się księdzu. Ten wziął go wnet pod ramię i wszczął miłą rozmowę, pełną życzliwości i smaku. Był to

[117] *sangwina* - kredka czerwonobrunatna.

księżyna zażywny, z oczami siejącymi blask wesoły, z ustami do śmiechu. Ledwie kilka srebrnych włosów plątało się w jego bujnej czuprynie, a czerstwa twarz sprzeczała się nawet z tymi nitkami.

— Kto nogą stąpił na księże terytorium, ten idzie do księdza na śniadanie! — zawyrokował młody pleban.

— Z wyjątkiem panien! — protestowała panna Podborska.

— Bez żadnych wyjątków. Ksiądz, panna i anioł trzeci — to rodzone dzieci. Zresztą ja tu rozkazuję, nie jakieś tam młode panny. A to mi się podoba! Nieprawdaż, doktorze?

— A, skoro takie prawo... Muszą się panie poddać.

— No? I cóż teraz? Ksiądz i doktór, to jest, źle mówię, doktór i ksiądz zdecydowali, więc już jesteśmy na plebanii... — mówił proboszcz otwierający furtkę w nowym murze, który otaczał cmentarz kościelny.

W dużych, wygodnie umeblowanych pokojach księżego mieszkania pełno było kwiatów, obrazów (oleodruków), pism, ilustracji. W sali jadalnej mieściła się szafka z wydawnictwami dla ludu, w ustronnym gabinecie leżały na stole pisma tygodniowe, miesięczne, gazety i stała spora biblioteka. Ksiądz bawił gości swym jowialnym humorem, który wszakże usiłował być humorem lepszego tonu, i dopytywał się u zgrabnej gospodyni o śniadanie. Wkrótce je podano. Proboszcz znał już historię paryską dziewic i doktora. Ciekawy był przede wszystkim drogi do Lourdes, wybierał się tam bowiem od lat kilku. Panny egzaminowały go, czy duże zrobił postępy w języku francuskim. Przy końcu śniadania proboszcz wywołał Judyma do gabinetu na papierosa, a dziewice przeglądały tymczasem w salonie świeże pisma. Okna gabinetu wychodziły na drogę lipową. Proboszcz mówił żywo i tak rozumnie, że Judym co chwila myślał: „Patrzajcież, jaki to mądry i jaki miły p o m i d o r e k..."

Ksiądz z ciekawością pytał doktora o różne rzeczy wielkomiejskie, gdy wtem rzucił okiem na drogę i skrzywił się brzydko. Tą drogą szedł właśnie prędkim krokiem młody człowiek w eleganckim demi-sezoniku[118] i jasnym kapeluszu. Dr Tomasz poznał w zbliżającym się młodzieńcu kuracjusza, którego był widział jadącego konno w dniu swego przybycia do Cisów, a później dostrzegł przy ogólnym stole w zakładzie. Nazwiska nie pamiętał, więc spytał o nie księdza:

— A to jest pan Karbowski, wasz przecie kuracjusz. Choć taki on chory, jak ja aptekarz!

— Dlaczegóż to?

— Widzi pan... to jest łobuzina. Pochodzi, jak mówią, z bardzo dobrego rodu, odziedziczył po ojcu majątek — no i puścił go we dwa lata, ale to co do gronia. Bywał w Monte Carlo, w Monaco, w Paryżu, gdzie kto chce. Gra w karcięta, ale to nie tak po naszemu, tylko z premedytacją. W tym sęk!...

— Nie spostrzegłem...

— No, to doktór jeszcze zdąży. W sezonie, co tylko przyjedzie bogatszego, a z fiu fiu w główce, młodzież złotą, a nawet rozmaite damule, ogrywa tak, że z płaczem wyjeżdżają. Z tego żyje.

— Czyż tu bywają tacy?

---

[118] *demi-sezonik* - płaszczyk wiosenny.

– Bagatela! Ten pan Karbowski – ho-ho... Zimą, gdy się urwie kompania bogatsza, siedzi jak suseł. Czasem wyjedzie, znowu wraca... Gdy go nędza przyciśnie, pożycza od lokajów, od kąpielowych, od Żydków, felczerów, od każdego, kto na placu. Mówię dlatego, że i doktora nie ominie.

– Ech, ode mnie trudno pożyczyć, szczególniej w tym czasie... – zaśmiał się Judym.

– No, no... Straciłem do niego serce, bo umie oszwabić biednego człowieka. Przychodzi, dajmy na to, do felczera, który przez sezon uskładał sobie pewną sumkę, i prosi go o zmianę dwudziestu pięciu rubli. Głupi Figaro[119], zachwycony poufałością „takiego pana", wywleka z szuflady rubeliansy i rozkłada na stoliku. Ten zgarnia to do pugilaresu, później udaje, że zapomniał wziąć ze sobą dwudziestopięciorublowego papierka, i każe felczerowi przyjść do hotelu. Zajdziesz, mówi, to sobie weźmiesz, bo mi się teraz nie chce lecieć po pieniądze – idę akurat do zamku... Lokaje nauczeni nie dopuszczają golibrody do „pana hrabiego", a on tymczasem rżnie w karty licząc na to, że wygra owe dwadzieścia pięć rubli i odda.

– Ale czy oddaje przynajmniej?

– Dziś jeszcze oddaje, gdy go nacisnąć. Ale co zrobi jutro? Za numer w hotelu nie płaci chyba od roku. A zresztą teraz on tu ma co innego na myśli.

Gdy to dobrodziej mówił, dało się słyszeć lekkie stukanie we drzwi prowadzące z przedpokoju do salonu. Ksiądz coś mruknął i wyszedł pociągając za sobą doktora. W drzwiach przeciwległych stał ów pan Karbowski.

Karbowski – wygląd

Był to wysmukły, blady brunet. Maleńki, nie podkręcony wąs ocieniał jego czerwone wargi. Ciemne, mgliste oczy zdawały się nie widzieć nikogo w pokoju. Gładko od lewego kąta czoła przyczesane włosy harmonizowały z całą osobą pełną szczególnego czaru. Modny smoking leżał na nim i uwydatniał zgrabność powolnych ruchów. Karbowski przywitał młode panienki ogólnym ukłonem, księdza cmoknął w ramię. Judymowi z miłym skinieniem głowy podał rękę i usiadł obok panny Wandy, a naprzeciwko Natalii.

Ta od chwili wejścia do salki młodego człowieka była blada jak papier. Usta jej przymknęły się w sposób szczególny, jakby miała za chwilę wybuchnąć płaczem, a cała twarz stała się tak piękna, że niepodobna było oczu oderwać. Karbowski mówił do panny Joanny o książce, którą ta trzymała w ręku.

W czasie tej rozmowy pewnym, jakby ociężałym ruchem uchyliły się jego powieki i oszalałe, bezmyślne, dzikie z miłości oczy wlepiły się w twarz panny Natalii. Ona także nie miała już siły ukrywać wyrazu swoich. Panna Joanna pełna trwogi i wzburzenia mówiła żywo do Karbowskiego, ale słowa jej plątały się i więzły w gardle. On pytał się, uśmiechał, rozumował, z pozoru sądząc, trzeźwo i chłodno, ale tylko na przelotne i bolesne chwile odrywał wzrok od tamtej. Mówił wolno i dźwiękami tak widocznie obcymi jego mowie, że wydawały się nie tylko jemu, ale i wszystkim przytomnym czymś dalekim i kłamanym.

– Pan długo jeszcze zabawi w Cisach? – zapytała go panna Natalia.

---

[119] *Figaro* - bohater komedii Beaumarchaise'go *Cyrulik sewilski* i *Wesele Figara*, odznaczał się sprytem i dowcipem.

— Tak, jeszcze dosyć długo. Nie wiem... Może umrę... — rzekł z uśmiechem prawdziwie śmiertelnym.

— Umrze... pan? — szepnęła.

— Tak długo, tak dawno... tu leczę się bezskutecznie... Straciłem nadzieję.

— Może by panu jaki inny kurort pomógł... — wtrącił ksiądz oglądając swe paznokcie.

Karbowski musnął wąsika i przelotnie dotknął proboszcza spojrzeniem, które, zdaje się, mogłoby zabić. W tej chwili rzekł jak gdyby do siebie:

— Ach, tyle czasu... Tak, tak... Ksiądz proboszcz ma rację, inny kurort... Może być, że pojadę.

— Kiedy? — zapytała znowu panna Natalia.

Po tym słowie niewinnym panna Joanna drgnęła i wstała ze swego miejsca.

— Jedźmy już! — rzekła do towarzyszek — babunia będzie niespokojna.

Panna Natalia udała, że nie słyszy tych wyrazów, tylko źrenice jej zaszkliły się białym blaskiem okrutnego gniewu jak żywe srebro. Panna Wanda, która przerzucała ułożone z całego roku numery jakiejś ilustracji, podniosła głowę i zapytała:

— Więc jedziemy?

Nikt nie odpowiadał. Ksiądz siedział przy osobnym stoliku i bębnił weń palcami. Oczy jego patrzały w przestrzeń, a wargi były odęte. Taki wyraz twarzy nie zdradzał wcale zadowolenia z wizyty pana Karbowskiego ani z toku rozmowy. Ale panna Natalia i Karbowski tego nie widzieli. Było rzeczą jasną, że chodziło im o wyzyskanie tych sekund *per fas et nefas*[120], o napatrzenie się sobie wzajem w oczy, o przypomnienie w uśmiechach i dźwięku słów obojętnych, mórz bezdennych tęsknoty. Słowa płynące z ust młodego człowieka panna Natalia witała dziwnymi, pełnymi boskiego wdzięku ruchami warg i nozdrzy, jakby czuła zapach każdego wyrazu i na każdym niby na róży przysłanej składała pocałunek.

Panna Joanna żegnała się z proboszczem. Za jej przykładem uczyniły to obydwie towarzyszki. Gdy nadeszła kolej pożegnania Judyma i panna Natalia stanęła przed nim, ujrzał jej srogie oczy skamieniałe z żalu, a jednak wydające jak gdyby krzyk rozpaczy. Przez chwilę myślał, że oddałby życie, gdyby te oczy jedną godzinę tak za nim tęskniły... Ale zahuczał w duszy jego diabelski śmiech i coś złamało się wśród głuchego bólu.

Obydwaj z Karbowskim wyszli jednocześnie z probostwa.

Przed gankiem stał lekki odkryty wolant, do którego wsiadły wszystkie trzy panny. Konie szybko z miejsca ruszyły...

Panna Natalia nie obejrzała się ani razu. Za to Karbowski patrzał w stronę oddalającego się pojazdu wtedy nawet, gdy ten znikł już na zakręcie alei. Oczy jego miały wyraz dziwnej senności, a twarz była skrzywiona cierpieniem, którego nie mogła pokryć ani maska dumy, ani uśmiech towarzyski.

Judym zazdrościł temu młodzieńcowi wszystkiego, nawet cierpień, jakich tamten doświadczał. Tą samą drogą szedł przed godziną z sercem pełnym ognia. Rwał się do pracy w szpitalu, silnie pragnął przynajmniej ujrzeć mury tego budynku, gdzie będzie kładł duszę w twardą pracę lekarską, a oto teraz cały ów szpital tak nie istniał dla nie-

[120] *per fas et nefas* (łac.) - godziwym i niegodziwym sposobem.

go, jakby się w ziemię zapadł. Co więcej, aspiracje odczuwane przed godziną wydawały mu się w owej chwili jak coś głupiego do absurdu, jak coś z nie istniejącej krainy dubów smalonych. Rzeczywistością było to, że panna Natalia jest zakochana w Karbowskim.

Judym przypatrywał się z ukosa postaci tego franta, jego ruchom, gestom, z natury i wystudiowania zgrabnym i w smutku tak bezbrzeżnym, jego ubraniu pełnemu smaku i elegancji. Nie byłby pewno wyznał tego przed nikim ani nawet przed sobą, ale czuł to, że całe życie, wszystkie wysiłki, plany, dążenia, jest to jedno wielkie głupstwo w stosunku do życia Karbowskiego. Po cóż to wszystko? Po co zabiegi, idee, trudy? Czyliż Karbowski nie zrozumiał życia tak, jak je rozumieć należy? Być człowiekiem pięknym, wykwintnym i dla tych przymiotów być kochanym przez najcudowniejsze zjawisko ziemi, przez taką pannę Orszeńską. Wszystko w Karbowskim zdało się Judymowi doskonałym i logicznym, nawet jego karciarstwo i szacherki. Nie przywiązywał do tego wszystkiego wagi, jak nie przywiązujemy wagi do niczego oprócz piękności patrząc na tajemniczy kwiat tuberozy.

Symbolizm – kwiat tuberozy

„Przecie – myślał Judym – taki kwiat jest owocem Bóg wie jakich trudów, wydatków, zachodów, jest bezużyteczny i szkodliwy, gdy go porównać ze źdźbłem tymotejki, kłosem żyta albo kwiatem koniczyny, a przecież komuż by przyszło do głowy deptać go za to nogami..."

Z głębi duszy młodego lekarza wychylił się znowu żal gorzki i nienasycona zazdrość, czemu i on, czemu i on...

Przyjdź

Burza już przeszła... Zdawało się, że wszystko ucicha, gdy wtem zaczynały trzepać nowe bicze kropel ogromnych, ciężkich, sznurem idących na ziemię. Wzdłuż ścieżek wypukłych, rumianych od starej cegły, płynęła bez ustanku lśniąca woda. Po placach nieco głębszych stały jeziorka pełne baniek szklistych a wzdętych jakby przez usta swawolnych dzieci. W cieniu kasztanów chowały się zielone smugi, a w nich widać było pnie wywrócone. W górze, między ogromnymi kępami wierzchołków, jaśniał wyimek nieba o tle pozłocistym, świecącym niby owe niebiosa, które oglądać można w ołtarzach kościołów wiejskich. Po nim pędziły kłęby chmur pierzastych, rozwianych, cienkich, fioletowych, tak prędko jak dymy. Co chwila odzywał się jeszcze grom daleki, grom wiosenny...

Opis przyrody – pejzaż duszy, psychologizacja pejzażu

Najbliżej stała akacja o pniu grubym i czarnym, a gałęziach jakby wykręconych z żelaza. Te potworne konary roztrącały zasłonę delikatnych, jasnych liści. Z cieniów starego muru biły w górę tysiączne gałązki młodych akacji, które jeszcze krzewem być nie przestały. Młode pędy osnute żywymi liśćmi, a na samych końcach maleńkimi ich śladami, wyciągały się ku chmurom, gdyby pieszczone ręce dziewicze, których dotąd słońce nie skalało. Czasami przylatał wiatr, rozbujał ten krzew lekko, równo, cicho – i wtedy cudowne strofy liści kołysały się w ciepłym, wilgotnym powietrzu sennymi akordami niby muzyka, która oniemiała i, przybrawszy na się kształt tak przedziwny, zastygła.

Judym siedział u otwartego okna w swoim mieszkaniu. Płonął od głębokiej radości. W pewnych sekundach wznosiły się w jego sercu jakieś tchnienia uczuć podobne do tych, co kołysały wierzchołki drzew. Wówczas na jego usta wybiegały dźwięki pieszczotliwe a zapalające, jakby z ognia. Mówił nimi do drzew wielkich, do młodych krzewów, do jaskółek szybujących wysoko nad szczytami po świetlistej otchłani. Tajemnicza radość pociągała wzrok jego ku końcowi alei, a serce ulatywało z głębi piersi jak zapach. Na coś niesłychanego czekał, na przyjście czyjeś...

Zwierzenia

Joasia – wiek; przeszłość

17 października. Dziś rocznica mego przyjazdu do Warszawy. Więc to już sześć lat upłynęło! Sześć lat! Ogromny tydzień mojego wieku. Wtedy miałam siedemnaście, dziś już dwadzieścia trzy „wiosny". Jeżeli porównać tamtą Joasię z dzisiejszą – jakiż to deficyt! Joasiu, Joasiu...

Postanowiłam pisać dziennik na nowo, a raczej wskrzesić z martwych dawny. Uczyła nas przecie wszystkie tej sztuki Stacha Bozowska[121]. Ona pierwsza w Kielcach pisała dziennik umiejętny, to jest dziennik szczerych uczuć i „prawdziwych" myśli.

Biedna po stokroć Staszka... W jednym z ostatnich listów pisała do mnie: „Właściwie byłam w tym życiu uzdolnioną autorką mojego dziennika – i niczym więcej. Teraz napaliłam w moim szkolnym piecu trzynastoma księgami oprawionymi w grubą tekturę i czarne, zrudziałe sukno. Żegnaj, dzienniku..."

Źle zrobiła! Dlaczegóż tępić zwierzenia, które nikomu wadzić nie mogą, a dla nas samotnic zastępują (wielki Boże!) kochanków, mężów, braci, siostry i przyjaciółki? Nie – będę pisała w dalszym ciągu! Czuję do tego nałóg taki, jak np. mężczyźni do palenia tytoniu. Pod wpływem szyderstw frazesowicza S. przestałam pisać, a teraz niewymownie żałuję. Odmawiałam sobie przyjemności przez lat sześć – i dlaczego? Dlatego, że S. na ten temat dowcipkował? Mniejsza zresztą...

Ileż to zmian! Henryk w Zurychu, Wacława nie ma, Staszka już dawno w grobie... A u mnie? Ileż to zmian!

Jak dziś pamiętam tę noc ostatnią, gdy przyszedł telegram od pani W. W ciągu czterech godzin zdecydowałam się opuścić Kielce, jechać do Warszawy – i pojecha-

[121] *Stacha Bozowska* - bohaterka *Siłaczki* Stefana Żeromskiego.

łam. Telegram brzmiał (umiem na pamięć te słowa): „Miejsce u Predygierów jest. Przyjeżdżać niezwłocznie. W."

Ach, ten dzień, ten popłoch! Zbieranie rzeczy, bielizny, drobiazgów, szybko, szybko, drżącymi rękoma, wśród łez i wybuchów odwagi... Poczciwa pani Falikowska „użycza" mi pieniędzy na drogę – i wyjazd! Głęboka, ciemna noc w jesieni... Jak to wówczas dorożka dudniła w pustych ulicach kieleckich, jakie dziwne wywoływała echa i wrzaski między ścianami starych kamienic! Sama jazda koleją była to już czynność co się zowie. Pod sekretem mówiąc, przecie to pierwszy raz jechałam wówczas „koleją żelazną". Pierwszy raz – i prosto w świat! Nie zmrużyłam oka, tylko z głową wspartą o deski wagonu marzyłam bojaźliwie o życiu. Tyle akurat o nim wiedziałam, co człowiek idący do lekarza pod naciskiem nękających go a zagadkowych cierpień. Jak on nic nie wie o istocie samej choroby, nie rozumie, co ona jest, co z niej może wyniknąć, dokąd rzuci jego ciało, losy, myśli, uczucia – i tylko marzy ostrymi a przebiegłymi wiedzeniami, usiłując wszystko zrozumieć – tak samo ja wtedy... Waliłam w życie z kapitałem składającym się: z biletu kolejowego, z tobołka rzeczy, pięciu złotówek „grosza gotowego", no i z telegramu pani W. Za sobą zostawiałam dwu braci, ciotkę Ludwikę, która (w braku kogoś bardziej odpowiedniego) zastąpiła mi matkę, gdym „uczęszczała" do gimnazjum, która dzieliła się ze mną małym kawałeczkiem swego chleba – i chyba nic więcej... Ach nie, nie „nic więcej"! Kochałam Kielce, różne tam osoby, braci, Wacka i Henryka, Dąbrowskich, Multanowiczów, Karczówkę, Kadzielnię[122] – i tak w ogóle wszystkich. W tych latach tak łatwo człowiek właśnie wszystko miłuje! Cóż dopiero Kielce! Tej nocy w wagonie było mi tak żal! Koła uderzające o szyny wołały mnie okrutnymi słowami. Zgrzyty ich kruszyły mą wolę i siłę na jakąś mgłę trwogi. Przypominam sobie te chwile przestrachu, kiedy nim jak płomieniem objęta postanawiałam wysiąść na pierwszej stacji i wrócić. Wrócić, wrócić! Ale wagon mój rwał w nocy jesiennej wskróś jakichś miejscowości ponurych i żelazną, dziką mocą swoją precz mię unosił od wszystkiego, com czule kochała. Zresztą, czyż mogłam? Wrócić do biednej ciotki utrzymującej stancję uczniowską? Mieszkać znowu w nędznej, ciemnej i ciasnej izdebce! Sypiać na starej kanapie, wśród zaduchu sosów, wśród wiecznego deficytu ciotczynego, trosk o masło i żalów na drożyznę kartofli, ach, i wśród afektów ósmoklasistów, zepsutych, niemądrych i rozpróżniaczonych? Nie mogłam, żadną miarą nie mogłam...

Zresztą musiałam przecie, według ślubu tak solennie złożonego u świętej Trójcy, przygotować drogi dla Wacława, który był wówczas w siódmej klasie, pomagać Henrykowi. Dawne, dawne dzieje...

Ranek dnia przy końcu jesieni, ranek chory i jakby spłakany, gdy drżąca z zimna i (powiedzmy szczerze, co tam!) – ze strachu, trzęsłam się jednokonną dryndulą do pani W. Przybywam, trafiam na tę uliczkę Bednarską, co niby jakaś figura czy bestia wiła się w moich uczuciach – i wkrótce idziemy we dwie z panią Celiną do Predygierów. Mijam ulice, które pierwszy raz widziane w taki dzień (przez oczy struchlałe z niedołęstwa) są zimne, obmokłe, niegościnne, niby owa „skorupa", w której „pływa jakiś płaz"...[123] Wchodzimy. Zmierzone jak łokciem okiem lokajskim, wyczekujemy

---

[122] *Karczówka, Kadzielnia* - góry w pobliżu Kielc.

[123] *„skorupa", w której „pływa jakiś płaz"* - aluzja do *Ody do młodości* A. Mickiewicza.

w pysznym gabinecie. Po długim udręczeniu słyszę wreszcie jedwabny szelest sukien. Ach, ten jedwabny szelest sukien...

Ukazuje się pani Predygierowa. Nos wprawdzie żydowski, ale za to spojrzenie arystokratyczne, całkowicie według wzorów sarmackich. Mówimy o mnie, o moim patencie, o tym, co mam wykładać Wandzie, mojej przyszłej uczennicy, wreszcie przerzucamy się mimo woli z języka polskiego we francuski. Koniec końców – pytanie: ile żądam miesięcznej pensji? Minuta wahania się. Później ja, kielczanka, zdobywam się na heroizm i własnym uszom nie wierząc wygłaszam maksymalną cyfrę, jaka kiedykolwiek powstała w mojej imaginacji: piętnaście rubli.

Pokój osobny, utrzymanie całkowite i piętnaście rubli miesięcznie! Czy słyszycie wy, które oświecacie głupie dzieci między rogatkami biskupiej stolicy?

Pani Predygierowa nie tylko się zgadza, ale „z chęcią"... Tej samej nocy już spałam w zacisznym pokoiku od ulicy Długiej. Niech będzie błogosławiony rok, który tam przeżyłam! Nie znająca Warszawy tak dalece, że mogłam pod tym względem z artyzmem reprezentować cielę (gdyby Warszawę porównać do wrót malowanych), wzorowo siedziałam w domu, pracowałam nad Wandą i czytałam. „Biblioteka pana Predygiera stała przede mną otworem"... Nigdy w życiu, ani przedtem, ani potem tyle książek nie wchłonęłam. Czegóż to wówczas nie miałam w ręku! Ale co tam! Byłam wówczas dobra jak cukier lodowaty... „W tym rzecz!" – jak mówił zacny pan Multanowicz. Kochałam Wandzię, moją uczennicę, kochałam ją szczerze jak rodzoną młodszą siostrzyczkę. Kochałam nawet panią Predygierową, choć była względem mnie zawsze twarda, wyniosła i z góry wielkością olśniewająca jak latarnia gazowa. Byłabym może szerokim sercem miłowała i pana Predygiera, gdyby nie to, że był bogatym, niezrozumiałym, obrzydliwym, tłustym mężczyzną, w którego oczach widziałam przez cały rok tylko dwa uczucia: albo chytrość, albo tryumf. Stopniowo wszystkie afekta zgasły. Nie zakwitła w tamtym mieszkaniu między mną i tymi ludźmi nawet przyjaźń, nawet życzliwość. Dziś już wiem, że nie ma w tym nic dziwnego... Bo czyliż najnędzniejszy ze wszystkich, najlichszy kwiatuszek może się rozwinąć w lodowni?

Joasia – kontakty z uczniami

Pamiętam moją pierwszą bytność w teatrze, na koncercie „Lutni"[124], na odczytach. Dziś tylko słabą reminiscencją poznaję te urocze, prawie mistyczne wzruszenia, kiedy zobaczyłam na scenie... *Mazepę*[125]. Gdym usłyszała świetnych aktorów głoszących cudowne wiersze Słowackiego, które umiałam na pamięć, „moje" wiersze... Wówczas także los dał mi możność „ujrzenia" kilku literatów, których miałam w prostactwie moim, z miasta Kielc importowanym, za wiodących ród swój od Apollina. Później, ale dopiero później, przekonałam się, że daleko częściej wywieść by się mogli od Bachusa i Merkurego. Teraz już wiem, że talent to w większości wypadków – torba, czasem cennych klejnotów pełna, którą na plecach nosi z przypadku byle f a c e t, a nieraz byle rzezimieszek. Wtedy! Ta groza wielka, kiedy wchodziłam do pokoju, gdzie zaproszony przez pana Predygiera na pieczeń siedział on, sam on...

---

[124] *Lutnia* - warszawskie towarzystwo śpiewacze założone w 1887 r. przez Piotra Maszyńskiego.

[125] *Mazepa* - dramat Juliusza Słowackiego.

Ale swoją drogą... I dziś jeszcze tak bym pragnęła zobaczyć z jakiegoś kącika: Tołstoja, Ibsena, Zolę, Hauptmanna. Chciałabym także słyszeć mówiących: Przybyszewskiego, Sieroszewskiego, Tetmajera i jednego tylko i c z a (rozumie się – Witkiewicza).

Od tych wielkich wolę dziś świat, z którym zetknęłam się tutaj. Ten, co mię najmniej rozczarował, środowisko czujące bez afektacji, nasze „matki-panny", ludzie pokornego serca, o wykrzywionych butach i zrudziałych mantylach. Zdawało mi się niegdyś, że świat z nich się składa. Reszta, sądziłam, są to czasowo zaniedbani, którzy otrzymawszy prawdę zwrócą się ku niej i zaczną nowe życie.

Utwierdzały mię w tych rojeniach listy Staszki Bozowskiej pisane z zapadłej dziury, dokąd pojechała. Te listy było to nic więcej tylko wzniosłe nieprawdy, obcowanie dusz łatwowiernych. Dziś oto już Staszka umarła. Ja mam łez pełne serce i oczy...

18 października. Kiedy zaczęłam pisać, chciałoby się uprzytomnić sobie i to, i tamto. Tyle nasuwa się szczegółów, tyle osób, zdarzeń i uczuć. Wszystko to nie daje się objąć i złączyć, rozpierzcha się jak żywe srebro i leci w swoje strony. Takie jest nasze życie: ruchliwe, prędkie, bez steru...

Myślałam dziś w nocy o Wacławie i znowu mam ten ucisk serca. Jest to rzeczywiście jakaś szydercza fatalność: Henryk, który został wyrzucony z szóstej klasy, siedzi w Zurychu, chodzi sobie na „filozofię" i ma się dobrze, a Wacek, który opuścił gimnazjum ze srebrnym medalem, świetnie pracował tutaj na przyrodzie, był przez wszystkich poważany – tak bezużytecznie skończył. Potworna jest logika tych faktów. Ciotka Ludwika rzekłaby pewno: „To wszystko dlatego, że jesteście za mało religijni..."

Często mi się zdaje, że ludzie mają jakieś ukryte podobieństwo ze zwierzętami: osobniki wyróżniające się prześladują jednomyślnie, a bez porozumienia między sobą, jakimś odruchem stadowym.

24 października. Byłam w teatrze. Grano *Nauczycielkę*[126], utwór wyróżniony przez gremium krytyków. Dziwi mię, dlaczego autor przedstawia swą heroinę jako uwiedzioną, kiedy takie fakty nie mają chyba miejsca. Prawda życiowa jest z pewnością brutalna. Wiem, np., jakich tentacji[127] doświadczała Hela R. albo panna Franciszka W. Cnotliwi mężowie spod pantofla są w tych szrankach stokroć bystrzejsi od kawalerów. Guwernantki bywają mądre albo głupie, złe albo dobre, brzydkie albo ładne, ale wszystkie muszą być pod tym względem bez zarzutu. Może cudzoziemki – tego nie wiem. Tam zachód, podobno łatwiej się opłaca. Ale żywioł miejscowy...

Guwernantka, jako istota obca, zazwyczaj społecznie niższa, jest ciągle na cenzurowanym. Gdyby dała tylko powód do wzmianki – już po niej! Cenzura może być łaskawą, nawet życzliwą, nawet pochlebną, ale nie ustaje nigdy. Przy tym już to samo, że się zajmuje stanowisko trudne i niższe, a jest się częstokroć znacznie wyżej – tworzy i udelikatnia uczucie dumy, szlachetne uczucie, które jak kij służy do podparcia w chwili znużenia i do obrony przed wrogiem. Ono samo już jest hamulcem niemałym, kto wie, może całkowicie wystarczającym.

---

[126] *Nauczycielka* - sztuka Władysława Koziebrodzkiego.

[127] *tentacja* - pokusa.

26 października. Czytam Ludwikę Ackermann[128]. Ona mówi w pewnym miejscu, że kobieta pisząca poezje jest śmieszna. Zdaje mi się, że ma rację. Dlaczego?

Poezja jest to szczery głos duszy ludzkiej, wybuch pewnej formy namiętności. Ten rzut ducha musi być walką o rzeczy nowe, głoszeniem tajemnic nieznanych.

Kobieta dotychczas za twórcę uważać się nie ma prawa. Śmieszna jest, gdy przeoczy całą, a tak ogromną wyrwę, która ją dzieli od człowieka szczerego. Jakież to nowe prawdy duszy kobiecej jej poezja zawiera? Tylko miłość (notabene męską). Czasami wrzask rokoszu, to jest czegoś przejściowego, co raczej uboży, niż zbogaca...

Dość często bunt o prawo głoszenia tego, co już zostało powiedziane przez mężczyzn. Najczęściej zaś obłudę albo pięknie, ciekawie, zagadkowo (dla mężczyzn) czujące niedołęstwo miłosne. Wszystkie prawdziwe poetki osobistość swoją rzeczywistą zostawiają w cieniu (np. Ada Negri[129]). Jeżeli Safo[130] nowoczesna chce mówić zrozumiale jako człowiek, musi mówić jak mężczyzna.

W rzeczywistości wszystkie te same uczucia ona posiada, może nawet serce jej zawiera ich więcej i daleko subtelniejszych, ale nie może ich, nie śmie wyrazić szczerze. Myśli jej biegną odmiennym łożyskiem, mianowicie są czystsze, a raczej nie tak brutalnie zmysłowe, namiętności zaś zgoła inne, wcale nie takie, jak je przedstawiają dzisiejsi autorowie, i to nie tylko mężczyźni, ale i kobiety. Mężczyźni wszyscy są zmysłowi w sposób ohydny, na przykład, dla młodego dziewczęcia. Tak się malują w sztuce, którą stworzyli. I tacy są naiwni w tej swojej zwierzęcości, że litować by się trzeba nad nimi jak nad małymi dziećmi. Co tylko w ich sąsiedztwie „caca", to zaraz do buzi! Nie uważają sobie wcale za obowiązek z większą ostrożnością wyrażać swoich brutalstw, choćby przez grzeczność, przez wzgląd, że może „płeć słaba" inaczej to samo czuje...

Wszystko zaś, co w wielkiej sztuce mogłoby wyjść od kobiet (rozumie się: równie silnego), dotychczas przynajmniej musi się wpierw ukształtować na modłę męską. Toteż można czasami czytać utwory pisane przez kobiety i malujące niby to uczucia niewieście, utwory skłamane świadomie od *a* do *z*. Jest to kokietowanie przez damy rodzaju męskiego za pośrednictwem literatury. Mężczyźni tymczasem doskonale bronią swego ustroju i potępiają wszelkie próby wyodrębnienia się duszy odmiennej i nowego, jeszcze nie znanego rodzaju sztuki wraz z jej bezgraniczną sferą tajemnych sposobów. Panowie świata musieliby ulec nowej, z gruntu i n a k s z e j krytyce, co nie mogłoby być miłe. Toteż sądy dzisiejsze w tej dziedzinie nie tylko mężczyzn, ale w ich szkole wychowanej masy kobiet, bardzo są zbliżone do pojęć Indusów, którzy uważali białogłowę za nieczystą, gdyż... bywa taką czasami. Jedno i drugie nie od jej woli zależy, ale traktowane jest z prostotą prawdziwie indyjską jako fakt, który sam w sobie jest rozważany.

Czyliż mężczyźni uczuć najbardziej wzniosłych, poeci, szanują w kobietach ducha ludzkiego? Wydaje mi się, że nie. Oni uwielbiają piękną istotę, o ile jest skarbni-

---

[128] *Ludwika Ackermann* (1813-1890) - poetka francuska; utwory jej przesycone były filozoficzną refleksją o pesymistycznym zabarwieniu.

[129] *Ada Negri* (1870-1945) - poetka włoska, autorka wierszy o tematyce społecznej.

[130] *Safo* - wielka poetka grecka (VI w p.n.e.).

Joasia – emancypantka

cą właściwości dla nich rozkosznych, chociaż posiadanie tych cnót nie może być liczone na karb jej zasług. Najbardziej zawsze sławiony był typ kobiety wywierającej jakiś wpływ demoniczny. Może mniej, ale szczerze i ślicznie wychwalano dusze czyste, cierpiące bez skargi, słodkie istoty, które nie myślą bronić się ani mścić, jak Ofelia. Istoty korzystającej z praw do szczęścia osobistego, użytkującej z sił przyrodzonych ducha i zdolności umysłu – prawie nie ma. Daleko łatwiej znaleźć w literaturze szlachetne dążenie mężczyzn do rehabilitacji kobiety winnej niż oddanie praw i szacunku pokrzywdzonej. To drugie nie jest ani sielanką, ani tragedią, więc nie może budzić „estetycznego" wrażenia. Dopiero Ibsen[131], nieśmiertelny prawdomówca, ten, co postacią Jadwigi w *Dzikiej kaczce* śmieje się jak szatan, jak nieczłowiek z kultury ludzkiej – zaczął przezierać istotę rzeczy. Ale i on nie może się powstrzymać od hołdowania prawom kierowniczym sentymentu męskiego. Istotna poezja kobieca drgała może, ale w pieśni niewolnicy, gdy na tarasie rzymskiego magnata, wobec tłumu rozwalonych patrycjuszów musiała śpiewać dla ich zabawy pieśń swego kraju...

My jej nie znamy. Kiedy się wmyślam w ten śpiew i chcę go odgadnąć, zda mi się czasami, jakbym słyszała go gdzieś za czwartą ścianą. Niekiedy sięga do mego serca i wówczas przez cały dzień słyszę w sobie dźwięk tych strun szarpanych w boleści przez zakrwawione palce. Wtedy poetka mówiła prawdę: „Oto jest, co ja czuję! To jest w mym sercu! Wszystko mi jedno, co powiesz o mojej pieśni. Ja sobie samej, sobie jedynej śpiewam..."

Ale dziś... I dziś istnieje ten sam płacz kobiety oszukanej, sprzedanej przez rodzinę, niewolnicy mężowskiej, która kocha innego, upadłej i wzgardzonej przez obłudną cnotliwość gromady. Istnieją marzenia zakochanej niewinnie i namiętnie, tej, co poczęła i pod sercem nosi dziecię... Cóż znowu! Takich dźwięków nie można wydobywać z „liry"! Byłoby to niemoralne, szerzyłoby zepsucie...

27 października. Przeczytałam, co tu stoi od wczoraj i nadal będzie stojało ku oświeceniu wieków. Chciałabym pisać prawdziwie i szczerze, a to jest trudność niesłychana. Mam dużo myśli na pół świadomych, jakby zabłąkanych z cudzej okolicy, które, jeżeli nawet sama sobie zechcę sformułować, już się zmieniają pod piórem i nie są takie... Jak to zapisywać? Tak jak nadchodzi, czy też jak się w słowie zmienia? To drugie przypomina mi z *Nieboskiej komedii* tę chwilę, kiedy Mąż, rozpaczający pięknymi zdaniami nad niedolą żony obłąkanej, słyszy obcy głos: „Dramat układasz"...

30 października. Pisałam dwa dni temu o większej czystości kobiet. Zdarzyło mi się już nieraz, że gdy jestem jakąś myślą szczerze i głęboko zajęta, w świecie otaczającym znajduję jeśli nie rozwinięcie dalsze, to w każdym razie szczegóły i ułamki, które do niej należą. Prawdopodobnie to skupiona myśl jak światło w ciemności wyławia z otoczenia wszystko, czego by w innych warunkach nie dostrzegła, gdyby nie wiem jak nasuwało się przed oczy.

Byłam u Maryni. Rzadko się z nią widuję, a lubię ją – jak by to wyrazić? – odruchowo, wbrew, a może na przekór woli. Ona jest do gruntu niewinna, czysta, bielutka i bardzo prostego serca, a przecież bardzo lubi więcej niż jednego, niż dwu lub

[131] *Henryk Ibsen* - (1828-1906) wybitny norweski dramaturg, autor m.in *Nory, Wroga ludu, Dzikiej kaczki.*

trzech mężczyzn. Pierwiastek erotyczny stanowi w tym wszystkim tylko pewną domieszkę. Nie chcę powiedzieć, żeby nie grał żadnej roli, ale jest to daleko bardziej coś w guście manii wielkości. Gdy jej u f n d o w a ł a m delikatną uwagę, odrzekła mi ze szczerozłotą naiwnością, że nie wie, czemu by nie można było kilkoma na raz być „zajętą". („Nie zakochaną – cóż znowu!")

Te sympatie są w zupełności odrębne, łączą się przecież między sobą, podobnie jak na przykład warstwy w torcie. Każda z osobna jest inna i bardzo dobra, a czyliż z tego wynika, żeby wszystkie razem wzięte miały źle smakować? A przecie, mimo tej łobuzerskiej filozofii, Marynka nie byłaby zdolną wyładować ze siebie ani krzty tej „bezbożności", na którą skarży się w swej piosence Ofelia.

4 listopada. Jeden z tych dni ciężkich, co to wydają się być podobnymi do istot srogich i nikczemnych. Dzień taki trwa długo i nie chce odejść, jak lichwiarz, który wszystko swoje musi w tym terminie wydusić. A gdy już wreszcie zdechnie, zostawi po sobie czarny cień, noc bezsenną, pełną łez, widzeń i strachów. Jedna z „życzliwych mi" osób, pani Laura, w której domu od trzech lat daję lekcje dziewczętom, z emblematami żywej jakoby litości zakomunikowała mi smutną wiadomość. Czerpie ją od współplotkarki świeżo przybyłej z w o j a ż u. Oto – Henryś podobno nie „robi doktoratu", jak mię tysiące razy upewniał, ale robi długi, skandale i awantury. Miał jakiś pojedynek, uczestniczył w burdach knajpiarskich, siedział w kozie miejskiej, był przez policję zrąbany szablami. Jest tego wszystkiego tyle, że trudno wyliczyć, a najważniejsze ze wszystkiego – kłamstwo. Jakoby wcale od dwu lat nie chodził na wykłady. Brak mu minimalnej ilości semestrów potrzebnych do egzaminu – słowem, plugawe bagno faktów. Słuchałam tego cierpliwie, z uśmiechem, jednocześnie mówiłam ustami: – Wiem, wiem, proszę pani, jaki to łobuz...

W duszy miałam co innego.

Musi w tym być sporo prawdy, jeżeli mu cofnięto stypendium muzealne. Wszystko to zresztą nic, ale kłamstwo, „nabieranie" głupiej siostrzycy. Gdyby opisał, jak jest, ani bym mu robiła wymówek, ani bym nawet nie uważała za złe. Od tego jest tęgi bursz, żeby robił skandale. Tylko to dowiadywanie się z boku, od ludzi obcych, którzy pomimo woli wyładowują na mnie gnijącą w każdej duszy człowieczej *Schadenfreude*[132]...

5 listopada. Mało snu, bo dopiero nad ranem zapadam w stan drzemania i dziś łażę z wdziękiem zmokłej kury. Lekcje odbywałam jak ciężkie roboty. Zgnębienie dusi, sprawia, że człowiek usuwa się, kurczy, nędznieje. Postanowiłam z tej dusznej ciasnoty, gdziem była zatarasowana przez gorzką wiadomość, siłą się wydobyć. Nie, nie opuszczę Henryka! Będę dwa razy więcej pracowała, wezmę nowe lekcje, może nawet ranne. Niech skończy choć jakiekolwiek kursa, to przecież będzie mógł tutaj lżej pracować. Nigdy nie odżałuję, że nie zdał do politechniki – ale to trudno. Te „freifachy"[133] trwały już rzeczywiście nieco za długo.

6 listopada. Dla oszczędności biorę do siebie pannę Guêpe. Zagrodzi mi to życie więcej niż o połowę, ale trudna rada. Już moja izba będzie tylko w części kryjówką,

[132] *Schadenfreude* (niem.) - radość z cudzej szkody.

[133] *„freifach"* (niem.) - brak określonego zajęcia.

nawet ten dziennik będzie się tylko dorywczo pisało. Wpłynie wszakże tym sposobem co miesiąc prawie osiem rubli. Muszę dać Wacławowi na kożuch, walenki... Jegierowskie ubranie. Trzeba by po dwie pary. Pamiętać, pamiętać, że pani F. jedzie 18, 18, 18!

13 listopada. Wzięłam nową lekcję. Wcisnęłam ją między Lipeckich i Zosię K. Nowa robota jest to przygotowanie dziewczynki, Heni L., do klasy wstępnej na pensję. Nie zna się jeszcze na niczym. Ani dyktanda, ani tabliczki mnożenia, ani żadnej rzeczy. Pokój duży, ciemny jak piwnica, o jednym oknie wychodzącym na ciasny dziedziniec. W tej porze jeszcze słońce nie zachodzi, ale tam już jest wieczór. Siedzimy z tą Henią naprzeciwko siebie przy stole i wydajemy, to jedna, to druga, dziwne głosy.

— *Ces enfants ont trouvé leurs mouchoirs, mais ils ont perdu leurs bonnes montres.*[134]

Najprzód ja to mówię wielkim głosem, później ona z usiłowaniem wydobycia ze siebie dźwięków takiej samej grubości. Myśli pewno, że po francusku trzeba mówić tak grobowo. W dużym i ciemnym mieszkaniu rozlega się to wszystko gdyby jakieś wywoływania wolnomularskie[135]. Czasami małej przychodzą do głowy dziwne kombinacje. Zadaje mi pytania, na które żadną miarą nie można dać odpowiedzi...

Stamtąd, wysiedziawszy godzinę, pędzę co koń skoczy na gumach kaloszowych w głębie Powiśla do Blumów z pilną wiadomością, że „trybem oznajmującym wypowiadamy czynności w stosunku do odnośnego podmiotu rzeczywiste — rozkazującym rozkazane lub zakazane, warunkowym czynności tylko możebne, przypuszczone, zamierzone..." Tam czeka zawsze czuły kuzyn.

Teraz dzień już jest napchany, formalnie napchany jak żydowska torba, lekcjami. Tak się przyuczyłam do systematycznego chodzenia w oznaczonych terminach, że w niedzielę, trawiąc poobiednie godziny lekcyj na czczej gawędzie albo czytaniu, doznaję co chwila odruchów przestrachu i zrywam się jak wariatka. Same nogi skaczą i wykonywają jakieś logarytmy kursów na Smoczą lub na Dobrą.

Któż by uwierzył, że ja, nędzny twór kielecki, dojdę kiedyś w samym środku Warszawy do 62 rubli miesięcznego zarobku z wysiewania po różnych ulicach tajemnic wiedzy!

Guêpe już się sprowadziła. Ma kardynalną wadę Francuzek: jest gadatliwa. Wprawdzie ja korzystam z tego, bo wieczorami muszę z nią gwarzyć i małpiarskim, czysto kobiecym trybem nabieram paryskiego akcentu we francuszczyźnie, ale za to śpię kiepsko. O dwunastej jeszcze się śmieję z jej przygód. Często później nie mogę usnąć. Biją godziny...

Wstaję słaba i wówczas coś dygoce we mnie jak w naszym starym ściennym zegarze, gdy go było poruszać. Dziwne jest to, że w takich razach wcale mi się spać nie chce. Chyba że się zmęczę, zmorduję aż do upadku. Gdy to nastąpi, jestem wprost bez przytomności, nie wiem, co do mnie mówią, i trajkoczącej „Giepce" odpowiadam trzy po trzy.

15 listopada. Czytałam w niedzielę dużo rzeczy pięknych. Dotąd je mam w głowie niby jakieś przedmioty nie moje, słabo zrośnięte z moją osobą duchową.

Niewiele uczuć może taką żądzą pożytecznego działania napełnić serce, jak oschła świadomość, ile cierpiano, ile znoszono dla szczęścia pokolenia dziś żyjące-

---

[134] *Ces enfants ont...* (fr.) - te dzieci znalazły swoje chustki, ale zgubiły swoje dobre zegarki.

[135] *wolnomularskie* - tu: odznaczające się tajemniczością.

go, którego cząstkę my tu stanowimy. Jest jakieś dziwne braterstwo idące wstecz do tych, co już wszystko spełnili. Nikogo z żywych nie można otoczyć w myśli taką czcią, świętą czcią, jak tych, co zostają za nami w mroku niepamięci.

Przyszłam do wniosku, że i bardzo ciężkie cierpienia moralne, troski subtelne, tkliwe i głębokie, można jeśli nie leczyć, to w każdym razie znieczulać pewnego rodzaju naciskami. Gdy się jest tak smutną, że łzy płyną z oczu za lada powodem, trzeba czytać, na przykład jakieś „Sprawozdanie z siódmego okresu czynności Banku Handlowego" albo „Jedenaste zgromadzenie ogólne, zwyczajne, akcjonariuszów Drogi Żelaznej Warszawsko-Terespolskiej"... Gdy się takie rzeczy w chwilach odpowiednich uparcie i świadomie studiuje, to działają one swoją olbrzymią obcością, swoim bezwzględnym, gustalowym[136] egoizmem na subtelne i czułe uczucia tak mocno jak roztwór Schleicha. Ta sól na pewien czas odrętwia pnie nerwowe tak do gruntu, że można okolice przez jej pole działania zajęte krajać bez bólu lancetem. Inna rzecz, gdy cierpienie jest srogie. Wtedy „Jedenaste sprawozdanie" samo z rąk wyleci jak ciężar nadmierny.

17 listopada. Zdaje się, że spisywać pamiętnika takiego, jak zamierzałam, nie mogę. Zbyt skromny mam zapas stałości. Trudno by mi było utrzymywać, że dzisiaj rano spokojna i prawie wesoła, nie będę o zmroku tonęła w rozpaczy, niestety! – nawet bez wielkich powodów. Brak pieniędzy, milczenie Wacka, myśli o Henryku, jakieś czcze, drobne, małe dzieje dnia jesiennego, które Krasiński tak słusznie mianował „podłymi..." Najczęściej jakaś niedola daleka, daleka, nie moja ani twoja, tylko tutejsza... Wtrąca mię to w smutek, a raczej w jakąś bolesną oziębłość. Nie jest to bynajmniej spokój! O, nie! Spokój to stan bezcenny. Troski i biedy uczą odczuwać spokój jako szczęście. Tych stanów przejściowych niepodobna tu zanotować, tak samo jak nie można patrzeć w lustro, gdy się jest czymś do głębi wzruszoną. Nie sposób ich także odtworzyć, używając równoległych i tej samej miary słów pięknych, gdyż i tak byłoby to coś wręcz innego. Mnóstwo rzeczy minęło i ciągle mija, a ja nie tylko nie mogę ich przytoczyć, ocenić, ale nawet wskazać. Czasami jestem tak bez sił, że nie sprawiłoby mi wielkiej trudności usiąść na brzegu trotuaru, którym pędzę z lekcji na lekcję, i wypoczywać wśród śmiechu przechodniów.

Jakże szczęśliwe są te damy, które mijam, wolnym krokiem idące na spacer czy tam dokąd. Toczą miłe, urocze, wesołe rozmowy z modnie ubranymi panami. Kto są ci ludzie? Co oni robią, gdzie mieszkają? Nie znam ich wcale. Świat jest tak mały, taki ciasny, a taki zarazem olbrzymi! Człowiek na nim jest to biedny niewolnik biegający wciąż tą samą ścieżką, tam i z powrotem, jak wilanowska kolejka.

Cofnęłam się myślą do miejsc, gdziem dawniej była, i samą siebie przypomniałam sprzed lat kilku.

Byłam wtedy lepsza. Dziś nie mogłabym już tak zamęczać się pracą, byle „coś dobrego zrobić".

Cóż to będzie? Czy ciągle będę coraz gorsza, coraz gorsza? Wtedy w Kielcach, w naszych Głogach, w Mękarzycach, a i tu dawniej, w Warszawie, robiłam wysiłki,

---

[136] *gustalowy* (niem. Gusstahl: stal lana) - tu: twardy jak stal; *roztwór Schleicha* - płyn wynaleziony przez niemieckiego chirurga Karola Schleicha, stosowany do znieczuleń miejscowych.

żeby być inną. Teraz jestem jakaś popędliwa, pełna złych myśli. Jakaż to dawniej byłam ascetka we względzie wygód! A teraz drobnostka mi dokuczy.

Długo nad tym myślałam, co się mianowicie we mnie zmieniło. Miałam dawniej wiele wiary w dobroć ludzi i dlatego byłam gotowa spieszyć się ku nim. Miałam łaskę zupełnego, całym sercem oddania się myśli o rzeczach niematerialnych, o sprawach innego porządku.

Dziś jestem taka zimna! Tamte krynice rozkoszy ledwie pamiętam. Zrobiłam się jakaś nieczuła na cierpienia innych. Mogę powiedzieć, że bardziej chłodno (a może tylko nie tak) odczuwam biedy własne.

Naprawdę mam i teraz dla wielu osób dużo uczucia, ale takiego często doświadczam złudzenia, jakbym już Henryka ani Wacława nie kochała dawnym sercem. Zrobię jeszcze dla nich i dla innych ludzi, co mogę, ale nie czuję już szczęścia z tej prostej racji, że i ja przecie do czegoś służę. Mam jeszcze dużo entuzjazmu dla dobrych i płonących natur, dla wszystkich, co się męczą a pogardzają złem ukrytym, ale to już jest inne. Nie wiem, nie mogę tego szczerze wyznać, czy kocham takich ludzi, czy tylko chciałabym iść z nimi w szeregu z tego wyrachowania, że to jest szereg, w którym iść najbezpieczniej, bo do zwycięstwa. Jest to ta droga, po której *„dusza w ciemności schodzi, w ciemności noc bezdenną..."*[137]

Dawniej istnieli dokoła mnie szlachetni ludzie, natury głębokie, ciche, skromne, tkliwe, często w swej poczciwości wytrwałe jak żelazo, skłonne do zupełnego zaniedbania siebie dla innych. Cechowała ich jednolitość dążeń i usposobienie równe. W ich obecności było tak dobrze, tak ufnie i tak cicho na sercu... Byli to moi rodzice, sąsiedzi, niektóre osoby w Kielcach. Czy to była dusza inna, czy może tylko zdolna do ślepej łatwowierności? W moim dawnym świecie nie było ani jednej osoby, do której czułabym odrazę. Dzisiaj ileż jest takich! Na przykład ten jakiś kuzyn u Blumów, który zawsze drzwi mi otwiera i pomaga zdjąć okrywkę. Czekam z cierpliwością, że mię kiedyś w tym korytarzu zechce zaczepić w sposób licujący z jego wejrzeniami. Wydaje mu się apetyczną ta nauczycielka przychodząca do jego kuzynek... Nie mogę przecie żądać, żeby mi drzwi nie otwierał i nie pomagał zdejmować mantyli, ale darzę go taką odrazą, jakbym patrzyła na stonogę albo na brudny gęsty grzebień. Dziwię się, że on nie odczuwa tego afektu. Zdaje mi się, że to ze mnie promieniuje. A może w miłości tego rodzaju, jaką on ma na myśli, uczucia wstrętu strony słabszej nie wchodzą wcale w rachubę... Nie powinno mię to wszystko wcale obchodzić. Mam zupełną możność traktowania tej osoby z taką przedmiotowością jak, dajmy na to, barana albo innego reprezentanta fauny, ale nie mogę... W ogóle trochę za dużo interesuję się tą sprawą, tyle o tym piszę, że to budzi podejrzenie. Czy tylko w tej „odrazie" nie kryje się krzyna jakiej satysfakcji?

Joasia o Judymie

18 listopada. Na Waliców tramwajem. Kiedy wsiadłam do przedziału i już zapłaciłam konduktorowi, dopiero spostrzegłam, że w rogu siedzi ten śliczny jegomość w cylindrze. To już

[137] *„dusza w ciemności schodzi..."* - niedokładny cytat z wiersza Jana Kasprowicza *W ciemności schodzi moja dusza.*

trzeci raz go spotykam. Ścierał co chwila ręką parę i wyglądał przez oczyszczony kawałek szyby. Na co on czekał? Jeżeli to miała być kobieta, to jakaż jest szczęśliwa! Kto on jest? Co robi? Jak mówi? Jakie też myśli kryją się w tej prześlicznej, w tej arcygłowie? Mam ciągle w oczach jego twarz zamyśloną i wyobrażenie całej postaci. Dziś na lekcji u F. bezwiednie i bez żadnego wysiłku, na pół wiedząc o tym, co kreślę, zrobiłam ten profil o bardzo subtelnej kombinacji rysów, pełen harmonii i jakiejś walecznej siły. Jak to dobrze, że sobie wyskoczył na rogu Ciepłej, bo, kto wie, może bym się była w nim zakochała. Przez cały dzień ciągle było mi bez żadnego powodu przyjemnie, jakoś tak radośnie, jak gdyby za chwilę miało mię spotkać coś nad wyraz miłego. Gdym usiłowała zrozumieć, co mi się dobrego zdarzyło, płynęła z ciemności jego twarz – i te oczy szukające czegoś za szybą.

Niech go spotka w życiu wszystko dobre...

19 listopada. „Najzacniejsza pieśń Salomonowa”[138] mówi: „I któż to jest, który wychodzi z puszczy, jako słupy dymu, kurząc się od mirry, od kadzidła i od wszystkich prochów wonnych...”

Najzacniejsze słowo! Jest to realny opis uczucia... Tego, które przychodzi z puszczy... Słowa bez sensu tłumaczą istotę uczucia tak ściśle jak algebra.

20 listopada. „Na łożu moim w nocy szukałam tego, którego serdecznie miłuję, szukałam go, alem go nie znalazła. A przeto teraz wstanę, a obejdę miasto, będę szukać po ulicach i po miejscach przestronnych tego, którego z duszy miłuję. Szukałam go, alem go nie znalazła...”

Nieskromne, upokarzające!... Te słowa – to rumieniec. Każda litera pali się ze wstydu. Cóż, kiedy prawda, cóż, kiedy prawda...

22 listopada. Znowu ten kuzyn ze swoim uśmiechem przyklejonym do warg gumą arabską! Kiedy on staje we drzwiach w chwilę po naciśnięciu przeze mnie dzwonka, jestem wprost bezsilna. Czuję od razu, że robię się czerwona jak burak. I żebym nie wiem jak usiłowała zblednąć – wszystko darmo. Tracę władzę nad głupim czerwienieniem się, ręce mi drżą. Ten frant gotów pomyśleć, że wywiera na mnie tak piorunujące wrażenie, a on mi tylko ubliża. Czemuż to nie jest tamten z *Pieśni nad pieśniami*? Rumienić się w towarzystwie osób dobrych i delikatnych nie jest wcale tak bardzo przykro. Jest to wówczas, jakby się nie chciało wymawiać pewnych słów ordynarnych, ciapać wargami albo patrzeć na rzeczy nieprzyzwoite. Ale tu! Czytałam gdzieś, że w Egipcie sprzedawano talizmany, które miały strzec kupującego od uroków. Mówiono wtedy: „Od spojrzeń dziewczyn, ostrzejszych niż ukłucie szpilką, od oczu kobiet, ostrzejszych niż noże, od spojrzeń chłopców, bardziej bolesnych niż uderzenie batem, od spojrzeń mężczyzn, cięższych niż uderzenie siekierą”. Jakżebym chciała być zabezpieczoną od ostatnich spojrzeń, od „tych” spojrzeń!...

Dzisiaj pani B. przytrzymała mię w swym „zagraconym” salonie, a ten „literat” wsunął się tam niezwłocznie jedwabnymi kroki. Czułam jego osobę, mimo żem nie podnosiła oczu. Zaczął mówić rzeczy oklepane, które pewno słyszał od kogoś mądrzejszego.

---

[138] *„Najzacniejsza pieśń Salomonowa”* - *Pieśń nad pieśniami*, arcydzieło poezji hebrajskiej przypisywane Salomonowi (X w p.n.e.).

O Nietzschem![139] Mam silne poszlaki, że uważa się za nadczłowieka i za ucznia filozofa, którego sądzi z „artykułów" pism warszawskich. Specjalnie jest znakomity, kiedy rozpoczyna zdanie w sposób pełen obietnic:

— Bo trzeba pani wiedzieć...

Albo:

— Pewno pani sądzi, że... otóż...

I dopiero wygłasza myśl znaną mi i niepotrzebną jak wyświechtany komunał. Rozmowa jego zmierzała do tego, żeby podkreślić pewne w niej wyrazy. Ciekawam, czyby się ten n a d f a c e t odważył tak te wyrazy akcentować w rozmowie z jedną z pań bogatych, która mogłaby mu na to odpowiedzieć z całą śmiałością? Ale niech go tam Pan Bóg ma w swojej opiece! Cóż z tego, że ktoś mi da dowód swego lekceważenia, korzystając z tego, że jestem nauczycielką? Czy to mię ma boleć? Jest wcale nie zasłużone... Znosić tego nie mogę bez udręczenia, ale mogę przecie lekceważyć. Muszę zresztą, bo nie starczyłoby mi innej odporności na takie szarpanie nerwów. Tego rodzaju zdarzenia wstrzymują mię od poszukiwania towarzystwa. Jest to także brak odwagi cywilnej. Wiem, że nie odstąpiłabym osoby dobrej dlatego, że ją lekceważą, a samej siebie nie mam śmiałości ostro bronić.

23 listopada. Będę zmuszona do porzucenia lekcji u B. Trudna rada! Nie mogę robić awantur w przedpokoju ani zanosić skarg do tej pani. Musiałam się bronić. Dziś ch. m. w. w p. i m. Popamięta on tę sekundę! Ale swoją drogą, jakież to jest wszystko podłe!

Dawniej myślałam, że złą jest nienawiść. Gniewać się, mieć urazę – to inna rzecz, ale nienawiść. Przecie to jest pragnienie krzywdy. Nic złego nie zrobiłabym sama temu nawet adonisowi, ale wiedza o tym, że mu się coś takiego zdarzyło, nie byłaby mi już wstrętną. Powoli może przyjdę do pragnienia zemsty. Czemuż nie? Idąc po stopniach, zstępuje się koniecznie tam, dokąd one prowadzą. Wiem o tym, ale nie czuję złości do siebie, gdy jestem tak wrogo usposobiona. I któż wie, czy w istocie rzeczy nienawiść jest zła i niemoralna? Taka nienawiść... Któż to wie? tylko po co j a o tym wszystkim muszę się dowiadywać, na co to wszystko muszę roztrząsać?

26 listopada. Cicho, cichutko umarła panna L. W niczyim sercu zapewne nie zostawiła uczucia głębokiego żalu. Kochano ją, jeżeli tak można powiedzieć, przez obowiązek. Mój Boże, a nieraz najgorsze osoby, gdy umierają, budzą żal żywy i szczery. Któż może być poczytywany za wzór nie tylko człowieka, ale za wzór ucznia Chrystusowego, jeśli nie ona, ta matka-panna? To była nie tylko istota duchem czysta, ale przedziwnie czysta ciałem, jeden z posłańców bożych, co na wzór Jego „trzciny chwiejącej się nie złamie i lnu kurzącego się nie przygasi", jak mówi święty Mateusz. Całe życie spędziła w nauczycielstwie jakby w jakimś zakonie. Może i ona miała wady ukryte, może w tajemnicy przed bystrzejszym okiem popełniała jakie grzechy, o których nikt nie wie, ale po handlarsku ważąc jej życie, owo życie ośmieszonej starej nauczycielki, nie znajduję w nim występku. Praca, głucha praca – praca-instynkt, praca-namiętność, praca-idea, ułożona systematycznie jak teoremat[140] geometrii.

---

[139] *Nietzsche* - Fryderyk (1844-1900), filozof niemiecki; głosił kult silnej jednostki, zwalczał zasady demokratyczne i moralność chrześcijańską.

[140] *teoremat* - twierdzenie matematyczne, którego należy dowieść.

Życie rozłożone na lata i kwartały szkolne, a z jego rozkoszy czerpanie tylko owoców rodzinnej kultury. Nie widziałam nikogo, kto by się tak radował istotnym „weselem wielkim", kiedy zjawiały się w literaturze piękne dzieła, jak *Potop* albo *Faraon*. Ona doprawdy czuła się szczęśliwą, że żyje w tym samym czasie, kiedy tworzy Sienkiewicz, a portret tego pisarza miała w swej izdebce opleciony bluszczem.

W wielu sądach nie mogłam się zgodzić ze zmarłą, a raczej nie potakiwałam jej w głębi serca, gdy to mówiła. Bo kiedy indziej!... Nie mogła zrozumieć pewnych nowych sił świata. Żyła w dawnym zakonie, który przez *„Macht"* Bismarcka[141] nogami zdeptany został. Jakimże sposobem przystosowała owe dawne prawa do nowego życia? Zrobiła to prosto, jak nie można prościej. Oto entuzjazm zaklęła w pracę, wtłoczyła go wewnątrz swoich obowiązków. Było to trudne, z pewnością trudne, takie skroplenie uniesienia. Trzeba było powoli, w ciągu całego szeregu lat wytwarzać system, murowany system. Tak uczyć gramatyki, stylistyki, uczyć pisania, jak to czyniła panna L., już nikt nie potrafi. W tej nauce pedanckiej, prawie dokuczliwej, zajadłej, był właśnie entuzjazm.

U trumny panny L. postanowiłam sobie naśladować ją. Nie przedrzeźniać, ale właśnie naśladować. Jej życie było tak wysoce kulturalne, że z naszej strony byłaby to ośla głupota, gdybyśmy mieli zaniedbać stosowania tych doskonałych wzorów. Mężczyźni naśladują przecie Anglików, ludzi innego kraju i typu, ludzi zza morza, a my mając w domu taki widok... A więc: 1) tłamsić w sobie upadki, osłabienia, czułości, a głównie, głównie, głównie wzdychający smutek; 2) ciągle podniecać wytrwałość i kształtować wolę; 3) układać z premedytacją i krytyką plan zajęć; 4) ściśle wykonywać, co się po rozwadze zdecyduje, choćby kije z nieba leciały. To w szczególności. A w ogóle: zachowywać czystość duszy i nie dawać do siebie przystępu niczemu podłemu. Wprost nie dawać przystępu. Jeżeli bierze na się formę kuszącą jako nowoczesność, nowotność, uderzać łajdactwo w piersi całą mocą ducha.

U trumny panny L. przyszła mi do głowy myśl, że człowiek sprawiedliwy żyje tu na ziemi daleko dłużej niż głupiec. Małe, skurczone, uśmiechnięte zwłoki panny L. oddziałały dziś na mnie daleko silniej niż niejedna rozprawa mędrca. Jej nauczycielstwo nie skończyło się z chwilą śmierci. Owszem, zaczęło być całkowicie zrozumiałe to, co czyniła, niby doskonała książka, której ostatnią stronicę wraz z ostatnim przeczytaliśmy wnioskiem. Tak nie tylko żył, ale i leczył po swojej śmierci doktór Miller, zmarły na dżumę, który w chwili zgonu przepisywał, jak ma być zdezynfekowane jego ciało, ażeby komukolwiek z bliźnich nie przyniosło zarazy w cztery dni po jego zejściu. To są ludzie, którzy osiągnęli na ziemi główną siłę: nie bali się zstąpienia do grobu. Toteż ich śmierć jest tylko jakąś tajemnicą poważną, pełną czci i smutku. Śmierć ludzi, którzy jej się lękali, ciska urok wstrętny, przerażający, każe myśleć, a raczej topić się i dusić w myślach o tym rozkładzie ciała, pełnym nieopisanej ohydy. I wówczas jest jak potwór obmierzły i bezmyślny, a nade wszystko wszechwładny.

Ale jeszcze rzecz jedna. Czy życie panny L. byłoby równie pożyteczne, gdyby została mężatką i miała dzieci, a właściwie, czy byłoby pożyteczniej dla świata, gdyby

---

[141] *„Macht" Bismarcka* - „Macht von Recht" (niem.): siła przed prawem; hasło leżące u podstaw polityki Bismarcka, twórcy niemieckiego imperializmu.

zamiast tylu uczennic wychowała dobrze tylko swe dzieci? I czyby je wychowała tak dobrze? Zdaje mi się, że to jest również macierzyństwo, a raczej macierzyństwo wyższego stopnia – tak kształtować dusze ludzkie, jak to panna L. czyniła. Nasze matki lekceważą sobie znaczenie matek-wychowawczyń. Tymczasem urodzić dziecię to wielka i cudowna sprawa natury, ale znowu nie dyplom na wychowawczynię. Potrafi to samo byle obywatelka z rodu Kafrów[142] czy Papuasów[143]. Może popełniam herezję wypisując tutaj to zdanie, ale je uważam za słuszne. Myśl moja jest taka: na świecie pełno jest kobiet niemądrych i niedobrych, ale za to pięknych i zdrowych. Są to Sabinki[144], które na pewno zostaną porwane. Nie wynika jednak z porwania, ażeby każda Sabinka stawała się przez to skarbnicą wiedzy. Obowiązek (ale już wtedy i prawo) wychowania pokoleń coraz lepszych, jeżeli idzie o to, ażeby pokolenia były coraz lepszymi, musi być odjęty niemądrym i niedobrym Sabinkom i oddany brzydkim pannom L.

28 listopada. Dziś w myśl powziętych zasad zrobiłam obrachunek dochodów i wydatków. To materialistyczne pojmowanie dziejów mego życia z ostatnich trzech miesięcy i jeszcze bardziej materialistyczne wysiłki przewidzenia przyszłości okazały, że prawie dwa razy więcej wydaję, niż zarabiam. Kupiłam wprawdzie bieliznę dla W. i posłałam H. na dwa miesiące, a co najważniejsza, spłaciłam ze starego długu ciotki Ludwiki 40 rubli Siapsi Bożęckiemu, ale znowu zaciągnęłam u samej Marynki długów na 100 rubli z czubem. Przeraziłam się tą moją rozrzutnością, a właściwie nędzą, i postanowiłam do minimum ograniczyć wydatki. Zaczęłam od tego, że razem z Marynką kupiłam bilet do teatru. Grano Moliera *Chorego z urojenia.* Obydwie z M. przyszłyśmy do jednego wniosku... Częstokroć daje się czytać, a szczególniej słyszeć, zdanie, że na świecie „wszystko już było". Na tym fundamencie, że wszystko już było, rozmaici panowie i damy pozwalają sobie na takie rzeczy, które istotnie możliwe były tylko w przeszłości. Przypatrując się takiej sztuce Moliera widzi się dopiero, jak ludzkość postąpiła naprzód, i to nie tylko w zakresie medycyny, ale przede wszystkim w dziedzinie etyki. Taką dzicz, jaką widzimy na tej scenie, z pewnością może, kto zechce, zobaczyć jeszcze w Radomskiem, Kieleckiem, a nawet w Sandomierskiem, a niewątpliwie wszystko to należy już przecie do epoki, którą opisuje Molier.

Małe to i już osobiste spostrzeżenie. Jestem niby to zgnębiona śmiercią panny L. i innymi okolicznościami, a przecie potrafię pękać ze śmiechu za lada konceptem. Zawsze miałam to pochlebne o sobie mniemanie, że jestem lekkomyślna. Teraz ten przymiot zdaje się wzmagać. Nic we mnie stałego, niezmiennego. Gotowam jak najswobodniej się bawić, i to nie tylko w teatrze, ale z pierwszym lepszym knotkiem na lekcji, pomimo że niby to mam swoje smutki. Jakże wobec tego można sobie ufać, gdy w człowieku jest jakieś licho ukryte, nie dające chwycić się za uszy. Musi to być, widocznie, siła tej ziemskiej powłoki, siła zwierzęca, dla której śmiech jest konieczny, jak targanie przez wicher dla roślin. Należałoby umartwiać to mieszkanie ducha...

---

[142] *Kafrowie* - nazwa nadana przez Arabów afrykańskim ludom Bantu.

[143] *Papuasi* - tubylcy z Nowej Gwinei i innych wysp Oceanii.

[144] *Sabinki* - legenda o porwaniu Sabinek związana była z podaniem o powstaniu Rzymu. Gdy z pierwszymi jego budowniczymi, awanturnikami i zabijakami, kobiety z sąsiednich plemion nie chciały wchodzić w związki małżeńskie, Romulus, założyciel miasta, sprosił okoliczną ludność na festyn, podczas którego gospodarze uprowadzili ich kobiety i pojęli je za żony.

30 listopada. Nazywa się: doktór Judym.

1 grudnia. Nie jestem wcale przesądna, nie wierzę w znaki, a swoją drogą, gdy się coś takiego zdarzy, jest mi bardzo przykro. Teraz szczególniej, po dzisiejszej nocy. Zdaje mi się, że stoję wobec jakichś brutalnych i potężnych osób, które mię skrzywdzą. Usnęłam późno, w znużeniu i smutku. Ujrzałam we śnie salę ciemną, coś jakby sąd w Zurychu, gdziem nigdy przecie nie była. Wprowadziły mię tam osoby w ciemnych, skromnych uniformach. Szczególniej jeden... Skąd taka twarz?... Widzę go jeszcze. Osoby te rzekły do mnie, że Henryk popełnił zbrodnię morderstwa. Ogarnął mię przestrach, jakiego nigdy w życiu nie doświadczyłam. Zarazem uczułam w sobie decyzję tak przejmująco silną jak ta wiadomość: nie pozwolę! Stałam przy oknie wpuszczonym w gruby mur, które prowadziło do groźnej izby złote i jasne światło słoneczne. W dali było granatowe, faliste jezioro i białe góry. Wtem dał się słyszeć głos: — przyprowadzić!

Henryk wszedł do sali. Na jego twarzy bladej i wychudłej był uśmiech, ale jakiż straszny! Czułam się tym uśmiechem na wskroś przeszyta. Gdy chciałam zbliżyć się, wszedł człowiek pospolitego wyglądu, ze stalowymi nożyczkami w rękach. Henryk usiadł na krześle i wtedy jego uśmiech stał się jeszcze bardziej, jeszcze bardziej... podłym. Felczer strzygł włosy, piękne, jasne włosy mojego drogiego braciszka. Pukle ich toczyły się po czarnym ubraniu i spadały na brudną ziemię. Ktoś mię wtedy ujął za rękę... Ale któż to był... O, Boże!

Usiłowałam przemówić, krzyczeć, ale ani jednego dźwięku nie było w mojej gardzieli. Nawet płacz nie mógł się z piersi wydobyć. Guêpe zawołała na mnie.

Obudziłam się i usiadłam pełna jakiegoś strasznego uczucia. Nie mogę tego wypowiedzieć... Ten ból senny, stokroć boleśniejszy niż jakikolwiek za dnia, i owo tajemne a samo z siebie widzące przeczucie... Może, ach, najpewniej — wieszczba nie znanych mi cierpień przyszłych, a tak głębokich, że objąć je — już jest boleść... Nie mogłam poruszyć ani ręką, ani nogą. Z wolna odlatywała od mojego serca zmora, i cicha radość, że to był sen, radość jak święty promień słoneczny sączyła się do jego głębi. Cóż by kto mógł tak na świecie kochać, jak ja tej nocy mojego brata? Zdaje się, że ludzie najsilniej kochają swoją familię. Ja nie lubię tych moich uczuć rodzinnych ani je cenię, a nic nie ma nade mną takiej okrutnej, takiej niezgłębionej władzy, jak one. I co to jest?

Czy należy mieć takie uwielbienie dla osób, które może tego nie są warte?

Przecie tyle zjawisk, osób i spraw na ziemi... Jakież to zdanie wypisałam tutaj?...

2 grudnia. Henia ma odrę, a ja godzinę wolną. Wpadłam do domu i siedzę sama. Ach, jak niemiło... Mgła o barwie śniadej wlała się w zaklęsłe podwórza. Dopiero godzina czwarta, dzień jeszcze, a nie widać odległych wieżyc dachów, które zawsze rysują się na moim horyzoncie. Tylko bliższe kominy, zarówno kwadratowe, ceglane, jak wąskie, okrągłe, z blachy, odbijają się w zmoczonych, oślizgłych płaszczyznach swych dachów, jak pale i słupy w wodzie stojącej. Co dzień szare i żółtawe mury są teraz jakieś sine, przeziębłe. Okna znikły prawie albo majaczeją niby zapadnięte doły oczne twarzy śmiertelnie chorej. Asfaltowy trotuarek na dnie podwórza ślini się rzadkim błotem. Tuż blisko za oknem słychać monotonny szelest. Wychylam się, natężam wzrok i przez zapocone szyby, niby przez pajęczynę, dostrzegam coś we mgle. Kupa żółtej gliny, a w niej coś się rusza, coś się g m e r a, jak u nas mówią.

Czapka z daszkiem wciśnięta na bezbarwną głowę ciasno jak czepiec, brudny kubrak, fartuch okrywający figurę od pasa, buty, ręce, rydel. To chłopiec od zduna „wyrabia" glinę. Co chwila dolewa wody w rzadką masę i przerzuca to kleiste błoto. Ruchy ma jakieś żabie, prędkie, trzepiące się. Nogi jego brodzą w żółtym, rozbabranym ile, szybko odrywają się i głęboko toną, odrywają się i głęboko toną... Przemokłe buty, oblepione bryłami...

W mojej stancyjce gospodyni kazała napalić. Ciepło tu i milutko, ale przez szczeliny okienne wciska się dech jesieni. Mgła coraz gęstsza już nie spada, lecz wali się zewsząd, lgnie do murów, pełza, rozciąga się, kurczy i pływa w przestrzeni jak lotne błoto.

Czyż to mgła? Serce stęka z duszącej bojaźni. Zda mi się, że to coś obłudne wzięło na się postać mgły, że to coś bada ziemię, siedliska ludzkie, zagląda do okien i patrzy w nie, usiłując zobaczyć struchlałe serca.

To śmierć.

W bramie przesuwa się jakaś postać, jakaś bryła o ludzkim kształcie. Zapalono pierwszą latarnię i żółty błysk jej rozłazi się w rudym mroku, dosięga kupy gliniastej i przetrąca się na postaci małego zduna.

Zapalam i ja świecę co prędzej, co prędzej – i usiłuję czytać. Daremnie. Ciapanie rydla i blaszany szczęk wiadra odbijają się we mnie jak echo w kamiennej zaklęsłości. Słyszę każdy krok tego dziecka, czuję każdy ruch w mokrych gałganach. Zdaje mi się, że już dawno, dawno widziałam taki dzień, że nawet przeżyłam te same uczucia. Tak mniemam patrząc w miazgę świata pochłanianą i trawioną przez ciemność i nie wiem, kiedy myśli moje wpływają w słowa harmonijne, w dźwięki czcigodne, które to wszystko zawierają w sobie:

Nie budźcie ich, aż ciemność się odmieni,
Przeklęty mrok, gdzie świętym oczy ślepną,
Nie budźcie ich w tę smutną noc jesieni,
W ten zgniły chłód, gdy duchom skrzydła lepną.
Dziś pracy plon i pełne krwi zasiewy
Z rozkisłych pól wchłonęły już kantory...
Nie budźcie ich modlitwą i pieśniami...

Skądże ja wiem te słowa? Czyje to słowa?

I oto tam, w tych mokrych falach przesuwa się i znika mała, obdarta, skulona postać mojego starego, mojego kochanego nauczyciela, Mariana Bohusza[145]. Szarpie ją wicher, osacza przebiegłe zimno, ostatni goniec ziemi: siedliska zbójców. Biegnę za nim myślami po jakichś bezdrożach, po miejscach samotnych, opustoszałych, gdzie na nieszczęśliwych ludzi śmierć cierpliwa wyczekuje; szukam go i ścigam nad brzegami rzek, w nurtach i w głębinach iłu wodnego, między trzciną zeschniętą w szuwarach i karpach wodnych. Gdzież jest ten dół śmierci, w którym zgasiło się to serce najbardziej czułe, serce na miarę niewidzianą i niesłychaną, spalone od uczuć wiecznych.

[145] *Marian Bohusz* - socjolog, poeta, założyciel i publicysta „Głosu", działacz Ligi Narodowej.

Cieniu bolesny...

I oto z mroku ogarniającego świat, we łzach, co moje oczy zalały, ukazuje się twarz. Na pół oślepłe oczy wpatrują się we mnie, zuchwałe, obłąkane oczy mędrca. Strugi łez spłynęły z nich, toczą się po zwiędłej twarzy i wyżerają na policzkach długie krwawe bruzdy.

Wieczny odpoczynek...

4 grudnia. Po bardzo długiej niebytności odwiedziłam wczoraj pannę Helenę. Nie są to już *five o'clock'i,* lecz zebrania późnowieczorne. Dla kochanej panny Heleny mam wiele wdzięczności, z owych jeszcze czasów, gdy mię tu nikt a nikt nie znał. Ona mi pomogła dostać niejedną lekcję i uczyniła to (co jest rzeczą godną pamięci) bez wyrachowania. Swoją drogą, na tych jej recepcjach nie czuję się w swoim żywiole. Może dlatego, że hasam tylko za lekcjami i wyzbywam się wielu szczególików salonowych, a może dlatego, że się tam zgromadza towarzystwo zbyt wielkich literatów i artystów.

Główny kontyngens stanowią młodzi nieśmiertelni bieżącego sezonu. Muszę wyznać, że nie lubię ani książek modnych, sezonowych, ani ludzi tego autoramentu.

Wczoraj, idąc po schodach do mieszkania panny Heleny, czułam formalne tchórzostwo. W chwili kiedy trzeba wejść do saloniku, gdzie zgromadziła się już pewna ilość osób, notabene mężczyzn, czuję, jak dalece jestem do tego czynu nie przygotowana. Zapomniało się o tysiącu rzeczy służących ku temu, żeby ładnie wyglądać. Wówczas formalna trema... Z tego się okazuje, że towarzystwo mężczyzn jest bardzo pociągające. Ja, przyznam się, mocno je lubię, ale koniecznie mężczyzn delikatnych, rozumnych, a przy tym nie pedantów, którzy by lekceważąco traktowali moje myśli i słowa. Mężczyźni wszyscy interesują się pannami, a kłamstwem byłoby przeczyć, że jest miło, ach, jeszcze jak miło wywoływać zajęcie. Wchodząc w celu (nie uświadomionym) wywołania tego mianowicie zajęcia kogoś swoją osobą, znajduję zawsze tyle wad i braków w mojej posturze, że mam chęć sromotnie zmykać.

Salon panny Heleny jak dawniej: śliczne, duże palmy, sofy i krzesła w stylu chińsko-japońsko-maison-niponowym[146]. Światło, jak dawniej, przyćmione. Na sofach tkwiły już rozmaite wielkości. Wszystko – nasi sławni. Wejście moje nie zostało dostrzeżone i nie przerwało rozmowy, która była bardzo żywa. Znowu opłakana kwestia kobieca. Roztrząsał ją (przeważnie za pomocą zwycięskich aforyzmów) poeta Br. Dla niego ta kwestia „nie istnieje". Któż broni kobiecie robić, co jej się żywnie podoba? Chce się uczyć, to się uczy, chce działać jak mężczyzna, wolno jej i to... Ze swej strony poeta Br. „ośmielał się twierdzić", że białogłowa powinna korzystać z praw przysługujących jej, ale przeważnie w zakresie etyki... Udoskonalać swą duszę, czynić ją niepochwytną, niedościgniona dla grubej i ciężkiej siły mężczyzny. Cóż z tego, że kobieta będzie adwokatem, doktorem medycyny albo profesorem matematyki, kiedy ją z tych zawodów (prawdziwych dla niej zawodów) wyrwie dziwna tęsknota za czymś nieuchwytnym... (Zofia Kowalewska[147]). Według niego kobiety dążące do tak zwanej emancypacji pozbawiają się jednej ze swych sił faktycz-

[146] *w stylu... maison-niponowym* - w stylu domu japońskiego.

[147] *Zofia Kowalewska* - (1850-1891) wybitna matematyczka rosyjska, poetka i powieściopisarka.

nych – uroku, gdy chcą zniszczyć w sobie pełną wdzięku nieświadomość różnych rzeczy i spraw tego świata. Dla poety Br. jest coś brutalnego w tym, gdy kobieta nie ma już o co spytać mężczyzny. W końcu swego wywodu zadał światu babskiemu w istocie trudne pytanie: czy można twierdzić śmiało, że kobiety uzyskanej absolutnej wolności nie użyją na złe, tak jak to robią dzisiaj mężczyźni? Przecie jest masa złych kobiet, a jak twierdzi psychiatra, daleko więcej pierwiastka zła wskazuje sprawowanie się obłąkanych kobiet niż mężczyzn. Poeta zgadzał się, gdy go zaczęto przyciskać do muru, że to jest właśnie suma uczynków świata, ale „nie wierzył", żeby można było wpłynąć na zmianę tego stosunku środkami, które przedsiębiorą kobiety.

Z mojego kąta pod palmą ośmieliłam się wydać głos, rozumie się, słaby, nie mój i drżący (co niechaj policzone mi będzie na karb trwogi wobec tylu liryków, dramaturgów, nowelistów, „estetów") i za pomocą tak niskiego organu wyraziłam niezdarnie parę sentencji. Czepiając się ostatniej wątpliwości mówcy, rzekłam, że nie można jej żadną miarą podzielać, jeżeli się wierzy w siłę dodatniego działania kultury na duszę człowieka. Panna, która skończyła uniwersytet, może być tak samo niedobra jak chłopka, ale uczynki moralne pierwszej z musu będą lepsze niż uczynki chłopki, na czym świat otaczający bezwarunkowo zyskuje. W miarę wzrostu kultury wyższej zacierają się różnice wywołane niższością umysłu kobiecego i brakiem pracy nad jego rozwojem. Jeśli w duszy kobiety jest próżnia, którą mogłaby zająć dążność do jakiegoś światła, to w tej próżni naturalną koleją rzeczy rosną owoce złości, głupoty, złego wychowania. Dlatego to w szpitalach jest statystyka tak fatalna dla kobiet...

Co do twierdzenia, że emancypantka, która już nie ma o co zapytać mężczyzny, jest zjawiskiem brutalnym, to wyznałam, że takiej kobiety dziś jeszcze wcale nie ma. Doścignąć mężczyzny nie może wprost z powodu mniejszego zasobu sił fizycznych (gdyby nawet miała przed sobą drogę bez przeszkód i... pułapek). Jeżeli zatem „nieświadomość" nie tylko „grzechu nie czyni", ale prócz tego nadajc „urok", to pomimo wszelkich wysiłków, jeszcze długo kobieta będzie „bardzo uroczo" głupsza od mężczyzny. Dziś zresztą nie chodzi wcale o to, żeby mężczyznom dorównać, lecz o to, żeby coraz mniej zostawać w tyle we wszystkim, nawet w szpitalu obłąkanych. W końcu ośmieliłam się wtrącić małe żądło, jakby na świadectwo, że guwernantki istotnie gorsze są od poetów płci męskiej. Rzekłam, iż może to jest bardzo urocze potrzebować opieki, ale dopiero wówczas, gdy jej zabraknie, gdy jej na całym wielkim świecie wcale nie ma, wtedy czuje się, jak dalece w tym nie ma najlichszego uroku.

Takie maksymy wygłaszałam w tym zgromadzeniu.

W czasie powrotu do mojej izby myślałam jeszcze o tym wszystkim i czułam pewien niepokój. Nawet nie pewien, ale duży niepokój! Czy uwolnione kobiety nie użyją na złe swobody, tak samo jak jej dziś zażywają mężczyźni? Teraźniejsza dola płci nadobnej z pewnością jest następstwem jej stanu moralnego. Gdyby szło o jakąś walkę i o samo zwycięstwo, to trzeba by powiedzieć: gdy mężczyźni mają prawo być wolnymi i robić sobie, co zechcą, to takie samo prawo powinno przysługiwać kobietom. Ale to przecie nie chodzi o walkę, tylko o dobro. Zresztą sumienie moje, gdy mowa o tych sprawach, tak łatwo dostaje dreszczów! Jest to widocznie moc przesądu, odziedziczonego po szeregu prababek. Ja nie znam życia. Parę razy zdarzyło mi się czytać takie rzeczy, od których włosy powstają na głowie i ciało drży jak w malarii (Guy de Maupassant[148], Owidiusz[149]). Idąc ulicami trafiam często na widok, który mię nie tylko przeraża, ale wprost ogłupia. Tymczasem setki ludzi przesuwają się obok tego jak obok latarni albo szyldu. Egzystują jakieś nie znane mi łotrostwa, rzeczy pełne okrucieństwa i hańby, w których kobiety biorą udział. Któż je wyuczył tych potworności? A jeżeli one same odnalazły w swych duszach to wszystko? Oto dlaczego boję się zdania poety Br., że babiny mogłyby nadużyć wolności.

Czy to ma się tak tłumaczyć, że trzeba opuścić ręce? Nie, przenigdy! Ktokolwiek jest winowajcą straszliwych grzechów rodu ludzkiego, trzeba dźwigać się z brudu! Niech to czynią mężczyźni i kobiety.

5 grudnia. Wczoraj wspomniałam o Owidiuszu. Sama nie wiem, czemu przyszła mi myśl przeczytać go jeszcze.

Guêpe ma wśród mnóstwa swych romansideł dwie śliczne, stare książeczki z zeszłego wieku wydane w Londynie, pt. *Les oeuvres amoureuses d' Ovide*[150].

W tomiku drugim są dowcipne, pełne uroku i... zepsucia *Elégies amoureuses*[151], i najładniejsza z nich, zaczynająca się od słów: *L'oiseau le plus charmant qu'on pût voir dans le monde, mon fameux perroquet...*[152]

Tłumaczę to sobie moim nieudolnym językiem w taki sposób:

Papuga, wielomówny gość z Indii – nie żyje! Schodźcie się na pogrzeb, ptaki nabożne. Idźcie za zwłokami tłumem smutnym, bijcie się w piersi skrzydłami. Szarpcie pazurami policzki, targajcie z braku włosów zwichrzone pióra na głowach. Niech zamiast trąby pogrzebowej zadzwonią wasze pieśni wdzięczne. Philomelo-słowiczku, zapomnij już o zbrodni Tereusza, który ci język urżnął. Długie lata powinny były osłabić twój smutek. Los Itysa-bażanta smutny jest z wszelką pewnością, ale przecie to było tak dawno! Płaczcie, wszystkie stworzenia skrzydlate, co lotem skrzydeł swych kierujecie w przezroczystym powietrzu, ale nade wszystko rozpaczaj ty, synogarlico, towarzyszko zmarłej. Tak, o papugo! Czym był Pylades dla Orestesa[153]*, tym dla ciebie była synogarlica. Ale na cóż ci wierność i piękna barwa twych skrzydeł? Cóż z tego, że spodobałaś się natychmiast prześlicznej kobiecie, kiedym cię przyniósł jako podarunek miłości...*

Jest w tym jakaś dziwna swoboda, maluje się samo życie kontemplujące, próżniacze, ale równe i jasne. Owidiusz sam się oskarża, że jest „poetą swej własnej lekkomyślności". Widać z innych utworów, że zna on straszne pieczary boleści, ale od nich ucieka do swoich niewiast pięknych, zepsutych, nikczemnych, z cudnymi oczyma i włosami o barwie „cedru z wilgotnych dolin pochyłej Idy". Na lirze swojej kocha jedną strunę, która dźwięczy przez tyle wieków i dla tylu pokoleń... Jest to śliczne

---

148 *Guy de Maupassant* (1850-1893) - francuski pisarz naturalista.

149 *Owidiusz* - (43 p.n.e. - 17 n.e.) poeta rzymski, autor *Przemian*, *Żalów* i wierszy miłosnych.

150 *„Les oeuvres amoureuses d'Ovide"* (fr.) - *Utwory miłosne Owidiusza.*

151 *„Elégies amoureuses"* (fr.) - *Elegie miłosne.*

152 *L'oiseau le plus charmant...* (fr.) - ptak najbardziej uroczy na świecie, moja znakomita papuga (Owidiusz).

153 *Pylades... Orestes* - w mitologii greckiej para nierozłącznych przyjaciół.

i jakieś takie dziwne. Tuż obok pięknego smutku, który można odczuć tak żywo, jakby się w sercu naszym znajdował, są karty niepojęte, straszliwe w swym nieludzkim cynizmie, jak np. potworna elegia trzydziesta ósma. Dech zamiera w piersiach, gdy się to czyta, jakby go śmierć chwytała. Niestety, w ohydach jest tak samo cudna poezja. Z tych kart starych ulatuje jak zapach mocnych perfum czy przed tysiącem lat zerwanych róż, które wieńczyły skronie poety.

7 grudnia. Zmęczenie, zmęczenie... Jest późny wieczór. Śnieg z deszczem zmieszany płacze za oknem, dudni w rynnach jak skarga nędzarza i szkli się na kamieniach podwórza, które oświetla chwiejny błysk latarni. Oczy mimo woli wlepiają się w kałuże słabo błyszczące, co drżą od padających kropel.

Pod sekretem muszę sobie wyznać, że teraz jestem daleko bardziej zmienna niż dawniej. To są pewno jakieś zmęczenia nerwowe. „Nerwy", których wytrzymałości tak ufałam, jak sile rzemiennych naszelników prowadzących bryczkę, gdy się zjeżdżało z góry ku Głogom...

A teraz po każdym wzruszeniu – bicie serca, po usilnej pracy – ból głowy, ociężałość, na przemiany to roztargnienie, to automatyczność. Tak źle sypiam! Po nocy bezsennej mam tę ciągłą nierówność bicia serca, oczy jakby piaskiem zasypane, szum w uszach, ból w gardle – i jakąś obmierzłą trwogę w duszy. Choćbym w taki dzień miała sumienie czyste, choćbym wytężała wszystkie siły, żeby się niczym nie splamić – nie jestem szczęśliwa ani swobodnej myśli. Biegnę na lekcje jak rzecz popchnięta, odrabiam je jak idiotka. Gdy na przykład rozwiązuję zadanie arytmetyczne z Anusią, to tylko pierwsze słowa każdej myśli jasno rozumiem, dalsze ciągi gadam jak katarynka swą melodię. Dopiero po wymówieniu zdania – s ł y s z ę jego sens w głowie niby wyrazy czyjeś, które dokładnie zrozumieć przeszkadzała mi dyskusja z kim innym. Brak siły nerwowej. Biedne, strudzone, ogłupiałe nerwiska nie mają odpoczynku. Każda przeszkoda staje się dla nich uciążliwą, a naprawdę płakać się chce, gdy zdarza się sposobność rozrywki, a i do niej brak ochoty. Ze wszystkiego jednak najcięższy powrót z lekcji do domu. Nogi idą niby spuchnięte. Przemokłe, jak dziś na przykład, buciki dolegają i ciążą, zabłocona suknia nie czyni wrażenia stroju ani odzieży, tylko jakiejś paskudnej szmaty. Ach, to ubranie do ziemi! Jest ono zapewne miłe, doskonałe i piękne, ale dla pań, które nigdy nie chodzą po zabłoconych ulicach, tylko jeżdżą w karetach. Dla nas, co musimy grasować po bagnach dzielnic ubogich – jest to prawdziwa katusza. Obrzydłe jest podkasać suknię wyżej (zresztą niemożliwe, bo wnet dziesięciu panów zacznie się przyglądać), a ręce kostnieją trzymać ją, dbać o nią – albo zachlapać i nosić na sobie kupy brudu. W jednej ręce niosę parasol, książki, kajety, drugą muszę wiecznie piastować swój ogon i w tym kształcie upędzać się po trotuarach. Skromność pozwala dekoltować się, odsłaniać nagie ramiona i piersi, ale zakazuje demonstrowania światu nogi wyżej kostki, w grubej pończosze i wysokim trzewiku. Ciekawam, czy też w chwili gdy moda każe nam przyczepić sobie z tyłu ogon kangura, będziemy wykonywały jej polecenia z takim samym pietyzmem jak teraz, gdy dźwigamy ogony sukienne?

Dziś biegnąc na trzecie piętro do Lipeckich, zabłocona, przemokła i buchająca parą jak zdrożony koń pocztowy, w środku tych krętych schodów kamiennych usłyszałam muzykę. Ktoś grał bardzo biegle za jakimiś trzecimi drzwiami. Zatrzymałam się na minutkę, z początku żeby usłyszeć, co to grają, a później nie chodziło mi już o to – i do tej chwili nie wiem. Harmonijne tony wzięły mię opływać dokoła, ni to pytania jakieś bolesne; zaczęły patrzeć we mnie jakby wielkie, pełne łez oczy błękitne. Litowały się nade mną jakoby dobrzy, kochani bracia, ujrzały we mnie coś litości godnego, jakieś, widać, zmiany niepożądane, bo łkały z żalu.

Ale wnet zaczęły się w sercu uśmiechać – wołać mię jak gdyby pieszczotliwymi nazwami, a tak dziwnie, tak nadziemsko, jak tego już nie usłyszę nigdy na świecie. Otoczyła mię całą od stóp do głów wiosenka jedna, dawno, dawno, przed laty w Głogach spędzona, kiedy jeszcze żyła mama i ojciec. Widziałam w oczach zamkniętych ścieżkę od stoku pod wielką gruszą, wokoło jaskry u źródlanej wody, długie smugi kaliny, jeżyn i dzikiego chmielu. Widziałam wodę połyskującą za upustem, zielone pręty sitowia. Srebrne płotki przekręcały się do słońca pod samym wierzchem i okonie z ciemnymi pręgami wychylały swe ostre grzbiety z zimnego nurtu. Drewniana figura świętego Jana stała wśród grobli nad stawem i czarne olchy z krzywymi pniami...

Nie mogę napisać...

9 grudnia. Gdy się tak człowiek od lat kołacze po świecie wciąż mijając nowe osoby, nabiera dziwnej wprawy w zgadywaniu ludzi. Nie jest to wcale zdolność poznawania myślami, lecz prędzej widzenia źrenicą. Daleko lepiej i z większą stanowczością udaje mi się przeczuć człowieka, niż gdybym się zabierała do długich i systematycznych studiów, do obserwacji świadomych (chociaż i tych nie przerywam). Czasami złudzi mię jeszcze światowa gra życzliwych uśmiechów, często tak dobrze oddana, ale omyłka trwa chwilę, bo wewnętrzna nieprzyjemność zaraz mię ostrzega. Czekam wówczas cierpliwie i poczciwe życie przynosi stwierdzenie szeptów instynktu. Ileż to już razy tak było!

Oprócz tego „czuja" mam jeszcze kilka swoich środków wydobycia prawdy. Oto – nie zaspokajam ciekawości i nie odpowiadam na złośliwość. Wprost „nie raczę" uczuwać pewnych uśmiechów, słów, aluzji.

Szlachetni współobywatele prędko przychodzą do wniosku, że to pień jakiś, twór wyjątkowo tępy, który wcale ukłuć nie czuje. Wtedy odsłania się prawda...

Czy kiedy miałam skłonność do takich badań? Zdaje się, że nie. Życie wszystko potrafi wykrzesać.

Nie ma w tym dawnej mojej a tak naiwnej pokory – och, ani odrobiny! – prędzej jest jakaś zła pycha. Nieraz myślę sobie, że coraz dalej jestem sercem od ludzi. Dokądś odchodzę, do jakichś sennych widziadeł, do jakichś bohaterskich, czystych cieniów. One to stanowią prawdziwe towarzystwo.

Świat nasz, otaczający, pół inteligentny, pół barbarzyński, a główna – chytry... Przebiegłość służy w nim złośliwości, a złośliwość praktykuje się dla niej samej. Zawsze chodzi o stwierdzenie czyjejś niższości, i to tym bardziej, im ciężej tę niższość odnaleźć. Kobietki, nasze anioły domowych ognisk, te z maestrią uprawiają sztukę!

Jesteśmy wszystkie tak zaawansowane w sztuce mielenia językiem na szkodę bliźnich, że kiedy mężczyzna zbliża się pierwszy raz do obcej, z pewnością formułuje sobie pytanie: jaki też to rodzaj zwierzęcia? W tym czczym życiu panuje wszechwładna obłuda.

Kłamstwo wcale nie tylko nie jest tępione, ale nie budzi nawet odruchowego wstrętu. Wszystko złe toleruje się z obiektywizmem, a w razach natarczywych daje się rzeczom za pomocą sofizmatów[154] wygląd nieprawdziwy albo się wprost udaje, że nie są wiadome najdokładniej roztrząśnięte fakty. W tej atmosferze oddycha kwiat wychowania domowego niewinnych dzieci. Nawet gdybyśmy mieli wrodzone zamiłowanie kłamstwa, trzeba by je niszczyć dla krzywd, które wyrządza. Ale wszelkie moralne dążenia tnie batem ciągła świadomość, że obok nas żyją ludzie, którzy wprost nie mają potrzeb moralnych, których wcale nie czyni nieszczęśliwymi widok nadużyć. Męka moralna samotnych jednostek wydaje się być czymś przybłąkanym, niezdatnym do niczego, bez związku z czymkolwiek, niby jakaś właściwość osobliwsza, przedawniona czy za wczesna. A czyliż te uczucia mogą być tak samotne? Toż zaginą jak ziarna zboża w cierniach z boskiej przypowieści.

Ileż to razy usiłowałam wytworzyć w duszy tej lub owej uczenniczki takie ognisko miłości prawdy, rozchuchać przygasły węgielek cudnej władzy, która tyle szczęścia daje człowiekowi. I ileż razy znajdowałam tam opór oszańcowany murem szyderstwa... Moja misja rodziła drwinę. Wtedy zawsze czuję się tak samotną i opuszczoną. I dziś znowu to samo...

Maniusia Lipecka jest to tak zwana „główka". Zdolności jej są rzeczywiście bardzo piękne, ale pewno pójdą w jednym kierunku. Oto, co wymyśliła. Gdy przychodzi dziadek Hieronim, Maniusia cichaczem prosi go o czterdziestówkę na tak zwane „pieczątki". Gdy wpada wujaszek Zygmunt – to samo; z ciocią Teklą – to samo. Tymczasem mała figlarka ani myśli kupować pieczątek. Zebrane pieniądze chowa do skarbonki. Gdy chciałam przeciwdziałać temu talentowi gromadzenia pieniędzy w ósmym roku życia, mama oparła się z wytrzeszczeniem oczu. Jest to, według niej, zapowiedź sprytu i oszczędności.

Joasia – krytycznie o filisterstwie

Uczucia nasze nie mogą drzemać, muszą mieć jakiś wyraz w czynach. Budzi się we mnie głęboka awersja do tego, co na mieszczańskich piętrach uważane jest za moralność. Stempel obłudy wyciśnięty przez matadorów starczy tam za wszystko. Każda z jednostek zadrżałaby na samą myśl, że może być źle odstemplowaną. A i ja sama czyż mogę się chełpić, że mię nie obchodzi, co szepce pani Lipecka, Blumowa albo inna „matka", zajęta systematycznym psuciem duszy swego dziecka pod pretekstem edukacji? Bynajmniej! Liczę się z tym wszystkim. I jak jeszcze! Tylko już was znam, bydlątka boże! Już wiem, że jeśli mię boli i nęka opór waszych dzieci wobec mojej etyki, to nie dlatego, żebyście wy jako gromada były mądre i dobre.

10 grudnia. List od Wacka. Oto, co pisze:

„Droga zmęczyła mię i znudziła, a na dobitkę ząb mię bolał nie dając w ciągu dziewięciu dni ani chwili spokoju. Właściwie to nie tak sama droga nuży, jak noclegi w powarniach. Nie wiadomo, co wtedy robić ze swoją osobą. Wyjść na czas dłuższy nie można, gdyż pięćdziesięciostopniowy mróz to nie żarty, czytać trudno, przy tym stan ciągłego wyczekiwania, obawa, że renifery rozbiegną się i trzeba będzie z konieczności kilka dni zatrzymać się w takiej dziurze, wszystko to, razem wziąwszy, wywoły-

[154] *sofizmat* – rozumowanie z rozmysłem zbudowane fałszywie, a pozornie wyglądające na poprawne.

wało nasz pośpiech. Renifery rozbiegały się kilkakrotnie, ale udało się nam z Jasiem dość prędko je gromadzić do kupy. W ciągu całej podróży nie straciłem ani jednego dnia. *Nulla dies sine linea*[155]. Widzisz, jak to dobrze umieć łacinę! Taka *linea* w tych stronach znaczy kilkadziesiąt wiorst. Renifery wszędzie dobre, droga z małymi wyjątkami znośna, więc mknęliśmy z szybkością dziesięciu (do dwunastu) wiorst na godzinę.

Powarnie czasami okropne! Tyle się już o nich czytało, tyle słyszało, a jednak rzeczywistość znacznie przechodzi wyrobione o nich pojęcie. Są to ogromne, niskie landary bez podłogi, bez nar, z dymiącym kominem, ze szparami w ścianach – jednym słowem, do mnie podobne: ze wszystkimi wadami, ale za to bez żadnych zalet. Na pierwszy rzut oka przedstawiają się poetycznie, szczególniej kiedy ogień oświetli ściany pokryte białym szronem, soplami, i niby tysiącem znikających diamentów zacznie migotać. Ale estetyczne zadowolenie ustępuje miejsca rozczarowaniu, kiedy ta fantastyczność zaczyna kapać na nos i ubranie wędrowca. Na noc w powarniach nigdy się nie rozbierałem, przeciwnie, ubierałem się ciepło, co do przyjemności nie należy. Przy tym, dopóki ogień się pali, takie g o r o ń c o , jak mówią twoje Litwinki, że nie wiadomo, gdzie się ukryć, a jednocześnie nogi i plecy marzną. Czasami zamiast w powarni udawało nam się nocować w jurcie, ale i te *chambres garnies* nie są bez „ale". Kilkanaścioro ludzi płci męskiej, żeńskiej i nijakiej gnieździ się w małej jurcie razem z psami, cielętami, w bezpośrednim sąsiedztwie bydła. Dołączony do tego zapach gnijących ryb powoduje to, że trzeba było wyskakiwać na jednej nodze dla złapania tchu.

Rano znowu jazda. Wytrzymałość reniferów – zadziwiająca. Trzeba je widzieć (choć nie radzę...) – obciążone naładowanymi nartami, gdy się wdzierają na pionowe urwiska gór lub gdy pędzą po błotnistych kępach, ledwie-ledwie pokrytych śniegiem. Pędzimy przez błota! Narty skaczą, chyboczą się po kępach jak łódź w czasie wiatru na wodzie. Noc ciemna, widać tylko jakąś nikłą, białą płaszczyznę. Woźnice krzykiem poganiają zwierzęta do szybszego biegu. Za sobą słyszę coś w rodzaju sapania lokomotywy i co chwila to z prawej, to z lewej strony ukazuje się poczciwy, rogaty pysk jelenia, obrośnięty szronem, buchający parą, z wywieszonym jak u psa jęzorem. Gdy ścisnęły silniejsze mrozy, jelenie przestały sapać i stuliły buziaki. W czasie jazdy trzeba się ciągle przechylać to w tę, to w ową stronę dla zachowania równowagi albo, dla przywrócenia jej, uderzać nogą w ziemię. Wjeżdżamy w las, przecinamy wzgórza, po czym szalonym pędem staczamy się znowu w dolinę. Jelenie pędzą jak wiatr i narty lecą, aż dech zamiera w piersiach. Na dole przednie narty zwalniają biegu, następnie wszystkie z trzaskiem uderzają się o siebie i rozskakują na wsze strony. W dolinie znowu kępy, znowu podskoki nart niby po wzburzonych falach. Zmuszonemu do ciągłych ćwiczeń gimnastycznych – ciepło, ale nogi marzną, a przy szalonym pędzie po kępach w ciemności nie może być mowy o rozgrzaniu się w jakikolwiek sposób. Nareszcie w oddali ukazuje się słup iskier. To jurta! Witamy ją radośnie jak żeglarze latarnię morską. Po chwili rozgaszczamy się w cieple, jemy

---

[155] *Nulla dies sine linea* (łac.) - ani dnia bez kreski; słowa te, przypisywane malarzowi greckiemu Apellesowi, oznaczają że praca nad dziełem posuwa się systematycznie naprzód.

i pijemy jak bohaterowie Homera, a zaraz potem spać, spać! No i tak co dzień – przez trzy miesiące i dwa dni. Mój aparat, szkło, przybory dowiozłem w całości, czemu się okrutnie dziwuję. Mają mi przysłać z Jakucka klisze, papier i w ogóle wszystko. Cóż tam u ciebie, moja słodka dziewczyno, moja miła siostrzyczko..."

15 grudnia. Od pewnego czasu łaknę i poszukuję widoku radości. Szukam książek wesołych. Wielką by mi przyjemność sprawiło, żebym widziała czyjeś życie pełne szczęścia. Mam dokoła siebie albo nędzne, chorowite egzystencje, albo zapasy z przeciwnościami nad siły. Co krok można spotkać osoby zadowolone (z siebie), ale nigdzie nie widać wesołych. Zadowolenie jest tam, gdzie są małe potrzeby, a szczęścia, z którego tryska wesele, tak jakby nigdzie nie było. Człowiek stworzony jest do szczęścia! Cierpienie trzeba zwalczać i niszczyć jak tyfus i ospę.

24 grudnia. Wróciłam z pasterki. Byłyśmy wszystkie, to jest panna Helena, Iza i moje bębenki. Mróz. Sypki śnieg iskrzy się i chrupie pod nogami. Z mojego okna widzę tylko dachy ze srebra. Szeregi zaczarowanych pałaców stanęły w biednej dzielnicy.

Księżyc świeci.

Druty telefoniczne osędziały. Są białe jak sznury grubej bawełny, którą zwija na kłębek jakaś babcia, ogromnie, ogromnie wiekowa. Jest coś dziwnego w tej nocy jasnej, w tej nocy czystej. Niewysłowiony wdzięk leży na murach oblanych światłem miesięcznym.

Już chyba wszystkie walki ze znużenia w tej ciszy ustały i żelazna pięść przemocy osłabła z żalu.

Gdyby w tej chwili zbójca chciał sztylet utopić w piersiach swojej ofiary – zemdlałaby mu ręka. Bo teraz aniołowie zstępują z niebios na ziemię i tulą do serc przeczystych westchnienia skrzywdzonych ludzi.

Kto teraz modlić się będzie...

W żłobie, gorzej niż niemowlę ubogiego parobka, leży ten, o którym mówił Izajasz, że „uderzy ziemię rózgą ust swoich". Może to Jego królestwo już się zaczęło, może już idzie „rok Pański wdzięczny". Niech się umocnią dusze cierpiące dla dobra wielu, niech wytchną, Panie...

26 grudnia. Święta! Śpię, próżnuję i chodzę na wizytki. Zniosłam do siebie stos książek i rzucam się od jutra w srogie czytanie. Guêpe wyjechała na tydzień.

Do naszego apartamentu wyniesiono dla braku miejsca od państwa S. choinkę. Mam w nocy miły zapach świerczyny. Ach, żeby tak przejechać się sankami wśród lasu obsypanego śniegiem, świecącego soplami, w zimowy wieczór, kiedy to gonty na dachach strzelają! Jak to tam jest teraz?

Puste pola. Ani szmeru, ani szelestu. Księżyc idzie nad rozległym przestworem. Gdzieniegdzie gruszka polna stoi wśród śniegów samotna, obdarta. Rzuca swój cień błękitnawy...

7 stycznia. Wacław umarł.

Odebrałam wiadomość od tej pani przed tygod...

* * *

23 marca. Przerzucając rupiecie w szufladzie mojego stolika, znalazłam ten sekretnik. Gdym go otwarła, wzrok mój trafił na słowa przed dwoma miesiącami pisane. Jak gdyby coś nowego!... Zarazem takie samo zimno, obojętność. Czyliż to ma być moje nieszczęście? Gdzież ono jest? Ja go nie czuję. Słowa te są puste wewnątrz i tylko mają formę, powłokę bólu znanego ludziom.

Dawno, gdy jeszcze byłam w domu, nieboszczyk tatko pokazywał mi w Głogach pszenicę, którą śnieć zjadła. Szliśmy rano o świcie, obok niwy pod górą, nad strumykiem Kamiennym. Tatko urywał kłos, wyjmował z niego ziarno. Było całkiem podobne do ziarna pełnego, miało zewnętrzną barwę. Tylko gdy było dotknąć go palcem, wylatywał ze środka złotej łupiny murz[156] czarny, pyłkowaty, sypki. Tak i moje uczucia... Nie ma w nich czystego chleba uczuć siostrzanych tylko śnieć spróchniała...

25 marca. Chciałabym tu opisać...

Zaczynam czuć potrzebę wyjawienia, jakby ekstyrpacji[157] z głębi siebie. Jestem taka zabita! Żadnych uczuć, żadnych nawet poruszeń.

Jestem podobna do owej sadzawki Siloe[158], gdy od niej anioł odleciał. Czuję, że coś w mej duszy, jakaś dawniejsza jej władza – przestała istnieć, a to, co zostało, jest dla mnie już na nic. Jest to tchórzliwe i oziębłe. Nic już nowego na ziemi zrobić nie potrafię. Są jeszcze dobre istoty, które cenią we mnie i te resztki, ale ja sama czyż mogę przystać na myśl, żeby jakąkolwiek wartość nadawać czemuś, co jest jak nędzny łachman, pozostały z dawnej odzieży. Był czas, kiedy sądziłam, że jestem zdruzgotana ze szczętem. Dziś widzę, że tak nie jest.

Złamane jest tylko moje osobiste szczęście.

Chcę rozbudzić w sobie siłę życia, biczuję się wspomnieniem panny L., biorę się pazurami do robót ciężkich. Ale to wszystko, to wszystko...

Takie mam ciągle uczucie, jakby mi ktoś podpowiadał, co trzeba, uczył mię, jak trzeba, wysilał na to duszę swoją, a ja mu stale, z chłopska nie dowierzam. Często przybiega do mnie to ta, to owa znajoma i mówi o swych strapieniach. Wówczas mię to „mile zajmuje", ale w sposób bardzo zbliżony do wzgardy. Myślę sobie patrząc na łzy cudze, jak szczęśliwymi są ci, co takie tylko wylewają.

Ja milczę.

Znam jedno mądre słowo, o którym Wacek nic nie wiedział.

Słowo: *Hart sei!*[159]

Byłby mię zabił wzrokiem, gdybym mówiła, że życie trzeba kochać nade wszystko.

26 marca. Często teraz wcale nie wiem, co jest dobre, a co złe. Zdaje się, że nic „złego" nie robię, ale też żadnej nie mam pewności, że takie sprawowanie ma jakąkolwiek wartość. Chwilami wydaje mi się, że „dobrym" uczynkiem byłoby właśnie

---

[156] *murz* (gwar.) - grzybek pasożytniczy niszczący zboże.

[157] *ekstyrpacja* - wyrwanie z korzeniami.

[158] *Siloe* - sadzawka w Jerozolimie, tu utożsamiana z sadzawką Betsaida (Owczą): kiedy anioł zstępował do niej i poruszał jej wody, nabierały one własności uzdrawiających.

[159] *Hart sei!* (niem.) - bądź twardy.

wręcz coś innego. Rozumieć rozumiem wszystko tak samo jak przedtem, tylko żadne już pewniki nie mogą mną władać.

27 marca. Na cóż się zda cierpienie?

Czy można wierzyć, że taka męka jest zwyczajną, ordynarną koniecznością? Czyją? Gdy długie dnie są tym wypełnione, staje się ono dla umysłu niepojętą zagadką, tajemnicą udręczającą, której znaczenie, nad wyraz doniosłe, ukryte a władcze, jak ptak mistyczny krąży nad głową.

Czarny, złowieszczy kruk niedoli!

29 marca. Miałam długą chwilę wmyślenia się w jakiś krajobraz. Kępy błotniste, ledwo pokryte śniegiem. Jest mi bardzo niemiło...

2 kwietnia. Nie wiem, co mi jest. Jakieś uczucie ze wszystkich najsilniejsze i najbardziej przejmujące smutkiem... Tęsknota... Smutek, któremu brak wszelkiego przedmiotu, celu i myśli. Ach, nie – jest tej myśli jakaś nędzna, uciekająca, bezradna drobina. Taki błędny okruch mieści w sobie tylko przeświadczenie, że to, co mię o smutek przyprawia, jest najważniejszą, najcenniejszą, jedyną wartościową sprawą. Dziwna rzecz: za pomocą tego małego atomu odgaduje się prawdziwą treść życia, widzi przestwory, światy rozległe i dalekie, o których nic nie wie codzienny, zdrowy rozum.

Tęsknota, tęsknota...

Uczucie najbardziej niewypowiedziane, stan próżny wszelakiej ulgi, ucisk serca ciągły i jednostajny.

A przecie on sam w sobie jest upragniony, bo daje jakby lękliwe pożądanie ujrzenia znowu onej niedoli. Oziębłość zimowa, którą przeżyłam – nie był to stan dobry. Teraz zaczynam pamiętać każde z tych zimnych uczuć, niby jakieś narzędzia z żelaza, które rozdzierają.

Dawno już temu, z osiem lat może, szliśmy pewnego razu z Henrykiem przez nasz gaj brzozowy. On miał w kieszeni rewolwer. Chcąc się pochlubić przede mną, wyjął tę broń, wycelował i strzelił. Kula przebiła na wskroś młodą brzozę. Z tego miejsca trysnęła struga soku i uchodziła tak długo, tak długo, aż nie mogąc znieść, uciekłam z lasu. Gdym była na jego skraju i odwróciłam głowę, widać było jeszcze strugę sączącą się po białej korze. Słońce w niej przeglądało się i iskrzyło tak samo, jak się przegląda w nędznej kałuży na drodze, po której brodzą cielęta.

Joasia – tęsknota

3 kwietnia. Już sama nie wiem, czego chcę. Tęsknię, a raczej usycham z tęsknoty. Chciałabym pójść, uciec... Jestem jak człowiek bardzo chory, który sam nie wie, co go najwięcej boli. Źle mu jest, a poruszyć się nie ma siły. Gdyby zresztą zdołał, to i zmiana położenia szkodę mu przynieść może.

5 kwietnia. Zdaje mi się, że gdybym mogła usłyszeć trochę dobrej muzyki, może bym była tak samo nieszczęśliwa, ale mniej bezradna. Łzy silniejsze są niż wola. Dlatego cierpię i nic w sobie zmienić nie umiem. Wszystko pozostaje tak, jak było, te same cele, te same obowiązki. Rozumiem to i wciąż jestem bez sił. Nie mogę się uskarżać na brak postanowień... Jest ich tyle w mych ustach! Brak tylko jakiejś małej, drobnej rzeczy...

6 kwietnia. Wstaję rano, idę na lekcje, odbywam wszystko jak się patrzy – i śmieję się z tego wszystkiego. Jest to tyle warte, co wiatr karmić. Do niczego nie mam ochoty. Sama siebie pytam, czego mi się chcieć może i ciągle, nie mówiąc sobie tego, stwierdzam, że pragnęłabym jednej tylko rzeczy: nie być.

Ta myśl wysuwa się bez żadnych przejść od minionego usposobienia, łzy płyną i w nich jest to życzenie...

7 kwietnia. Z Antosią L. przechodzę teraz literaturę... grecką. Sama umiem z niej (z literatury greckiej) tyle, com zasłyszała od Wacka. Czytałam wszakże onego czasu wszystko, co on przechodził, a nawet greczyzny samej sporo wchłonęłam. Obecnie czytamy tragedie Eschylosa, Sofoklesa, Eurypidesa, w przekładzie Z. Węclewskiego[160] i K. Kaszewskiego[161].

Któż by pomyślał, że w kartach tych utworów można swój ból spotkać, że już wówczas były siostry, którym zabraniano chować w ziemi braci...

Moja uczennica czytała równym głosem Eschylosa *Siedmiu przeciw Tebom*[162]. I oto, co tam mówi Antygona:

Przemożne są krwi związki, która mię jednoczy
Po rodzicielce biednej i niebogim ojcu!
Więc znoś cierpliwie krzywdę, serce me, na którą
On zżymał się, i poświęć życie dla zgasłego
Z siostrzanej tej miłości. Ciała jego wilcy
Żarłoczni nie rozszarpią. To się nie pokaże!
Bo grób wykopię własną ręką i ostatnią
Posługę, cioć niewiasta, oddam sama jemu.
Wyniosę go w buchastej szacie tej płóciennej
I sama go pochowam. Nikt mnie nie powstrzyma!
Skuteczny ten wynajdzie sposób, kto odważny...

Szalona dziewczyna! Nie, nie! Precz z takimi wzorami! Ja jestem rozsądna, mój ideał – to posłuszna Ismena, szanująca rozkazy Kreonowe. Ja nie pójdę kopać grobu dla Polinejkesa.

11 kwietnia. Święto. Nigdzie dzisiaj nie wyjdę. Tak jestem rozbita i tak mi źle, jakbym siedziała w ciemnym i dusznym lochu. W ciągu ostatnich dni napada mnie płacz. Gdy na lekcji nie mogę beczeć, duszę ten płacz w sobie i dźwigam go z miejsca na miejsce.

W święto, gdy Guêpe wyjdzie i nikt mię nie widzi, całymi godzinami pozwalam sobie na tę niekosztowną rozrywkę.

20 kwietnia. Szłam dziś z lekcji niezwykłą drogą: Alejami Jerozolimskimi. Było ciepło i jakoś bardzo widno w powietrzu. Daleko, za Wisłą, ciągnęły się przed oczyma lasy niebieskie. I oto bez żadnej racji serce zaczęło znowu trząść się i trwożyć we mnie jak biedne, głupie dziecko. Uciekam od płaczu, bo jeśli tylko w dzień szlocham, w nocy nie śpię na pewno, a potem zaraz idą koleją straszne zmory, jedna za drugą. Och, widma nocne! Powinnam była wyrwać zaraz oczy z tej przestrzeni, ale nie mogłam. W żaden żywy sposób!

---

[160] *Zygmunt Węclewski* (1824-1887) - filolog, tłumacz Ajschylosa i Eurypidesa.

[161] *Kazimierz Kaszewski* (1825-1910) - krytyk, filolog, tłumacz - głównie Ajschylosa i Sofoklesa.

[162] *„Siedmiu przeciw Tebom"* - jedna z zachowanych tragedii Ajschylosa oparta na mitach tebańskich.

Pójdę już z tego miasta! Nie chcę! Wydrę się ze siebie samej, z moich myśli, postanowień, prac, obowiązków, ze wszystkiego!

Ziemio, nigdy przez człowieka nie zasiewana!

Szczery, pusty, bezpłodny gruncie!

Wysokie, szumiące swobodnie drzewa leśne!

Tamtędy idzie w nasze strony kolej nadwiślańska. Nic nie zdoła oddać porywu radości, jaki się mieści w tym głupim pewniku. Gdyby tylko do czerwca przewlec duszę... Tam ją obmyję w śnieżnych wodach mojej dziedziny.

13 maja. Ciepły, jasny wieczór. Na kamieniach mojego podwórza ścielą się łudzące, srebrnoszare figury miesięczne w deseń czarodziejski. Stary, brudny, splugawiony zaułek jest jakiś inny, niepodobny do siebie, jakby i on marzył... W tej nocy nawet ubodzy nędzarze dźwigają się i kierują oczy ku jasnym gwiazdom, które im przypominają dawno wygasłe uczucia.

Ileż mocy widoki te wlewać powinny w serca nasze, w serca istot młodych, które nie ciągną ze sobą ciężkich wozów złej doli, w serca tych, co duszę swoją cenią nade wszystko, kochać bardzo głęboko umieją i nie sprzedali jeszcze siły płynącej z czystego serca ani męstwa ciskającego rękawicę wszelkiej podłości!...

4 czerwca. Piszę te słowa zardzewiałą stalówką w Kielcach, w hotelu. (U n a j u, w Kielcach, jak pamięć ludzka wstecz sięgnąć zdoła, wieczyście w hotelach ku wygodzie podróżnych leżały zardzewiałe stalówki).

Co za katastrofa! Jestem znowu tutaj w moim poczciwym mieścisku... Wczoraj zerwałam wszystkie lekcje, odrzuciłam dwa zaproszenia na wakacje, u Lipeckich i u tej pani Niewadzkiej z Cisów – spakowane graty powierzyłam „Giepce", która przez lato zostaje w Warszawie, a sama, obarczona trzydziestką rubli i małym sakiem, ruszyłam na łeb na szyję. Nic mię nie obchodzi, co się dziać będzie z moją osobą. Wiem tylko tyle, że będę w Krawczyskach na grobie mamy i ojca, w Głogach... A zresztą wszystko mi jedno! Zapewne pojadę do Mękarzyc, do wujostwa Krzewińskich. Może zabawię tam całe lato, a może tylko kilka godzin. Wszystko mi jedno... (Patrz wyżej!)

Teraz już nie ja rządzę, tylko podmuchy wzruszeń, Lelum-Polelum...[163] One mię niosą, dokąd chcą, jak bujne konie. Długo więziłam je w żelaznej stajni, co dzień zatrzaskiwałam wrótnię, wbijając palce w płytę z granitu, teraz niech sobie pędzą, jak chcą. Jechałabym natychmiast, ale deszcz jak z cebra.

Niedobre, przebrzydłe Kielce! Co wyjrzę oknem, to zamiast upragnionego błękitu – nowa gromada chmur i strugi ulewy. Ale niech tam! Musi się wyjaśnić.

Przyjechałam w nocy, blisko o czwartej i z trudnością znalazłam ten numerek. Tak to – już w mieście Kielcach panna Joasia nie ma nikogo...

Szybko wygasa domowe ognisko i rozwiewa się w ostrym wietrze wonny dym rodzinnego namiotu. Gniazdo człowiecze trwa tak samo długo jak gniazdo pająka. Przebieram w myśli osoby tutejsze, które pewno siedzą jeszcze między Karczówką a Pocieszką, ale nie znajduję nikogo, kto by zajrzał mi w oczy z braterskim zrozumieniem, gdybym powiedziała dzieje mego żalu, dzieje grobowego smutku, który był jak cień śmierci. Nie mogę nikogo wymyślić – jakby to powiedzieć? – z oczami widzący-

[163] *Lelum-Polelum* - bóstwo wiatru w wierzeniach dawnych Słowian; jego siedzibą była Łysa Góra.

mi. Są to wszystko poczciwi ludzie, których tępe serce nie przebija ścian domu familijnego. Ale Bóg z nimi! Umiem już chodzić wśród zimnych ludzi jak między nagrobkami cmentarza. Mniejsza o to!

Moja aleja ku Karczówce, mój wyśniony latami w Warszawie daleki widok górski! Bije godzina szósta na dzwonnicy katedralnej. Miły, spiżowy dźwięku zegara, bądź pozdrowiony! Jakże ci się obawiałam niegdyś, z jak głęboką trwogą słuchałam cię pierwszy raz po przyjeździe z Głogów do szkoły! A oto... Ale precz ze wszelkimi wspomnieniami! Nie wolno myśleć o rzeczach dawnych, bo znowu zaczną się brewerie płaczowe.

Cicho, tylko deszcz gada w rynnach i od czasu do czasu przemknie się z łoskotem wehikuł kielecki.

Miejsce akcji – Mękarzyce

Tegoż dnia w Mękarzycach. Już jestem tutaj, u wujostwa. Bardzo późno... Jaka błogosławiona cisza. Nocuję sama, na „drugiej stronie", w tej starej „salce". Jestem szczęśliwa, ach jakże jestem szczęśliwa! Cicho, na palcach stąpam w tym pustym pokoju, gdzie stoją dawne graty, które pamiętają umarłych – i nasycam się świadomością, że to nie złuda. Tu, w Mękarzycach! W tych niskich stancjach bywałam z mamą nieboszczką, gdym miała trzy, cztery lata... Powała z dwiema belkami, cokolwieczek skrzywiona; ściany wybielone wapnem, które tu i ówdzie odpada, ukazując suche i twarde drewna modrzewiowe. Okno zasłonięte kępami georginij, malw i bzów. Z ram jego deszcz spłukał pokost. Zasuwki, stare zasuwki dziwnej formy, ozdobnie wykute przez jakiegoś ucznia Tubalkainowego[164], powlekła rdza warstwą tak grubą, że uczyniła z tych żelazek rzeczy doprawdy piękne. Gdy się wmyślam uparcie, to zda mi się, że jak przez sen widzę tego, kto te zasuwki przybijał. Był to młody kowal... Miałam wtedy może cztery lata. Wszystko to: przepalone szyby, drzwi, ściany, sprzęty i stare litografie noszą na sobie jakąś cechę wzruszającą. Istnieją bez żadnej zmiany w ciągu kilkudziesięciu lat, na tych samych swoich miejscach, wytrzymują działania pór roku i stają się jakby niezbędnymi cząstkami tutejszej przyrody. Każdy z tych przedmiotów ma swoją historię i wprost należy do familii. Stary dwór schyla się, paczy i garbi, ale trwa w gruncie rzeczy taki sam jak przed laty. Jest to dom rodzinny, zrośnięty z polem, z sadem, z drzewami i kwiatami. Kiedyś może się w próchno rozsypie i zginie z powierzchni, tak samo jak umiera człowiek...

Psy szczekają. Zwabione światłem w oknach pokoju, gdzie zwykle wieczorem bywa ciemno, sadowią się tuż za szybą i ujadają okrutnymi głosy.

Ale do rzeczy. Każde *extemporale*[165] trzeba pisać według punktów. Najprzód wstęp... A więc: Wyjechałam dziś z Kielc przed południem. Deszcz był troszkę nacichł, choć nie ustał. Siał sobie swoje mokre plewy, czasami tylko puszczając grubsze ziarno. Najęłam dorożkę za cztery ruble (słuchajcie, słuchajcie!) – i jazda! Woźnica mój podwiązał chudym szkapom ogony, otulił dobrze nogi (swoje) derką i z niebywałym trajkotem wyruszył z miasta. Gdy wpadliśmy na szosę, naszą starą, szczerbatą od wybojów, kochaną szosę, gdy zaczęło spod kół pierzchać rzadkie błoto... Nie mogły

[164] *Tubalkain* - według legendy biblijnej pierwszy na świecie rzemieślnik.

[165] *extemporale* (łac.) - praca pisemna.

go wstrzymać wachlarze d r y n d y, dzwoniące zupełnie na wzór janczarów, tylko obdarty fartuch jak mógł mię, poczciwiec, zasłaniał. Na tym poczciwcu utworzyło się wkrótce jezioro wody, przebiegające z miejsca na miejsce jak żywe srebro.

Byłam znużona, senna i jeszcze bardziej szczęśliwa niż teraz. Uwagę moją, a raczej mój uśmiech błąkający się w przestworze, skupiały co chwila na sobie dwie latarnie, służące, jak sądzę, ku ozdobie pojazdu. W gruncie rzeczy wybite szyby i odwalone wierzchy nic im innego, doprawdy, nie zostawiły prócz tego honoru. Jeden z tych szczątkowych organów powozu przywiązany był do macierzystej sztabki żelaza rozmokłym szpagatem. Kadłub foszmana, w opończy koloru błękitnego z odcieniem słoty, zasłaniał mi świat, a jedyny, samotny, żółty guzik w pasie z wyobrażeniem jakiegoś herbu – przyciągał oczy. Przestrzeń widzialną obsiewał drobny deszczyk. Daleko, w mgławym, burym powietrzu snuły się zarysy wzgórz. Ich kształty, raz po raz uciekające we mgłę przed oczyma, były dla mnie prawdziwymi wyrazami żalu. Jeżeli tylko dosięgłam ich wzrokiem, wnet uczuwałam, jak mię bolą.

Tak ongi małej dziewczynie wiezionej do gimnazjum ściskało się serce, gdy żegnała wzrokiem te ukochane wzgórza...

Dorożka skacze z dziury w dziurę, chwieje się co moment niby osoba chora na tabes[166], która wszakże ukrywa swój defekt, żeby nie stracić posady – ślizga się na zakrętach, jakby w złych momentach rozpaczy pragnęła raz wreszcie rzucić się samobójczo do rowu. Oto wysuwa się wieś, złożona z chałup szarych jak pole, choć ściany ich niegdyś bielono.

Wierzby z grubymi pniami, z których strzelają młode, jasne, bujne pręty; dzikie gruszki w polach, dzikie tak samo jak za owych czasów. Tam, gdzie się grunt nachyla, jest rzeka w nizinie. Ta rzeka idzie z mojej wsi, z Głogów. Zjeżdżamy ze wzgórza na długi most. Zmoczone konie idą noga za nogą, para z nich wali. Ja wychylam się z budy i sięgam wzrokiem czystej wody sączącej się po kamieniach i grubym piasku, wody, która przepłynęła koło domu moich rodziców. Szlaban. Powóz się zatrzymuje. Trzeba płacić kilka groszy. Szukam ich w kieszeni, nie – ja szukam wszystkimi zmysłami dźwięku tej rzeki, która tam w dole coś do mnie pluszcze.

Ruszamy znowu wolno pod górę. Obok idą ludzie zgarbieni, zaciapani w błocie, okryci włosem, który może się nazywać tylko kudłami. Coś gadają do siebie, drą się obrzydle i swarzą. Jedną twarz poznaję. To nasz chłop, Wicek Michcik. Taki sam był za czasów mego dzieciństwa. Trochę się zestarzał. Konie ruszają, i w brzęku żelastwa, w turkocie kół słyszę słowa niedawno w *Biblii* przeczytane. Żyła, widać, ta skryta myśl we mnie, jak gdyby stalowym rylcem na ołowiu wypisana: „Nie będzie pamięci tak mądrego, jak i głupiego na wieki, gdyż przyjdą dni, kiedy wszystkiego zapomną, a jak umiera mądry, tak też i głupi..."

Ta cyniczna mądrość rzucona przez zuchwałego króla, znawcę „wszystkich spraw pod słońcem", nie niosła mi przykrości. Była prędzej jak prawda doskonała, harmonizująca ze wszystkim, niby płyn, co wypełnia każdy punkt żądny nasycenia. Wszystko cichło we mnie, uśmierzało się i jak gdyby kładło do snu. Wtuliłam się w kąt powozu i przesuwałam w pamięci ponure słowa, które przychodziły, nie wiem czemu.

[166] *tabes* - uwiąd rdzenia pacierzowego; choroba ta powoduje trudności w poruszaniu się.

Ze wzgórza roztoczył się widok na płaszczyznę. Daleko, daleko ujrzałam drzewa mękarzyckie. Wtedy znowu żarzyć się we mnie poczęła cicha radość, która mię do tej chwili nie opuszcza. Wiedziałam, że nie znajdę tu tego, czego szukam, ale widok lasów sennych, długich i szerokich pustek zarosłych małym jałowcem – ciepło rozlewał po moich żyłach. Tam bór, w którym nigdy nie byłam, obcy i niemiły, ale z drugiej strony mękarzyckie aleje, roztopione we mgłach i jakby z mgły utkane...

Wtedy także przyszło mi na myśl, że nikogo nie zawiadomiłam, że właściwie nie wiem, czy tu wujostwo mieszkają. A może już się wyprowadzili, może poumierali? Tyle lat do nich nie pisałam! Zaczęłam liczyć... To już dziesięć z górą, jakem tu nie była.

Nad wieczorem moja d r y n d a zboczyła z szosy i wjechała w szpaler topolowy. Stare, obdarte budynki, dwór w ziemię zapadły, rozwalone płoty...

Weszłam w znajomą sień: – nikogo... Uchyliłam pierwsze drzwi i skoczyłam jak trzyletni bęben: stary poczciwiec fortepian, nad nim książę Józef... Ależ rozumie się!

A teraz, gdy piszę te zdania, czuję, że tu jestem obca, cudza, samotna. I cóż z tego? Szum starych topól, który mię tylekroć przerażał, gdyśmy stąd w późną noc z mamusią odjeżdżały... Do niegom się przywlekła. Czyliż może być czulszy głos na tej ziemi?

5 czerwca. Minął dzień i krótki wieczór. Byłam w stajni, w oborze, na czworakach, w polu, na łące. Nie wiem, czy to jest rzeczywiste, czy złudne uspokojenie, ale czuję się bardzo dobrze. Żadnej skłonności do płaczu, nawet pewien (niemiły) wstręt do wzruszeń. Opowiadanie o Wacławie formalnie męczy. Wacław w dniu śmierci swojej przekazał mi jak gdyby spadek. Twardym prawem dziedzicznym narzucił mi próżne miesiące zimowe, dni, w poprzek których płynęły same tylko łzy, i noce bezsenne, zapchane pracą ducha tak bezpłodną jak zgadywanie przyczyn rzeczy, a tak samo twardą, przymusową i konieczną, żeby żyć, jak oddech. Teraz ledwo-ledwo rozumiem, że się to ze mną zdarzyło. Przeszło jak powódź w górach. Tylko rozmiecione bryły kamieni i muł wiszący na krzewach wskazują, dokąd sięgało zniszczenie.

Tak, bez wątpienia: wieś stworzył Pan Bóg, a miasto diabeł, i to diabeł *bourgeois*[167]. Ludzie mieszkający na wsi są tak zdrowi i szczerzy w swym zdrowiu, że po prostu przedstawiają mi się jak niewiarygodna anegdota. I to są właśnie ludzie, z których ja się wywodzę!

Gdy dziś o godzinie piątej czy szóstej rano mój wujaszek zaczął krzyczeć na kogoś z ganku, zerwałam się i w bieliźnie wypadłam jak fiksatka, sadząc, że to pożar czy napad zbójów. Okazało się, że wujaszek w y h a ł a s i ł kogoś przed stajnią. Nic nadto.

Może to jest źle i nieszlachetnie opisywać osoby, u których się bawi (a w dodatku krewnych), ale nie mogę powstrzymać się i wyjść ze zdumienia. Czyż to jest naprawdę ciotka Waleria, wujaszek Hipolit i córka ich, a moja siostra cioteczna, Tecia? Ja znałam tych ludzi, ale oni byli całkowicie inni! Nie! to ja byłam inna. Widziałam ich dawną parą oczu... tutejszych. A teraz tamtej mnie – już ani śladu! Oni zapewne są ci sami. Tu się mało co zmienia. Lat przybywa, plecy się wypaczają, włosy siwieją, dom wchodzi w ziemię, a okrom tego wszystko po staremu. Gdyby wstał z trumny dziadek Józef, niewiele by znalazł rzeczy obcych sobie.

---

[167] *bourgeois* (fr.) - mieszczanin.

Joasia – świadomość zmian

A ze mną, ze mną co się zrobiło! Z istoty takiej właśnie, osiadłej na gruntach ojcowskich, stał się laufer[168] biegający po świecie za lekcjami, coś w rodzaju motyla wykwitłego z poczwarki (jeśli wolno użyć tak wyszukanej metafory). W całodziennych rozmowach dzisiejszych z ciotką Walerią i Tecią wobec samej siebie zdawałam jak gdyby egzamin z mojego życia. Przypomniałam sobie żywo nie tylko te obydwie krewne, ale w całej pełni – siebie samą.

Daleko więcej materiału do zdumienia ja muszę dla nich przedstawiać. Tak przynajmniej chciałabym sobie tłumaczyć obojętność ich wszystkich. Nie jest to zimno zewnętrzne. Całujemy się i płaczemy dość często, ale w tym wcale nie ma serca ani nawet litości. Ciotczysko całując mię wylewa łzy dlatego, że myśli o drugiej, młodszej swej córce, która wyszła za technika mieszkającego aż pod Ufą[169]. Tecia duma o sobie, zestawia me wolne życie z jej ciężką niewolą rodzinną i płacze nad sobą. Wuj ani myśli płakać, gdyż nie leży to w jego atrybucjach[170] („baby są od szlochów"), natomiast przemyśliwa, po co ja też zawitałam w te strony, i ciągle mię wtajemnicza w swe fatalne interesy, biada na kiepskie oziminy, procenta, posuchy, motylice, choroby pyska i racic... Przewiduje, nieszczęśnik, że lada chwila wypalę orację o pożyczkę pieniędzy. Odetchnąłby pełną piersią, gdyby wiedział, że ja tylko do powietrza, do wody i ziemi...

Joasia – poczucie obcości

Tak, to jest dla mnie świat zgoła obcy. Ci ludzie nic nie spostrzegają na ziemi oprócz Mękarzyc i nie mają żadnych innych widoków oprócz swoich pieniężnych skojarzeń. Starzy wujostwo zajmują się tym tylko, co jest w granicach folwarku. Promieniem ich życia jej Felcia, obecnie Balwińska, ciemną stroną – Tekla, która „nie wyszła" i, obym była fałszywym prorokiem, zostanie starą panną. To familijne zamknięcie horyzontu jest tak szczelne, że ja wcale się w nim nie znajduję, nawet w tej chwili, kiedy tu siedzę. Moje całe życie byłoby mocno podejrzane, gdyby nie to, że jest do gruntu obojętne. Czytam to w ich oczach, gdy szczerze mówię wszystko i gdy oni z uśmiechami niby współczucia słuchają.

Historia Wacława!

W istocie jesteśmy dla siebie obcymi ludźmi.

Słucham długich i szczegółowych pieśni epickich o tym, jak to Felcia „spodobała się" owemu inżynierowi na balu w Kielcach, jak przeszły „konkury", oświadczyny, ślub, wyjazd, urodzenie dziecka. W tych sagach[171] familijnych Felcia jest jak gdyby heroiną. Ją to wszystko już spotkało. Już spełniła, co do niej należy.

Tecia jest smutkiem rodziny. Ona jeszcze... nikomu się nie spodobała i jeśli była celem jakich konkurów, to mówić o nich szkoda, bo nic z tego.

---

[168] *laufer* (niem.) - biegacz.

[169] *Ufa* - miasto u podnóża Uralu.

[170] *atrybucje* - uprawnienia komuś przysługujące.

[171] *saga* - staroislandzkie lub skandynawskie opowiadanie o czynach bohaterów narodowych.

Z myślą i uczuciem „Tecia" łączy się zgryzota: „tych kilka tysięcy" posagu i „wyprawa". Poczciwa ciotka urządza mi interwiew[172], jak też ja sądzę: czy lepiej dać więcej w gotówce, czy więcej „włożyć w wyprawę"? Jak też ja sądzę? „Bo to wy tam na szerokim świecie lepiej te rzeczy macie sposobność widzieć niż my na wsiach. Tu u nas rozmaicie sądzą. Okolicami panuje zwyczaj, że się do wyprawy nie daje tego a tego..." Ciotczysko sądzi, że lepiej jest włożyć tyle a tyle w srebra, bo „srebra zostają na całe życie..." Z jakim uczuciem wygłasza tę maksymę! Stanęłam twardo po stronie sreber.

Biedna Tecia siedzi w Mękarzycach i czeka. Cała jej istota przypomina nogę Chinki, od dzieciństwa urabianą w drewnianej formie. Tecia uśmiecha się, mówi, opowiada, żartuje i płacze na wzór ciotki i wuja. Wujaszek ma zwyczaj określania pewnych rzeczy, obcych mu, terminem: „głupstwo!" — albo łagodniej: — „pewno jakieś głupstwo!" — albo (w najlepszym razie): — „tego nigdy dawniej nie bywało", bez wytykania palcem, może przez grzeczność, samego terminu: — „tego głupstwa nigdy dawniej..."

Otóż i Tecia używa tych samych zwrotów. Czasem, gdy ja mówię coś dziwacznego dla Mękarzyc, Tecia szybko bada okiem twarze rodziców i przybiera na swoją ich uśmiech. Nie mówię o myślach i sądach. Wszystkie te sądy o rzeczach są takie same, jak były kilkadziesiąt lat temu, kiedy ciotka Waleria była panną i uczyła się w Ibramowicach. Tecia, dziś żyjąca, jest, właściwie mówiąc, panną z czasów Klementyny z Tańskich Hoffmanowej...[173] Świat przeszedł sto mil ze swoim dobrem i złem. W pokoju Teci, który przylega do sypialni wujostwa i jest z przewidującą czujnością strzeżony, znajduje się nieco książek. Są to zabytki bibliograficzne, tak zwane „książki dobre". Rozumie się: ta Klementyna z tych Tańskich, stosy przekładów z angielskiego... Wśród tych wszystkich dobroci leżą, o zgrozo! *Poezje* ni mniej, ni więcej, tylko samego Kazimierza Przerwy-Tetmajera!

Skądże ten tutaj? Trafił przypadkiem, pożyczony z sąsiedztwa jako „coś do czytania". Został odczytany tudzież (pochlebiam sobie!) wyrokiem familijnym zganiony.

Czy jednak cząstka Tekli nie jest lepsza od mojej? Och, na pewno jest lepsza!

Dom rodzinny, cisza, opieka, ta jakaś spokojność, do której tak wzdychałam w Warszawie! Tu przez mur nudów nie dochodzą wzruszenia, ale wraz z nimi nie wciskają się bóle. Tu nie wpada w rękę Owidiusz ani w ucho zła mowa, nie rani hak podstępnej myśli ani nagość obrazów życia. Tu jest tak cicho... Jeśli przyleci głos jaki ze świata, to niby echo żywej rozmowy prowadzonej za trzema ścianami.

Ale, kochana Teciu, gdyby mi przyszło wybrać twój los (nawet przy boku moich rodziców) — już bym się nie zgodziła. Przenigdy! Ja już jestem człowiek.

Joasia – emancypantka

Sucha kromka chleba, ale moja własna; niebogata przyszłość, ale urobiona własnymi rękami. Z obu stron mojej samotnej, kamienistej ścieżki, po której idę, roztacza się świat nowoczesny jak dojrzewające zboża pól nie ogarniętych oczami. Rozum mój i serce karmią się kulturą żyjącego świata, w której z dnia na dzień przybywa pierwiastka dobra.

---

[172] *interwiew* - wywiad.

[173] *Klementyna z Tańskich Hoffmanowa* (1798-1845) - autorka dydaktycznych utworów dla młodzieży, z początkiem XX w. już trochę staroświeckich.

I ja tym wzrostem cieszę się i żywię. Gdzie on tam płynie w żyłach ludzkości, „jak krew po swych głębokich, niewidocznych cieśniach".

6 czerwca. Dziś jeździłam na grób mamy i ojca do Krawczysk. Szłam od gościńca szeroką miedzą. Na tej drodze nie ma kolein, są tylko ścieżki, często deptane stopami ludzkimi. Obok, z prawej i lewej strony, kołysze się ciemne, stalowe żyto o kłosach brunatnych, które dopiero świat ujrzały. Z dala, w nizinie, widać ogromne drzewa i biały mur. To tam.

Cmentarz już się zapełnił mogiłami, więc rozszerzone zostały jego granice bez usuwania ścian dawnych. Otoczono zuchelek szczerej wydmy u wejścia do dawnego cmentarza ledwie ociosanymi żerdziami i żółte mogiły już się chłopskim rzędem układają pod tym świerkowym, pod płotem...

Bramę dawnego cmentarza zamknięto. Nikt tam już nie wchodzi ani z żywych, ani z umarłych. Jest to miejsce poświęcone tym, co przed wieloma laty zasnęli w Panu. Gonty w daszku, który niegdyś stare mury osłaniał, zgniły i wypadły. Tylko spróchniałe, obnażone krokiewki jak piszczele świecą się ku słońcu. Gdzieniegdzie połyskuje żelaznym łebkiem gwóźdź-gontal osamotniony, bez racji sterczący.

Ruszyłam wrótnie bramy, złączone ze sobą żółtym od rdzy ryglem dużego zamka. Rozsunęły się cicho, bez zgrzytu ani oporu. Tak może odmykają się przed duszami drzwi raju... Weszłam na ten ugór święty. Bujne, aż czarne trawy, okryte rosą, ślicznie czerwone kwiaty koniczyny, maków... Deptałam je nogami za każdym poruszeniem. Mogił już nie znać. Ani jednej! Tu i ówdzie grunt się zaklęsł. Przyszło mi do serca uczucie, że w takich dołach muszą leżeć ludzie nieszczęśliwi. W pewnym miejscu runął na ziemię wielki krzyż drewniany, w próchno się rozsypał i krwawy ślad w postaci krzyża leży tam w bujnych, soczystych trawach, jakby płonącą żagwią wypalony.

Mogiły rodziców nie były wcale niczym oznaczone. Nie wiem, gdzie są. Szukałam ich z początku wzrokiem, później cały cmentarz obeszłam. Ani śladu!

Szukałam tego krzewu, który mi wówczas został w pamięci, gdy obok niego mamę złożono. Daremnie.

Rozłożyste kępy jasnej brzeziny, którą mój ojciec tak lubił, utworzyły całe gąszcze i smugi. Może u jego wezgłowia się plenią nadobne i woniejące...

Śpią tu pospołu wszyscy, rolnik przy rolniku, którzy tę ziemię orali, sami dzisiaj kwiatami jak łąka zasiani. Cisi – osiedli dziedzicznie tę ziemię cmentarną.

Wysoko i nisko śpiewały ptaszyny. Kiedy niekiedy ciepły wiatr niósł tu na skrzydłach swoich odgłos szelestny młodego zboża, rozchylał gałęzie krzewów i cicho przechodził po trawach nie tkniętych nogą niczyją, jakoby anioł-odźwierny, świętej ciszy troskliwie pilnujący. Pod przejrzystymi jego stopami uginało się ziele. Wysmukła akacja, której pniak strzelisty i ścigłe, czarne gałęzie zdają się lecieć ku niebu, szumiała z trwogą i ze wszystkich drzew najwyraźniej, kołysząc się pod jasnym słońcem przezroczystymi listkami. Zdawało mi się, że coś mówi to poświęcone drzewo, zdawało mi się, że usłyszę śpiewne jego wyrazy. Gdy się zasłuchać, wtedy wiadomym się staje, że ono tylko wzdycha wieczyście.

Prosiłam się w głębi duszy mojej, czy spotkam kiedy...

7 czerwca. Jutro wyjeżdżam. Tak przynajmniej zdecydowałam. Nie mogę sobie dać rady! Zamiast ukojenia, którego doświadczyłam z początku, ciągnęłoby to za sobą irytację wewnętrzną albo jakie spory, czego nie chcę za skarby świata. Stosunek do chłopów, do służby, do ludzi zatrudnionych na folwarku! Może to są sobie śmieszne idealizacje miejskiej panny, bardzo wszystko być może, ale ja nie znoszę dziczy. Nie mogę w tym oddychać.

— Żebyś tak pomieszkała wśród tych łotrów... — mówi wujaszek — bo to tam u was łatwo gospodarować przy stoliku, z książeczką w ręce...

Otóż nie będę już mieszkała wśród „łotrów" i uciekam. To jest właśnie jedyny mój sukces, że mogę odejść, dokąd mi się chce i kiedy mi się podoba.

Taki stan emancypacji przeżywali chłopi mojego dziadka Józefa za czasów Księstwa Warszawskiego[174], kiedy zdjęto im z nóg kajdany, ale razem z butami. Ja zdjęłam z nóg także kajdany razem z trzewikami, to jest fakt historyczny, ale też mogę chodzić swobodnie z miejsca na miejsce, jak chłopi owego czasu. Dokądże tedy idę jutro? Płacz ze szczęścia, serce moje... Do Głogów.

10 czerwca. Znowu Kielce, w hotelu. Już się kończy wyprawa, bo się kończą fundusze. „Wracam na Liban[175], do mojego domu..." Już za mną zostały Głogi, Krawczyska, Mękarzyce... Jestem zupełnie spokojna i zdrowa.

Trzeba tylko jeszcze po porządku wszystko, jak było, wyłuszczyć. Z Mękarzyc uciekłam dziewiątego, chłopską furmanką, bardzo rano. W dniu poprzedzającym to zdarzenie zamówiłam sobie na wsi parę szkapiąt i wasąg, ładowany słomą. Zrobiłam ten „afront" wujostwu z umysłu, ale nie dlatego wcale, żeby im dokuczać, lecz żeby nie będąc związaną ich grzecznością robić ze sobą, co mi się podoba. Gdy pewnego razu bąknęłam w rozmowie, że chcę być w Głogach, wszyscy wytrzeszczyli na mnie oczy, jakbym ogłosiła światu coś obrażającego uczucia ludzkie.

— Po co? — dał się słyszeć trójjedyny okrzyk. — Przecie tam mieszka obecnie Żyd, Lejbuś Korybut.

Cmentarz w Krawczyskach — to jeszcze było zrozumiałe, ale myśl jazdy do Głogów, gdzie mieszka Korybut, traktowano jak rzecz wprost głupią, a z punktu widzenia folwarczno-stajenno-mękarzyckiego nawet niemożliwą, gdyż jakieś tam siwki cugowe... Tecia pytała mię ze swym familijnym uśmiechem, co ja tam myślę robić.

— Zajedziesz — mówiła — do tych Głogów — no i cóż zrobisz? Gdzież wysiądziesz? Przecie we dworze mieszkają Żydy...

W istocie, gdybym zajechała końmi i bryczką z Mękarzyc, skupiłabym na sobie uwagę wszystkich. Toteż zdecydowałam się użyć podstępu. Gdy furmanka zaszła przed ganek, dopiero oświadczyłam, że jadę do Kielc, i to niezwłocznie. Za użycie takiego fortelu przeprosiłam jak tylko umiem najpiękniej, oddałam i przyjęłam pocałunki rodowe, których się używa w oznaczonej (bardzo wielkiej) proporcji zupełnie tak, a bez potrzeby, jak na przykład tytułów w listach... Odjechałam.

Za wsią, gdyśmy się zbliżali do szosy kieleckiej, zagadnęłam mojego woźnicę, co będzie chciał.

— Odwieziecie mię — rzekłam — najprzód do Głogów, a dopiero później do miasta.

---

[174] *za czasów Księstwa Warszawskiego* - ustawy Napoleona zniosły poddaństwo chłopów; nie zwalniając ich jednak od pańszczyzny, nie zmieniały właściwie ich położenia.

[175] *„Wracam na Liban..."* - cytat z *Ojca zadżumionych* Juliusza Słowackiego.

Chłop aż konie wstrzymał na drodze, tak się wziął namyślać. Mruczał coś o sianie, o obroku, o dniu zmarnowanym, o czterech milach drogi, które trzeba nałożyć, aż wreszcie wypalił, że muszę mu dołożyć pięć rubli. Naturalnie, że się zgodziłam. Gdyby, głupi, zażądał był dziesięciu, a nadto okrywki i kuferka – także bym przystała.

Zaraz skręciliśmy i przez pastwiska, omijając Stróżów, pociągnęliśmy w górę. Była może godzina szósta rano. Dzień był ciepły, umyślnie zesłany, tylko przymglony jasnymi i cienkimi włóknami nocnych tumanów, które jeszcze wysypiały się w nizinach podleśnych – niby sieci pajęcze. Ja sama zapadłam w jakąś obłudną martwotę. Serce moje było czujne jak nigdy, ale rozpostarła się nad jego uniesieniem nasza górska i leśna cisza. Wóz mój wolno dosięgnął przełęczy i znalazł się w kolejach starej, trawą zarosłej drogi, zwanej „na górę". Leszczyny i brzozy rozrosły się tam w las prawie. Chłopina podciął konie, minęliśmy wąwóz gliniasty pod szczytem – i oto daleko w dole ukazały się przed mymi oczyma – Głogi. Z łąk, z rzeki, ze stawu dźwigały się mgły znikające w wyżynie. Dom nasz białymi ścianami jaśniał w zieleni ogrodu i przeglądał się w głębi wody...

Młode szkapki, nie przyzwyczajone do dróg tamtejszych, nie mogły utrzymać wasąga. Orczyki biły je po nogach, toteż pędziliśmy ze stromego zbocza góry co tchu, wskróś jałowców. Dopadliśmy strumienia. Tam dopiero konięta wydobyły swe małe łby z chomąt, które im wyprężone naszelniki wcisnęły aż za uszy. Woźnica stanął, a ja wysiadłam. Wskazałam mu drogę, którędy ma przejechać na drugą stronę Głogów, aż do szynku przy trakcie kieleckim.

– Przyjdę tam w południe – mówiłam.

Chłop patrzał spode łba, ale walizka moja zostająca na wozie dodała mu otuchy. Gdy wreszcie odjechał, poszłam ścieżką. Trawy nie były jeszcze skoszone. Otoczyły mię kwiaty moje, zarośla. Szłam w szczęściu niby w jakim obłoku. Oto kwiaty, które poznaję nozdrzami, zanim ujrzę oczyma, wychylają się z łąki. „Jaskółki" bladofioletowe, siostrzyczki moje rodzone, najdroższe moje. Nie zrywałam żadnej, tylko stawałam nad nimi, całując je spojrzeniem. One pytały mię także, czemu odeszłam z tej krainy, dlaczego nie mieszkam we wsi rodzinnej... Ale oto przy mojej ścieżce na pastwisku ujrzałam coś nieznanego: duży krzak rokiciny. Stał samotny...

– Nie znam cię... – rzekłam mu. Ale w tej samej chwili rozsunęło się przede mną wspomnienie... To on!

Do kuchni naszej w tym dniu, kiedy ja przyszłam na świat, zabłąkał się biedny, wędrowny pies. Nikt nie wiedział, skąd jest i jak się zowie. Że w takim dniu przyszedł, dano mu jeść jak gościowi. Od tej chwili został przy dworze. Przezwano go „Rozbojem". Był dobry, poczciwy i wierny. Lubiła go mama, bracia i ja bardzo. Gdyśmy do domu na wakacje wracali, zawsze jego szczekanie słychać było pierwsze, z daleka. W chwili odjazdu patrzał nam w oczy z taką żałością...

Kiedy ja miałam lat czternaście, on już był tak stary, że się z miejsca nie ruszał. Osiwiał cały, ogłuchł i przestał szczekać. Leżał na słońcu i starczym, smutnym, sennym wzrokiem spoglądał dokoła. Gdy było zbliżać się ku niemu, machał jeszcze ogonem, dźwigał łeb i uśmiechał się jak człowiek.

Pewnego dnia rano, o świcie, usłyszeliśmy, że skowyczy. Rzuciłam się do okna i ujrzałam na pastwisku strzelca Gązwę. O kilkanaście kroków od niego szarpał się „Rozbój", przywiązany do kamienia. Blask fuzji, błękitny dymek... Później huk.

„Rozbój" szczeknął raz, drugi...

Gdyśmy z Wackiem, z Henrysiem, jęcząc przypadli, już Gązwy nie było, a on leżał zabity. Przednia łapa jeszcze drgnęła. W moich rękach ostygła.

Tuśmy dół wykopali i na grobie starego psiska posadziliśmy gałąź rokiciny.

To on jest. W tych prętach krew jego ciepła... Zbliżyłam się i dotknęłam go ręką. Cały w białą rosę nalistnicę jak w albę obleczony. Może pniak czarnego drzewa wyda radosne szczekanie, może martwe liście się poruszą. Nic. Tylko zimne, milczące, rzęsiste krople spadły na moje ręce.

Przyszłam łąkami do źródła. Stara grusza pod urwiskiem i stok w głębi zupełnie te same zostały. Nawet głazy, po których się dochodzi...

Tak samo ze zdroju wyskakują kłęby i banie wodne, zakwitając na wierzchu niby róże wieczne, latem i zimą żywe. Siadłam przy źródle i straciłam świat z oczu.

Ptaki śpiewały w gęstwinach, wśród których lśnią się strugi płynące kilkoma łożyskami ze stoku. W pobliżu przecina je droga piaszczysta.

Nad źródliskiem czerwieniła się obfitość centurii, którą zrywałyśmy w tym miejscu z mamą nieboszczką. Odwar tego ziela pomagał jej na ból głowy. Ściągnęłam rękę i machinalnie zerwałam kilka tych kwiatów opornych, ale natychmiast, jakby kara za śmierć ich, przeszyła mię straszna świadomość. Uczułam w ustach smak goryczy centurii i krople jej płynące do serca.

Odeszłam stamtąd. Przede mną była grobla prowadząca do dworu. Wszystko inne, inne... Nowe gaje drzew wyrosły. Tylko iskry palące się na falach stawu i na śliskich łodygach sitowia, tylko zapach tataraku i wilgotna woń rokit – ta sama. Biało-żółte lilie wodne ze swych szerokich liści uśmiechały się do mnie i sączyły w serce wino radości.

Spostrzegłam, że wielkie olchy nad wodą zostały ścięte i że św. Jana już nie ma. Upust, widać, powódź zniosła, bo zastąpiono go śluzą, z której płynie nadmiar wody. Teraz nie sączy się wcale, toteż uderzył mię brak melodyjnego szumu, który trwał tak długo jak moje szczęście w dzieciństwie.

I już tego wszystkiego nie ma, jak wody, która wtedy płynęła, już tego nie znaleźć, jak kropel, co uciekły i w morzu utonęły.

Stary, czarny młyn za groblą tak samo tonął w zieleni. Modrzew nad drogą rozrósł się jeszcze bardziej. Dwie iwy obok czworaków spróchniały już zupełnie i tylko para łodyg zielonych wyrasta z ich pniów umierających.

Stanęłam wobec domu naszego.

Jakież zniszczenie! Płoty, klomby, dróżki – wszystko skasowane bez śladu. Nawet dzikie wino przy ganku wydarte, ganek sam rozwalony, ściany odrapane, okna zabite.

Weszłam do sieni, uchyliłam drzwi dużego pokoju, w którym umarli moi obydwoje rodzice. Było tam pełno gratów żydowskich. W tym kącie stoi łoże z mnóstwem pierzyn.

Uciekłam co prędzej.

Nikt z dorosłych nie widział mię zrazu, tylko mały Żydek, pewno sześcioletni, skądś wylazł i zabiegał mi drogę. Gdy stanęłam na podwórzu, obskoczyło mię z dziesięć osób. Szli ze mną, dopytywali się, com za jedna, czego żądam. Coś im mówiłam. Jeden stary Żyd dreptał tuż przy mnie badając słowem i wzrokiem. Minęłam dziedziniec, lipy i skierowałam się ku Bukowej. Ów stary Żyd w atłasowym chałacie szedł i coś gadał bez przerwy. Nie mogłam mówić. Wlokłam się... Nareszcie został. Śledził każdy mój krok z oddali, a zza krzaków wyglądały jego dzieci.

Joasia – opis przeżyć

Dusza moja była owiana mrokiem, serce zastygło i nie mogło wydać ze siebie ani jednego uczucia. Tylko myśl sroga, bolesna i mściwa, jak błyskawica oświetlała to miejsce. Miejsce zostało to samo. Wszystko przeminęło w czasie, odpłynęło z wodą. Grunt obojętny został sam jeden i jak przed wiekami zielenił się do końca. Nic tu nie ocalało po moim ojcu, po mojej matce, po mnie i braciach. Obszar, przesiąkły pracą, myślami i uczuciami nas wszystkich, wziął inny człowiek.

W tym miejscu, gdzie ostatni jęk wydali oni, które jest dla mnie świętym świętych – szwargoczą cudzy ludzie. Drzewa, co żyły w ciągu lat tęsknoty w duszy mojej jak święte, tajemnicze symbole spraw zakrytych przed śmiertelnymi oczyma, koleje dróg wyżłobione w żółtym piasku, co jak złote liny ciągnęły mię do tego kraju pośród łez i mroku nocy zimowych, łąki moje i błysk wody w zakrętach rzecznych między olszyną – wszystko dziedziczy przychodzień! Dla niego te wszystkie skarby duszy mojej są tylko przedmiotami lichego zarobku.

I on tak samo jak my przeminie i zstąpi ze swoim handlarskim mózgiem w tę ziemię, która wszystko pożera. Ujrzałam wtedy jej prawdziwe oblicze! Jej uśmiech do wiecznego słońca, w którym było jakby drwiące natrząsanie się z miłości mojej dla niej, jakby cyniczna spowiedź, że ona mię nigdy nie widziała, że nie wie wcale, kto jestem! Ona nie taka jest, jaką kochałam.

Na miłość serca ludzkiego nie odpowiada. A gdy ku niej z całej mocy dusza się wydziera, ona odsłania w błysku sennym jakiś cel zaziemski, którego niczym, co jest w mocy człowieka, nie można dosięgnąć.

Obok wąwozu, w tym cichym kąciku między polami, nagle stanęłam. Zwróciła mię moc, której w sobie nie znam.

Byłam tak blisko moich rodziców, że prawie słyszałam ich osoby, mogłabym dotknąć ich rękoma. Zdało mi się, że są za mną, że jeśli odwrócę się i wejdę w bramę folwarku, to ich zobaczę pod lipami. Łaski takiej bliskości nie miałam nawet w Krawczyskach.

Było cicho. Złuda trwała przez małą chwilę.

Po niej dopiero objęłam piersiami straszną egzekucję, którą śmierć spełnia.

Gdzież oni są? W co się obrócili? Dokąd odeszli z tego miejsca? Całe moje ciało trzęsło się aż do głębi serca.

Rozsypywałam się w proch przed śmiercią, z błaganiem, ażebym była godna posiąść tajemnicę.

Gdzie jest mój ojciec, gdzie jest matka, gdzie Wacław?...

Wtedym usłyszała w sobie znowu te słowa, jak wówczas, w drodze do Mękarzyc. „Takowyż przypadek schodzi na ludzi, jako i na zwierzęta, gdyż jako zwierzę tak i człowiek umiera i jednakowego ducha mają wszyscy, a nie ma nic w człowieku przed bydlęciem, bo wszystko jest próżność".

I jeszcze dalej, jak niewysłowioną boleść, struchlałymi ustami szeptałam do siebie wiersze Mędrca Pańskiego:

„Któż wie, czy duch człowieczy idzie w górę, a duch zwierzęcy zstępuje na dół, pod ziemię. Wszystko idzie na jedno miejsce, a wszystko jest z prochu".

Bez sił, w głuchej rozpaczy dowlokłam się w zarośla na wzgórzu. Weszłam między brzozy i, nic nie widząc ani słysząc, błąkałam się. Nie przypomnę sobie, kiedy, i nie wiem, w którym miejscu, upadłam na ziemię. Zeszła na mnie żądza śmierci. Tylko ją jedną czułam i ona była ostatnim tętnem mojego serca.

Tak trwało długo...

Ale wtedy z cmentarza w Krawczyskach moja matka przyszła do mnie z głębi ziemi. Wskróś iłu, piasku, opoki przedarła się ziemią. Nie leżałam już na martwym ugorze. Uczułam się na łonie matki mojej, w którym jej serce uderzało. Szły we mnie głębokie, ziemne, ciche wzruszenia. Słowa moje próżno by chciały wyrazić to, co się odbyło. Śmierć zlękła się i odeszła, ustał płacz i żal.

O, jasne kwiaty mojej doliny...

KONIEC TOMU PIERWSZEGO

TOM II

Poczciwe prowincjonalne idee

Doktór Judym niemało miał pracy w czasie sezonu. Zrywał się rano, tym skwapliwiej, że już przed godziną szóstą jego izdebka pod blaszanym dachem, dokąd w czerwcu ze wspaniałych salonów wyniesiono jego „lary i piernaty"[1] – wprost tliła się od żaru. Notował na stacji meteorologicznej, zwiedzał izby, gdzie kąpielowi stosowali „zabiegi" hydropatyczne, badał porządek w łazienkach, u źródeł, a przed ósmą był w swoim szpitalu.

Judym – praca w Cisach

O dziesiątej siadał w gabinecie i przyjmował pewną kategorię chorych (przeważnie młodych zdechlaków) aż do godziny pierwszej. Po obiedzie zajmował się bawieniem dam, uczestniczył w organizowaniu teatrów amatorskich, spacerów, przeróżnych rekordów, wyści-

gów pieszych itd. Zabawki tego rodzaju musiał traktować jako pracę swą obowiązkową, czy do nich miał chęć, czy nie.

Pochłonęło go to jak nowy żywioł.

---

[1] *Lary i piernaty* - żartobliwie przekręcony zwrot: lary i penaty; w wierzeniach starożytnych Rzymian opiekuńcze bóstwa domowe.

Judym – życie towarzyskie w Cisach

Otaczały go roje kobiet młodych, zdenerwowanych, rozpróżniaczonych, żądnych tzw. wrażeń. Judym przedzierzgnął się, sam nie wiedział kiedy, w młodego franta, odzianego modnie i paplającego wesołe komunały. To zabawne, ciekawe, miłe a deprawujące życie małej stacji klimatycznej, gdzie w ciągu kilku miesięcy gromadzi się i skupia w jedną jakby familię ze wszystkich końców kraju i ze wszelkich sfer towarzyskich ludność chwilowa – oszołomiło go zupełnie. Ni z tego, ni z owego bawił się towarzysko z bogatymi damami i wchodził, nie dość że jako świadek, ale jako arbiter w najsekretniejsze ich tajemnice. Był poszukiwany, a nawet wzajem wydzierany sobie przez „koterię" – a nieraz ze śmiechem wewnętrznym decydował o czymś, co sam zwał tonem i smakiem.

Czasami, gdy do siebie wracał późno w nocy z jakiejś pysznej uciechy, zastanawiał się nad pięknością życia, nad tymi nowymi jego formami, które poznawał. Zdawało mu się, gdy o tym świecie cisowskim myślał, że czyta romans z końca zeszłego wieku, pełen somatyzmu[2], gdzie widać życie godne zniszczenia, które wszakże posiada jakiś taki urok... Siła zmysłów, umyślnie w piękne formy skryta, staje się czymś nie znanym dla ordynarnej, zwyczajnej natury. Były chwile, że wprost zachwycał się wymową dyskretnego milczenia, symboliką kwiatów, barw, muzyki, słów ciągle bojących się czegoś...

Na balach i reunionach[3] bywał czasami i „pałac". Wówczas berło królowej przechodziło do rąk panny Natalii. Gdy ukazywała się w jasnej sukni, była tak oślepiająco piękna, że wszystko, co żyło, na śmierć się w niej kochało. Ona przeczuwała zapewne ten szał masowy, który wśród mężczyzn szerzyły jej królewskie oczy, ale nie raczyła go widzieć. Była zawsze zimna, obojętna, jakby wyrwana z tego życia. Czasami bawiła się z większą ochotą, uśmiechała powabnie, ale zaraz później, gdy tylko dostrzegła, że ten lub ów chce z chwilowego jej usposobienia wyciągnąć wniosek na swoją korzyść, sprowadzała go na padół jednym spojrzeniem i jednym uśmiechem innego rodzaju.

Było tak i z Judymem.

Rozzuchwalony powodzeniem u dam dr Tomasz zbliżał się śmiało do panny Natalii. W trakcie jednego z reunionów wybrała go kilkakrotnie, wesoło się z nim bawiła, sama wspomniała o Paryżu i wycieczce wersalskiej. Judymowi zakręciło się w głowie. Wzburzony tym wszystkim, w jakimś obłędzie śmiałości zdecydował się wykonać istny zamach i w następnym kontredansie począł mówić o Karbowskim, którego od paru tygodni nie było w Cisach. Panna Orszeńska zgadzała się, gdy mówił, że ten Karbowski nie wydaje mu się być człowiekiem sympatycznym, witała jego słowa za pomocą krótkich skinień głową i dyskretnych okrzyków. Flirt wesoły trwał w dalszym ciągu. Tylko gdy później doktor zbliżył się jeszcze i, zachęcony sukcesem, chciał rzecz ciągnąć dalej już nie o Karbowskim, lecz o sobie, struchlał ujrzawszy w jej oczach taki blask ponurej dumy, jakiego jeszcze nie widział w życiu. Zdawało mu się, że ten wzrok hetmański, ubliżający mu bez wzruszenia, z głębi przymkniętych powiek

[2] *somatyzm* - cielesność.

[3] *reunion* (z fr.) - zebranie towarzyskie.

wbija się w niego i szarpie na sztuki, rozdziera na strzępy, podobnie jak pazury orlicy ćwiartują żywą zdobycz. Słowa, które chciał powiedzieć, zwinęły się i niby garść pakuł utkwiły w gardle.

Blady, ze ściśniętymi zębami, siedział jak przykuty na łańcuchu, nie będąc w stanie ani odejść, ani pozostać.

Wszystkie te okoliczności stawały doktorowi na przeszkodzie w zajęciu się sprawami szpitalnymi. Były w nim tego lata jak gdyby dwa prądy ścigające się wzajem. Im bardziej jeden z nich pomykał naprzód i zabiegał drogę, tym mocniej natężały się siły drugiego. Doktor czuł w sobie ciągłą przeszkodę w staraniu około chorych i zwalczał ją za pomocą silnej pracy, ale skoro tylko zetknął się ze światem zabaw, ulegał mu z tym większą bezwładnością, im namiętniej pracował w szpitalu. Było mu wszakże z tym wszystkim bardzo dobrze na świecie. Żył bez przerwy i nie miał wcale wyobrażenia, co to jest refleksja, nuda, zniechęcenie.

Szpital powstał właściwie dopiero przy nim. Budynek stał od lat kilku, dźwignięty przez „idealistę" Niewadzkiego, ale po jego śmierci traktowany był rozmaicie. W razie potrzeby administrator majątku składał w salkach szpitalnych buraki, rozsypane klepki kuf z gorzelni, zepsute części młockarni itd. Kiedy indziej lokaje, rządca, ekonom, kasjer i inni funkcjonariusze pożyczali dla swych gości łóżek, a naczynia i utensylia rozkradziono ze słowiańską starannością. Nieraz leżała tam jakaś bezdomna położnica, nad którą ktoś się wziął i z l i t o w a ł – jakiś parobek folwarczny chory na k o l k i albo jakie dziecko z ospą...

Opiekę nad szpitalikiem sprawował dr Węglichowski. Kłamałby, kto by twierdził, że dyrektor zgadzał się na składanie w szpitalu kup żelastwa, owszem, wyznać trzeba, że czasami śmiał się z tego do rozpuku, ale nie można również utrzymywać, żeby się zajmował chorymi. Gdy ktoś był bardzo kiepski, a złożono go w szpitaliku dla „umiejscowienia zarazy", dr Węglichowski czasem przyszedł i skrobnął receptę. Zwykle nawet pomagało jego lekarstwo.

Częstokroć wynajdywał jakieś cherlactwo proboszcz, panny albo sama babka dziedziczka. Wówczas pakowano takiego szczęśliwca do szpitala. Jeżeli to był pupil księdza, to z plebanii przynoszono mu talerz rosołu albo jaką nogę kury gotowanej w potrawce. Jeżeli protegowany miał za opiekunki panny ze dworu – zajadał najpyszniejsze ochłapy z półmisków, częstokroć ze szkodą dla zdrowia.

Judym – założenie szpitala dla ubogich

W ogóle ten domek szpitalny stojący w odosobnieniu, a wśród budynków folwarcznych, służących do wytwarzania zysku sposobami wiadomymi, reprezentował na skromną skalę los szlachetnej idei wśród świata materialnego. Stał smutny, opuszczony, bezradny, nieśmiały, jakby z założonymi rękami. Dr Tomasz ulegał głębokiej, a nie dającej się stłumić pasji, ilekroć zbliżał się do tego domostwa. Kiedy myślał o człowieku, który je postawił w pewnym celu, który przemyśliwał długo, jak to należy zbudować, i gdy z tym wszystkim zestawiał rezultat przedsięwzięcia, czuł taką wściekłość, jakby go tamten nieznany zmarły biczował słowami pogardy. I nie tylko to jedno.

Skoro urządził sobie z pierwszej widnej salki gabinet przyjęć, od razu zwaliła mu się na kark lawina Żydów, dziadów, obieżyświatów, biedaków, suchotników, rakowatych – wszystka, słowem, płacząca krwawymi łzami bieda polskiego cuchnącego miasteczka i nie inaczej cuchnących wiosek. Doktór rozsegregował ten materiał i zabrał się do niego. Jednych musiał przyjąć do szpitala na czas pewien, trzeba więc było uporządkować sam szpital. Do tego wziął się *par force*[4].

Odszukał przez płatnych agentów każde z wywleczonych łóżek i odebrał je w sposób najbardziej nieubłagany. Historia zdobywania nowych sienników, kołder, poduszek, prześcieradeł – mogłaby zająć tom *in folio*[5]. Na kupno dwu wanien i urządzeń do ogrzewania wody grały teatr amatorski najpiękniejsze i najbardziej dystyngowane kuracjuszki. Każdy sprzęt do gabinetu, apteki, kuchni itd. młody eskulap zdobywał na ludziach. Tu wycyganił sześć talerzy, tam wyflirtował noże, widelce, łyżki; tę zmusił do kupienia szklanek, z kim innym wygrał zakład o sztukę perkalu na bieliznę szpitalną. Stara pani-dziedziczka interesowała się zabiegami młodego doktora, nawet miała dla niego łzy w oczach i podziękowania „w imieniu nieboszczyka", ale sama była pod tak silnym wpływem plenipotenta, który nie cierpiał tych fanaberii rozgrymaszających parobków, że od siebie nic wielkiego uczynić nie mogła.

Bądź co bądź na jej zlecenie otoczono terytorium szpitalne nowym, silnym parkanem i wydano rozkaz ogrodnikowi, ażeby starannie utrzymywał sad dookoła budynku. To była pierwsza ważna zdobycz, gdyż od tej chwili panem owego *templum*[6] okolonego parkanami stał się Judym. Nikt tam już ze służby i rozmaitych przychodniów nie miał prawa nie tylko nic wynieść, ale nawet postawić kroku. Drzwi kute były szczelnie zamknięte i uzbrojone w dzwonek...

Drugą ważną zdobyczą była pani Wajsmanowa. Osoba ta była wdową po jakimś „mężu nieboszczyku", który posiadał „pewien kapitalik", wszakże w tym czasie pozbawioną jakiegokolwiek funduszu. Pani Wajsmanowa przyjęła miejsce dozorczyni szpitala z pensją 400 rubli (którą, rzecz prosta, z „cichej kasy" pod najtajemniejszym sekretem wypłacał z pedantyczną regularnością za pośrednictwem Judyma M. Les) – z mieszkaniem, światłem, opałem, co wszystko znowu wzięło na siebie dominium.

Trzecim faktem fundamentalnego znaczenia było zaopatrzenie chorych kurujących się – w żywność. Tu Judym postępował jak Makiawel[7]. Działał na plenipotenta-materialistę za pomocą nastawionych kuracjuszek, dopuszczał się względem niego niskiego pochlebstwa, kusił go obietnicami, wreszcie wydał go w ręce trzech panien z pałacu i uzyskał swoje. Plenipotent zgodził się dostarczać szpitalowi jak rok długi określoną ilość kartofli, mąki, kaszy, mleka, masła, warzyw, owoców etc. i podpisał własnoręcznie cyrograf chytrze ułożony przez Judyma. Zakład leczniczy nie był w stanie odmówić swej pomocy, w pewnej zresztą mierze. Wreszcie proboszcz, dostawca mięsa do zakładu i dworu, bogatsi łyczkowie z miasteczka, zniewoleni przez proboszcza i doktora, obowiązali się dawać szpitalowi potrzebne materiały spożywcze w naturze.

Tak tedy już w połowie lata szpital był ożywiony i pełen zdechlactwa. Kaszlano tam, stękano, sapano – aż się doktorskie serce radowało. W ogródku wygrzewały się

---

[4] *par force* (fr.) - siłą.

[5] *in folio* (łac.) - największy format, w jakim drukuje się książki.

[6] *templum* (łac.) - świątynia.

[7] *Makiawel* - Niccolo Machiavelli (1469-1527), włoski historyk i pisarz, autor *Księcia*, w którym stwierdzał, że polityk nie powinien cofać się przed podstępem i przemocą, by osiągnąć zamierzone cele.

na słońcu stare, uschnięte babska, zgniłe dzieci dygocące w potach malarii, rozmaite „głupie" Żydki i wszelkie inne ptaki niebieskie, co ani sieją, ani orzą... Nie było tygodnia, żeby doktór nie palnął operacji. Wycinał kaszaki, bolączki, wiercił, przekłuwał, ekstyrpował, urzynał, przylepiał itd. Co było w tym wszystkim istotnie złego, to brak pomocy felczerskiej i przechodzące wszelkie granice ubóstwo narzędzi oraz środków opatrunkowych.

Pani Wajsmanowa nie znosiła widoku krwi (osobliwie chłopskiej i, *horribile dictu!* – żydowskiej), brzydziła się tałatajstwem i w ogóle gardziła motłochem. Doktor musiał ją na każdym kroku pilnować i przymuszać do tego, żeby się strzegła objawów wzgardy dla chłopów.

Sfery „miarodajne", kierujące zakładem leczniczym, przypatrywały się działalności młodego chirurga, jeśli można się tak wyrazić, spod oka. Nie można mówić, żeby ktokolwiek sprzeciwiał się albo nawet miał za złe Judymowi jego postępowanie, ale z drugiej strony nie można utrzymywać, żeby ktokolwiek podzielał jego w tej sprawie entuzjazm. Dr Węglichowski wszelkie zabiegi swego asystenta zdążającego do postawienia szpitala na stopie tak niebywałej traktował w sposób tak samo ironiczny, jak rozkradanie przez lokajów łóżek szpitalnych. Jeżeli Judym domagał się pomocy czynnej w materiałach, dr Węglichowski zgadzał się postękując i wydzielał ilości, rozumie się, do najwyższego stopnia zmniejszone. Gdy szpitalik był naładowany, dyrektor doświadczał niesmaku, choć tego nie dał poznać nikomu ani uczuć Judymowi. Ale żarty z zapalczywości „ordynatora" brzmiały wówczas w ustach dr „Węglicha" w sposób pobłażliwy, może cokolwiek zanadto przesadnie. Od czasu do czasu stary medyk zachodził do szpitala i po dawnemu tam rządził. Wkraczał do izb w kapeluszu na głowie, z cygarem w ustach, mówił głośno, zadawał pytania, zżymał się, łajał panią Wajsmanową, pokrzykiwał na chorych i, zbadawszy przelotnie tego i owego, kreślił szerokim pismem recepty albo radził Judymowi, żeby temu dać to, innemu tamto...

„Ordynator" słuchał tych rozkazów z najzupełniejszym posłuszeństwem i każde zlecenie wykonywał w sposób nieodwołalny. Chodziło mu o zyskanie dra Węglichowskiego dla idei szpitala, o wciągnięcie go do pracy, toteż puszczał mimo uszu żarty i przepisy, na które się nie godził. Jeżeli nawet dyrektor kazał kogoś znanego sobie, jakiegoś „ptaszka", wydalić bez pardonu z granic szpitala, Judym i wtedy zmuszał się do uległości. Taki stan rzeczy trwał do końca sierpnia.

W ostatnich dniach tego miesiąca liczba gości zaczęła się zmniejszać. Bryki, powozy i omnibusy zakładowe wywoziły codziennie jakieś towarzystwo, a przynajmniej jakąś rodzinę. Dr Judym rujnował się na bukiety pożegnalne, w których nad innym kwieciem przeważały niezapominajki. Stanął już w głębi parku pierwszy chłód ranny, słał wieczorami na murawach zimną, białą rosę, a w szczyty drzew wplótł tu i ówdzie żółty liść, jakby pierwszy siwy włos w czupryny dojrzałego mężczyzny.

Cichy smutek ogarnął rozbawione kółka. Teraz właśnie wydobywały się na jaw sympatie ukrywane starannie. Nad osobami, które wtedy dopiero miały sobie mnóstwo słów do powiedzenia, zawisł złośliwy dzień wyjazdu.

Serce Judyma zostało nie tknięte, a przemijające „wrażenia" były dlań czymś w rodzaju deszczu, który rozkwasza ziemię i czyni ją niby to do niczego niezdolną, a właściwie udziela jej wtedy władzy stwarzania.

Przelotne smutki szybko uschły, dusza Judyma stężała i pchnęła go do roboty zdwojonej.

W pierwszych dniach września, kiedy przyszły słoty, w czworakach folwarcznych zapadło mnóstwo dzieci na tak zwaną f r y b r ę.

Czworaki owe mieściły się za dużym i wilgotnym parkiem, który jak płaszcz ogromny spływał po pochyłości wzgórza od szczytu dworskiego aż do rzeki płynącej w łąkach. Tam były owczarnie, obory i mieszkania służby folwarcznej. Plenipotent majątku, człowiek nadzwyczaj energiczny i świetny agronom, z rzeczułki bezpożytecznie płynącej skorzystał w ten sposób, że na skraju parku, w trzęsawisku podmytym przez tajemne źródła, wybrał kilka sadzawek idących jedna za drugą. Woda przez właściwie urządzone „mnichy" spadała z jednej do drugiej. Sadzawki te wykopane były w torfiastym gruncie. Ił, porzucony na brzegach i groblach, macerował się w słońcu i we właściwym czasie służył do użyźniania roli. Woda odpływająca stamtąd łączyła się podłużnym basenem ze stawami, które rozlewały się w parku zakładowym, co bardzo upiększyło wiecznie kwaśne pobrzeża. Miejsce i tak już mokre, przez wstrzymanie zbiorników martwej wody wyziewało ze siebie ciężki opar, którego słońce strawić nie mogło. Tam to właśnie (w czworakach i we wsi leżącej na drugim brzegu łąki) grasowała f r y b r a. Dzieci przyprowadzone stamtąd do Judyma były wyschnięte, zielone, z wargami tak sinymi, jakby je miały poczernione węglem, z oczyma, które nie patrzały. Periodyczne ataki gorączki, ciągłe bóle głowy i owa jakby śmierć duszy w żywych jeszcze ciałach zmusiły Judyma po długim badaniu do smutnego rokowania, że ma przed sobą ofiary malarii. Wówczas wybrał się cichaczem na zwiedzanie miejscowości leżących w dole. Przekonał się, że wiele rodzin było dotkniętych tą klęską.

Naturalizm

Mieszkańcy wioski, autochtonowie, znosili ją, widać, łatwiej, ale ludność folwarczna, wędrowna, przybywająca z innych okolic, padała ofiarą w bardzo wielkiej ilości. Judym brał do szpitala tylko dzieci bardzo chore, leczył je chininą i trzymał na słońcu w ogrodzie, zapędzając do różnych robót, a po trosze i do nauki. Ale nie mógł zabrać ani czwartej cząstki. Ci zaś, co „na górze", w cieple doświadczyli poprawy, musieli wracać do swych mieszkań nad wodą.

Mieszkania owe, dawno wzniesione, były stosunkowo bardzo porządne, murowane z cegły, tak samo jak owczarnie, stodoły, spichlerze itd. Nie mogło być mowy o umieszczeniu tych rodzin w innym miejscu, gdyż to pociągnęłoby szalone koszta. Tam koncentrowało się życie folwarku.

Kiedy pierwszy raz Judym zapytał mimochodem plenipotenta, czy nie dałoby się przenieść czworaków na miejsce bardziej suche, ten zaczął mu się przypatrywać z uwagą, a w taki sposób, jakby doktór ni z tego, ni z owego w towarzystwie osób starszych i godnych szacunku zatańczył kankana albo wywrócił koziołka. Judym nie stracił przytomności i nie spuścił oczu. Czekał jeszcze chwilę, czy mu wszechwładny agronom nie odpowie, a gdy się niczego nie doczekał, rzekł z całą delikatnością:

– Tam, w tych czworakach, panuje malaria. Przyczyniają się do tego w znacznej mierze... przyczyniają się do tego... zaprowadzone sadzawki.

Plenipotentowi lica i oczy krwią zabiegły. Sadzawki były to jego ulubienice. Sam je wymyślił, zarybił i osiągnął z nich dla majątku znaczny dochód. Ryby w ciągu całego roku szły na sprzedaż i do kuchni zakładu leczniczego, czyniąc już dużą pozycję, a na przyszłość cała sprawa, prowadzona umiejętnie, miała stanąć jeszcze lepiej. Prócz tego lód, szlam itd.

Toteż wielkorządca i teraz nic nie rzekł, tylko błysnął oczami, a później przeszedł na inny temat w sposób zabójczo grzeczny.

Taki wstęp nie zwiastował zgody ani jakiegokolwiek kompromisu. Trzeba było wywierać nacisk. Do pani dziedziczki w kwestii tak czysto folwarcznej droga prowadziła jedynie *via*[8] plenipotent. Panny załamywały białe dłonie, ale nic poradzić nie mogły.

Jesień nadchodziła.

Po dżdżystych nocach stało nad łąkami i dolnym parkiem jakby błoto w przestworze. Gdy nim kto długo oddychał, uczuwał ból głowy i jakiś pulsujący szelest w żyłach. Wtedy również Judym zauważył, że i w zakładzie około stawów było powietrze jeżeli nie takie samo, to bardzo siostrzane. Liście zlatujące z olbrzymich grabów i wierzb sypały się w stojące baseny wody i tam w niej gniły. Na powierzchni stawów pleniła się masa wodorostów, które gdy było wyrwać i rzucić na brzegu, szerzyły woń cuchnącą. Kuracjusze przybywający do Cisów dla pozbycia się malarii nie tracili jej, a były nawet dwa wypadki febry zdobytej. Kiedy Judym zakomunikował te swoje obserwacje doktorowi Węglichowskiemu, ten zmierzył go takim samym wzrokiem jak plenipotent i żartobliwym, a jednak cierpką esencją zaprawionym tonem oświadczył, że to nie jest wcale ani febra, ani tym mniej – malaria.

– Główna rzecz – dodał – nie należy o tym wcale mówić...

Cmoknął go przy tym w czoło i uderzył bratnią, przyjacielską dłonią po ramieniu.

Judym zdziwił się, ale... nie mówił nikomu.

We wrześniu izby szpitalne pełne były dzieci większych i mniejszych. Ociężałe, mrukowate, senne istoty siedziały i leżały, gdzie się dało. W izbach panował zaduch i jakaś nieopisana nuda. Zdawało się, że tu spędzono pijaną szkołę, która za nic na świecie nigdy się niczego nie wyuczy. Dzieci te wlepiały we wszystko ślepie bez żadnego wyrazu, bez chęci nawet do jadła. Jeżeli które z nich wypędzono za drzwi, lazło bezmyślnie przed siebie, wtulając głowę w ramiona.

Gdy trafiło się wolne miejsce, wnet je ktoś zajmował i przymykał oczy nie po to, żeby spać, tylko żeby na świat nie patrzeć, żeby wciągnąć się w siebie jak ślimak w skorupę i doznać ciepłej ulgi. Zwiędłe kadłuby dziewczyn, na których twarzach malował się ból głowy, pozawijane w chustki i zapaski siedziały nieruchomo na ziemi, gotowe trwać całe doby w tej samej pozycji, byleby tylko nie łazić po błocie i deszczu. Kiedy doktór wchodził, wszystkie oczy patrzały na niego jakoby ten dzień jesienny. Czasami gdzieś, w głębi przewinął się uśmiech...

Ta sentymentalna gościnność dla podrostków nie chorych obłożnie, sprzeciwiająca się tak jaskrawo tradycjom szpitala, zaczęła ludzi irytować. Plenipotent wprost mówił, że zanosi się na demoralizację „w grubym stylu", a nawet ze swej strony „za nic nie ręczył" i „umywał ręce". W gruncie rzeczy Judym sam nie wiedział, co ma robić dalej. Chininę ekspensował jak mąkę, miał „rezultaty", ale do czego to *summa*

---

[8] *via* (łac.) - droga, tu: przez.

summarum[9] prowadzić miało – nie bardzo wiedział. Gdy chore dzieci przychodziły jak owce do owczarni, pozwalał im rozkładać się i siedzieć, a gdy je stamtąd „ojcowie", nasłani przez ekonomów i karbowych, wyciągali do roboty waląc pięścią po karku, nie protestował, bo nie wiedział w imię czego.

Tak stały rzeczy, gdy pewnego dnia dr Judym otrzymał bilet od pani Niewadzkiej, w którym wyrażona była prośba, żeby się niezwłocznie pofatygował do pałacu. Skoro się tam udał, wprowadzono go do małej alkowy, gdzie stara dama zwykle przebywała. Były tam obydwie wnuczki i kilka osób z familii dalszej, które zazwyczaj bawiły w Cisach przez sezon. Judym był już w tym pokoju kilka razy, ale zgromadzenie tylu osób odebrało mu pewność siebie. Pani Niewadzka wyciągnęła doń rękę i kazała usiąść obok siebie.

– Prosiłam cię, panie doktorze, na naradę.

– Służę z gotowością.

– Co do tych bębnów folwarcznych. Nie ma sposobu, prawda?

– Nie ma żadnego.

– Worszewicz ani słuchać podobno nie chce pańskich projektów przeniesienia Cisów na inne miejsce, na przykład w Góry Świętokrzyskie?

– Nie chce nawet paru czworaków posunąć wyżej na tutejszą, cisowską górę, a cóż dopiero mówić o Górach Świętokrzyskich... – rzekł doktór w tym samym tonie.

– Hm... To źle! Bo tutaj Joasia proponowała inną kombinację.

– Panna Podborska?

– Tak, tak... Chciała oddać swój pokój w skrzydle na pomieszczenie malaryków, żeby od nich szpital uwolnić. Ona tam zresztą ma jakieś swoje mrzonki, na czym się nie znam. Ale że to jest przecie jasne jak płomyk i czułe jak powój, więc nie mogę temu nie ulegać. Samo chciało w pasażyku, uważasz, doktorze, obok stancyjki gospodyni... Otóż uradziłyśmy tu, żeby jej na urodziny, w listopadzie, zrobić siurpryzę[10]. Jest w lewej oficynie od południa stara piekarnia, całkiem dziś pusta. Tam jest izba ogromna, sucha i widna. Prosiłam pana Worszewicza, żeby kazał stamtąd wynieść wszelkie rupiecie, obielić ściany, wyrestaurować piec, opatrzeć okna... Może byś zgodził się, panie doktorze, tam te dzieci przetranslokować! Niechże się to w zimie tam grzeje i ratuje... To dla niej, dla panny Podborskiej... na wiązanie...

– Czyżbym się zgodził!... Ależ...

– A, no to chwała Bogu.

– Te dzieci kuracji nie potrzebują, tylko suchego mieszkania tu, na górze. Gdzież jest panna Joanna?

– Nie, nie, jej mówić nie trzeba! Dopiero w listopadzie otworzy się tę salę malaryjną i odda jej pontyfikalnie[11]. Uważasz? Ona tam będzie sobie z tymi brudasami radziła. To jej rzecz... Pod pańskim zresztą dozorem lekarskim...

– Ach, tak... – szepnął Judym.

Uczucie niesmaku, a nawet odrazy przewinęło się w mrokach jego duszy.

---

[9] *summa summarum* (łac.) - w sumie, ostatecznie.

[10] *siurpryza* - niespodzianka.

[11] *pontyfikalnie* - uroczyście.

Starcy

Domek zajmowany przez dyrektora Cisów dra Węglichowskiego mieścił się na wzgórzu, z którego obejmowało się wzrokiem cały park i jego okolice. Dworek ten należał do M. Lesa. Kiedy dr Węglichowski zdecydował się przyjąć obowiązki dyrektora, M. Les zaczął niezwłocznie pod dozorem uproszonej kompetentnej osoby stawiać w Cisach „budę" dla siebie, w której, jak pisał, pragnął żywota dokonać. Była to willa drewniana, z zewnątrz niepokaźna i dość ciasna. Miała jednak rozmaite zalety wewnętrzne: były tam alkowy, piwniczki i spiżarki, skrytki, strychy itd. tak pobudowane, że czyniły z niej bezcenne gniazdo.

Kiedy dom był gotów, M. Les prosił Węglichowskiego listem gwałtownie różnojęzycznym o zamieszkanie w tej chałupie, a to w celu po prostu ustrzeżenia jej od złodzieja, ognia i wojny. Węglichowski odrzucił propozycję. Nie miał zamiaru korzystać z darowizny domu (gdyż taki był podstęp M. Lesa, zbyt prostacko sklejony, żeby się ktokolwiek na nim nie poznał). Wtedy Leszczykowski napisał list jeszcze bardziej nieortograficzny, w którym wymyślał po turecku „starym futurom"[12], którzy dach przyjaciela uważają za cudzy. „Nie ma już – pisał – dawnego koleżeństwa! Wszystkoście zamienili na pieniądze, a skoro tak, to płać, płać komorne, jak Żydowi albo Grekowi! Ponieważ jednak ja ani Żydem, ani Grekiem, ani żadnym hyclem być nie myślę na stare lata, więc żądam, żebyście ten czynsz dzierżawny obracali na kształcenie jakiego osła z Cisów czy spod Cisów w pożytecznym kunszcie, w jakim koszykarstwie, tkactwie, co by później w okolicy rozwinął – czy ja tam wiem zresztą, w czym i jak? Głupi jestem przecie w tych sprawach, jak zresztą we wszystkim, co się nie tyczy bezpośrednio targów z Azjatami..."

To dr Węglichowski przyjął z ochotą. Czynsz dzierżawny oznaczono kolegialnie i wypłacono, według woli M. Lesa, naprzód ogrodniczkowi, który się uczył w Warszawie, a później innemu chłopcu.

Szczególnie zadowolona z mieszkania była żona dra „Węglicha", pani Laura. Była to osoba nadzwyczaj interesująca. Miała już pięćdziesiątkę z dużą górą, ale trzymała się wybornie. Siwe pasma włosów wymykające się spod czarnego ubrania głowy podczerniała tak starannie i systematycznie, że przybrały kolor szczególny, kolor zmulonego siana, które wyschło wprawdzie na słońcu, ale nie może się pozbyć odcienia czarnej, głębokiej zieleni. Policzki jej były zawsze rumiane, oczy żywe, a ruchy prędkie i gwałtowne po dawnemu, jak u osiemnastoletniej dziewczyny. Pani Laura była to osoba małego wzrostu i szczupła. Od czasu zamieszkania w Cisach stopniowo zmieniała się na „gospodynię", bardzo wiele czasu poświęcała „drelowaniu", smażeniu, pieczeniu i gotowaniu. Nie można powiedzieć, żeby rondel świat jej zasłonił. Owszem, pani Laura lubiła patrzeć na życie szersze, i to okiem przenikliwym, co zre-

[12] *futur* - tu w znaczeniu: kolega, kompan.

sztą prowadziło nieraz do zbyt kategorycznego (między pieczenią a deserem) rozstrzygania zawiłych kwestii. Życie jej obfitowało w szczegóły, które mogłyby zapełnić romans, a właściwie opisy podróży. Młodość, pierwsze jej lata poślubne upłynęły za światem, w wertepach, w pracy ordynarnej, w ciężkich i twardych cierpieniach. Ów sposób życia ujął wrodzony temperament pani Laury w mocne kluby i urobił go w szczególną całość. Doktorowa na pierwszy rzut oka sprawiała wrażenie babiny gadatliwej, chętnie decydującej i chłodnej. Nie cierpiała wszelkiej „egzaltacji", mazgajstwa, uczuć i tkliwości. Palnęła nieraz takie zdanie, że się aż kwaśno robiło. W gruncie rzeczy jednak czuła żywiej niż całe otoczenie. Były materie, które ją elektryzowały w mgnieniu oka. Wtedy robiła wrażenie nasrożonej kocicy. Mówiła w takich momentach krótko, węzłowato, jak dowódca wydający rozkazy swemu oddziałowi piechoty. W tej piechocie stał, rozumie się, na pierwszym miejscu dr Węglichowski. Czy siedział pod pantoflem, to jest wieczna tajemnica... W kwestiach szerokich, ogólnych, zasadniczych sprawiał wrażenie podkomendnego. Za to w interesach wszelkiego gatunku, wymagających przebiegłej kombinacji, był panem i rozkazodawcą.

U państwa Węglichowskich prawie co dzień gromadził się światek cisowski: Listwa, Chobrzański, plenipotent Worszewicz, ksiądz, Judym, kilka osób z kuracjuszów i kuracjuszek dłużej w zakładzie przesiadujących. Latem, a szczególnie pod jesień grywano w winta na małej werandzie domu, ocienionej dzikim winem. Kiedy Judym przybył do Cisów, zastał już między stałymi bywalcami tych posiedzeń wintowych nie tylko przyjaźń, ale jakieś zrośnięcie się myślami, wyobrażeniami, całą masą upodobań i antypatii.

Niektóre osoby lubiły się tam wzajem a bezinteresownie. Pani Węglichowska lubiła tak Listwę, a on ją. Młody proboszcz wiecznie pokpiwał sobie z tych „amorów" w sposób dystyngowany, a Krzywosąd w sposób rymarski. Pani Laura wyśmiewała się nieraz ze starego kasjerzyny, a lubiła go i brała w obronę zarówno od udręczeń żony, Dyzia, jak całego świata. Za tę opiekę Listwa odwzajemniał się formalnym uwielbieniem, admiracją stałą i wykluczającą krytykę. Krzywosąd wsunął się między Węglichowskich, przywarł do nich i, poznawszy wszystkie ich zalety, błędy, dziwactwa, czynił, co trzeba, żeby zostać panem placu. Udało mu się to w zupełności. Dr Węglichowski miał w nim istotną prawą rękę. Krzywosąd wykonywał wszystko po myśli dyrektora, przewidywał na cztery tygodnie jego życzenia, ale w zamian rozszerzał krok za krokiem terytorium swojej władzy.

Pomimo rozumu, siły woli i tęgości charakteru dr Węglichowski ulegał nieraz Krzywosądowi, ustępował mu, a nawet pokrywał jego czyny urokiem swego autorytetu. Ci dwaj ludzie dopełniali się i tworzyli jakąś całość władzy silnej i zgoła nierozerwalnej. Plenipotent lubił towarzystwo tych osób i był lubiany. Dzień w dzień spierał się z Chobrzańskim, który go raził wszystkim, co robił i mówił, a mimo to przepadał za wszechstronnym administratorem. Całe to kółeczko stanowiło świat odrębny.

Byli to ludzie wypróbowanej, nieposzlakowanej uczciwości, ludzie, którzy w życiu swym straszną masę rzeczy widzieli, toteż uchodziło dla najbliższej okolicy za honor być na wincie u dyrektorostwa. Judym i proboszcz weszli do tego grona jak gdyby *ex officio*[13], z natury swego położenia towarzyskiego. Byli, rzecz prosta, dobrze przyjęci,

[13] *ex officio* (łac.) - z urzędu.

ale nie mogli wejść w ścisłe pobratymstwo z tamtymi. Judym nigdy nie mógł osiągnąć tego, żeby znajdował posłuch, żeby mówił przekonywająco dla kogokolwiek.

Słuchano go z uwagą, odpierano jego zdania albo się na nie godzono, ale on czuł dobrze, że jest to tylko rozmowa. Między nim i grupą był jakiś płot nie do przebycia. Uderzało go zawsze patrzenie tamtych osób na teraźniejszość, a raczej modła traktowania, z której pomocą ujmowali każde zjawisko bieżące. Życie współczesne w Cisach stanowiło dla grupy dyrektorskiej jak gdyby tylko ramę wypadków ubiegłych. Wszystko, cokolwiek było i mogło być ważnego – leżało w przeszłości.

Ludzie, wypadki, kolizje, przejścia, radości i cierpienia z tych czasów dawnych miały jakąś moc aktualności, która przytłaczała rzeczy nowe. Wszystko, co współczesne – było dla nich prawie niedostrzegalne, jakieś błahe, bez wartości i wpływu, a najczęściej śmieszne. Tymczasem Judym żył taką pełnią sił, tak rzucał się na teraźniejszą chwilę i porywał ją w swe ręce, że owe dawne rzeczy tylko go nudziły. Toteż w żaden sposób nie mógł znaleźć drogi do tych ludzi.

Czuł to na każdym kroku, że musi albo wziąć z ich rąk ster spraw cisowskich, albo z nimi współdziałać w taki sposób, aby im się wydawało, że to oni robią. Już po upływie kilku miesięcy przekonał się, że tylko to drugie jest możliwe. Administrator i dyrektor byli tak silnie ze sobą złączeni i tak świadomie trzymali wszystko, że o pracowaniu pomimo nich mowy być nie mogło. Kiedy Krzywosąd po skończeniu sezonu sam, własnorącznie reparował rury prowadzące ogrzaną wodę do wanien, a Judym zrobił mu uwagę, że tak być nie powinno, że naprawianie rur – to rzecz specjalisty, gdyż w przeciwnym razie w ciągu sezonu wynikną awantury w kształcie pękania tych szlachetnych naczyń, Krzywosąd odpowiedział mu kilkoma anegdotami i robił dalej swoje. Dyrektor, do którego zwrócił się młody asystent z tą samą radą, uśmiechnął się i odrzekł grzecznie, że to jest terytorium administratora, który w swoim poświęceniu dla Cisów idzie aż za daleko, który oto własnymi rękoma pracuje, żeby zaoszczędzić grosza, który, krótko mówiąc, jest fenomenem. Zacytował mu nadto ze sześć przykładów nieposzlakowanej uczciwości Krzywosąda. Gdy Judym zastrzegł się, że on o szlachetności nie tylko nie wątpi, ale nawet nie mówi, rury zaś... – dyrektor powtórzył myśl swoją i urwał na niej rozmowę.

Taki proces powtórzył się z dziesięć razy, i to w najrozmaitszych okolicznościach. Wszystkie one wykazywały, że nie można w żaden żywy sposób wpływać na bieg spraw cisowskich, jeśli się nie idzie ręka w rękę z administratorem. Wówczas młody lekarz umyślił współdziałać z Krzywosądem i tym sposobem go opanować. Zabrał się tedy w sezonie jesiennym, kiedy wszelkie rozrywki ustały, do prac przeróżnych. Układał w zastępstwie starca księgi kancelaryjne, które tamten mazał w sposób niemożliwy, wglądał jako ekspert w sprawy kuchni, ogrodu, folwarku, sadził drzewa, jeździł do miasta na sądy, budował, przerabiał, zajmował się wszelkiego rodzaju restauracjami mebli, spisywał kontrakty itd. Nie tylko Krzywosądowi, ale wszystkim podobała się ta gorliwość. Chętnie wyręczano się doktorem, który imał się każdej pracy. Były to dla niego środki, które uświęcał daleki cel: osuszenie Cisów, skasowanie sadzawek, stawów, basenów i cały na tym tle szereg chytrze przemyślanych reform. Od czasu do czasu nieznacznie, jak gdyby nigdy nic wysuwał łapę i badał sytuację, czy nie można by już ruszyć się w znanym kierunku... Ale za każdym razem musiał ją cofać i wracać do pospolitego wykonywania robót za Krzywosąda, za dyrektora...

Skoro tylko spostrzegano, że „młody" filozofuje, delikatnie usuwano go nawet od czynności, na które już zezwolono jak małemu, obiecującemu chłopczykowi, gdy był grzeczny. Judym nie zrażał się niczym. Robił ciągle z myślą, że nauczy się z czasem tych Cisów tak na pamięć, że je od *a* do *z* ogarnie pracą swoją i tym trybem posiędzie.

Z wolna, w głębi ducha pierwotna chęć do pracy zamieniała się na zgubną pasję. Cały zakład, park, okolica stawały się jego skrytą namiętnością, żyjącym, jak płód, wewnętrznym światem.

Jeżeli się zamyślił głęboko i chwytał na gorącym uczynku, o czym też myśli, to zawsze okazywało się, że coś knuje: nowe urządzenia, inne wanny, szpalery, ogrody dla dzieci, sale gimnastyczne, przytułki dla wyrobników zakładowych i inne, inne rzeczy — aż do białego słonia, aż do samego „muzeum cisowskiego". Nieraz w nocy, zbudziwszy się, łamał sobie głowę nad jakąś drobnostką, nad czymś, co nikogo nie interesowało, czekał niecierpliwie ranka i, wstawszy o świcie, coś sam robił, dźwigał, kopał, mierzył.

Pewne przedsięwzięcia niezbędne dlań w systemacie, w owym planie zmierzającym do higienizowania, wykonał sam całe, z prawdziwą furią. Nikt nie mógł zrozumieć, dlaczego raptem zajmował się rzeczą postronną, nie związaną z życiem rokrocznym, z formułą zakładową. Uśmiechano się wtedy pobłażliwie, układano cichaczem anegdoty – nie żeby mu szkodzić albo go dotknąć, lecz idąc za natchnieniem przyrody uczciwych, spokojnych, osiadłych ludzi.

Już w zimie młody doktór stał się figurą tak niezbędną w Cisach, tak do nich pasującą, jak na przykład źródło albo łazienki. Służba, robotnicy, chłopstwo okoliczne, interesanci, dwór, goście – słowem, wszyscy przywykli do tego, że jeżeli trzeba coś ciężkiego zrobić na pewno, coś z forsą „odwalić" – to do „młodego". O każdej porze dnia, a nieraz w zimowe noce, w mrozy, zawieje, roztopy, na małych saneczkach albo piechotą w grubych butach snuł się po drożynach między wsiami do chorych na ospę, na tyfus, szkarlatyny, dyfteryty...

Judym – praca w Cisach

Jak to zwykle bywa na świecie z ludźmi silnymi – nie ominął go ani jeden wyzysk. Brał jego pracę każdy, kto tylko mógł. Ale Judym drwił sobie z tego. Czuł się tak dobrze jak inny, gdy zbija majątek albo buduje sobie sławę. Im silniej pracował, tym więcej czuł w sobie mocy, jakiegoś rozmachu i owej pasji, która potężniała i wyrabiała się od trudu jak mięsień. W tym życiu całą piersią brakowało mu jednak towarzysza. Czasami popełniał błędy, leciał niepotrzebnie w jakimś kierunku i u końca jego dostrzegał, że się ośmiesza w mniemaniu tych, co siedząc na uboczu przypatrują się tylko i wiedzą z góry o śmieszności tego, co on czyni.

Istniał jeden wspólnik, ale daleko. Był nim M. Les. Od samego przyjazdu Judym wszedł z nim w korespondencję, która z czasem zamieniła się na ciągłe obcowanie. Kochanek dla kochanki nie ekspensuje takich stosów papieru jak ci dwaj praktyczni marzyciele. Judym podawał swoje projekty i uzasadniał je, M. Les wskazywał drogi urzeczywistnienia. Z początku Leszczykowski usiłował przekonać w listach radę zarządzającą, żeby wprowadzała takie a takie ulepszenia w Cisach. Wszyscy, rozumie się, powstawali na niego z wyrzutami, że bierze się do rozstrzygania spraw instytucji, której na oczy nie widział.

M. Les musiał położyć uszy po sobie i zamilkł skompromitowany. Zaczęto się domyślać, kto to inspiruje starego filantropa, i odgadnięto bez trudu. Zgadł to przede wszystkimi Krzywosąd i zabezpieczył się z tej strony. On sam począł pisywać sążniste listy do Leszczykowskiego i przedstawiać mu sprawy w innym oświetleniu. Na szczęście stary kupiec znał „zieloną małpę" do gruntu i zbyt kochał rzecz samą, żeby mu można zwichrzyć o niej pojęcie. W listach Judyma widział ciała swych planów urodzonych w tęsknocie, jakby dalsze wywody swych myśli. Toteż nie ustawał. Gdy nie pomagały przerozmaite chytre oddziaływania na dyrektora i Krzywosąda, M. Les polecał Judymowi uciekać się do „cichej kasy". Tak było ze szpitalem i mnóstwem innych rzeczy. Jeżeli nie chciano zgodzić się na jakąś innowację, to ją wprost M. Les za pośrednictwem Judyma fundował dla Cisów. Rada zarządzająca krzywiła się, uśmiechała ironicznie, szeptała dowcipne słowa, ale koniec końców czuła się zmuszona do podziękowań.

W ciągu całej jesieni Judym obserwował, badał i mierzył stawy zajmujące środek parku, a głównie basen wprowadzający wodę do pierwszego z nich. Basen urządzony był w ten sposób, że u samego wejścia rzeczki do stawu zbudowano groblę, która podnosiła poziom szyi rzecznej o jaki łokieć z górą. Nadmiar wody spadał z szumem do stawu. Ten zbiornik wody skonstruował Krzywosąd, ażeby ozdobić park w takim rodzaju, jak to widział w przeróżnych rezydencjach pańskich. Judym przyszedł do wniosku, że dla osuszenia Cisów trzeba przede wszystkim skasować ten wynalazek, później pierwszy staw, a drugi uczynić zbiornikiem poruszającym maszyny zakładowe. Należało tedy dźwignąć dno rzeczki do wysokości poziomu w niej wody i puścić strumyk po tym dnie twardo ubitym kamieniami. W tym celu trzeba było zbudować rodzaj tamy przed parkiem i podnieść wysokość wody w rzeczce płynącej wśród otwartej doliny, na dużej przestrzeni. Prąd podniesionej wody zlatywałby na twarde dno w parku, sączył się po nim bystro i spływał do pierwszego stawu. Tym sposobem liście z drzew nie gniłyby w wodzie basenu, roztopy wiosenne nie znosiłyby ich wraz z mułem do stawu, wskutek czego te zbiorniki wody nie byłyby tak szkodliwe.

Judym czuł przestrach na samą myśl wypowiedzenia tego projektu osobom zarządzającym sprawami Cisów, to jest dyrektorowi i „małpie", a wykonać całej roboty na koszt M. Lesa również nie było możności. W tym czasie, to jest w lutym, przypadał właśnie termin wizyty w Cisach komisji rewizyjnej. Komisja, składająca się z trzech osób wybranych z grona wspólników, rzeczywiście zjeżdżała rokrocznie do zakładu, zwiedzała go, przerzucała księgi, jadła obiad i odjeżdżała do swych zatrudnień, gdyż wiadomą było rzeczą, że instytucja pod ręką Krzywosąda i Węglichowskiego idzie świetnie. Pewnego dnia, wchodząc do sali jadalnej, Judym spostrzegł trzech nie znanych sobie panów, którzy z ożywieniem rozmawiali o Cisach w sposób zdradzający ludzi świadomych rzeczy.

„Komisja..." – pomyślał Judym.

Dreszcz przebiegł wzdłuż jego nerwów i jakby na końcu swej drogi tajemniczej spotkał silną decyzję.

„Teraz im wszystko wyłożę!"

Przy obiedzie zawiązała się żywa rozmówka, w której Judym brał udział, ale więcej w celu zbadania przybyłych, wysondowania, co to za jedni. Niewiele mógł dociec. Raz mówili doskonale, bezwiednie popierając plany reform, a kiedy indziej zdradzali się z tak ordynarnym brakiem wiadomości, że ręce opadały. Dr Węglichowski zaprosił kontrolerów na radę do kancelarii, gdzie po drzemce mieli się zejść, przejrzeć księgi, rachunki, a między innymi nowe plany kwitariuszów zaproponowanych przez Judyma. Korzystając z grzeczności, których mu wobec rewizorów nie szczędził ani dyrektor, ani Krzywosąd, asystent wyraził Węglichowskiemu na uboczu prośbę, ażeby mu pozwolono być obecnym na tej radzie. Dr Węglichowski, skręcając według zwyczaju papierosa, wlepił w niego swe przenikające oczy i spytał otwarcie:

– Dlaczego kolega chcesz być na tym posiedzeniu?

– Chcę panom przedstawić mój projekt podniesienia zdrowotności w Cisach.

– Podniesienia zdrowotności w Cisach... Pięknie. Ale przecie my tu wszyscy myślimy, jak możemy, o tej samej sprawie. Twoje uwagi są cenne, ani wątpię, ale czyżbyś kolega miał powiedzieć jeszcze coś nadto więcej, niż wiemy wszyscy, na przykład taki Chobrzański, ci panowie z komisji, których słyszałeś mówiących ze znawstwem, no, wreszcie ja?

– Chciałem istotnie powiedzieć coś odmiennego. Może to jest niewłaściwa myśl... Panowie osądzą. Chciałbym jasno to wyłożyć i poddać do rozważenia.

– Czy znajdujesz kolega – mówił Węglichowski powolnie i uśmiechając się leciuchno – że my źle coś w kierunku przeciwzdrowotnym broimy?

– Bynajmniej... To jest, ja się tak zapatruję, że wilgotność jest zbyt wielka w Cisach.

– Czy aby w niej znowu nie znajdziesz twojej sławnej malarii? Tej, co to w lecie?

Mówił to ze śmiechem niby dobrotliwym, toteż Judym nie mógł wytrzymać i powiedział:

– Zdaje się, niestety, że ominąć jej nikt nie potrafi.

Dr Węglichowski cmoknął ustami, później zaciągnął się mocno i patrząc zza dymu na swego asystenta rzekł:

– Widzisz, kochany panie Tomaszu, musimy postępować w myśl ustawy, która nie daje ci prawa uczestniczenia w naradach. Nie jesteś członkiem. Musimy się trzymać ustawy. Ten nasz brak poszanowania ustaw – to jest wada narodowa. Owo: co tam! prawo prawem, a przyjaźń przyjaźnią. Naszym hasłem...

– Panie dyrektorze...

– Przepraszam, że ci przerwę; naszym hasłem powinno być co innego... *Dura lex, sed lex...*[14]

– A... jeśli ustawa zabrania... – szepnął Judym – w takim razie...

Ta odmowa nie tyle zmartwiła go, ile jakoś zdegradowała. Judym w ogóle łatwo ulegał złudzeniu, że w samej rzeczy nie ma prawa do mnóstwa przywilejów, które są udziałem innych ludzi. Obecną w nim była pamięć na rzeczy dawne, na pochodzenie i owo jak gdyby bezprawne wejście do życia stanów wyższych.

Toteż po rozmowie z doktorem Węglichowskim doznał w głębi serca tego spodlenia dumy, tchórzostwa rozumnej woli. Odszedł do siebie, rzucił się na sofę i chciał

[14] *Dura lex, sed lex* (łac.) - twarde prawo, lecz prawo.

zdławić uczucie nędznej pokory. W chwili gdy biedził się z tym bezowocnym usiłowaniem, zastukał we drzwi jego numeru stary kąpielowy, pełniący zimą w domu dyrektora obowiązki lokaja, i wyraził przysłane „na gębę" zaproszenie pani dyrektorowej. Judym wiedział, że będą tam kontrolerowie, toteż z umysłu wybadał starego Hipolita, kto właściwie to zaproszenie przysyła.

– Pana dyrektora nie było od rana na górze – rzekł stary.

– No, a kogóż tam dzisiaj będziecie podejmowali?

– Tych ta panów z Warszawy, trzech, pana administratora i pana rządcę ze dwora.

– Dobrze, przyjdę – rzekł Judym.

Wiedział teraz, że zaproszenie wydane zostało rano, a teraz pani Laura wprowadzała je w życie, nic nie wiedząc o utarczce poobiedniej.

Wieczorem, znalazłszy się w saloniku, przywitany został przez dyrektora w sposób jak tylko być może najuprzejmiejszy, otoczony grzeczną, miłą i jakby tkliwą atmosferą opieki.

Czuł, jak mu trudno będzie przełamać tę sieć pajęczą, a jednak wiedział, że ją zerwać musi, musi... Wspomnienie odczytu warszawskiego było tak dławiące, że chwilami nie zdawał sobie sprawy, o czym to ma mówić...

Jeszcze przed kolacją, kiedy zwyczajne kółko gości dopełniło trójcę przyjezdnych, Judym wmięszał się do rozmowy i zaczął w sposób kategoryczny wykładać teorię swego kanału. Dr Węglichowski cierpliwie słuchał przez czas pewien, a naraz, we właściwej chwili odtrącił tę kwestię zręcznym aforyzmem. Wprowadził na stół inną kwestię, mianowicie kosztorys nowej willi dochodowej dla chorych niezamożnych.

Dyskusja zeszła na inne tory...

Judym wiedział, że wystawi się niemal na śmieszność, jeżeli znowu zanuci jak maniak swoją piosenkę o dźwiganiu dna rzeki, a jednak zaczął:

– Panowie pozwolą, że ja raz jeszcze wrócę do sprawy z rzeką.

– Ależ prosimy, prosimy... – rzekł dr Węglichowski.

Judym spojrzał na niego i zobaczył w tym wzroku błysk, który mógłby otruć człowieka.

Zaczął się wykład *ab ovo*[15], dowodzenia szczegółowe o ruchu kropli wodnej i sile jej spadku z rzeki do stawu, o rodzaju mgły zalegającej łąkę w sąsiedztwie wód...

– Basenu niszczyć nie możemy – rzekł potem Krzywosąd – gdyż na wiosnę w nim się utrzymuje nadmiar wody. Gdy przyjdą roztopy, wtedy pan doktór zobaczy, co to jest. Jeśli podnieść dno rzeki, to woda z brzegów wystąpi i zaleje park...

– Łąkę, nie park – rzekł Judym.

– Tak, łakę, a na niej myśmy posadzili najpiękniejsze krzewy.

– To i cóż z tego? Cóż kogo mogą obchodzić pańskie krzewy?

– Jak to? – rzekł dr Węglichowski. – Ja koledze pokażę, ile te krzewy kosztowały! Posadziliśmy tam tuje, jesiony, najpiękniejsze sosny Weimutha, nawet platany, nic już nie mówiąc o tych ślicznych zagajnikach grabowych...

---

[15] *ab ovo* (łac.) - od początku; dosłownie: od jajka; jajko stanowiło pierwszą potrawę na ucztach starożytnych Rzymian.

— Panie dyrektorze, co obchodzi chorego, który tu przyjeżdża po zdrowie, zagajnik, a nawet tuja? Tam jest błoto! Łąka nasiąknięta jest zgniłą wodą, która stoi w nieruchomym kanale. Ten kanał trzeba zaraz zniszczyć, a łąkę przerznąć kilkoma rowami. Osuszać, osuszać...

— Osuszać... — śmiał się Krzywosąd.

— Mnie się wydaje, że może pan doktór Judym ma rację — rzekł jeden z członków komisji. — Ktoś w rzeczy samej skarżył się przede mną na wilgoć w Cisach, na dziwne zimno, jakie tu panuje po zachodzie słońca. Na polach okolicznych, mówiła ta osoba, jeszcze ciepło, jeszcze żar idzie z ziemi, a nad stawami już tak chłodno, że kaszel drapie w gardle. Ja nie znam się na tym, ale skoro doktór Judym potwierdza... Nawet moja żona...

— Ach, z tymi młodymi lekarzami! — zawołał na pół żartobliwie doktor Węglichowski. — Zdaje im się, że gdzie oni postawią nogę, tam z pewnością leży Ameryka, którą, rozumie się, należy co tchu odkryć. Przecie ja tu, moi panowie, siedzę zimą i latem, znam ten zakład i życzę mu dobrze... Jak sądzicie, czy mu życzę dobrze? Otóż tedy — cóż mi zależy na tym, żeby istniał jakiś kanał, który wilgoć wytwarza... gdyby ją wytwarzał. Ale ja ręczę, że to są fikcje, szukanie w całym dziury. Kanał jest potrzebny tak samo jak most, jak staw, jak droga, więc go trzymamy. Okaże się, że jest szkodliwy — to go zniesiemy, ale dla fantazji rozpoczynać jakieś prace i rzucać w to kilkaset rubli, pieniędzy nie naszych przecie, pieniędzy, które żadnego dochodu nie dadzą, które będą zmarnowane...

— Należy w takim razie zrobić tylko małą poprawkę w ogłoszeniach, w opisach Cisów. Nie należy twierdzić, że tu leczą, przypuśćmy, febry uparte, choroby dróg oddechowych, bo tego tutaj spodziewać się nikt nie może.

Dr Węglichowski chciał coś powiedzieć na to, ale się wstrzymał. Tylko szczęki jego kilka razy drgnęły. Po chwili dopiero rzekł lodowatym głosem:

— Ja także jestem lekarz... i mniej więcej wiem, co tu można leczyć, a czego nie. Zapewne... nie wiem tego tak dokładnie jak szanowny kolega doktór Judym, ale o tyle, o ile... Miałem tu wypadki malarii znakomicie wyleczonej, wypadki bardzo częste, więc nie widzę potrzeby nic wykreślać z opisów...

— Mnie się zdaje — zwrócił się do Judyma któryś z kontrolerów — że może pan cokolwieczek za krańcowo bierze tę sprawę. Przecież frekwencja gości stale się zwiększa.

— Frekwencja gości, proszę pana, niczego nie dowodzi. Jeden artykuł uczonego lekarza, udowadniający, że Cisy nie są zdrowe dla tych, od kogo się przecie bierze pieniądze za powietrze mające ich jakoby uleczyć, może całą sprawę obalić. Zakład może upaść w ciągu jednego roku. Ja także źle nie życzę temu kochanemu miejscu i dlatego to mówię.

— „Jeden artykuł uczonego lekarza..." — uważasz? — mruknął z cicha dr Węglichowski do Krzywosąda, zwijając grubego papierosa.

— O cóż zresztą chodzi, o koszta?

— A tak, my wiemy! — zaśmiał się Krzywosąd. — Pan doktór znajdziesz sumę potrzebną na pokrycie wydatków... w kieszeni tego zacnego Lesa. Ale czy to jest sprawa jak należy? Stary da, rozumie się, ale on nawet nie wie, na co daje...

– I czy to dobrze, czy to dobrze namawiać tego samotnego człowieka do wydatków tak wielkich? – mówiła pani Laura. – On jest wprawdzie zamożny, ale nie milioner, nawet nie krociowy pan. Co zarobi, to rozda. Jeszcze tak być może, że na stare lata nie będzie miał gdzie głowy położyć.

– Tak, panie doktorze – mówił ów kontroler trzymający stronę Judyma – Leszczykowski za wiele na te rzeczy wydaje. My wprost na to zezwolić nie możemy. Rozumiem jakiś drobiazg, ale takie sprawy fundamentalne, to nie uchodzi.

Judym zawstydził się. Przyszła mu do głowy myśl, że w tej chwili Krzywosąd podejrzewa go o intencję skorzystania z sum, które by M. Les przysłał na podniesienie dna rzeki... Myśl ta była tak niespodziewana i tak ogromna, że przydusiła wszystkie inne.

Judym zamilkł i siadł na uboczu.

Tak obalił się projekt do prawa o przekształcenie zbiorników wody w parku cisowskim. Po wyjeździe komisji wszystko szło dawnym trybem i na pozór w stosunkach nic się nie zmieniło. Dyrektor był dla Judyma uprzejmy, Krzywosąd przesadzał się w grzecznościach. W głębi kryła się zimna nienawiść.

Judym upokorzony widział swój projekt w świetle jeszcze lepszym. Odrzucenie go wydało mu się i ruiną zdrowia kuracjuszów, i postępkiem przeciwspołecznym. Mała w istocie swej kwestia wyrosła w jego myślach do niebywałych rozmiarów i zakrywała inne sprawy, stokroć większej doniosłości. Tak gzems dachu chlewika stojący na prost okna, z którego patrzymy, zakrywa rozległy łańcuch gór dalekich.

Antagoniści: dyrektor, Krzywosąd, Listwa, plenipotent, spierali się właściwie nie o podnoszenie dna rzeki. Każdy z nich załatwiał w tej sprawie jakiś rachunek z Judymem. Dyrektor obliczał się z nim za szpital, Krzywosąd za swe upokorzenia, Listwa za mącenie ciszy, która była jego rozkoszą życiową, plenipotent za projekty przeniesienia czworaków.

Przede wszystkim jednak wszystkich czterech złościła jego młodość. Gdyby o tym, co projektował Judym, którykolwiek z nich mruknął przy kartach, zyskałby, nie licząc krótkich wyprysków starczego uporu, zgodę, rozumie się, z tym zastrzeżeniem, aby ten, kto ma piękne myśli, dokonał pracy. Skoro jednak wystąpił z tą samą kwestią człowiek młody, starcy czuli się tak dotknięci w swej ambicji, jakby ich poniewierał. Toteż zamknęli się i postanowili bez umowy wzajemnej nie dać przewodzić takiemu „smykowi". Osobliwie mocno uwziął się dyrektor.

Prócz młodości drażnił go w Judymie ten sam zawód lekarski. Nie zdając sobie z tego sprawy, stary medyk nie uznawał Judyma za równego sobie lekarza i kiedy ten przemawiał albo uśmiechał się w imię „medycyny", dyrektor siłą woli trzymał za zębami krótkie obelżywe nazwisko. Cóż mówić, gdy młody wydarł się spod wpływu i samopas działał.

Nie ma takiego środka, który by w imaginacji dra Węglichowskiego nie przesunął się i nie mamił go nadzieją rychłej i absolutnej satysfakcji. Żaden jednak nie okazywał się dosyć i chwalebnie skutecznym. Usunąć entuzjastę dla jakiegoś powodu, który ustami plotki można by rozdąć do miary występku. Tuż jednak nasuwała się refleksja, że wówczas trzeba by samemu prowadzić szpital, i to w taki sposób, jak to czynił tamten. W przeciwnym razie sława Judyma wzrosłaby u tłumu do wysokości niebywałej i wprost szkodliwej... Zmusić go szykanami, szeregiem drobnych ukłuć, upokorzeń, drażnień, ośmieszeń do ucieczki dobrowolnej... Ale czy wówczas ten szewski synek nie zemści się w swój sposób „naukowy", czy nie przyczepi Cisom w jakimś piśmidle takiej łaty, że jej później sam diabeł nie odpruje? Dr Węglichowski przeklinał dzień, w którym zwrócił się do Judyma z propozycją objęcia posady. W pasji targał sieć, którą się dobrowolnie oplątał. W tej sieci bowiem były pewne oka szczególne. Doktor Węglichowski szedł w życiu dotychczasowym drogą prostą, zawsze, jak to lubił mówić o sobie, „rznął prawdę, a o resztę nie pytał". Nigdy nie trudnił się matactwem, podstępem, nie walczył z żadną istotą ludzką ukrytym dla jej oka puginałem. Ludzie znali go wszędzie jako człowieka „zacności". Sam nawykł nie tylko do tego przydomka, ale i do tego rysu swego charakteru, jak się przywyka do swego futra albo laski – aż oto, po raz pierwszy w życiu, dla walki z tym „młodym" macał w ciemności i szukał w sobie czegoś nieznanego, jakiejś innej broni. Judym czuł to wewnętrznie i dlatego chciał ich wszystkich zwalczyć tym goręcej, że bez reform zdrowotnych, które zaczynały się od wzniesienia dna rzeki, jak sztuka czytania od abecadła, nie warto było w Cisach pracować. Toteż w zupełnej ciszy i wśród grzecznych ukłonów, wspólnego picia herbaty wraz z czytaniem gazet kipiała walka ukryta.

W pierwszych dniach marca po tęgich mrozach, trzymających świat w ciągu całego prawie lutego w żelaznych pazurach, nastała odwilż.

Śniegi raptownie spłynęły i ziemia do gruntu odmarzła. Rzeka w parku wezbrała, zniosła sztuczną tamę nad pierwszym stawem i wystąpiła z jego brzegów. Judym stał nad tą zamuloną wodą, gdy waliła się głębokim nurtem, i patrzył na potwierdzenie swych wywodów.

Było ciepło, jasno, po wiosennemu. Zadumany, nie dostrzegł, kiedy zbliżyli się do niego Krzywosąd i dyrektor.

– A co? – rzekł administrator – co by teraz było, panie doktorze, gdyby tu nie było kanału. Którędy szłaby ta wszystka woda?

– Raczej zapytaj pan, gdzie się podziewają fury zgniłych liści z kanału. Idą w tej chwili do stawu, żeby wydzielać ze siebie „powietrze", za które pan każesz płacić ludziom z daleka przyjeżdżającym.

– Znacie tę bajeczkę – więc posłuchajcie...[16] – śmiał się dyrektor klepiąc Judyma po ramieniu.

– Piorunujemy w gazetach na publiczność owczym pędem dążącą za granicę, do tak zwanych b a d ó w. Jakiż to b a d zniósłby podobne rzeczy?

– Kochany panie...

– Nie, nie, ja się nie zapominam! Ani trochę! Ja mówię o samej rzeczy, kiedy panowie tego chcecie. Wpuśćmy tu Niemca, i patrzmy, co by on zrobił. Co wpierw urządzi: wspaniały salon do tańca czy szlamowanie stawu?

– No, chodźmy, Krzywosąd, chodźmy... – rzekł dyrektor – mamy jeszcze niejedno na głowie...

[16] *„Znacie tę bajeczkę - więc posłuchajcie..."* - aluzja do powiedzenia z komedii A. Fredry *Pan Jowialski*.

„Ta łza, co z oczu twoich spływa..."[17]

Kilkaset rubli złożone przez doktora Tomasza umożliwiły jego bratu wyjazd za granicę. Parę dni Wiktor spędził w domu wśród płaczu i perswazji familijnych. Kiedy wszakże nadeszła chwila odpowiednia, ruszył w świat.

Był to wczesny ranek w lutym. Jednokonna dorożka z woźnicą znużonym i zagrzebanym w kożuch wlokła się ulicami. W cieniu nastawionej budy siedział Wiktor z żoną. W nogach mieściły się dzieci, którym ta ostentacyjna jazda sprawiała niewymowną uciechę. Chudy, zbiedzony koń-wyrobnik ślizgał się na obmarzłych kamieniach, utykał, gdy zerwane nogi trafiały w jamy zadęte przez zaspy śniegowe i wlókł przekleństwo swego żywota, budę na kółkach, ulicą Żelazną w kierunku wolskich rogatek. Z przecznic, od Wisły, dął wicher i z furią miotał się na wszystko. Bił w nozdrza i w pyski, rozwarte przez wędzidła, strudzone konie pociągowe, które z całej siły, wszystkimi mięśniami wlokły po barbarzyńskim bruku wielkie fury frachtowe. Ciął w oczy biednych ludzi, od świtu dnia pędzących dokądś po kawałeczek nędznego chleba. Szarpał na wszystkie strony małą zabłąkaną psinę, która przytulała się do zimnych schodów. Usiłował wyrwać haki i zatrzasnąć drzwi prowadzące do sklepów. Zdawało się, że w pewnych sekundach doznaje szalonej wściekłości na widok szyldów, że ciska się, chwyta zębami ogromne litery, targa je we wszystkie strony, jakby zamierzał strząsnąć z nich na ziemię głupie napisy. Skoro w swej drodze dalekiej spotykał wysokie kamienice, wdzierał się na ich dachy i stamtąd wydymał zaspy śniegu w brudne ulice. Cieniutkie włókienka przecinały widownię jakoby żywe, ruchome sieci pajęcze. Lotne płatki snuły się tak szybko i tak ciągle w jednym kierunku, że zostawiały w oczach wrażenie długich nici. Zdawało się, że początki ich snują się, niby z kądzieli, z zaspy pod rudym parkanem, w oczach rosnącej, a przeciwległe końce zwijają na druty telefonowe, krążą mechanicznie dokoła słupów z poprzecznymi ramionami i lecą w maszynowym pędzie dokądś nad rynny.

W sieci tej uwikłany miota się na rogu uliczny posłaniec. Skacze i tupie, uderza nogą o nogę, rozciera sobie ręce i biega na małym dystansie tam i z powrotem, tam i z powrotem. Gdy zwrócił się twarzą ku północnej stronie, wicher czyhający za węgłem rzuca się nań jak tygrys, wszczepia w niego pazury i oddech wtłacza do gardła. Wówczas ten mały, zgarbiony człeczyna odwraca się i drepce w miejscu, a wicher bije go w plecy i pcha przed sobą, podwiewając szarą sukmanę. Są chwile, kiedy posłaniec przyczaja się przed wichrem, wtula się w zagłębienie muru i stoi tam bez ruchu, jakby bez życia...

Tam dalej idzie szerokimi krokami ogromny Żyd-furman z biczyskiem w ręku. Głowę ma obwiązaną jakimś dużym, czerwonym gałganem, na sobie ze trzy opończe,

---

17 *„Ta łza, co z oczu twoich spływa"* – początkowe słowa wiersza Adama Asnyka.

nogi w buciorach z wojłoku. Twarz jego, zarośnięta, krwawa, schłostana przez wiatry, góruje wśród tłumu, przekrwione oczy patrzą jak wicher spod brwi zsuniętych. Ten człowiek z pola, człowiek należący do drogi jak słup wiorstowy albo bariera mostu, przygotowany do obcowania z burzą, ze śniegiem i mrozem, zaciekawia do żywego Karolę i Franka. Zapominają o świecie i, gdy dorożka daleko już odlazła, widzą go jeszcze i pokazują sobie nawzajem palcami. Na Srebrnej i Towarowej, gdzie wskutek ścisku fur dorożka idzie wolno, noga za nogą, i huśta się w wybojach jak łódka, dzieciom aż oczy wyłażą z ciekawości. Oto wozy frachtowe trzeszczące pod ciężarem pak z towarem, czarne fury naładowane węglem, inne lodem, cegłą, drzewem. Obok nich idą woźnice zadęci śniegiem, z osędziałymi brodami na czerwonych twarzach, i wrzeszcząc poganiają zwierzęta. Spomiędzy brudnych kamienic wyrywają się tu i ówdzie dzikie kształty murów fabrycznych, nawet wśród takiej zamieci nie tracąc swej barwy czarnej, jakby wieczną śniedzią okrytej. Dachy o formie spiczastych schodów, zza których szklą się ciemne, stalowe szyby, nie po to wprawione, żeby przez nie na świat boży oczy ludzkie patrzały... Wśród duszących murów uderzają te szyby blaskiem nie swoim, obcym ich naturze, niby oczy kota pod światło widziane. Gdzie indziej wyrywa się w niebo wielki komin z cegły albo czernieje żelazny, przymocowany drutami, i rzuca olbrzymie kłęby burego dymu na mury sąsiednich domów i w okna ich mieszkań. Konwulsyjne ruchy budy spychały jadącym na brwi kapelusze i zasłaniały oczy. Wiktor siedział bez ruchu. Spod obwisłej linii ronda patrzał na przesuwający się obraz. Kiedy niekiedy z oczu jego wytaczała się łza i przez nikogo nie dostrzeżona biegła po wynędzniałej twarzy.

Gdy minęli rogatkę, wrzawa ustała. Otoczyły ich parkany, pustki, sady, rozległe dziedzińce zawalone węglem, wapnem, deskami. Gdzieniegdzie nawijał się przed oczy samotny, chudy dom, jakby wydmuchnięty z czerwonego piasku. Drzwi jego piętra wychodziły w szczere pole, a nie znajdując przed sobą balkonu, dokąd miały prowadzić, tylko dwie szyny sterczące w murze, zdawały się żywić zamiar wyrwania się z zawias i rzucenia w przepaść. Wkrótce i te ostatnie siedziby znikły i za jakimś parkanem odchyliło się pole, dziedzina wichru. Daleko zostało miasto rysujące się nikłymi liniami jak symbol czegoś niejasny, a pełen boleści i takiego żalu, takiego żalu...

Do budy wdzierał się teraz tęgi, zimny wicher.

W drzewach przydrożnych huczał złowrogo, czasem między orczykami, jakby u tylnych kopyt szkapy, gwizdał przeraźliwie.

Cała rodzina przytuliła się do siebie. Judymowa niby to instynktownie pod wpływem zimna cisnęła kolanami nogi męża. On siedział sztywny, ręce wsunął w rękawy i patrzał przed siebie. Myślami był już daleko, w podróży. Badał swoją nieznaną, przyszłą drogę za pomocą błędnych przeczuć. Skądś, z dalekich, Bóg wie kiedy odebranych wrażeń, z napomknień słyszanych wytwarzał sobie dziwne narzędzie poznania niewiadomej doli. Wzrok jego błądził po śniegach przydrożnych, tak dziwnych jak wypadki, jak myśli, jak wszystko. Oto kształty zasp dziewiczych, bez żadnej formy, niezgodne z niczym, przeładowane jakimiś szczególnymi efektami, jakby ornamentem w rodzaju barokowym. To jakby liście powykręcane, krzywe, pełne zgięć do wnętrza, niby to przypominające naturę, ale od form jej prawdziwych dalekie; liście nie istniejące, liście wielkie a niepełne; to znowu jakby strzały tytaniczne, którymi można by przebić kościół świętokrzyski[18].

Tu ciągnęły się jakieś chwilowe wzgórza, co zalecały się oku łagodnym kształtem swoim, gdzie indziej ohydne jamy, przypominające najgorszą a niewiadomą i ciemną boleść życia, a przypominające tak żywo, niby krzyk przeraźliwy...

Świat z prawej i lewej strony zasłonięty był burą czarniawą[19], z której łona wicher wydymał i niósł nad ziemią śniegi lotne.

Około południa dorożka przybyła wreszcie na miejsce i zatrzymała się przed samotnym budynkiem w szczerej pustce, którą łączył ze światem plant kolejowy. Na dole był sklepik z jaskrawym szyldem. W głębi mieścił się lokal rodziny żydowskiej, której liczni przedstawiciele ukazali się we drzwiach, gdy dorożka obok nich stanęła. Dzieci skostniałe prawie od zimna wytrzeszczonymi oczyma przypatrywały się tej „kamienicy", zbudowanej z belek na pół zmurszałych, zapewne po spadłej z etatu karczmie lub stodole, a umalowanej na kolor cielisty z czerwonymi ornamentami około drzwi i okien. Wiktor wysiadł i poprosił jedną z osób przypatrujących się, czy nie można by dla rozgrzewki dostać kieliszka monopolu. Zaraz wyniesiono przed dom butelkę i cała rodzina wychyliła po kieliszku. Dryndziarz zmuszony był przełknąć dwa, gdyż po pierwszym całkiem nie mógł dojść istotnego smaku.

We mgle widać było jakieś szare zarysy. Żydkowie objaśnili, że to właśnie jest dworzec kolejowy. Pociąg idący w stronę Sosnowca[20] miał ukazać się za jakie trzy kwadranse. Judym musiał się spieszyć. Familia miała go odprowadzić jeszcze kawałek drogi, a nie dochodząc miasteczka cofnąć się, wsiąść w czekającą dryndę i wrócić do Warszawy.

Szli tedy wszyscy prędko, prędko, brzegiem plantu, po zmarzniętej grudzie ścieżki. Wiktor biegł przodem. Zdawało mu się, że już późno, że pociąg idzie... Wtedy biegł szybko...

Oni pospieszali za nim, naśladując jego ruchy. Czasami znowu zwalniał kroku i mówił jeszcze urywanymi zdaniami, radził żonie zrobić to i tamto... Ona chciała jeszcze poruszyć tysiące rzeczy, miała nadzieję, że go co może zatrzyma, choćby na dzień, na parę godzin. Myśli w jej głowie splątały się i tak jak te płatki śniegu snuły po mózgu. Czuła w ustach, w gardle, wewnątrz siebie palący smak wódki i jakieś odurzenie zmysłów. Było jej wszystko jedno, a razem taki żal! Serce ściskało się, jakby je cienka nić przewiązała i rżnęła. Ale nade wszystkim stała nierozumna pewność, że cokolwiek kto kiedy zrobił na świecie i w jakimkolwiek celu, to ona jedna jedyna musi dźwigać ciężar tego wszystkiego. Musi wyżywić te dzieci. On, Wiktor, odchodzi. To nie ma gadania, musi... Och, jak pali ta wódka! Taki dym w głowie, taki głupi dym... Trzeba przecie rozumieć, co i dlaczego. Skoro urodziła dzieci, to je musi nieść na sobie. Jak to zwierzę, jak to zwierzę. Wiadoma rzecz. Ojciec może odejść, a ona nie. Ona matka. To się nazywa tak – matka. Rozumie się, że on musi iść, jeszcze jak

[18] *kościół świętokrzyski* - jeden z największych kościołów w Warszawie.

[19] *czarniawa* - chmura.

[20] *w stronę Sosnowca* - w okresie zaborów Sosnowiec był na trasie kolei warszawsko-wiedeńskiej stacją graniczną w Królestwie Polskim.

się to rozumie! Pod sercem leży to rozumienie niby dziecko poczęte, jak rana leży otwarte, w którą się wieczny piasek sypie. We wnętrzu piersi leży zgoda na to odejście.

O kilkaset kroków przed pierwszymi domami mieściny Wiktor zatrzymał się i rzekł, jako trzeba się już pożegnać... Głos jego drgnął.

Po obydwu stronach twardej i szerokiej szosy, na którą weszli, czerniały rokiciny. Ciemnobrunatne, śliskie, okrągłe pręty ich gałązek tłukły się o drewna mocnej bariery pomalowanej czarną farbą. Był to okrutny, przejmujący głos. Wiatr ciął dołem, pod barierami, i zmiatał z drogi cienkie fałdy śniegowe, odsłaniając lód ciemny i grzebienie grudy startej przez koła wozów.

– Wiktor – jęknęła Judymowa – nie rzucisz mię? Bój się ty Boga, Wiktor...

– Masz ci... teraz...

– Bo jakbyś mię puścił kantem!

– No i teraz pora na takie rzeczy... Kolej idzie! Trza przecie mieć rozum.

– Żebyś wiedział, że te dzieci, to przecie twoje... Wiktor, Wiktor... – łkała cichym, bojaźliwym, umierającym głosem.

Wiktor – emigracja

– Ale napiszę, jak tylko pierwszą robotę dostanę. I pierwszy pieniądz to samo przyślę. Cóż ty myślisz...

Prędko ją objął, uścisnął. Później dzieci.

Nim się obejrzeli, odszedł drogą. Wlekli się za nim, ale machnął ręką raz i drugi, nakazując im powrót. Z dala jeszcze raz krzyknął, żeby wracali, bo dryndziarz zniecierpliwi się i odjedzie. Stanęli tedy w miejscu i patrzeli na jego postać. Widać było palto odsiedziane, spodnie z nędznego kortu, wypchnięte na kolanach, szerokie, nie zakrywające cholewek kamaszków, kapelusz zrudziały, płaski „melon". Tylko twarz już im zginęła.

Judymowa rzekła do dzieci wśród łkania:

– Widzicie, to ojciec tam idzie... To ojciec... tam...

Franka nie zdziwiła ani trochę ta wiadomość. Stał sobie najspokojniej i dłubał palcem w nosie.

Postać Judyma coraz słabiej czerniała wśród lecącego śniegu, wreszcie raptem zsunęła się za pochyłość gruntu i znikła z oczu.

Wtedy Judymowa chwyciła Karolę za rękę i biegła z powrotem, żeby jak najmniej tracić czasu, za który płaciło się dorożkarzowi. Jęła przywoływać Franka, który z niekłamaną satysfakcją puszczał na szosę bryłki zmarzniętej grudy...

O świcie

Bardzo rano doktór Judym wybrał się na rewizję swoich zdechlaków we wsiach okolicznych. Miało to miejsce w pierwszych dniach kwietnia. Jeszcze łąki były mokre, role ciemne, na gościńcach kisły głębokie bajora. Powiększał je drobny, nieustanny deszczyk, siejący mgłę ruchomą, lecącą z głębi płynnych, wolnych westchnień wietrzyka. Można było, skacząc tu i ówdzie przez rowy, czepiając się pleciaków, iść bez zamoczenia choćby i kilka wiorst drogi.

Doktór miał na sobie ciepłą kurtkę, a na nogach grube buty z cholewami. Szedł tonąc w srogich myślach i wygwizdując pewną znaną arię z takim fałszowaniem głównego motywu, jakie Europejczykowi mogło ujść na sucho tylko w okolicach Cisów, i to w szczerym polu. Droga ciągnęła się brzegiem lasu, po gruncie pagórkowatym i urwistym. To zapadała w wąwóz, to pięła się na wzgórza, to znowu jak prosty szew odcinała pole rozesłane na placu wykarczowanym w lesie. W nizinach o gruncie bardzo wilgotnym leżały już jasne murawy, budzące wspomnienie przecudownego rumieńca życia na obliczu człowieka, który był w ciężkiej chorobie śmierci bliski. W działach włościańskich stała jeszcze mokra martwota. Doktór pospieszał, żeby wejść na punkt wyższy, panujący nad okolicą, a to w celu zobaczenia tarczy słonecznej, która jeszcze nie wychyliła się zza przeciwległej góry, choć już płynęła nad ziemią.

W lesie, którego brzegiem postępował, chwiała się wilgoć wiosenna. Mchy wiszące na sękach świerków jak siwe, obmarzłe futra zimowe były mokre i co chwila kapały z nich ciemne krople. Tylko one sprawiały ruch między uśpionymi drzewami. Zdawało się, że to z nich wydziela się ostry, wilgotny, leśny zapach. Tu i ówdzie na pniach wisiały obdarte płaty kory, które wiosna niby brzydkie łachmany syciła wodą i wolno ściągała ku ziemi. Głębie przetrzebionego lasu zalegała jeszcze mokra ciemność, w której miętosił się opar leśny. Pnie osiczyny były jakieś żółtawe. Graby od deszczu lśniły się i czerniały jak stal. Na jasnej podszczytowej korze sosen tworzyły się zacieki niby rysunki dziwnego kształtu, kontury jakichś rzeczy, sylwetki szczególnych twarzy... Między obmokłymi pniami i gęstwiną gałęzi zwisających pod ciężarem dżdżu przywabiała oczy, niby senna mara nie dająca się żadnym sposobem odegnać, to brzózka schylona, to młoda osika mnóstwem świeżych pąków obrzucona jakby rozżarzonymi węglami. W człowieku się coś cieszyło na widok tych drzewek i coś je pozdrawiało z głęboką czułością.

Doktor Judym czuł nawet, że w tym jest może trochę jakiego sentymentalizmu albo tam czego jeszcze gorszego, ale nie mógł na to poradzić.

„Pewno, że tego sentymentu – myślał – nie można ani krajać mikrotomem[21], ani zgoła obejrzeć pod mikroskopem, ale cóż z tego, kiedy sentyment istnieje i jest takim samym faktem spełnionym jak najlepiej opisany bakcylus".

---

[21] *mikrotom* - przyrząd do krojenia bardzo cienkich skrawków tkanek, które bada się pod mikroskopem.

Zajęty tak pierwotnymi myślami wszedł między drzewa, usiadł na starym pniaku i czekał. Ciemne chmury tworzyły jakby włok szeroki, który ciągnął się od jednego do drugiego krańca widnokręgu i zwisał długimi matniami. Każde ich oko wytrząsało deszcz sypki, ciepły, lecący jakoby puch. W głębi zostawał czysty przestwór, rozkoszna, seledynowa toń, w którą wcielała się purpura zorzy rannej. U samego brzegu dalekiego horyzontu pokazały się białe i rumiane obłoczki, budzące widokiem swoim dziwne wzruszenie, niby otwarte, prześliczne oczy kobiece, gdy marzą. Było cicho, tak cicho, że dawało się słyszeć siąpanie cichego dżdżu w kałużach dziobatych od padających kropelek. Po ziemi sączyły się wszędy małe strumyki, jak dzieci pełne wesela, które nie wiedzą, z jakiej przyczyny i dokąd z radością w podskokach lecą.

W tej ciszy ucho doktora uderzył szorstki odgłos turkotu wozu. Wkrótce na szczycie góry ukazały się konie okryte tumanem pary i bryczka. Konie były zdrożone, zachlastane tak błotem, że z gniadych stały się szarymi, bryczka unurzana w bagnie, a nawet furman i figura zajmująca siedzenie – dźwigali ślady długotrwałej podróży.

Judym wpatrzył się pilnie w rysy damy siedzącej na bryczce i poznał „osobę" z pałacu, pannę Joannę.

Miała na sobie francuski jasnozielony płaszczyk z kapiszonem. Ten kapiszon wciągnęła na głowę dla ochrony jej przed deszczem. Zdawała się drzemać.

Doktór żywo zaciekawiony, skąd może wracać panna Podborska o tej godzinie i drogą nie prowadzącą w stronę świata, półwiedząc, w jakim celu to czyni, wstał ze swego pniaka i szedł brzegiem gościńca naprzeciwko wolanta. Gdy był od niego w odległości kilku kroków, panna Joanna dźwignęła głowę i spostrzegła go. Na twarzy jej odmalował się wyraz pomięszania, a nawet jakby przestrachu. W pierwszej chwili pociągnęła kaptur na oczy, później odwróciła głowę... Doktór pozdrowił ją ukłonem i z pytającym uśmiechem na ustach stanął przy bryczce.

– Cóż to za eskapada, panno Joanno? Skąd pani wraca?

– Jak pan widzi... Z podróży.

– Widzę, widzę nawet, że podróż musiała być daleka.

Furman zatrzymał konie. Przez chwilę panna Joanna skubała w zakłopotaniu brzeg okrywki. Na jej „niemożliwie", jak mówiono, prawdomównej twarzy malowało się usiłowanie zatajenia czegoś. Rumieniec rozpalał się na policzkach. Rzekła cicho:

– Jeździłam do spowiedzi... do Woli Zameckiej.

– Aż do Woli? I dlaczegóż nocą? Niechże pani drugi raz tego nie robi. Któż widział?... Deszcz pada, chłód w nocy, pani cała zmoknięta. Proszę mi darować, że wchodzę nieproszony ze swą interwencją, ale jako lekarz uważam sobie za obowiązek zrobić tę uwagę.

Tymczasem robił ją z pobudek bynajmniej nie lekarskich. Serce mu biło w piersiach. Ta twarz ze spuszczonymi oczami w głębi zielonego kaptura, przepyszne, rozrzucone włosy, wysuwające się na czoło, a szczególnie oczy, oczy i płomień rumieńca... Było to jakby urok dziwnego lasu, jakby się łączyło ze słońcem, które zza mgieł wypływało nad cichą, senną leśną głuszą. Judym stał bezradnie przy stopniach bryczki i zmrużonymi oczyma wpatrywał się w płochliwe rysy.

– E, proszę łaski panienki, cóż ta ukrywać przed panem, przed doktorem... – rzekł znienacka furman odwracając się bokiem. – My nie do spowiedzi, proszę pana doktora, jeździli z panienką.

– Felek! – krzyknęła panna Podborska.

– Jeżeli sobie pani nie życzy... – rzekł Judym uchylając kapelusza. – Nie chciałbym zrobić najmniejszej przykrości.

– No, przecie się ta rzecz nie ukryje, choćby my na głowie stanęli. Już i tak ludzie mielą jęzorami... – prawił Felek.

– Cóż takiego?

– My jeździli, proszę pana doktora, szukać jaśnie panienki, panny Natalii.

– Jak to szukać? – szepnął Judym ze zdumieniem. – Jak to szukać?

Zamiast odpowiedzi panna Joanna zerwała się szybko i wysiadła z bryczki. Twarz jej była udręczona. Całe ciało trzęsło się jak w febrze. Dała Judymowi znać oczyma, że chce mu całą prawdę powiedzieć, ale nie wobec furmana. Odeszli kilka kroków drogą w górę. Felek zrozumiał swą rolę i wstrząsnął z lekka lejcami. Konie ruszyły i noga za nogą, wolniuteńko zstępowały ze wzgórza. Stukanie kół bryczki o korzenie sosen i świerków przerzynających drogę zagłuszało rozmowę.

– Natalka – mówiła panna Joanna – odjechała z domu bez wiedzy babki.

– Czy sama?

– Nie.

– Z panem Karbowskim?

– Tak... z panem, z panem... Karbowskim.

Mówiła otulając się zarzutką, jakby ją przejmowało dręczące zimno:

– Biedna babunia... Tak strasznie nad tym cierpi. Poszła zaraz na grób pana Januarego i leżała w kaplicy krzyżem. Nie wiedzieliśmy... nie wiedzieliśmy, gdzie jest. Taki popłoch!

– No, a skądże wiadomo?

– Pan Worszewicz powziął skądś wiadomość jeszcze wczoraj, że Natalka odjechała do Woli Zameckiej. Nie mogę zrozumieć, skąd to mógł wiedzieć. To taki bystry człowiek... Domyślił się, że wezmą ślub w tym właśnie kościele, w Woli. Jest tam ksiądz, jakiś, podobno, niesympatyczny. I rzeczywiście... Zgodził się dać ślub. Widać na tej podstawie babunia wysłała mię wczoraj na noc. Pojechałam niezwłocznie. Pędziliśmy co koń skoczy, ale wszystko na nic. Istotnie tam ślub wzięli. Gdym przyjechała, już było po wszystkim: wyjechali. Kazali powiedzieć, gdyby się ktoś dopytywał, że jadą wprost za granicę.

– Proszę pani, to było... Może było do przewidzenia, nie to właśnie, ale coś w tym rodzaju.

– Ach, panie doktorze! Cóż za rola moja w tej całej sprawie.

– Rola pani?

– Byłam jej nauczycielką, mentorką, niby powiernicą. Ja domyślałam się, ja nawet wiedziałam o tej miłości. Nie cierpiałam tego pana i widać dlatego sądziłam, że cały afekt minie. Teraz każdy może powiedzieć, że to zapewne mój wpływ. Każdy może to powiedzieć i, niestety, będzie nawet miał słuszność. Ja często rozmawiałam z Natalką o tym, że są w małżeństwie bez miłości rzeczy potworne, które mnie przejmują wzgardą, że nie powinna, że nie powinna nigdy w życiu... Któż mógł przewidzieć, że ona tak to zrozumie!

– Niech się pani uspokoi. Na pannę Natalię tego rodzaju dyskusje małe wywarły wrażenie. To była natura samodzielna, śmiała, bezwzględna.

– O, tak, bezwzględna. W liście do babki, który wiozę, zaznaczyła wyraźnie, że majątek swój złożony w banku, majątek swój osobisty, odziedziczony po matce, podniesie w całości, gdyż jako pełnoletnia ma do tego prawo. Tak napisała do tej babuni... „Jako pełnoletnia"...

– Czy to duży majątek?

– Podobno bardzo znaczny.

– Będzie miał pan Karbowski przez czas pewien co puszczać.

Panna Joanna stanęła, jakby sobie coś przypomniała. Rzuciła na Judyma oczami pełnymi blasku i jakby chytrości.

– Ale ja mówię to wszystko i ani mi na myśl nie przyjdzie, jaką to panu musi sprawiać przykrość...

– Mnie? przykrość?

– Ach, przecież... Przecież to i pan kochał się w Natalce... Przepraszam pana bardzo...

– Ja? – rzekł Judym – ja się kochałem?

– Niech mi pan wierzy, że nie przez złość mówiłam to wszystko!

– Próżno by mię pani żałowała, bo nie czuję się wcale zmartwiony. Daję pani na to słowo uczciwego człowieka, że nie kocham się w pannie Natalii. Nie, nie! – zawołał z radością w głosie i oczach – nie kocham się w niej wcale!

To przeczące wyznanie było niby ostatni dźwięk rozmowy. Do dna ją wyczerpało. Szli jeszcze obok siebie kilkadziesiąt kroków w milczeniu, po prostu nie będąc w możności mówić więcej. Panna Joanna przyspieszyła kroku i rzekła:

– Muszę już jechać.

Judym odprowadził ją do bryczki.

Gdy mu podała rękę, miała na twarzy wyraz jakiejś bolesnej trwogi, niby człowiek, który siłą przeczuć coś dostrzega, czego zmysły objąć jeszcze nie mogą. Judym patrzał na nią szerokimi oczyma. Gdy jej pomagał wskoczyć na stopień bryczki, która zatrzymała się wśród błotnistej drogi, i uczuł ciało jej przy sobie, prawie w objęciach, miał jakieś cudne złudzenie.

Któż by uwierzył, że to ta sama, ona, że to zapach jej włosów? Widział w niej dotąd siostrę-człowieka, rozum i serce, istotę ze swej dziedziny, z tego kręgu, gdzie o jedno nic, wysokie a niezrozumiałe dla motłochu egoistów, kłopocą się bez wytchnienia i trudzą z radością braterskie duchy. I oto szalał ze szczęścia: ona nie tylko taka! Iście czartowskie marzenie jak wąż ślizgało się po jego piersiach. Tak z nim było, jakby kolor jej włosów, jakby ich nikły zapach na wieki stał się jego własnością.

Jakaś bolesna troska i niewysłowiona czułość przystąpiła do serca, jakaś omglona litość niby kwiaty pachnąca. Było to obce duchowi i budziło swym przyjściem podziw i zadumanie.

Judym – miłość do Joasi – opis przeżyć

Bryczka oddaliła się i znikła na zakręcie.

Judym wtedy uczuł, jak serce jego ściska się i drży. Stał na brzegu lasu i wyrzucał sobie z okrucieństwem, czemu nie rozmawiał dłużej.

Tyle jeszcze trzeba było powiedzieć, tyle rzeczy niezmiernie ważnych! Każde ze słów, które teraz z mroku się wysuwały, miało przedwieczny swój byt, swój jakiś własny kształt, swój sens i miejsce, treść i logiczne znaczenie, jak ton w symfonii niezbędny, konieczny, doskonale umieszczony. W każdym z nich były zamknięte całe obszary, całe jakby okolice wiosenne, gdzie mokre pola wonieją i wysokie drzewa szeleszczą.

Leniwym krokiem wlókł się w swoją stronę, ku wsi stojącej na drugiej stronie doliny. Gdy był u szczytu wzgórza, słońce wydzierało się z chmur nad odległymi lasami. Dusza Judyma szła ku temu światłu jak olbrzym, którego barki dosięgają nieba.

Zatrzymał się na dawnym miejscu i wśród błotnistej drogi ujrzał ślady małych trzewików panny Joasi. Wzrok jego padał na te foremne wyżłobienia w piasku i w zachwycającej wizji oglądał stopy, które tych miejsc dotknęły. Widział ciało wysmukłe, subtelnie piękne, budzące nieopisaną rozkosz, które się nad nimi przemknęło.

Zamknąwszy oczy patrzał w głębinę swej duszy.

W tej chwili schyliła się ku niemu cicha wiedza, wesoły szept męczącej zagadki, rozstrzygnięcie trudnego pytania, proste jak czysta prawda. Powitał je radosnym śmiechem:

„Ależ tak! Rozumie się! Przecie to jest moja żona".

W drodze

Na początku czerwca Judymowa dostała list od męża ze Szwajcarii z żądaniem przyjazdu. Pisał, że zarabia w fabryce więcej niż w Warszawie, że musi dużo wydawać na siebie, gdy się w knajpie stołuje, że mu jadło szwajcarskie a n i w e ź nie służy. Wyliczał potrawy, jak zupę z sera szwajcarskiego, kartoflane sałaty, napoje, jak *most*[22], i w podziw wszystkich wprowadził dziwacznością takiego stołu.

Judymowa nie miała żadnego wyjścia. Zarobić na dom, dzieci i ciotkę sama nie mogła, lękała się, że ją mąż może opuścić i zginąć gdzieś na kraju świata. Skoro chciał, skoro kazał, żeby przyjeżdżała – nie pozostawało nic innego.

Graty sprzedała i uzyskawszy paszport ruszyła w drogę. Ktoś ze znajomych powiedział jej, że przez granice niemieckie zabraniają przewozu sukien materialnych[23], więc wszystko, co miała lepszego, popruła, okręciła się cała najrozmaitszymi szmatami i tak, z zielonym, drewnianym kuferkiem w ręku odjechała. Na dworcu zebrało się gronko przyjaciół Wiktora. Ciotka łkała... Dzieci były zrazu uszczęśliwione. Ona sama, odwykła od bezczynności, drzemała ciągle w wagonie. Kupiła bilet wprost do Wiednia, gdzie miał ją na dworcu czekać jeden towarzysz, gadający po polsku.

---

[22] *most* (niem.) - sok wyciśnięty ze świeżych winogron.

[23] *materialny* - jedwabny.

Judymowa nie umiała ani jednego obcego wyrazu. Ponauczano ją słów: *Wasser, Brot, zwei, drei*[24], itd., ale i to jej się splątało w głowie.

Przejechała granicę, noc nastała, a tymczasem w wagonie wciąż jeszcze po polsku rozmawiano. Judymowa była dobrej myśli:

„Taka ta i zagranica! Przecie się tu doskonale z ludźmi rozmówi... Troszkę jakoś inaczej gadają, ale po naszemu".

Ułożyła przy sobie dzieci, sama się skurczyła. Jej nerwy, przywykłe do wiekuistej czujności, skorzystały z chwili. Zapadła w sen, ów sen w wagonie klasy trzeciej, w stan dziwnej półjawy, kiedy czuje się wszelkie łoskoty i drżenia, wie wszystko, a zarazem jest o tysiąc mil...

Pociąg leciał w ciemności. Częstokroć w szyby wagonu uderzały światła stacji i po krótkiej chwili ginęły, jakby dokądś uniesione przez świst lokomotywy. Gdy pociąg stawał, słychać było dygotanie dzwonków elektrycznych. Skowyczał w nich jakiś frazes złowieszczy, rozbity na tysiące jednolitych wzdrygnięć...

Judymowa czuła to w sennym marzeniu. To na nią zewsząd wiał strach olbrzymiooki, to się przeistaczał w widzenia miłe, w rozmowy z ludźmi bliskimi albo w pospolity, znany, obrzydły widok wnętrza fabryki cygar. Zmysły, przyuczone jak pociągowe bydlęta do zaduchu, łoskotu, wrzawy i męki, wpływały teraz w jakieś nieznane przestwory. Snuła się w nich słodkawa, tchórzliwie-zwycięska podświadomość o wyższości nad wszystkim, co zostało w Warszawie, co teraz w brudach pracuje.

Ona jedzie w świat, w świat, w świat. Do Wiednia... Gdy kiedyś zjawi się w Warszawie, już nie pozwoli ciotce imponować sobie radami, dobrymi na każdy wypadek. Co ciotka wie? Co ciotka może wiedzieć? Była ciotka, na przykład, w takim chociażby Wiedniu? Widziała ciotka świat, Europę?

I dostrzega w sennym złudzeniu starą tuż obok siebie. Zbeczane ciotczysko siedzi na kuferku pod oknem. Gdzie to jest, w starym mieszkaniu na Ciepłej czy gdzie indziej? Jakaś stancja na poddaszu czy w suterenie... Kąty izby zalega mrok, wilgoć i smutek. Tylko na jeden policzek ciotki Pelagii i na chudą, zaciśniętą rękę pada z okna blade światło. Stara nic nie mówi i wiadomo, że się nie odezwie. Zaciekła się. Beczała swoim zwyczajem przez całą noc, a teraz już milczy i tylko patrzy spode łba zimnymi oczami. Czasem po jej wargach zamkniętych przewinie się blady, chory, krótki uśmiech. Ale żeby westchnęła... Żeby się choć przemówiła z człowiekiem... Wie ona wszystko – ho! ho... Nic się przed nią nie ukryje. We trzy miesiące po takim dniu wymieni, co było wtedy a wtedy, o której godzinie jakie słowo albo wejrzenie padło. Judymowa czuje jakiś głupi, nieznośny żal. Chciałaby zwrócić się do ciotki, chciałaby ją z wrzaskiem zapytać:

„I czegóż ciotka siedzi, u diabła, jak Kopernik na słupie! O co ciotce chodzi? Skradli my co, czy my kogo spalili?"

Ale nie to, nie to! Wcale nie to chciała do niej mówić... Na takie słowa miałaby ciotka nie jedną, ale sto odpowiedzi. Tu chodzi o co innego. Przecie musiała wyjechać, musiała iść za mężem, gdzie jej kazał. Niechże ciotka powie, że to źle zrobiła! Tak, dobrze! Uwolni się raz na zawsze od starej... Tylko to jedno, to jedno... Taki żal!

---

[24] *Wasser, Brot, zwei, drei* (niem.) - woda, chleb, dwa, trzy.

Nie może patrzeć na starą, tak jej już obrzydła, ale zarazem nie może oczu od niej oderwać!

Nagle coś ją potrąciło i cisnęło na ścianę. Drzemiąc pochyliła się i wsparła ramieniem o człowieka siedzącego obok niej na ławce. Był to wysoki, barczysty mężczyzna z fajką w zębach. Zmierzył ją złymi oczyma i coś mruknął. Twarz jego była ciemna, duża, nos orli. Wszedł do wagonu, gdy zasnęła. Przy skąpym świetle Judymowa obejrzała ukradkiem tę nową figurę i kilka innych zapełniających przedział. Byli to jacyś nowi ludzie. Widać wsiedli dość dawno, bo zdążyli się pospać. Ktoś z nich głośno chrapał. Naprzeciwko kiwał się jakiś mężczyzna w twardym, okrągłym kapeluszu. Widać było tylko ten kapelusz, gdyż cała głowa zwisła na piersi, a twarz skryła się w postawionym kołnierzu paltota. Kapelusz zniżał się bardziej i cały korpus coraz śmieszniej szedł naprzód. Zdawało się, że lada chwila runie na Karolę śpiącą w rogu przeciwległej ławy. Judymowa chce krzyknąć, ale dziwny lęk dreszczem ją przenika. W kącie spał ktoś inny. Twarz chuda, oparta o ścianę, trzęsła się wraz z nią i z hałasem się tłukła. Z ust śpiącego, roztwartych jak można sobie wyobrazić najszerzej, wydzierało się spazmatyczne chrapanie...

Judymowa zlękła się czegoś patrząc na tych ludzi. Wyjrzała oknem i ze zdziwieniem zaczęła dostrzegać okolicę. Krótka wiosenna noc miała się już rozwiać. Szary zakres dalekiej płaszczyzny majaczył przed oczyma, a widok ten ścisnął serce tak boleśnie, jakby je dławił.

„To już musi być obca ziemia..." – pomyślała sobie Judymowa.

Wówczas z wielkim strachem i z jakimś pokornym uszanowaniem rozejrzała się po obliczach ludzi śpiących w wagonie.

Pociąg pędził. Okolica stawała się coraz ludniejsza. W szczerym polu czerwieniały fabryki. Wszędzie widać było domy, kościoły...

Był już dzień zupełny, gdy ukazała się wielka rzeka, szeregi czarnych, zadymionych murów.

Wkrótce pociąg stanął. Wszyscy wysiedli z wagonu, więc i Judymowa ruszyła się z miejsca. Dzieci były zaspane, znużone, blade, ona sama chwiała się na nogach. Gdy stanęła wśród szerokiego peronu, zbliżył się do niej jakiś człowiek biednie ubrany i przemówił po polsku:

– Zaraz-em was poznał.

Judymowa wpatrzyła się w rysy nieznajomego i przypomniała je sobie. Towarzysz zabrał jej rzeczy i kazał im iść ze sobą. Wyszli na miasto i długo maszerowali różnymi ulicami. Wiedeńczyk mówił dużo i chętnie. Był to dobry znajomy Wiktora. Zetknęli się znowu ze sobą tu, we Widniu. Tamten pisał do niego, żeby się zajął żoną, gdy będzie w oznaczonym dniu przejeżdżała. Wyprawi ją dalej.

Nie poszedł dziś do fabryki, bo chce festownie[25] zająć się nimi. Są znużeni – ba, ba – tyli świat. Wprost z Warszawy! I cóż ta w tej Warszawie? Miła to jest mieścina, ta Warszawa, nie można powiedzieć, wesołe miasteczko, choć ani się nie umywała do Widnia... Judymowa mówiła półgębkiem. Wstyd jej było nieznajomego. Pragnęła spocząć co prędzej...

[25] *festownie* - tu: jak najlepiej.

Zeszli w dzielnicę uboższą, wdrapali się na czwarte piętro wielkiego domu. Wkrótce byli w zwyczajnym, ciasnym, robotniczym mieszkaniu. Przyjaciel Judyma żonaty był z wiedenką, która ani słowa po polsku nie rozumiała. Plotła jednak do dzieci i do Wiktorowej śmieszne jakieś wyrazy, zadawała im tysiące pytań, śmiała się, ocierała oczy... Po śniadaniu zasłano betami szeroką kanapę i Judymowa złożyła na nich swą głowę, ale mimo zmęczenia oka zmrużyć nie mogła. Godzina za godziną upływała jej na rozmyślaniu o tym, jak to jechać dalej.

Teraz dopiero pojęła, że jest między obcymi. Towarzysz Judyma, który mówił po polsku, stał się tak dla niej bliski i drogi jakby brat rodzony. Gdy wychodził z pokoju, drżała na samą myśl, że już odszedł i nie wróci.

Pod wieczór musieli wyruszyć na dworzec. Opiekun ulokował ich w wielkim furgonie przewozowym jak śledzie w beczce i odstawił na Westbahn[26]. Tam kupił Judymowej bilety do samego Winterturu w Szwajcarii, a gdy wyczekiwali na drugi dzwonek – prędko ją uczył rozmaitych słów niemieckich. Przede wszystkim kazał jej spamiętać dwa: *umsteigen* i *Amstetten.* Wlepiał w nią swe wyłupiaste, blade oczy i poruszając grdyką szyi, gadał:

– *Amstetten* – to jest stacja, gdzie będziecie przesiadali na *Zug*, co rznie do Salzburga – a *umsteigen* – to znaczy przesiadać. Pytajcie się ciągiem konduktora: Amstetten? Amstetten? Jak powie, że tak, albo kiwnie głową, wtedy przesiadać na *Zug* do Salzburga – *umsteigen!* Rozumiecie?

– Rozumiem... – szeptała Judymowa drżąc ze strachu.

Uczył ją prócz tego kilkunastu niezbędnych wyrazów, gdy wtem uderzył drugi dzwonek. Tłok ludzki wwalił się we drzwi i do wagonów.

Towarzysz Kincel znalazł dogodne miejsce i zdobył je dla swych protegowanych nie bez trudu. Przy okazji stoczył kłótnię z jakimś grubasem, który na tę właśnie ławkę usiłował się wpakować. Judymowa nie rozumiała, rzecz prosta, o co chodzi, ale z tonu mowy wnosiła, że ma się na awanturę. Zaczęła tedy prosić swego przewodnika, żeby dał spokój, gdyż bała się teraz wszystkiego. Towarzysz Kincel udobruchał się. Dzieci ulokował, pakunki złożył na górnej ławce i ciągle jeszcze uczył Judymową. Ale oto trzeci dzwonek rozległ się jakby krótki zły krzyk i towarzysz zgasł w wąskich drzwiach przedziału.

Judymowa w drodze do męża – opis przeżyć

Wagon był pełen ludzi. Panował gwar...

Judymową ogarnęła rozpacz, gdy wsłuchując się z całej siły w tę mowę nie chwytała ani jednego zrozumiałego dźwięku.

– *Amstetten, umsteigen, Amstetten, umsteigen...* – szeptał głos towarzysza, choć jego samego już dawno nie było.

Pociąg wolno ruszył się z miejsca. Ogniste, białe latarnie co pewien czas przyskakiwały z zewnątrz do okien wagonu na podobieństwo jakichś pysków pałających, które zdawały się ścigać to ruchome gniazdo ludzkie. Błysła ostatnia – i pociąg runął w ciemność, jakby się urwał i odleciał od światła. Dzieci były rozkapryszone. Karola beczała na głos, Franek sprzeczał się o jakieś głupstwo. Judymowa była wprost rozszarpana w sobie. Dusił ją brak punktu oparcia. Była w tym strasznym kręgu czucia,

[26] *Westbahn* (niem.) - Dworzec Zachodni.

kiedy człowiek nie panuje nad sobą, kiedy w nim coś się rozrywa, wybucha jak ładunek prochu i kiedy jego ciałem ślepy czyn rzuca jak chce. Czuła duszność w gardle i zamęt, zamęt. Siedziała cicho na ławce, ale nie była pewna, czy za chwilę nie porwie się, nie roztworzy drzwi i nie ucieczę wraz z tym pociągiem dokądś naprzód, w głuchą, straszliwą, w bezbrzeżną ciemność. Nie umiałaby powiedzieć, jak to długo trwało.

Nagle drzwi się otwarły i prosto w oczy zaświeciła jej latarnia konduktora. Judymowa wydobyła swe bilety i podała je urzędnikowi. Ten je obejrzał starannie, przeciął i oddając, monotonnym głosem wymówił:

– *Amstetten, umsteigen...*

Słowa te w uchu Judymowej zabrzmiały jak najczulsze pocieszenie. Może Bóg da, że będzie rozumiała wszystko tak samo jak te wyrazy.

Chwała Panu Bogu Najwyższemu... Niech będzie imię Jego błogosławione...

Blask latarni konduktora zgasł we drzwiach. Wagon zaległa półciemność. Panował jeszcze gwar rozmów, z przeciwnego kąta wybuchały co chwila śmiechy i wrzaski jakichś bab obrzydliwych, ale już to wszystko nie było takie bolesne.

Pociąg huczy, huczy... A gdy się dobrze wsłuchać, to można uchwycić słowa, mowa nie-słowa, które spod jego kół płyną. Ach, nie, nie słowa... To jest jak ta odmiana, którą śpiew robi z człowiekiem. Sam niewiadomy grot muzyki, który na wzór żądła zostawiają w duszy człowieczej głębokie, święte tony. To jest sama sprawa i skutek melodii, do której należą wyrazy „Gorzkich żalów" rozlegające się pod sklepieniem wielkiej głębiny kościoła świętojańskiego[27]:

Zasłona się potargała,
Ziemia drży, łamie się skała...

Pieśń ta unosi człowieka, bierze go od obecnych, przeszłych i przyszłych męczarni żywota, wydziera z kleszczów wszelkiej niedoli, usuwa bez bólu od męża, od pamięci rodziców, od miłowania i nienawidzenia, nawet od Franka i od Karoli. Wszystko obce, zimne, cudze. Tam gdzieś daleko, daleko ciągnie ze sobą na święte pole jasną murawą zasłane. Perliste rosy na kwiatach stoją. Komu te białe wody obmyją bose, skrwawione nogi, ten znowu staje się człowiekiem, samym sobą, całą, samotną, swobodną duszą. Łzy łagodne płyną do serca jako cudotwórcze lekarstwo, które ogień każdej rany uśmierza. Chłodny pokój czy może wiatr pachnący owiewa znękane czoło.

Czasami jeszcze schyla się rozpacz... Czasami trwoga śmiertelna tak oczy zaostrzy, że widzą tuż obok siebie jakieś przerażające widma nieszczęścia, ale to wszystko z wolna zacicha, zacicha...

Począł szemrać cichy deszcz. Zaludnienie wagonu zmieniało się. Wchodzili ludzie prości, chłopi w krótkich spencerach, z fajkami w zębach, jechali dwie, trzy stacje i wysiadali ustępując miejsca innym gromadkom. Powietrze było straszne, tak straszne, że mała Karola dostała mdłości. Gdy się nieco uciszyła i zasnęła, Judymowa siadła obok niej w rogu i przespała okrzyki „Amstetten!" rozlegające się za oknem.

Większość jej towarzyszów podróży wysiadła, weszli znowu całkiem inni, a ona o tym wszystkim nie wiedziała wcale. Gdy się ocknęła, był już dzień. Wagon był pra-

[27] *kościół świętojański* - katedra św. Jana na Starym Mieście w Warszawie.

wie pusty. Z okien widać było kraj pagórkowaty i dziwnie zielony. Śliczne łąki ciągnęły się tam między wzgórzami. Przed południem wagon stanął i wszyscy pasażerowie wysiedli.

„To musi być przecie Amstetten..." – pomyślała Judymowa.

Ściągnęła swoje tobołki z góry, zebrała je i wysiadła. Drżąc przeczytała na dworcu stacyjnym inną nazwę. Wtedy ją znowu opanowała wielka bojaźń: czy aby nie stało się co złego?

Była to niewielka stacyjka. Pociąg, którym przyjechała, zwekslowano na drugą linię, odczepiono lokomotywę. Stał pusty jak wóz bez koni. Podróżni rozeszli się, nawet tragarze znikli z peronu. Judymowa nie wiedziała, co ma robić. Stała obok swych rzeczy, z przestrachem rozglądając się dokoła. Zdawało jej się, że w tym oczekiwaniu na coś niewiadomego upłynęły godziny...

Nareszcie z biura stacji wyszedł urzędnik kolejowy, zbliżył się i o coś zapytał po niemiecku.

Nie zrozumiała oczywiście nic a nic. Po długiej chwili zdołała wydobyć z gardzieli bojaźliwie pytający dźwięk:

– Amstetten?

Kolejarz spojrzał na nią z uśmiechem, zadał znowu jedno, drugie pytanie, a gdy nie otrzymał żadnej odpowiedzi, usunął się. Wrócił po chwili i znowu rzucał jakieś wyrazy. Widząc, że nic nie rozumie, wziął ją za rękę, wyprowadził z peronu na dziedziniec i wskazał gestem miasto leżące w dali. Wtedy zrozumiała, że z nią coś złego się dzieje. Wydobyła z kieszeni bilet i pokazała urzędnikowi. On przeczytał to, co tam stało, wytrzeszczył na nią oczy, wzruszył kilkakroć ramionami, oddał jej bilet i znowu, jak tylko mógł najwyraźniej, gadał wywijając rękami. Wreszcie mruknął coś ostro, chrapliwie i poszedł. Czekała na tym samym miejscu w nadziei, że może wróci i jakoś nią pokieruje, ale daremnie.

Już się więcej nie ukazał. Tymczasem zaczęły na dziedziniec wjeżdżać wozy frachtowe, dorożki, karety. Gdy chciała znowu wyjść na peron, zastąpił jej drogę portier i, nagadawszy się do syta, odprowadził z powrotem na dworzec.

Był upał. Dzieci głodne, spragnione kwiliły. Chora Karola chwiała się i skarżyła na ból głowy. Trzeba było dostać gdzie trochę herbaty, gdyż dziecko płacząc o nią prosiło. Judymowa powlokła się w stronę miasta dźwigając rzeczy w rękach i na plecach. Szła szosą pustą, zalaną słońcem, po której wśród tumanów kurzu waliły ogromne fury. Była udręczona, bez sił i prawie bez duszy. Nie zdziwiłaby się wcale, gdyby ją kto zrzucił z drogi do rowu i kopał nogami. Oczy jej widziały ciągnące bryki, domy w oddali, zarysy wysokich wież, kominów fabrycznych, ale prócz tego chłonęły w siebie co chwila jakieś niebywałe rzeczy. Zdawało się, że wygięty parkan, obielony wapnem coś tu innego ma do czynienia. Z ogrodu zasadzonego burakami coś biegło, coś niewidzialne, a tak straszne, tak obmierzłe. Dojrzała to w oparze drżącym nad ziemią. Uczuła jego straszne oczy w piersiach swych, w stawach, w sercu, w korzeniach włosów, w palcach zdrętwiałych... To Zły tam szedł zza parkanu, na giętkich nogach, w ziemię wrośniętych. Śmiechem się dławił... Rozszerzał się, trząsł, wydłużał, miętosił. Miał ręce tak długie i oczy, oczy, co gryzą jak psia paszczęka...

– Zbawicielu, Zbawicielu miłosierny...

Obcierała rękami pot z twarzy i tarła oczy, żeby zegnać widmo, ale nie mogła się uwolnić. Strach ją oplątywał jak sieć szeroka, którą dokoła niej ktoś okręca, okręca, okręca. I ten szept cichy, ten szept znany, pamiętny jeszcze z dzieciństwa...

Franek szedł przodem i wnet wziął się do zabawy. Zbierał kamienie i frygał do ogrodów. Cisnął tak raz, drugi, trzeci. Za czwartym razem gdzieś daleko brzękła stłuczona szyba. Judymowa usłyszała ten dźwięk, pojęła, że to Franek stłukł szybę, i z nagła uczuła do tego chłopca straszną niechęć.

Tak sobie to pomyślała:

„Wezmę tego psa i uduszę! Jeszcze mię tu zaczną t y r p a ć o szybę. Tylko patrzeć, jak się zlecą..."

Szła drogą i dzikim wzrokiem patrzyła na głowę Franka, który, wygwizdując, z rękoma w kieszeniach rozglądał się po okolicy. Co chwila zmuszona była wstrzymywać się, opierać swe pakunki o pryzmy tłuczonego kamienia albo je składać na ziemi. Pot zalewał jej ciało, każdy szew wrzynał się w skórę. Ociężałe i jakby rozdęte nogi zdawały się krwią broczyć. Mała Karola wlokła się obok matki i nie sprawiała na niej wrażenia idącego dziecka, istoty drogiej i lubej, lecz jakby wiadra wody, pod którego ciężarem ramię drętwieje.

Tak przypełzli do mostu nad szeroką wyrwą, w której głębi toczyła się jasnoniebieska woda.

Na moście panował hałas. Każde uderzenie koła, każde stąpnięcie nogi końskiej wywoływało huk długo nie milknący. U wejścia na most Judymowa siadła w zupełnym omdleniu. Spoglądała na miasto jaśniejące w słońcu z drugiej strony rzeki... Czuła w sobie przez małą chwilę myśli jakieś czyste i spokojne. Zdawały się radzić jej, żeby szła ku jasnej łące, namawiać ją mądrymi słowy. Ale już łąki tej nie mogła zobaczyć w sercu swoim. Uderzyła w nią rozpacz jak wicher halny.

– Po cóż ja tam idę? – pytała samej siebie z łkaniem wewnętrznym, co zdawało się wydzierać z niej wnętrzności. – Przecie to nie jest ani Wintertur, ani Amstetten... Co to może być za miasto! – wołała głośno, patrząc w nie wyschłymi oczami.

Siedziała tam głupia i bezsilna, jak plewa prześladowana od wiatru.

Dzieci zeszły z chodnika i bawiły się rzucaniem kamieni w głąb wąwozu. Mogły były pozlatywać w przepaść, a nie byłaby tego dostrzegła.

Z tego odrętwienia zbudził ją głos jakiś. Stał nad nią wysoki policjant w mundurze i kasku i gadał coś, wskazując oczyma rzeczy i dzieci. Spojrzała mu przelotnie w oczy i głośno rzekła po polsku:

– A szczekaj, psie, choć i cały dzień! Wszystko mi jedno.

Żołnierz powtórzył swoje głośniej.

Judymowa rzekła ze złością:

– Jak się to miasto nazywa?

Niemiec wytrzeszczył oczy i znowu coś zaczął mówić. Gdy mu nie odpowiadała i nie zwracała uwagi, chwycił w rękę tobół i wskazał jej gestem, żeby go zabierała na plecy. Tchnęła nie tylko najszczerszą chęcią, ale wprost porywem fizycznym, żeby mu plunąć w ślepie, i tylko siłą wstrzymała się od tego. Szła kilkadziesiąt kroków na powrót, zupełnie martwa. Zimne zdrętwienie wolno kształtowało się w jakiś plan mętny. Nie miała siły rozumieć tego. Resztkami myśli chwytała to błędne, zaskórne chcenie, żeby tylko wiedzieć, co to jest, i zaraz wykonać...

Policjanta już nie było... Więc znowu wsparła tobół o żelazną barierę i tak stała na miejscu, ślepy wzrok tocząc naokół. Czuła już tylko, że ciężar tłomoka parzy ją w plecy, i owo zachcenie zdradliwe, dające nadzieję spokoju.

Stała tam bardzo długo, jakby żelaznymi mutrami przyśrubowana do żwiru chodnika i do bariery.

Środkiem ulicy po okrągłych kamieniach toczyły się w stronę dworca kolejowego omnibusy i powozy. Nagle wzrok Judymowej zatrzymał się na jednej parokonnej dorożce i osobach w niej siedzących. Byli to młodzi i piękni państwo, ubrani wykwintnie. Dama w skromnym słomkowym kapelusiku zasłaniała jasną parasolką młodego człowieka. Obydwoje śmiali się czegoś i rzucali wokoło siebie szczęśliwe, rozbawione spojrzenia.

Judymowa drgnęła, jakby ją kto pchnął naprzód. Przywołała dzieci i poszła za tą dorożką. Idąc tak, głośno mówiła do siebie:

— Takie szczęśliwe ludzie, takie szczęśliwe... Może mi pomogą... Zbawicielu, Zbawicielu miłosierny...

Dorożka toczyła się wolno i Judymowa biegnąc co sił, miała ją ciągle przed oczyma. Głowy osób jadących co chwila pochylały się ku sobie. Dwa razy prędzej niż w tamtą stronę Judymowa przebyła odległość między dworcem a mostem.

Stanęła na podwórzu stacyjnym mało co później niż dorożka. Właśnie młodzi państwo wysiedli i stali obok, gdy tragarz odbierał z rąk woźnicy dwa kufry. Judymowa nie wiedziała, co pocznie, ale czekała na chwilę, kiedy do tych ludzi przemówi. Dlaczego do nich – nie wiedziała. Istota jej zmieniła się teraz w jeden tylko wybuch woli: przemówi!...

Nagle młoda pani rzekła do swego towarzysza po polsku:

— Weź od niego numer i chodźmy do sali.

Judymowa zachwiała się na nogach. W oczach jej pociemniało. Zbliżyła się do tej pani jak pijana i zaczęła bełkotać wyrazy przeplatane śmiechem, krzykiem i łkaniem:

— Pani! Pani! O, moja przenajśliczniejsza... Pani, pani anielska!

Nieznajomi z uśmiechem życzliwości zwrócili się do niej. Zamienili ze sobą kilkanaście wyrazów francuskich, a potem żywo i ze współczuciem słuchali bezładnej historii przygód. Szczególnie młoda kobieta wypytywała się ciekawie o wszystko.

Judymowa pokazała im bilet i to ich ostatecznie upewniło, że nie mają przed sobą żebraczki ani oszustki. Na rozkaz tej pani tragarz wziął rzeczy z rąk Judymowej i odniósł je na salę razem z walizami. Dzieci dostały po kubku mleka. Wtedy dopiero Judymowa mogła zapłakać. Pani anielska sama przez chwilę miała łzy w oczach. On poszedł z biletem do kasy i siedział tam długo. Wrócił z wiadomością, że wszystko jest dobrze, że na skutek jego reklamacji Judymowa wróci do Amstetten, a stamtąd pojedzie we właściwą drogę, kiedy oni przesiądą się na pociąg idący do Włoch. Sama wzmianka, że się z nimi rozstanie, przejęła Judymową dreszczem. Uspokoili ją obydwoje zapewnieniem, że teraz jej zginać nie dadzą, że zobowiążą konduktorów i władze, aby ją odstawiono na miejsce, do Winterturu.

Młoda pani zaczęła pytać się z żywością o rozmaite rzeczy. Między innymi rzekła:

– Pani jedzie z Warszawy?

– Tak, proszę pani, z Warszawy.

– A jakże się pani nazywa?

– Nazywam się, proszę paniusi, Judymowa.

– Jak, Judymowa? – ze zdumieniem pytała piękna dama, otwierając swe śliczne, błękitne oczy.

– Takie nazwisko, proszę paniusi – Judymowa.

– To jest – mąż pani nazywa się... jakże? Judym?

– Tak, Judym.

– Doprawdy? – szepnęła z zaciekawieniem.– A może jakim kuzynem męża pani jest doktór Judym, pan Tomasz Judym?

– To rodzony brat męża! Brat rodzony! – wołała Judymowa. – To paniusia zna brata?

– Tak, znam troszkę – rzekła pani Natalia.

Zwróciwszy się do męża, szepnęła:

– Czy słyszysz?

– Okazuje się, że miałaś wielbicieli ze wszystkich sfer towarzyskich... – rzekł pan Karbowski.

– Chciałabym widzieć teraz naszego ambitnego doktorka...

– Istotnie, byłoby to ciekawe! Jak by też witał swoją rodzinę podróżującą w tak oryginalny sposób...

Sala zaczęła się napełniać. Uderzyły dzwonki, zaszedł przed peron pociąg i Judymowa została usadowiona w klasie trzeciej. Państwo Karbowscy jechali pierwszą. Miało się już pod wieczór.

Na stacjach, gdzie zatrzymywano się po kilka minut, młodzi małżonkowie wysiadali ze swego wagonu i przechadzając się po peronie gwarzyli z Judymową, z dziećmi. Pani Natalia interesowała się zdrowiem małej Karolki, która spała niespokojnie na rękach matczynych. Przynosiła jej to wina, to coś do zjedzenia, to jakieś lekarstwo otrzeźwiające. Dała im nieco nadwiędnięty bukiet kwiatów, pół flaszeczki perfum, wachlarz swój – chłopakowi różne wykwintne drobiazgi.

Gdy ukazywali się na peronie i chodzili ze sobą, żywo mówiąc, pieszcząc się wzajemnie oczyma, ustami i każdym ich wyrazem, Judymowa nie spuszczała z nich oka. Wargi jej szeptały czułe nazwy, słodkie, prostackie, półludowe spieszczenia, a cała dusza oddychała błogosławieństwem tych dziwnych, prześlicznych postaci.

– Żeby cię tak wiecznie chciał twój mąż jak teraz!... – szeptała. – Żebyś mu była luba... Żeby się w tobie kochał do samej śmierci... Żebyście mieli śliczne, duże, zdrowe, mądre dzieci... Żebyś je bez bólu wielkiego rodziła... Żebyś nad nimi po nocach łez dużo nie wylewała...

Bukiet róż trzymała przyciśnięty do ust i poiła się jego zapachem. Wąchała perfumy z lubością i czcią dla jasnej pani. Ta woń podniecała jej wdzięczność i zamieniła ją na tęskny zachwyt. Każdy ruch pani Natalii Judymowa chłonęła oczyma, śledziła jej postać i widziała ją w źrenicach wtedy nawet, gdy pociąg ruszał z miejsca i biegł wśród wzgórz ozłoconych zachodem słońca.

W nocy w Amstetten państwo Karbowscy rozstali się ze swą protegowaną. Zanim wszakże to nastąpiło, konduktor pociągu dążącego w stronę Innsbrucku zajął się nią w sposób tak niesłychanie gorliwy, że ta furia pieczołowitości świadczyła o *memento*[28] co najmniej pięcioguldenowym. Podróżująca familia ulokowana została w osobnym przedziałku, na klucz zamykanym.

Judymowa do takiego stopnia była znużona, że przez całą noc nie mogła zmrużyć oka.

Leżała na twardej ławce i wytężonym wzrokiem patrzyła w szybę okienną.

Noc była widna, księżycowa. Rozległy horyzont nad ranem zasłoniły góry. Grzbiety ich, z początku okrągłe, coraz bardziej szczerbiły się i biegły wyżej. Judymowa widziała góry pierwszy raz w życiu. Ten widok tak niesłychany dla człowieka z nizin i z miasta był jak gdyby dalszym ciągiem dnia minionego. W duszy jej te widoki i zdarzenia odbijały się gdyby w wodzie i tworzyły tam obraz zadziwiający. Patrzyła przez okno nie na góry, lecz na ten obraz w głębi siebie samej. Serce jej drżało i wzrok wewnętrzny wlepiał się w to cudne skupienie rzeczy.

„Co to jest ta ziemia? I czy to ziemia?

Kto są ci przepiękni ludzie, których ujrzała tam pod tym miastem bolesnym?

I czy to ludzie? Kto jej powiedział, żeby szła za nimi? I...?"

Przed tym pytaniem serce jej mdlało i we łzach tonęło. Wtedy w niewysłowionym struchleniu pytała się głębin nocnych, łańcuchów górskich i tego świętego odbicia w samej sobie, odbicia w czymś czułym i wiotkim, jak gdyby w morzu łez.

„Kto ich posłał?"

Najwyższe szczyty były niby posrebrzone blaskiem księżyca. Ich ostre kły miały teraz łagodny ludzki wyraz. Zdawało się, że dumają, że zamyśliły się i patrzą kamiennymi oczyma w lazur bezchmurny, usiany gwiazdami. I jeszcze zdawało się, że tak samo jak człowiek – nie mogą zobaczyć...

Kiedy niekiedy wzrok Judymowej spadał w otchłań, gdy pociąg leciał na skalnych gzymsach arlberskiej drogi. Gdzieś w głębi, w przepaści, w niezmiernych szczelinach snuły się białe, zielonkawe piany wód Innu po sennych, śliskich, czarnych głazach.

Widoki te nie dziwiły Judymowej. Serce przyjmowało je i cicho, ostrożnie, troskliwie jak drogi skarb, chowało w sobie. Czasami dokoła wagonu roztaczała się głucha ciemność, którą wypełniał dym i łoskot. Judymowa nie wiedziała, co to jest, ale nie czuła lęku. Była tej nocy jakby nad słabością swego ciała i nad wzruszeniami.

W pewnej chwili srebrne brzegi szczytów pogasły, jakby je kto zdjął z wyżyny. Coraz bardziej nasuwały się z cienia szare zręby i granie skał, rozdzierając sobą ciemność leżącą w dole. Z wysoka zstępował górski poranek.

Jechali tak przez cały następny dzień i całą noc. Znużenie dzieci stało się jakąś tępą omdlałością. W ustach, z braku właściwego napoju, utworzyły im się krosty. Kaszlali wszyscy troje i rzucali się we śnie.

W Buchs konduktor austriacki doręczył Judymową szwajcarskiemu, który ironicznym okiem oglądał tych podróżnych. Zrewidowano ich rzeczy, zamknięto znowu w wagonie i ruszyli dalej.

---

[28] *memento* (łac.) - pamiętaj, tu: żartobliwie dla określenia napiwku.

W blasku nowego dnia ukazało się wkrótce coś nieziemskiego, coś, na co patrząc Judymowa oczom wierzyć nie chciała: błękitne, zimne, tajemnicze jezioro Wallensee. Pierwszy promień zza szczytów wpadający w nizinę ślizgał się na falach, które się chwiały w chłodnym mroku. Ta głębia przezroczysta, a zstępująca w ciemną otchłań, znowu do drżenia zmusiła serce Judymowej. Wydało jej się, że widziała we śnie te wody, że przez nie szła z rozkoszą i że tam na ich dnie kamienistym leży ów sekret święty.

Tymczasem brzeg jeziora wygiął się prędko i jakby zamknął przed oczyma błękitną wodę. Pociąg wybiegł na szerokie błonia. Góry znikły i tylko regle świerkowe snuły się w dali. Łąki białe od miodownika, wśród których stały gęsto drzewa owocowe, tworząc jeden sad nieprzejrzany, ciągnęły się jak okiem rzucić.

Około godziny jedenastej pociąg stanął w Winterturze. Usłyszawszy tę nazwę Judymowa przelękła się i bała ruszyć z miejsca. Konduktor otworzył drzwi i dał jej znak, żeby się wyniosła z wagonu. Gdy dźwigając swe toboły i dzieci złaziła ze stopni, ujrzała Wiktora, jak przeciskał się wskroś tłumu i szukał ich oczami. Zaraz w złość wpadła. Gdy ich zobaczył i podbiegł, sypnęła od razu:

— Gdzieżeś, ty, człowieku, miał rozum, żeby nas w tyli świat!... O, Jezu, Jezu...

— A cóżem ci — rozkazywał? Mogłaś nie jechać. Widzisz ją! Powitanie małżeńskie! Od trzech dni przylatuję, jak kto głupi, na każdy pociąg...

— Ale, powitanie! S p o j r z y j n o s e, co się z tymi d z i e c i a m i zrobiło. W gębach mają jakieś krosty, nawet nie wiem... Masz ty rozum! Jeżeli my nie pomarli w drodze, to prawdziwe zdarzenie.

— Takaś znowuż delikatna! I ja przecie jechałem tą samą drogą. Cóżem miał zrobić, skrócić ją czy co?

— Ij, stuliłbyś gębę, bo doprawdy...

— To ty mi stul gębę, żebym ci na powitanie czego zaś nie ofiarował. Jak ci się nie podoba, to siadaj w kolej i r z n i j, gdzie ci wypada.

Wziął na ręce Karolę, tobół pad pachę i wyprowadził ich za peron. Szli jakiś czas w milczeniu po szosie usypanej żwirem.

Obok drogi stały domy, przeważnie piętrowe, w małych ogródkach z żelaznymi sztachetami. Każde okno było zasłonięte zieloną żaluzją. Te mieszkanka, jak wszystko dokoła, zdawały się kwitnąć i posiadać w sobie zieleń roślinną. Na ścianach zwróconych ku południowi rozpięte były gałęzie wina, którego szarozielone gronka gęsto między liśćmi zwisały.

— Ty masz, Wiktor, jakie mieszkanie? — cichszym głosem spytała Judymowa.

— Przecie że mam.

— Jedną izbę?

— Dwie nieduże i kuchenkę. Ciasne, ale niczego.

— Daleko to?

— Kawałeczek drogi. Nie bardzo daleko.

W istocie, minąwszy kilka ciasnych krzywych uliczek, wprowadził ich wkrótce do sieni szczupłej kamienicy i na schody wąziutkie, czysto umyte a wydeptane tak, że z desek stopni tylko cienka warstwa została. W klatce schodowej panował zaduch, pomimo że wszystkie sprzęty były tam wyczyszczone i błyszczące. Na drugim piętrze Wiktor otworzył drzwi i wpuścił swoją rodzinę do mieszkania. Było istotnie ciasne i niskie tak dalece, że się głową dotykało powały, ale miłe. Obydwa pokoiki były wyłożone drzewem i malowane olejno na kolor błękitny. Aż na środek pierwszej izby lazł ogromny piec z brunatnych kafli. Całą ścianę zewnętrzną zajmowały okna, których w dwu stancyjkach było cztery. Judymowa z uśmiechem patrzyła na ten lokal i doznawała wrażenia, że wcale jeszcze nie wyszła z pociągu, tak bardzo te dwa pudełka wymalowane i lśniące przypominały przedział wagonu. Ale oto w drugiej izdebce dostrzegła łóżko, łóżko pod sam sufit zasłane betami. Zaczęła się co tchu rozbierać.

Judym wyszedł do swej fabryki. Dzieci nie chciały iść spać i wybiegły z ojcem na miasto.

Tonąc w puchu, Judymowa wodziła oczami po czystych ścianach, po prostych sprzętach, które nie miały na sobie ani jednej plamki, i usiłowała zatrzymać je w miejscu. Wszystko jej w oczach szło, szło, szło bez końca jak wagony. Ściana wysuwała się ze swego miejsca i przechodziła... Krzesło, komoda, szafa, tłumok, leżący na środku pierwszego pokoju – wszystko to sunęło dokądś, bez przerwy... Gdy zamykała oczy, żeby usnąć, natychmiast w nich i w głębi mózgu snuły się nieskończone szeregi wagonów. Koła ich stukając pędziły przez całe ciało, przez głowę i piersi, ze drżeniem, z hukiem i zgrzytem. Ani usnąć, ani odpocząć...

Czuła doskonale, jak mija czas, słyszała głosy zewnętrzne, rozumiała, gdzie jest, ale odegnać owego pędu wagonów ani na sekundę nie była w stanie.

Z dźwięków ulicznych zajmował ją i nęcił szczególniej jeden. Był to jakby śpiew, jakby wydawanie lekcji czy chóralne odmawianie pacierza przez gromadę dzieci. Judymowa słyszała nie tylko ogólny ton, ale każdy głosik z osobna, wymykający się z harmonii. Było w tym coś wesołego nad wszelki wyraz, coś tak miłego, że nie mogła dać sobie z tym rady. Wstała z łóżka, narzuciła odzienie i czając się w głębi izby zaczęła wypatrywać, skąd te głosy pochodzą.

Z drugiej strony wąskiej uliczki na tej samej wysokości były roztwarte okna jakiejś dużej sali. Na małych drewnianych stołeczkach siedziało tam kilkadziesiąt, pewno ze czterdzieści sztuk indywiduów w wieku lat od czterech do sześciu. Osoby te gwarzyły, beczały, śmiały się, spierały, swawoliły, ale co pewien czas, na znak dany przez otyłą kobietę w latach, każde ujmowało w ręce szydełko i rozpoczynało pracę. Wtedy to za głosem przewodniczki cały chór, wykonując szydełkiem każdy ruch, kiwał się i śpiewał ową jakby piosenkę. Judymowa nie rozumiała wyrazów, ale nie mogła się wstrzymać, żeby nie powtarzać płynących dźwięków:

Ine stache,
Fadeli ume g'schluh'.
Use ziehe.
Abe Loh'...[29]

Bawiło ją to i zajmowało do żywego.

„Cóż też to może być? – myślała. – Szkoła? Ale czyżby kto posyłał do szkoły takie małe berbecie?"

Tymczasem w uczelni znowu wybuchały gwary, zabawa, krzyki, gonitwy, a po upływie jakiegoś czasu dawała się słyszeć recytacja:

---

[29] *Ine stache...* (dialekt niem.-szwajc.) - wbij, owiń nitkę, wyciągnij i spuść...

Ine stache...

Patrząc na tę swawolę połączoną z robotą, słuchając chóralnego gwarzenia, które nie było jeszcze śpiewem, ale już było rytmem podniecającym do wykonania bez przykrości pracy, doznała dziwnego uczucia. Przytulona do ściany, z oczyma utkwionymi w ten obraz, który miała przed sobą, myślała o czymś, co jej nigdy, przenigdy nie przychodziło do głowy.

I wnet, ledwie pojęła tę rzecz głęboką i mądrą, uczuła w sobie żal śmiertelny. W głowie jej sunęły się wciąż mury, okna, żaluzje, a z oczu leciały łzy rzęsiste. Wzdychała nad sobą i nie tylko nad sobą... Trzymała w sercu bezsilną mękę patrzenia na dzieci swoje rosnące ponad rynsztokiem.

Z tej zadumy wyrwało ją gwałtowne stukanie we drzwi. Ktoś ruszał klamką i pukał. Bała się otworzyć, więc jakiś czas siedziała przyczajona, ale gdy dobijano się coraz gwałtowniej, przekręciła klucz w zamku. Wszedł do mieszkania mężczyzna wysoki, w kamizelce, z miną tak nasrożoną i oczami tak wściekłymi, że Judymowa ze strachu aż siadła na krawędzi łóżka.

Przybysz zaczął wrzeszczeć i machać rękami.

Pokazywał co chwila liście, które trzymał w ręce, ciskał je na podłogę, znowu brał i pchał w kieszeń... Zbliżał się do Judymowej i zadawał jakieś pytania, a gdy ona wciąż jednako skromnie milczała, wrzeszczał coraz głośniej. Używał tak z kwadrans. Wreszcie trzasnął drzwiami i wyszedł.

Ledwie Judymowa zdołała oddać się uczuciu szczęścia, znowu wrócił z całymi garściami liści. Kładł je na stole i błyskając białkami oczu, co kilka słów powtarzał:

– *U se!*[30]

Nie wiadomo skąd jej taka chęć przyszła, dość że zaczęła ziewać. Osłaniała wprawdzie usta ręką, ale jegomość widział to i doświadczał paroksyzmu furii, bo trząsł się cały i tupał nogami. Przyglądała mu się uważnie, od stóp do głów, poprzysięgając sobie w duszy, że gdyby tak, co daj Boże, drugi raz wyszedł z izby, to już nie głupia otwierać mu drzwi z klucza. W istocie awanturnik wyskoczył krzycząc jeszcze na schodach. Co tchu zamknęła drzwi, położyła się do łóżka i przykryła pierzyną. Tak w półsennym odurzeniu leżała ze dwie godziny, aż ją znowu zbudziło stukanie we drzwi. Był to Wiktor w towarzystwie owego złego Szwajcara i dzieci.

Wiktor coś bąkał, ale prędzej dla okazania żonie, jak się to rozmawia po niemiecku, niż dla wyjaśnienia sprawy.

– Czegóż ten od nas chce, Wiktor? – spytała Judymowa.

– A to nasze dzieci obdarły mu wino.

– Co za wino?

– Wiesz, oni tu mają winne krzewy na ścianach... Ten b i u r g e r[31] miał calutki front domu pokryty. Przyszedł Franek z Karolą, wzięły i obdarły wszystkie liście, powyrywały badyle ze ziemi. No i trzęsie h a j b a[32] morowe powietrze ze złości.

– Po cóżeście wy toto zrobiły?

---

[30] *U se!* (dial. niem.-szw.) - precz!

[31] *biurger* (niem. Bürger) - obywatel, mieszczanin.

[32] *hajb* (dial. niem.-szw.) - określenie pogardliwe, odpowiadające polskiemu: chamidło.

– Wielkie święto, że my liście urwali! – zaperzył się Franek. – Masz mama o co piekło robić...

– Ten h a j b mówi, że tu już do ciebie przychodził – rzekł Wiktor do żony.

– A przychodził. Nawet dwa razy. Gadał sobie coś, ja słuchała. Wygadał, co wiedział, i poszedł.

– Ech, już z tym narodem to człowiek nigdy do ładu nie dojdzie. To prawdziwy kryminał ten kraj! Tu o godzinie dziesiątej wieczorem już ci nie wolno we własnym mieszkaniu tupnąć obcasem w podłogę, bo się cały dom zleci. Nie wolno ci rozmówić się z drugim głośniej, nie wolno ci w kuchni trzymać wiązki drzewa, palić ognia, jak wiatr wieje, nie wolno chlusnąć naftą dla podpalenia w piecu, bo zaraz dwadzieścia pięć franciszków kary – diabli wiedzą, co tu wolno...

Szwajcar tymczasem wciąż do nich gadał. Judym wytłumaczył żonie, że on się tak dopytuje, po co te dzieci zrobiły mu taką krzywdę, żeby niszczyć dojrzewającą gałąź winną. Kto ich tego nauczył, żeby takimi łotrami być już w dzieciństwie.

Sprawa została odłożona do późniejszego czasu, gdyż sam Judym nie rozumiał dobrze, co tamten gada. Wiedział tylko, że z tego mieszkania stanowczo go wyleją i że drugiego w mieście bezwarunkowo nie znajdzie. To go wprawiało we wściekłość. Przeklinał h a j b ó w na czym świat stoi, wymyślał im po polsku i po szwajcarsku.

Wreszcie rzekł do żony:

– Ja ci otawarcie powiem, że ja tu nie myślę siedzieć.

– Gdzie?

– A tu.

– Cóż ty znowu gadasz?

– Ja r z n ę do Ameryki.

– Wiktor!

– To jest niewola, nie kraj! Zarabiam tu wprawdzie więcej niż w Warszawie, ale wiesz ty, ile przy Bessemerze płacą w Ameryce? Pisał mi Wąsikiewicz detalicznie. To jest dopiero pieniądz.

– Cóż ty mówisz, cóż ty mówisz... – mamrotała. – To my już do dom nigdy...

– Do Warszawy? Masz ci! Jakże ja mam wracać? Zgłupiałaś? A zresztą po jakie sto tysięcy diabłów?

Myślał chwilę, a później mówił głośno, wstrząsając głową:

– Moja kochana, Bessemer jest wszędzie na świecie. Ja idę za nim. Gdzie mi lepiej płacą, tam idę. Mam tu siedzieć w tej dziurze? Nie ma głupich!...

W oczach Judymowej wędrowały wciąż ściany, okna i sprzęty. Upadła na poduszki jak bezwładne drewno i osłupiałymi oczyma patrzyła się w malowane deski sufitu, który się z nią dokądś, w nieskończoność, w zaświaty posuwał, posuwał...

O zmierzchu

W życiu doktora Judyma zaczął się okres szczególny. Na pozór była to taka sama egzystencja, te same obowiązki, takież dążności i starcia. W gruncie rzeczy jednak młody lekarz stał się jak gdyby inną osobistością. To, co czynił, czym się zajmował, było zewnętrzną powłoką jego istotnej natury, czymś niby ciało, w którego głębi wykwitł duch samoistny. Leczenie chorych, rzeczy szpitalne i zakładowe, wyjazdy do dworów i wsi okolicznych nie uległy zmianie, owszem, przychodziły z większą jeszcze łatwością, ale była to tylko eksploatacja żywej, kipiącej siły. Głąb duszy doktora Tomasza zajęło coś tak nowego, jak nową jest wiosna po twardej zimie.

Między jednym a drugim wschodem słońca zamknięte były jakby gaje czarodziejskie, dalekie od tego świata, schowane za wysokimi murami. Ciągle trwało to pachnące wrażenie, jakiego doznał w dniu kwietniowym, kiedy, przybywszy po raz pierwszy do Cisów, stał w oknie i patrzał w głębinę alei.

Jeszcze gałęzie drzew wysokich są nagie, szare i chude jak chrusty leszczynowe. Barwa ich sprzecza się z dziwnym błękitem, co się kurzy i stoi tuż nad ziemią, między pniami, niby rzadki, rozwiany dymek. Zaledwie pierwsze, zmarszczone i słabe liście wyprysły z końców cienkich gałązek bzu. Ciężkie pęki jak złotolite gruzły zdają się spływać z brunatnych prętów kasztana. Słońce to płomienistym pożarem spada na wilgotną ziemię, to odlatuje do modrych królestw swoich i ginie w różnobarwnej sukni obłoków. Jasne murawy ukazały się na szarym, parującym gruncie. Pierwsze ich pióra drżą, odwracają się i chylą ku słońcu. Radosny świergot ptaków i z oddali wesołe krzyki dzieci dają się słyszeć, a cały przestwór pełen jest woni fiołków.

W tej dziedzinie wstawała z każdym wschodem słońca ostra noc duszy. Ona to sprawiła, że oczy widziały teraz wszystko z podwójną jasnością. Rzeczy i sprawy zewnętrznego świata łączyły się i rozchodziły inaczej, a wszystkie przedmioty ukazały swe fizjonomie pełne mądrości i porządku. Myśli codzienne wypadły ze swoich siedlisk i były jak młode ptaki spłoszone z gniazda, co na wszystko patrzą w zdumieniu.

Po co jest wiosna? Czemu noc przemija i czemu dnieje? Dokąd żeglują pracowite chmury, czasem niewinne jak sny dziecięce, a czasem straszliwe jak trzewia rozrąbane toporem, z których czerwona krew się leje? Dla kogo rosną kwiaty wiosenne i czemu zapach z nich się rozszerza?

Co to są drzewa i z jakiej przyczyny w biały dzień upuszczają na ziemię coś jakby noc: czarujące cienie swoje?

Wieczory, kiedy księżyc był wystawiony w jasnych niebiosach, które, jak mówi *Biblia,* są sprawą palców bożych, przemieniły się w święte misterium. Były tajemnicą niedocieczoną, do której dusza jak do skończonej formy swojego szczęścia w tęsknocie wzdychała.

O zmierzchu panna Joanna częstokroć przychodziła do parku z jedyną teraz uczennicą swoją, panną Wandą. Tam przypadkowo spotykały doktora Tomasza. Chodzili we trójkę w ciemnych alejach, rozmawiając o rzeczach obojętnych, naukowych, artystycznych, społecznych.

Był w tym szczególny urok, że prawie nie widywali swych twarzy ani oczu. Tylko ciemne postaci, ciemne osoby, ciemne istoty, jakby same dusze... Tylko z dźwięku głosu mogli poznawać wzajemnie upragnione marzenia. Czasami, z rzadka, spotykali się w towarzystwie i wówczas, gdy usta tak samo jak w parku wymawiały obojętne frazesy, oczy prowadziły inną rozmowę, pełną zapytań, odpowiedzi, próśb, wyznań i obietnic, rozmowę stokroć wymowniejszą niż słowna.

Judym – miłość do Joasi – opis przeżyć

Judym był jakby szalony na samą myśl, że zobaczy swoją „narzeczoną". Tak ją mianował w myślach, chociaż nigdy jeszcze nie wyjawił jej ani swojej miłości, ani prośby o rękę. A gdy mógł widzieć te oczy, w których uśmiechał się z rozkoszą cudowny wdzięk miłości, zdawało mu się, że krew zaczyna wypływać z jego serca, że słodka śmierć na podobieństwo fali oceanu otacza go i niesie do stóp tego zjawienia. Radość i słodycz tych obcowań była tak niezrównana, że nawet wszelkie żądze cielesne tłumiła.

Judym nie pragnął panny Joasi jako kobiety, nigdy z niej w marzeniu nie zdzierał szat dziewiczych. Pachnące dymy błękitne otoczyły ją i zasłaniały od myśli pożądliwych. Nade wszystko, nad piękność, dobroć i rozum kochał w niej swoją czy jej miłość, ów zaklęty wirydarz[33], gdzie człowiek wchodzący zdobywał nadziemską zdatność pojmowania wszystkiego. Drżał na samą myśl, że jeśli tej łaski niebios, którą, Bóg jeden wie dlaczego, zobaczył na swej drodze, dotknie się wolą, jeśli wyciągnie rękę i zechce ujrzeć lepiej to coś zaziemskie, to ono zginie natychmiast. A myśl o zniknięciu szerzyła w nim zimno śmierci.

I tak ciągle płynęły w jego sercu dwie strugi: tęsknota i trwoga. Gdy przypatrywał się wykwintnej i delikatnej postaci panny Joasi, stawała mu w oczach, jak nieodłączne widmo, suterena z ulicy Ciepłej. Wszystko zdobyte znikało. Pamiętał o swojej rodzinie rzemieślniczej, o ciotce, która go wychowała, o towarzyszach jej zabaw... Zdawało mu się, że skulony, obdarty, głodny i zdeptany, stojący na samym brzegu upodlenia, jest w ciemnej izbie piwnicznej. I oto zstępuje po schodach ciemna osoba. Słychać cichy szelest jej sukien, pachnący szmer jej nadejścia... Z wolna schodzi, zatrzymuje się na każdym głazie. Niesie w oczach dalekowidzących przedziwne posłannictwo swojej miłości.

Wolno mu na nią patrzeć, ale jeśli się dźwignie i przemówi jedno słowo błagalne, jeśli dotknie jej ręki wyciągniętej, to wówczas nastąpi coś przeczuwanego, coś, co czyha, co czeka cierpliwie i wlepionymi oczyma patrzy na każde postanowienie.

Pewnego dnia w drugiej połowie czerwca Judym szedł do jednej z odleglejszych wiosek. Z umysłu skracał sobie drogę, idąc na przełaj ścieżkami, dla prędszego załatwienia „wizyty" i powrotu jeszcze przed zachodem słońca.

Ścieżka szła nad brzegiem rzeki, która u jednego krańca rozległej łąki, w dolinie między dwoma płaskowzgórzami, wiła się wśród zarośli. Dróżka ta, kryjąca się w cieniu drzew, wyciśnięta na miękkim gruncie, była tylko z wierzchu obeschnięta, a głąb

[33] *wirydarz* (starop.) - ogród ozdobny.

jej uginała się jeszcze pod nogą. Naokół były trawy, wikle i rokity. Judym szedł prędko, z rękami w kieszeniach i oczyma spuszczonymi, nic prawie dokoła siebie nie widząc, gdy wtem na zakręcie drogi zobaczył pannę Joannę. W pierwszej chwili był tak oszołomiony, że nawet się z nią nie przywitał. Szedł kilka kroków myśląc o tym, czy ona czekała tu na niego, czy to może jest sen...

Nie zdziwiłby się wcale, gdyby znikła w powietrzu jak mgła znad łąki. Nie czuł także szczęścia. Spoglądał na jej twarz bladą, pomięszaną i obojętnie zauważył, że jej prosty nosek z tej strony widziany jest jakiś inny...

Po niejakiej chwili domyślił się wreszcie, że to jest jakby cud... Nie będzie czekał na nią w parku, nie będzie spieszył do chorych, nie będzie skracał sobie godzin pozostających do zmierzchu różnymi sposobami, bo ona tu jest z nim razem, sama jedna... Był w tym nawet pewien jakby zawód.

— Pani na spacer?... — rzekł czując w tej samej chwili, kiedy mówił te wyrazy, że postępuje jak zupełny, ordynarny głupiec, bo przecie ta chwila, która mija, jest najważniejszą i będzie pamiętną w całym życiu. Ale zaraz po sekundzie tego przeświadczenia nadeszło zapomnienie o wszystkim i obojętność tak zupełna, jakby kto poprzedzające wrażenie przysypał worem piasku.

— Ja chodzę tutaj co dzień, jeżeli, rozumie się, deszcz nie pada... — odpowiedziała panna Joanna.

Judym wiedział, że skłamała. Wiedział, że przyszła w to miejsce pierwszy raz i dlatego, żeby go spotkać. Słowa jej słyszał dobrze, ale zdawało mu się, że przychodzą z jakiejś oddali. Nie rozumiał ich zresztą, zajęty radością patrzenia w jej serce.

— A panna Wanda?

— Wanda o tej porze jeździ konno z panem plenipotentem.

— Pani nie jeździ konno?

— Owszem... Bardzo lubię. I niegdyś, niegdyś... mój Boże... Teraz już nie mogę. Muszę mieć troszkę, tylą odrobinkę wady serca czy czegoś takiego, bo każda przejażdżka nabawia mię bólu tu właśnie, gdzie bije to przebrzydłe. Mam później bezsenność.

Judym, słysząc te słowa, uczuł w swym sercu literalny, fizyczny ból i taki żal, taki niezgruntowany, bezbrzeżny żal, że musiał ścisnąć zęby, aby nie wybuchnąć płaczem.

— Dlaczegóż się pani nie poradziła jakiego dobrego lekarza w Warszawie?

— Ech!... Dobry lekarz nie poradzi na takie rzeczy. A zresztą, kto by tam zwracał uwagę. Nie jeździć konno — to taka łatwa rzecz do zrobienia...

— To nie jest wcale wada serca i ani cienia choroby w tym nie ma... — mówił z uśmiechem. — Zwyczajne, najzwyczajniejsze zmęczenie. Organizm nieprzyzwyczajony...

— Mój organizm?

— ... Pod wpływem forsownego wysiłku ulega na czas pewien wyczerpaniu... Może byłoby dobrze, gdyby się pani przemogła i jakie dwa, a nawet trzy razy w tygodniu bez zmęczenia, rzecz prosta, jeździła na tej siwce.

— Tak pan myśli?

— Naprawdę. Pani musi prześlicznie wyglądać na koniu...

Powiedział to zdanie bez chwili namysłu i faktycznie bez wiadomości, jaki sens mają te słowa.

– A to dopiero terapia! – rzekła panna Joanna nie patrząc na niego. Złoty uśmieszek, najpiękniejszy z uśmiechów, otoczył jej twarz jakby blaskiem słonecznym. Brwi i wargi drgnęły wesoło. Judym przez chwilę daremnie czekał, aż usta powiedzą wyraz skrzydlaty, który chował się w tym prześlicznym uśmiechu. Nikły rumieniec jak zorza płynął po jej policzkach.

– Proszę pana – mówiła rumieniąc się coraz bardziej – pan jeździł czasami tramwajem na Chłodną czy na Waliców?

– Jeździłem... Rozumie się... A dlaczego się pani pyta?

– Tak się tylko pytam. Kilka razy widziałam pana jadącego w tamtą stronę. Był pan wówczas troszkę inny, nie taki jak teraz. Może zresztą w cylindrze tak się pan wydawał. To było ze trzy lata temu, a może nawet więcej.

– Dlaczego pani zwróciła wtedy na mnie uwagę?

– Nie wiem, dlaczego.

– Za to ja wiem dobrze.

– Czyż tak?

– Wiem na pewno.

– Niechże pan powie, dlaczego.

– Dlatego, że...

Judym pobladł. Uczuł, jak skóra cierpnie mu na głowie i jak zimny dreszcz falą spływa przez całe ciało.

– Nie – mówił – nie powiem teraz. Kiedy indziej...

Panna Joanna zwróciła na niego oczy, przyjrzała mu się szczerym, rzetelnym spojrzeniem i zamilkła. Szli długo.

Na kresach łąki, po urwisku płaskowzgórza rozrzucone były chaty wsi, do której Judym zdążał. Droga, wąska w nizinie, zmieniała się w szeroki wygon pokryty mnóstwem kolein i wygrodzony żerdzianym płotem. Panna Joanna szła tą dużą drogą kilkadziesiąt kroków. Z nagła stanęła i mówiła:

– Pan idzie do wsi?

– Tak, do chorych.

– Ja tam już nie pójdę.

– Dlaczego?

– Nie, nie pójdę.

– Już pani wróci do domu? – pytał z żalem w głosie i oczach.

– Tak, już trzeba wracać. Zresztą... Długo pan tam zabawi?

– Nie bardzo, z jakie pół godziny.

– A tak... Ja tu poczekam. Albo lepiej...

– Panno Joanno...

– Albo lepiej tam, na kraju tego wzgórza.

– Ach, to dobrze, to śliczna, śliczna myśl!

Poszedł szybko tą drogą. Byłby biegł pędem, byłby zresztą całkiem, do licha, zaniedbał chorych. Wstrzymywał go tylko przesąd, że ona tam czeka. Gdyby nie spełnił... Ta pewność sprawiała mu rozkosz bezbrzeżną. Czuł, że jest to już zbliżenie, coś jakby schadzka, jakby umówiony czas radości wspólnej, a zarazem przesądnie cieszył się, że szczęście samo przyszło, że go nie wołał ani wypraszał.

Chciał załatwić się z chorymi co tchu, ale jak na złość przed każdą chatą, do której wchodził, zgromadzały się baby z dziećmi, chłopi z okaleczonymi palcami... Musiał ich badać i opatrywać. Był już prawie zmierzch, gdy wreszcie wybiegł ze wsi i rozpalonym wzrokiem szukał panny Joanny. Były chwile, że tracił władzę nad sobą.

– Odeszła... – szeptał połykając łzy jak dziecko.

Zobaczył ją wówczas dopiero, gdy blisko podszedł do wzgórza. Siedziała na ziemi między ogromnymi jałowcami.

– Chodźmy nie tędy łąką, bo już mgła się ściele i wilgoć... – mówił zbliżając się do niej.

– A którędy?

– Można przejść górą, wprost przez pola, a stamtąd brzegiem łazińskiego lasu.

– No, dobrze, tylko musimy się bardzo spieszyć, bo już noc prawie.

Weszli na szczyt urwiska i znaleźli się w polu otoczonym z trzech stron lasem. Z dwu stron był to bór liściasty, z trzeciej – sosnowy. Słońce padało na milczącą ścianę drzew, złocąc nieruchome kępy grabów i brzóz barwami tak żywymi, że oko chwytało dokładne kształty liści bardzo dalekich. Za parowem, z którego wyszli, w nieskończonym oddaleniu, u kresu pól mieniących się od zboża, słońce zachodziło. Poziome jego promienie leżały na jasnych drogach, na szybach wód, zwykle skrytych, na bezbarwnych powierzchniach domostw wieśniaczych. Figury idących, Judyma i panny Joasi, rzucały dwa cienie, jak gdyby dwa niezmierne widma ich bytów, które przed nimi idą, łączą się, zbliżają i odsuwają od siebie. Purpurowozłocisty blask przedmiotów trwał krótko. Tarcza słoneczna wlała się w ziemię i utonęła. Wówczas daleki gaj liściasty przygasł. Zaczął oddalać się, oddalać, odchodzić...

Judym wpatrywał się w tę okolicę i doznał niewytłumaczonego uczucia. Był już tam nieraz, to prawda, ale zdało mu się, że już podobne uczucie przeżył w tym samym miejscu.

Już niegdyś, niegdyś...

To jest miejsce, do którego szedł przez całe swoje długie, tułacze życie.

„Dlaczegóż to tak? – marzył wpatrując się w tę dziwną polanę. – Dlaczegóż to tak?"

I oto przez chwilę, przez mgnienie źrenicy, gościło w jego wiedzeniu coś niby odpowiedź, tak jakby dźwięk słowa, które wiatr przyniósł z oddali, ale natychmiast z ucha wyrwał i rozwiał.

Część tego pola, jakby wzgardzonego przez ludzi, była zasianą. Obok ciągnęła się niwa zorana i zawleczona, co było widokiem niezwykłym o tej porze roku. Ta ziemia była jeszcze ciepła, pulchna i miękka. Nie więziła nóg, jak piasek na wydmie, lecz je ogrzewała delikatną głębią swoją. Stopy panny Joanny, obute w pantofle, zupełnie ginęły w roli. Obydwoje nie zwracali na ten szczegół uwagi, ale o nim dobrze wiedzieli.

Z szarej gleby zaczęła się dźwigać w górę jej barwa, zaczęła wchłaniać połyskujące przed chwilą kolory lasu i słać dokoła, daleko i blisko, zmrok cichy, zmrok ciepły, zmrok wonny.

– Nie powiedziałem wtedy – rzekł Judym – dlaczego pani zwróciła na mnie uwagę, gdy jechaliśmy tramwajem w stronę ulicy Chłodnej... Otóż mnie się zdaje, że wiem.

– Pan to wie?

– Tak, wiem.

– Bardzo jestem ciekawa.

– Pani musiała wówczas po prostu przeczuć...

– Co przeczuć?

– Wszystko, co ma nastąpić.

– Cóż takiego?

– Że to ja właśnie będę mężem twoim.

Panna Joanna nie okazała zdziwienia. Szła w spokoju. Blada jej twarz wydawała się uśpioną. Judym nachylił się ku niej.

– Czy aby dobrze, czy z rozwagą pan to czyni? – mówiła cichym, głębokim głosem. – Niech pan dobrze nad tym pomyśli...

– Już wszystko przemyślałem.

To twarde oznajmienie istoty rzeczy nie wyrażało, ale dźwięk jego był tak decydujący, że panna Joasia nic nie odrzekła.

Judym teraz dopiero uczuł, jak bezgranicznie jej pragnął. Wszystko zginęło mu z oczu. Mrok wdarł się do głębi duszy i wszystko w niej zgasił. Zdawało się, że opór miękkiej, głębokiej ziemi, w której nogi brodziły, nie ma końca, że ciągnie się setki godzin. Szary zmierzch, to pożądliwe zrzekanie się światła, sprawiało dziką rozkosz. Był to niewiadomy żywioł, który zdawał się rozdymać w jakiś płomień i poprzedzać tę świętą, boską, tajemną noc, jak krzyk wesoły wołający w szerokiej pustce nad ziemią.

Prawą ręką Judym objął swą „żonę" i lewe ramię jej uczuł na swej piersi, a głowę tuż przy policzku. Schylił się i zanurzył usta w bujne, wzburzone, czarne włosy dziewicze, owiane czymś pachnącym...

Łzy płynęły z jego oczu, łzy szczęścia bez granic, które zamknięte jest w sobie i którego już się nie doświadcza po wtóre.

Wzdrygnęli się, gdy stopy ich uczuły grunt twardy na skraju lasu, ale nie zwolnili kroku. W gąszczu sosen stała już ciemność jak czarny marmur, którą kiedy niekiedy niby złota żyłka przecinał lecący robaczek świętojański. Wzrok ich spostrzegł te złote nici i omijając świadomość umieszczał piękny, nikły ich półblask na wieczne czasy w pamięci jak drogocenny skarb życia.

Było tak cicho, że słyszeć się dawał jakiś odległy, odległy szmer wody, gdzieś sączący się z upustu.

Pannie Joannie wydało się, że ten głos coś mówi, że to on woła...

Podniosła głowę, żeby usłyszeć... Wtedy uczuła na swych wargach niby rozżarzone węgle. Szczęście jak ciepła krew wpłynęło do jej serca falą powolną. Słyszała jakieś pytania, słowa ciche, święte, spod serca. W ustach swych wyrazów znaleźć nie mogła. Mówiła pocałunkami o głębokim szczęściu swym, o dobrowolnej ofierze, którą witała...

Szewska pasja

Sposobem z roku na rok praktykowanym Krzywosąd załatwiał szlamowanie stawu, gdy wtem już w pierwszej połowie czerwca zjechało tyle kuracjuszów, że ukończyć roboty nie było można. Tylko z części stawu od strony rzeki muł był wybrany do głębi. Reszta przedstawiała się w postaci bagna, które woda ledwo była w stanie przykryć. Po spuszczeniu jej błotko wysychające okryło się zielonym kożuchem wodorostów i szerzyło woń ohydną. Robotnicy pracujący przy rydlu i taczkach dostawali febry, nawet Krzywosąd miał gorączkę i dreszcze.

W okolicznościach tak trudnych, gdy przy obcych nie było sposobu wywozić za park furami zgniłego szlamu, Krzywosąd wpadł na myśl genialną. Nic nikomu nie mówiąc, kazał w pewnym miejscu rozkopać groblę do gruntu, wstawić w ten otwór pochyłą rynnę z desek szerokości łokcia i puścić na nią strugę wody, która sączyła się na dnie spuszczonego stawu. Utworzyło to rodzaj kaskady, która zlatywała dość bujnie do koryta rzeki. Wówczas Krzywosąd postawił kilkunastu silnych ludzi z taczkami, innych z rydlem, rozkazał im wybierać szlam, zwozić go po narzuconych deskach do rynny i rzucać w to drewniane łożysko strumienia. Woda pędząca z wysoka porywała szlam i niosła go w stronę Morza Bałtyckiego.

Był to figiel tak wyborny, że wszyscy zdumieni byli jego oryginalnością. Ciężkie wozy nie roznosiły po parku ciekącego szlamu, brudni ludzie nie łazili ścieżkami – i tylko sam staw cuchnął jeszcze ile się dało. Liczono jednak, że przy wzmożonym natężeniu pracy za dwa, trzy tygodnie dno stawu obniży się i wodę można będzie wstrzymać.

Judym zatopiony po uszy w miłości nie wiedział o niczym. Gdy idąc przez groblę do zakładu na obiad zobaczył po raz pierwszy maszynerię wodną, stanął oniemiały. Tak dalece nie rozumiał, co to ma znaczyć, że zapytał pierwszego z brzegu pracownika:

– Co to, chłopcy, robicie tutaj?

– A szlam na wodę puszczamy, proszę pana doktora.

– Na wodę szlam puszczacie?

– Juści.

– A przecież nad tą wodą stoją wasze wioski. Jakże ludzie będą bydło poili i korzystali z tej wody?

– A to nie nasze d z i e ł o. Pan administrator kazał, my wywalamy, i spokój.

– A... skoro pan administrator kazał, to wywalajcie, i spokój.

– Tu już chłopy przylatywały z Siekierek – rzekł któryś – prawowały się z panem, z administratorem, że, p a d a j ą, w całej rzece woda zmulona, ale ich pan skłął i wygnał. Tyle wygrali.

Judym odszedł. Udał się brzegiem strumienia w zamiarze, nie bardzo zresztą wyraźnie sformułowanym, zbadania, czy w istocie woda jest zmulona. Szedł długo po łące świeżo skoszonej i z wzrastającą wściekłością patrzał na burą, gliniastą ciecz, która leniwie toczyła się w korycie rzeki.

W pewnej chwili złość ta ustała. Zastąpiło ją promienne przypomnienie czegoś miłego... Judym zapomniał o rzece. Zapomniał tak doskonale, jak gdyby stracił z oczu rzeczywistość, i sam widział senne marzenia, daleko bardziej realne i niewątpliwe niż staw, rzeka, szlam, chłopi, Krzywosąd... Dopiero w parku ocknął się i podniósł głowę.

Przy świeżo zbudowanej śluzie stał Krzywosąd i dyrektor.

Na ich widok młody lekarz uczuł wstręt fizyczny. Uczuł, jakby te dwie figury wydzielały ze siebie ohydny fetor szlamu. Postanowił, że nie zbliży się do nich, uda, jakoby ich nie widział, i odejdzie inną drogą.

Cóż go, u stu tysięcy, obchodzą wszelkie sprawy ze szlamem! Czy ta rzecz jest jakimś ważniejszym nadużyciem w szeregu miliarda innych? Czemuż jej właśnie ma poświęcać tyle uwagi? A niech robią dziady, co im się żywnie podoba! To ich rzecz. Zamiast leżeć od dawna, niech bryka jeszcze ten chodzący cmentarz! Dość się z nim i tak nasiepał. Wykazał wszystko, co uważa za złe i dobre. Nie chcą go słuchać, robią swoje – no to niech będzie!

Szybkimi kroki szedł w swoją stronę i na samym szczycie wszelkich innych argumentów znalazł w głowie jeszcze jeden:

„To jest rola zakładu leczniczego: dostarczać najciemniejszej warstwie ludności zmulonej wody do picia. Zamiast tę warstwę... Cha, cha... Pyszna ilustracja całej afery. Ten śmierdzący szlam w rzece – to jest działanie zakładu leczniczego. Ilustracja szumnych frazesów o «roli społecznej zakładu w Cisach»".

Nie mógł wytrzymać. Ten tylko dowcip im powie – no i basta! Powie to Krzywosądowi, nie, nie, nie Krzywosądowi! Powie dyrektorowi w żywe oczy i raz na zawsze skończy dyskusję. Będzie to ich Pyrrusowe zwycięstwo[34].

Zdawało się, jakby ten argument ujął go za kołnierz i nawrócił z drogi. Jasność faktu i logika rozumowania była tak oślepiająca, że wobec niej wszystko znikło jak cień wobec światła. Gdyby kto biciem zmuszał Judyma w owej chwili do wyszukania argumentu, który by osłabił siłę konceptu o tej mniemanej roli zakładu, nie wydusiłby z niego ani jednej myśli. Dyrektor i Krzywosąd widzieli zbliżenie się młodego asystenta, ale udawali, że prowadzą ze sobą dyskurs ważniejszy niż wszystko na świecie. Dopiero gdy witał się z nimi, zwrócili się doń nie przerywając zresztą ani na chwilę ożywionego traktatu o jakimś włosieniu do materaców. Judym długo milczał, obojętnie patrząc na chłopów unurzanych w błocie, bosych, bez ubrania, którzy pchali przed sobą wielkie taczki.

Wszystko kipiało w nim i przewracało się do góry nogami. W myśli powtarzał swój dowcip i układał go w formę literacką. Chciał to wyrazić w uwadze niewinnie zjadliwej, która by pomogła treści wejść jak lekkie ukłucie, a na zawsze otruła umysły przeciwników.

Rzekł wreszcie, pasując się ze sobą, żeby ani jeden dreszcz muskułu nie zdradzał wzruszenia:

– Co to panowie robią tutaj? Czy można zapytać?

---

[34] *Pyrrusowe zwycięstwo* - zwycięstwo okupione wielkimi stratami. Określenie pochodzi od króla Epiru, Pyrrusa, który w wojnie z Rzymianami w dwóch wygranych bitwach poniósł takie straty, że zawołał: Jeszcze jedno takie zwycięstwo, a jesteśmy zgubieni!

– Jak kolega widzi... – rzekł dyrektor, troszkę blady.

– Tak, widzieć widzę, ale wyznaję, że nie rozumiem.

– Wozić teraz nie można, więc Krzywosąd wymywa staw wodą.

– A... wymywa staw...

Dyrektor umilkł. Po chwili zapytał tonem zimnym i zdradzającym gniew:

– Panu się to nie podoba?

– Mnie? Owszem. Dlaczegóż miałoby mi się nie podobać? Jako motyw do rodzinnego pejzażu...

– Jako motyw do rodzinnego...

– Jest to zasada dobrego gospodarstwa, żeby zużytkować każdy środek na korzyść przedsięwzięcia. Skoro mam... – mówił Krzywosąd.

Judym, z ostentacją nie słuchając tego, co mówił administrator, powtórzył z naciskiem, zwrócony tylko do dyrektora:

– Jako motyw do rodzinnego pejzażu. Przekonałem się, że to, co częstokroć zowiemy rolą zakładu w historii okolicy, przypisywanie mu jakiegoś społecznego czy higienicznego znaczenia, jest tylko rodzimą blagą, efektem, reklamą, obliczoną na głupotę histeryczek. Dla mnie tedy jest to widok taki sam jak każdy inny.

– Nie lubię tych pańskich lekcji! Jestem człowiek stary...

– A ja jestem człowiek młody, który starcem w danej chwili żadną miarą być nie może.

– Mój łaskawy panie!

– Jestem lekarz! Uważam za rzecz ze stanowiskiem lekarza niezgodną to, co pan dyrektor pozwala czynić swemu totumfackiemu.

– Mój dobrodzieju! – mruknął groźnie Krzywosąd – rachuj no się, z łaski swej, ze słowami! Także! Totumfacki... *Nec sutor ultra crepidam*[35].

– No, no! Daj no pokój z twoją tam łaciną... – krzyknął dyrektor. – Ja ci tu dam łacinę!

Zwracając się zaś po chwili do Judyma, mówił z cicha, ale dobitnie:

– Pańskie admonicje nie wywrą tutaj żadnego wpływu ani na mnie, ani na nikogo.

– Wiem o tym dobrze. Ja...

– Jeżeli pan wiesz o tym dobrze, to nie rozumiem, po co się mięszasz w nie swoje rzeczy. To do pana, kochany panie, wcale nie należy.

– Czy kwestie higieny należą do pańskiego totumfackiego?

– Tu nie ma wcale ani kwestii higieny, ani tym mniej nie ma totumfackiego. Co się panu wydaje? Gdzie Rzym, gdzie Krym? Higieny!

– Higiena jest, ale dla ludzi bogatych. Chłopy i ich bydło niech piją muł z naszego stawu. Otóż ja panu dyrektorowi krótko powiem: przeciwko temu, co się tu robi, ja kategorycznie protestuję!

– A protestuj sobie, kochany panie, ile wlezie... Ile tylko wlezie! Krzywosąd, najmiesz mi na jutro dwa razy tyle robotników co dziś.

– Panie Piórkiewicz – zawołał Krzywosąd do ekonoma – każ pan pójść komu do wsi, żeby do roboty przyszło jeszcze z ośmiu, z dziesięciu.

---

[35] *Nec sutor ultra crepidam* (łac.) - przysłowie odpowiadające polskiemu: pilnuj, szewcze, kopyta.

Zwracając się do Judyma, administrator zaśmiał się szyderczo, z całego serca, i rzekł:

– No, i cóż pan na to, panie reformatorze?

– Ja nic na to, stary ośle! – rzekł Judym spokojnie.

Judym – kłótnia z Krzywosądem

Krzywosąd przez chwilę patrzał w niego wlepionymi oczyma. Wtem zbladł i, wznosząc pięść, o krok się posunął. Judym dostrzegł ten ruch i stracił świat z oczu. Jednym susem przypadł do Krzywosąda, chwycił go za gardziel, targnął nim z dziesięć razy, a potem pchnął go od siebie. Administrator stał tyłem do stawu. Rzucony przez Judyma, zleciał z grobli, runął w szlam i zanurzył się w rzadkie bagno, tak że ledwo go było widać. Chłopi cisnęli rydle i pospieszyli mu z pomocą.

Judym nie widział, co było dalej. Oczy mu zaszły wściekłością, jak bielmem. Szedł drogą klnąc głośno, ordynarnie...

Gdzie oczy poniosą

Nad wieczorem oddano mu list dyrektora ze słowami: „Wobec tego, co zaszło, spieszę oświadczyć Sz. Panu, że umowę naszą, zawartą przed rokiem w Warszawie, uważam za rozwiązaną. Sługa – Węglichowski".

Judym przeczytał to pismo z niedbałością, odwrócił się na drugi bok i sennym wzrokiem patrzał w deseń pokrowca kanapy. Wiedział doskonale, że lada chwila taki list mu przyniosą. Wmawiał w siebie, że nań ze wzgardą oczekuje.

Starał się nie myśleć o niczym, wypocząć, uciszyć się, ostygnąć i dopiero przyłożyć ręki do wszystkiego, co trzeba przed wyjazdem załatwić. Był nawet kontent ze siebie, z tego mianowicie, że się uspokaja świadomie, systematycznie. Przenikliwym wzrokiem wewnętrznym spostrzegał dygocącą chorobliwie namiętność do Cisów, która teraz musiała być zwalczona, żeby się nie mogła zmienić w coś głupiego. Przymknął powieki i zaczął usilnie wyliczać półgłosem pewne związki chemiczne. Ledwie jednak szepnął trzy nazwy, uczuł pytanie, które go pchnęło z miejsca jak cios fizyczny:

„Czemu ja przed tą awanturą nie poszedłem do domu?"

Żałość ukryta w tych słowach była tak nienasycenie bolesna, tak ostra, tak wydzierająca z wewnątrz, że można ją przyrównać chyba do haka, którego koniec utkwił w żywym płucu, drze je, a zarazem całe ciągnie za sobą. Ale kiedy jego żelazo największą szerzyło boleść, kiedy zdawało się wyczerpywać swą siłę, wtedy ukazała się jeszcze inna katusza: uśmiech panny Joasi spotkanej na łące.

W całym tym zdarzeniu Judym o niej zapomniał, a raczej nie mógł pamiętać. Teraz zjawiła się niby zdumienie bezsilne, bolesne, milczące...

„Cóż tu teraz począć? Wyjechać, rozstać się? Teraz właśnie? Dziś, jutro, pojutrze?"

Uczucie, które go wtedy opanowało na samą myśl o wyjeździe, było głupie, tchórzowskie i nędzne. Trząsł się wewnątrz ze strachu i szalał z żalu. Wszystko zerwało się w jego duszy. Męskie uczucia rozprysły się jak kupa zgonin[36], w którą podmuch wichru uderzył.

Nadszedł wieczór. Roztwarte okno wpuszczało do pokoju zapach róż kwitnących. Nad murem, który część parku otaczał, między pniami drzew, lśniła się jeszcze zorza złotoczerwona. Ciepły mrok napełniał już pokój i wolno zaścielał uliczkę w środku grabów.

Judym spostrzegł jeszcze głąb jej czarującą i szary mur w oddali, ale w pewnych momentach tracił wszystko z oczu, jak gdyby ciemność wzrok mu wyżerała. Pomimo wszelkich usiłowań obrony zapadał coraz głębiej w jakąś nieprzeniknioną ciemnicę. Czuł to, że z nim razem idą tam wszystkie wzruszenia miłosne i że na dnie przeraźliwym zostaną w pył rozsypane. Leżał bezsilny jak drewno, doświadczając tylko dreszczu nagłych postanowień, o których w tej samej chwili miał dziwne wiedzenie, że zwiastują tylko obecność w duszy jakiejś nędznej choroby.

W pewnej chwili posłyszał szelest, który mu sprawił ból, jakby od ukłucia. W błękitnej tafli okna ukazała się postać kobieca. Judym bardziej po łzach płynących do serca niż siłą wzroku uczuł Joasię. Gdy stanął przy oknie i złożył jej głowę na swych piersiach, zaczęła coś mówić do niego, prędko i cicho...

Nie był w stanie tych słów pojąć, czuł tylko, że teraz dopiero ma w sobie swojego ducha. Z piersi jego wydarło się westchnienie:

– Już jutro...

– Jutro...

– Nie mogę być ani chwili, ani chwili.

– Po cóż to było, po co to było?

– Musiałem tak zrobić. To nie ode mnie zależało. Teraz mszczą się na mnie moje własne usiłowania. Gdybym był człowiekiem spokojnym, gdybym się zgodził na wszystko... „Kto zmaga się ze światem, zginąć musi w czasie, by żyć w wieczności".

Mówił to zdanie z rozkoszą, z pewnym szczególnym a przyjemnym samochwalstwem, z jakąś czułą dumą. Wtedy pierwszy raz pachnące, małe usta znalazły jego wargi i złożyły na nich cudowną pieszczotę.

– Dokąd pojedziesz? – pytała wyrywając się z jego ramion.

– Czy ja wiem? Zapewne do Warszawy. Jeszcze o tym nie myślałem.

– A o czym?

– Zupełnie o czym innym.

– O czym?

Zamiast odpowiedzieć, wyciągnął ręce, ale w tejże chwili znikła mu z oczu. Miał pełne serce i usta najczulszej mowy... Tymczasem już ani jeden wyraz nie mógł być przez nią wysłuchany. Judym patrzał w mrok ogarniający ogród, w mrok, co zdawał się być jej żywiołem, z którego ona pochodzi, który jest nią samą. Pachnie i napełnia szaleństwem...

---

[36] *zgonina* - plewa.

Długo, do późna w nocy, został sam, zatopiony w sennym oczekiwaniu, na które z ciemności zdawały się patrzeć jej oczy. W pewnej chwili ten urok zgasł, jakby spłoszony przez mokry wyziew idący z ciemnego parku. Judym przypomniał sobie, że rano ma jechać.

Nie myślał ani przez chwilę, dokąd się uda, ale znowu przyszły go szarpać paroksyzmy żalu. Zapalił lampę i martwym wzrokiem oglądał swój lokal zimowy. Były to dwie ogromne sale na parterze starego zamku.

Zostały tu w nich jeszcze niektóre ślady dawnej, zeszłowiecznej okazałości. Ściany zastawione były makatami w ramach, drzwi i okna ujęte w boazerie pełne wdzięku. Dokoła biegły stare, proste, złocone gzymsy, które tu i ówdzie rozkwitały w filigran królewskiego stylu. W kątach pokoju i między oknami błyszczały stare konsole, złożone z kilku tafel lustrzanych.

Nad pięknym kominkiem uśmiechał się w głębi starych ram portret młodej kobiety z odsłoniętymi ramionami i z uśmiechem, który do każdego widza zdawał się przemawiać: „kochaj życie nade wszystko..." Gęste i bujne zwoje włosów leżały u jej czoła jak pęki czarnych kwiatów. Purpurowe usta, jeden policzek i ramię oświetlone były jakimś blaskiem rozkosznym, niby srebrem marzycielskim księżyca. W rysach tej twarzy zamknięty był szatański czar, może miłość twórcy tego malowidła. Judym lubił patrzeć w „swój" portret. Piękne bóstwo wystawione na tym płótnie było dlań jakby siłą, która pociąga w przeszłość, w lata zamierzchłe. Ono sprawiało, że w subtelnej wizji przypatrywał się tym, co te pokoje zamieszkiwali, co tam cieszyli się i cierpieli, byli dumnymi panami, a później dokądś odeszli jak obłoki przesuwające się w górze...

Teraz, gdy światło lampy upadło na portret, na te miłe, wykwintne, przyjemne sale, na sprzęty wygodne – Judym zadrżał. Rozumiał, że nie ma siły, aby to wszystko opuścić. Każdy mebel zdawał się wychodzić z mroku i coś wspominać. Każdy z nich był jak najwierniejszy przyjaciel, który w siebie przyjął jakiś szczegół, jakąś cząstkę sekretu miłości dla panny Joasi, a teraz wszystko wyznawał. Tu, w tym apartamenciku, wszystko było nią samą. Ani razu w nim nie była, ale radosne marzenia i myśli pełne rozkoszy ukryły ją tutaj niby tajemniczą mieszkankę, której nigdy niczyje oczy nie zobaczą. Wiedział o niej stary portret i uśmiech jego grozić się zdawał, że lada chwila rozpowie wszystkim cudowną plotkę.

Ileż niewysłowionego uroku chowało jego milczenie!

Mały stoliczek w rogu zarzucony książkami... Na jego widok Judym łkał i szlochał wewnętrznie. Wówczas gdy wbiegł do tego pokoju z radosną tajemnicą, którą w sobie odkrył ujrzawszy Joasię na skraju leśnym, zatopiony w muzyce rozkwitającej rozkoszy siedział nad nim podparłszy głowę rękami...

Teraz żal brał w nikczemne swe dłonie tamtą chwilę, chwilę jak prześliczne kwiaty nadobni, których siedem kielichów zawsze razem wykwita. Teraz żal obrywał i gniótł ich płatki podobne do płomienia.

Na widok tych wszystkich rzeczy Judym spostrzegł w sobie nędzne uczucie, które swój łeb obrzydły jak czoło foki wysuwało od chwili do chwili z ciemnej głębiny. Zamyślił się i, przymknąwszy oczy, badał, w jakiej by formie pogodzić się z Krzywosądem, przeprosić dyrektora. Przyszła mu na myśli intrygantka Listwina, żona starego kasjera. Jej użyje...

Rzucił się na sofę i głęboko, rozpaczliwie, nikczemnie marzył, jak przeprowadzić to wszystko. Sto razy układał swój plan, swą intrygę. Wyjedzie za dwa dni, wyjedzie pojutrze. Jutro! Nie, nie jutro, za skarby świata! Przez cały dzień będzie się krzątał około tego, żeby zjednać dyrektorową i tamtą jędzę. Te baby urządzą porozumienie między nim i dyrektorem. Dyrektor ze swej strony udobrucha Krzywosąda.

Judym – rozpacz

Gdy wróci, zacznie nowe życie. Och, nowe, ciche, domowe życie! Raz trzeba skończyć z głupotą! Raz trzeba stać się człowiekiem poważnym! Cicho wezmą ślub jeszcze w tym miesiącu... I znowu odsunęło się wszystko na plan daleki. Oto spacer we dwoje po alejach. Mijają wystrojone kuracjuszki, piękne i brzydkie panie. Wszyscy zwracają na nich uwagę. Judym czuje coś podobnego jak chudopachołek, który za pan brat rozmawia z wielkim i sławnym mężem wśród tłumu, który zazdrości... Chełpi się narzeczoną, pyszni się nią, jej olśniewającą, wszechwładną pięknością, jej każdym ruchem, gibkim jak drżenie młodej gałęzi. Idą pośród tłumu nikogo nie widząc, zatopieni w sobie jak w zapachu tuberozy...

Był już brzask, gdy Judym zasnął na krótko. Zbudził się przeziębły. Usiadł na łóżku i zdumionym wzrokiem patrzał dokoła siebie. Jak młyński kamień spadła wtedy na jego piersi konieczność wyjazdu. Już nie rozmyślał nad nią ani jej pragnął odsunąć, tylko zbierał w sobie siły do dźwigania.

Ze trzy godziny pakował swe rzeczy, ubranie, książki w starą walizę. Około ósmej, kiedy wózek pocztowy odchodził do kolei, był gotów. Zostawało jeszcze kwadrans czasu na śniadanie. Judym wypił filiżankę kawy w restauracji z takim pośpiechem, jakby go kto gonił, i szedł rzucić jeszcze okiem na szpital. Gdy stanął u furty tego zakładu, w który tyle włożył swych namiętności, trysło w duszy jego nowe, niewiadome źródło. Uśmiech wyniosłości otoczył mu usta, oczy nabrały lodowatego wyrazu. Z tym uśmiechem na twarzy minął salki szpitalne, prędko obejrzał chłopca chorego na tyfus i nikogo nie żegnając wyszedł. Nie spojrzał nawet w stronę pałacu i w okna, za którymi mieszkało serce jego serca. Tylko w rogu uliczki, nim na zawsze stracił widok szpitala, odwrócił się i przez kilka sekund wpatrywał się weń przymrużonymi oczyma. Twarz skurczyła mu się od tego i spazmatycznie zadrgała. Wtedy odszedł dużymi kroki.

Judym – wyjazd z Cisów

Już wózek pocztowy stał przed werandą zamkową i furman prosił z oddali o pośpiech. Judym szybko wbiegł do mieszkania i coś jeszcze chciał włożyć do walizy. Odpiął prędko sprzączki pasów rzemiennych, otworzył wieko, umieścił co trzeba we właściwej przegródce i począł ją co tchu zapinać. Gdy tego dokonał, zdało mu się na chwilę, że jest nie w tym miejscu...

Jest w przedpokoju ciotki. Spieszy się na lekcje, co żywo, co żywo! Musi się spieszyć, bo, po pierwsze, od tego zależy jego życie, po drugie, może dostać złe świadectwo, po trzecie, ciotka może zauważyć, że tu jest jeszcze, może się we drzwiach ukazać i z wściekłością kopnie go nogą w zęby albo mu plunie w oczy.

Musi iść, musi iść...

Co prędzej, psie nikczemny!

Czemuż go coś w sercu tak niewysłowienie boli? Czemuż daleko gorzej niż wtedy? Zawsze i wszędzie...

I jakby cień jego osoby, na małą, na niewymownie małą miareczkę czasu stanęło przy nim coś tak wiadome, coś bliskie, coś najbardziej bliskie, coś tak bliskie jak trumna: samotność...

Zdawało się, że mówi niezrozumiałym językiem, od którego zimno przejmuje i włosy się jeżą na głowie:

– Nic, nic, ja poczekam.

Po chwili był już na bryczce. W drodze ku stacji czuł w głębi siebie zewnętrzny spokój, który był nawet przyjemny i zaciekawiający, jak pierwsze napady gorączki, z których jakaś ciężka choroba wykwita. Nie myślał o sprawach cisowskich, nie żałował niczego. Czuł tylko nieprzezwyciężony wstręt do nowych nasuwających się krajobrazów i formalną obawę stacji, wagonu, podróżnych. Gdy jednak znalazł się w sali dworca kolejowego, wszedł między motłoch i zapomniał o tej przykrości. W przedziale klasy drugiej, do którego się wcisnął, nie było nikogo, toteż zaraz rzucił się na wyściełaną sofę z pragnieniem snu.

Spać, spać...

Był znużony, czuł na sobie ciężar tysiąca pudów. Ćmił jednego papierosa za drugim. Oczy jego ustały. Zwrócone na szybę chłonęły w siebie kolor nieba, czasami szczyty drzew, słupy i druty telegraficzne, zupełnie jak martwe lustra, które w sobie obraz trzymają, ale nic o nim nie wiedzą. Po szybie z góry na dół i z dołu w górę biegły nieustannie równoległe kresy drutów telegraficznych. Oto wolno, wolno idą, czają się w kierunku dolnej ramy, aż gwałtownym rzutem kryją się za nią, jakby upadały w ziemię. Po chwili wylatują stamtąd jak spłoszone ptaki i mkną w górę przez całą wysokość szyby. To znowu w jej samym środku nieruchomo stoją jakby w zadumaniu, dokąd pójść teraz...

„Jeżeli pójdą do góry... – marzy Judym – jeżeli pójdą...”

Serce jego ściska się i łka, bo ta wyrocznia w małym *templum* przejrzystym schyla się na dół i wolno idzie z jakimś niemym śmiechem szyderstwa.

Wtedy obwijały się koło jego duszy przywidzenia, półuczucia bezimienne, przesądy, dziwy, strachy. Biegły skądś niespodziewane, jakby chropawe smugi na lustrzanej tafli wodnej. Westchnęły i przepadły... To znowu snuły się jak wodorosty, jak zielenice, jak długie żyły, z których wykwitają na powierzchni białe lilie – jak płaskie wstęgi i nici wodne, co oplątują ciało topielca, gdy tylko zachłyśnie się wodą, utraci tęgość swych ruchów i bez sił idzie na dno.

Zdają się czekać tam ze skurczonymi szponami w ciągu długich dni i nocy, ustawicznie z głębiny wypatrując ogarniętego rozpaczą. Stwory te są łudząco czarowne, jakieś takie niepodobne do niczego na ziemi, głupie, bez sensu. Ni to krzewy, trawy, rośliny... Chwieją się uroczyście i dotykają wzajem śliskimi ciały o barwie zielonej, brunatnej, żółtej. To jakby sprawiały zagadkowe wiece, to jakby coś nuciły kołysząc się w takt melodii fal płynących nad ich głowami.

Jakie są przedziwne, gdy ich postaci zaglądają w oczy topielca! Człowiek rozsądny, który je z wody wydrze i na brzegu zdychające rzuci, który je rozdzieli i zbada, widzi, że to tylko nędzne chwasty wodne. Ale ten inny, kto patrzy w ich łodygi z zielonymi włosy, z rękami, które się jak u polipa rozłożą, z wargą, która całuje chichocząc, z oczyma zakrytymi przez kudłate, obmierzłe rzęsy...

Judym błąkał się wśród przeczuć jak topielec po dnie wody. Od chwili do chwili natężał ramiona, wstrząsał się i wypływał. Wtedy miał w oczach coś jakby widmo Joasi, w głowie szelest jej sukien, a zapach jej ust na ustach. Chwile te trwały krócej niż słowo. Zdmuchiwała je świadomość jak śmierć, za którą w te tropy szedł żal niestrudzony, jednaki, a wiekuiście nowy. Płynął z serca, zaczepiał się o każdy widok znikającej przestrzeni, o każdą krzewinę, co zostawała gdzieś tam bliżej Cisów – i jak pracowity robotnik ukazywał coraz większą, coraz większą odległość.

Nade wszystko wszakże były dokuczliwymi pewne podrażnienia, ślepe rzuty nerwów. Niektóre obrazy, rzeczy, myśli, ułamki rozumowań, sylogizmy, koncepty – wprost szarpały go kleszczami. Wówczas ogień najdokuczliwszej boleści parzył duszę. Płomienne szpony bezsilności wszczepiały się w nią, wywracały na nice i trzęsły. Darmo samego siebie znieważał jak pijanego żebraka, który się wałęsa bez celu.

Pociąg zatrzymywał się na stacjach, biegł, znowu stawał... Judym nic o tym nie wiedział. Dopiero na wielkiej stacji, gdzie krzyżowało się kilka dróg żelaznych i gdzie trzeba było czekać całą godzinę, musiał wysiąść i wejść do sali. W tłumie uczuł się tak słabym, skrzywdzonym, bezradnym i nieszczęsnym, jak nigdy jeszcze w życiu. Jakiś sprzęt przypomniał mu jego zimowe mieszkanie w Cisach, wykwintną jego ciszę i spokój. Był tym wspomnieniem wzruszony do łez. Żałował tamtych miejsc z bólem w sercu, z niemocą w rękach i nogach. Wyrzucał sobie do nieskończoności upór, kłótliwość i zajścia, a nade wszystko – ostatnie. Z jasnowidzącym niesmakiem spostrzegał całą głupotę wszystkiego, co zrobił ostatnimi czasy. Usiłował wyrzucić to wszystko z pamięci, zatrzeć te wspomnienia. Teraz przyznawał zupełną, bezwzględną słuszność Krzywosądowi i dyrektorowi. Widział, jak rozsądnym i taktownym było postępowanie Węglichowskiego... Gdyby się w tłumie ukazały ich twarze, jakże miłym byłyby zjawiskiem!

Ktoś w tłoku wymówił słowo: – „Cisy".

Wtedy Judym nie mógł dłużej wytrzymać. Chodził między ludźmi, ściskając zęby i pięści, dusząc w piersi wybuch łkania.

W takiej chwili, jakby klątwę, zobaczył między osobami krążącymi po sali twarz znajomą. Machinalnie odwrócił się od tego widoku i w pierwszej chwili chciał uciekać. Za żadne skarby świata nie był w możności z nikim, a szczególnie z tym człowiekiem, mówić.

Usiadł w ciemnym kącie i spod oka go śledził, żeby nie dać się poznać, a w razie konieczności twarz ukryć w dłoniach. Gotów był spełnić najdziwaczniejsze grubiaństwo, byleby tylko uniknąć zetknięcia.

Korzecki – wiek, wygląd

Owym znajomym był inżynier Korzecki, wysoki, szczupły brunet, lat trzydziestu kilku. Judym spotkał się był z nim w Paryżu, a później odbywał razem przejażdżkę po Szwajcarii, gdzie Korzecki siedział dla zdrowia. W charakterze po trosze lekarza, a właściwie w charakterze ziomka i towarzysza włóczył się na swój koszt z inżynierem z zakładu do zakładu, w ciągu jakich trzech miesięcy. Korzecki był wówczas przepracowany i chory na wyczerpanie nerwowe. Mieli ze sobą długie rozmowy, a w gruncie rzeczy staczali zacięte kłótnie i, dogryzając sobie nawzajem, przez pewien czas błąkali się we dwójkę. Wreszcie, po jednej z ostrzejszych dysput, rozeszli się w przeciwne strony świata: Judym wrócił do Paryża, a Korzecki do kraju.

Teraz widok towarzysza szwajcarskiego był dla doktora przykry, nie do zniesienia. Tamten chodził wolnym krokiem po sali, wydalał się na peron, znowu wracał...

Był to przystojny mężczyzna. Wysoki, kształtny, pełen dystynkcji. Ubrany był nie tylko według ostatniego wzoru mody, ale u doskonałego krawca. Jego jasne palto i podróżna czapeczka, żółte trzewiki i ręczna walizka tak dalece wyróżniały się od wszystkiego, co było w sali, że wyglądał niby jakiś utwór cywilizacji zachodnioeuropejskiej na tle szarych kulfonów małopolskich.

Pierwszy pociąg zabrał znaczną część gości i odwiózł w którąś stronę świata. Judym nie wiedział, dokąd ci ludzie wyjechali. Było mu najzupełniej wszystko jedno, w którą stronę i do jakiego celu sam się uda. Jechał w kierunku Warszawy, do wspólnego, wielkiego domu wszystkich tułaczów, ale kiedy tam przybędzie, czy się w drodze zatrzyma i gdzie to nastąpi – z tego wcale nie zdawał sobie sprawy.

Zatopiony w sobie, nie zwrócił wcale uwagi, że Korzecki przed nim stanął. Spostrzegł się wtedy dopiero, gdy tamten mówił:

– Przecząże to szanowny eskulap ma minę tak zmachlejdezowaną[37]?

Judym drgnął i krzywe spojrzenie cisnął w natręta. Wyciągnął rękę i dotknął jego śliskiej rękawiczki.

– Skądże i dokąd jedziecie? – mówił wolno, w sposób prawie obelżywy.

– Ja do siebie. A wy?

– A ja... przed siebie.

– Jest to wcale oryginalny kierunek! Prowadzi niby do jakiego mieszkania czyli też na wzór punktu poruszającego się w przestrzeni?...

Judym formalnie dławił się wyrazami. Z niechęcią, z przymusem podniósł oczy na towarzysza. Była to ta sama twarz, ale jeszcze bardziej trudna. Jak niegdyś, podobnie do dwu płomieni pełgały jej oczy. Czarne, głębokie, smutne oczy. Częstokroć zarobione do cna i upadłe, kiedy indziej świecące się od nienawiści i potęgi, jak białe kły tygrysa. Jedno z nich, lewe, było jakby większe i bardzo często całkowicie znieruchomiałe. Najszczerszy ich wyraz, najbardziej prawdomówny – był ironią. Ten wzrok nieznośny, przenikliwy jak promień Roentgena, uparty, ciężki, zapierał czasem mówiącemu dech w piersi, niby ciemny otwór lufy rewolweru raptem przystawionej do czoła. Judym bał się zawsze tych spojrzeń, bardziej niż najlepiej zbudowanych sylogizmów. Bezlitosna ich badawczość nie ufała ani jednej sentencji wypowiadanej przez usta i zdawała się zapuszczać palce do korzeni każdej myśli, każdego wzruszenia, każdego odruchu, do tych rzeczy skrytych, jakich człowiek sam w sobie spostrzec nie ma siły. Wzrok Korzeckiego szpiegował w rozmówcy każdą, choćby najlepiej schowaną, nieprawdę, pozę, każdy drobny fałsz. A znalazłszy taką gratkę, rzucał się z radością, z dziką uciechą i bawił się jej podrygami, jak kot myszą schwytaną w szpony. Tysiące

---

[37] *zmachlejdezowany* - zmarnowany jak po przepiciu; przymiotnik utworzony od nazwiska znanych w Warszawie pod koniec XIX w. zakładów browarniczych, Machlajda.

udanych zdziwień, sfabrykowanych wylewów admiracji, chytrych podnieceń do dalszej, niewinnej blagi strzelały z jego czarnych źrenic, jakby żywym srebrem powleczonych. Aż wreszcie wypełzało z nich wejrzenie prawdziwie szatańskie, tępy cios w piersi, który odbierał mowę i paraliżował myśli.

– Słyszałem coś, piąte przez dziesiąte, że zamieszkaliście na wsi – mówił siadając przy stole.

– W zakładzie leczniczym...

– Ach, prawda! W Cisach.

– Tak, w Cisach.

– No i dobre to miejsce?

– Niezupełnie.

– Pochlebiam sobie, że jednak można wytrzymać?

– Właśnie wyjechałem stąd.

– Na długo?

– Na zawsze.

– *Voilà!*[38] Na zawsze... Nie lubię tego wyrazu: „na zawsze"... Czyżby warunki rzeczowe?

– Powiem wam, Korzecki, otwarcie: jestem bardzo rozklekotany. Do tego stopnia, że mi mówić trudno. Nie gniewajcie się, z łaski swojej.

– Już to zauważyłem i przepraszam. Dobrze przynajmniej, że człowiek gada otwarcie. Znam się na tym i pierzcham jak senne marzenie. Tylko jedno maleńkie słóweczko: dokąd jedziecie? Może wam trzeba pieniędzy albo czegoś w rodzaju pomocy?

– Nie, nie! Jadę, zdaje się, do Warszawy.

W tej chwili, gdy to mówił, usłyszał gdzieś niedaleko, w pobliżu siebie, głos Joasi. Serce ścisnęło się w nim i oczy zaszkliły, jakby z nich życie uciekło.

– Powiem parę frazesów... – rzekł Korzecki – i odejdę. Czy można?

– Ależ mówcie.

– Otóż tak: jedź dobrodziej ze mną do Zagłębia[39]. Na krótko czy na długo – to wasza rzecz. Odpocznie ciało, odpocznie duch, rzucicie okiem...

– Nie, nie! Ja nie mogę nigdzie jechać.

– Powiem nawet więcej: w jednym przedsiębiorstwie jest tam teraz wakujące miejsce lekarza. Moglibyście ubiegać się o nie. Zresztą – to później.

– Ja do Warszawy... – mruknął Judym, sam nie wiedząc dlaczego odrzuca tę propozycję. Mierziła go przede wszystkim niezbędność rozmowy z Korzeckim. Tamten, jakby zgadując jego myśli, mówił:

– Ja nie będę z wami ani gadał, ani się o nic rozpytywał. No?

– Nie, nie.

– Gdzież chcecie stanąć w Warszawie? W hotelu? Gdy człowiek jest zmęczony i ma z nerwami...

– Ja wcale z żadnymi nerwami nic nie mam do roboty! Jeszcze ja będę chorował na nerwy, na te jakieś głupie nerwy! Znosić nie mogę tego szafowania nerwowością...

---

[38] *Voilà!* (fr.) - otóż masz! masz tobie!

[39] *Zagłębie* - mowa o Zagłębiu Dąbrowskim, ośrodku przemysłu górniczego i hutniczego.

Korzeckiemu z lekka rozszerzyły się powieki i mały uśmieszek przemknął się wskróś twarzy. Wnet znikł i jego miejsce zajął wyraz niezwykły na tym obliczu: głęboki szacunek i uwaga. Judym spojrzał na swego towarzysza i doznał ulgi. W istocie: dokądże pojedzie? Będzie się błąkał w ulicach Warszawy, tłumiąc w sobie drgawki nienawiści i tęsknoty?

— Ależ ja wam zrobię piekło swoją osobą... — mówił głosem daleko mniej szorstkim.

— Pojedziemy w oddzielnych przedziałach, nawet wagonach, jeśli o to chodzi. Dadzą wam pokój do spania i także będziecie mogli wcale mię nie widywać.

— Cóż znowu?

— Nic znowu. Ja wiem, co mówię. Zresztą ja mam w tym pewne wyrachowanie.

— Co za wyrachowanie?

— Takie jedno.

— Ależ przecie ja już bilet kupiłem do Warszawy.

— No więc cóż z tego? Zaraz pójdę i kupię woma bilet do Sosnowca. Siedźcież tu spokojnie i martwcie się, ile wlezie w tak mały przeciąg czasu, a ja skoczę do kasy.

Judym powiódł okiem za odchodzącym i doznał przyjemnego wrażenia na widok jasnego kostiumu, który przesunął się w tłumie. Westchnienie ulgi wymknęło się z jego piersi. Przez krótką chwilę myślał o tym, co to jest Zagłębie, i pomimo całej odrazy, jaką miał dla miejsc nowych i do tego szczególniej, co może w sobie zawierać ta nazwa, wołał to niż Warszawę. Niebawem Korzecki wrócił i z ostentacją pokazał bilet, który zresztą co prędzej schował do kieszeni. Zaszedł pociąg i Judym udał się machinalnie za swym nowym przewodnikiem do wagonu klasy pierwszej. Był sam w przedziale i zaraz usiłując o niczym nie myśleć, rzucił się na sofę. Gdy wagon drgnął i ruszył z miejsca, doznał zupełnej przyjemności z tego powodu, że nie jedzie sam i nie do Warszawy. Nikt tam nie wchodził. Dopiero po upływie godziny wsunął się cicho Korzecki ze swą głęboką skórzaną walizką w ręku. Usiadł w drugim kącie przedziału i czytał książkę. Gdy zdjął swą płytką czapeczkę, Judym dostrzegł, że łysina jego powiększyła się bardzo. Rzadkie, krótko przystrzyżone włosy czerniały jeszcze na ciemieniu, ale już naga skóra bieliła się manifestacyjnie. Korzecki czytał z uwagą. Na jego ślicznych ustach przewijał się od czasu do czasu wyraz zimnej pogardy, *quasi*-uśmiech[40], taki właśnie, jak wówczas gdy z kimś pozującym na wielkość ten „cynik" prowadził ożywioną dyskusję. Oczy wlepione w stronicę maltretowały ją jak człowieka. Judym spod rzęs przyglądał się Korzeckiemu i znienacka przyszła mu do głowy dziwna myśl: co stałoby się z Joasią, gdyby została żoną takiego człowieka. Chciał w tejże chwili zobaczyć jej źrenice, chciał je sobie przypomnieć, ale oto wzrok jego utopił się we własnych łzach, oczy i twarz jak powódź zatapiających. Leżał tak nieruchomy, z całym wysiłkiem pracując nad zdławieniem w sobie dreszczów cierpienia. W pewnej chwili uczuł gorącą chęć, istną żądzę rozmowy z Korzeckim o Joasi, wyznania mu całej prawdy, wszystkiego. Już, już miał otworzyć usta i zacząć, gdy wtem coś innego, jakaś nikła reminiscencja niosła to na dół, niby ciężka śrucina, która ugodzi ptaka szybującego przez powietrze. Zapominał o tym, gdzie jest, co się z nim przytrafia, i w stanie owej półśmierci, w stanie tęsknoty, jak mógł, się grzebał.

---

[40] *quasi-uśmiech* - niby uśmiech.

Około godziny piątej z południa Korzecki złożył książkę i ściągnął z półki ciężką walizkę. Przygotowując się do opuszczenia wagonu rzekł z cicha:

– Wstawajcie, Judym; jesteśmy u celu.

Wyszli na peron dużej, ruchliwej stacji, minęli ją szybko i wsiedli do oczekującego powozu. Spasione konie niosły ich ostro przez miasto, powstałe jakby w ciągu tygodnia. Domy były nie tylko nowe i ordynarne, ale zbudowane byle jak, z pośpiechem. Ulicami ciągnęły się głębokie bajora i wądoły. Zeschłe bryzgi błotniste widać było na wysokości okien pierwszego piętra. Obok nowych kamienic tuliły się jeszcze stare budy i domostwa w stylu piastowskim.

Okolica za miastem sprawiała wrażenie rzeczy wciąż przetrząsanej, i to nie w tym celu, żeby ją uporządkować, lecz dla wydobycia metodą rabunku tego, co zawiera. Wszystko zostające na miejscu było resztką. Co chwila dręczyły oko jamy, rowy, kanały, ścieki.

Gdzieniegdzie stała jeszcze kępa sosen, z rzadka rosnących jak żyto na piasku. Przez ten las widać było, co się za nim dzieje. Pewne przestrzenie były zarośnięte krzywą sośniną, skarłowaciałym wyrodkiem drzewa, inne – jałowcem. Ogół miejsca był pustką, nieużytkiem.

Miejsce akcji – Zagłębie

Na wszystkie strony biegły gościńce, drogi, ścieżki. Co pewien czas koła powozu stukały o szyny drogi żelaznej. Wszędzie widziało się kominy, kominy i dymy ciągnące w dal po lazurowym niebie.

Droga biegła obok przeróżnych zabudowań fabrycznych, które już to łączyły się w dziwne gromady, już rozpryskiwały w szeregi mieszkań ludzkich. W sąsiedztwie tych skupień ukazywały się oczom jamy ogromne, głębokie, w których stała nie mając gdzie odpłynąć brudna, splugawiona, żółtoryża woda. Judyma widok tych dołów przyprawiał o smutek niewysłowiony. Był to bolesny obraz sromoty. Nie może nigdzie odpłynąć, odejść, uciec, ruszyć się ani w tył, ani naprzód, nie może nawet wsiąknąć i bez śladu, bez pamięci, śmiercią zginąć. Nie służy już do niczego, bo ani za napój, ani za środek oczyszczania jakiegokolwiek ciała. Nie dano jej nawet odbijać w sobie chmur i gwiazd niebieskich. Jak oko wybite, patrzy w górę ze straszliwym błyskiem, z niemym krzykiem, który goni człowieka. Przeklęta od wszystkich, służy za zbiornik zarazy. I tak musi istnieć na swoim miejscu bez końca, bez śmierci.

W pobliżu takich wyrw wznosiły się „hałdy", ogromne zwały piachu węglowego, tworzące istne wzgórza. Gdzieniegdzie rozerwały je deszcze i burze na części i utworzyły między jedną a drugą doliny poprzeczne. Te dziwne nasypy o barwie cegły wypalonej, w których stlił się miał węglowy połączony z łupkiem, tu i ówdzie przerzynały obszar jak krwawe, zaognione obrzęknięcia tej schorzałej, zmaltretowanej ziemi.

Gdy powóz wtoczył się wreszcie na szeroką, dobrze utrzymaną szosę, ukazał się w oddali cel drogi: kopalnia „Sykstus". Widać było jej zewnętrzne budynki, podobne do trzech zlepionych wiatraków, okryte czarnym pyłem tak dalece, że jakieś dwie szyby u spodu jednej z tych wież drewnianych nęciły oko przychodnia miłym stalowym blaskiem. Na szczytach dwu najwyższych graniastosłupów w kłębach pary i dymu obracały się to w tę, to w inną stronę koła od wind podziemnych. Węgiel czarnymi groblami rozchodził się od zabudowań na wszystkie strony, a nad nimi wznosiły się

Naturalizm

ogromne żebra drewnianych pomostów. Z dala już słychać było mowę kopalni. Na jednej z belek stał człowiek w grubych butach i kurcie do kolan. Był cały czarny. Coś musiał gadać, bo wywijał rękami, widocznie rozkazując ludziom, którzy w dole pracowicie sypali łopatami czarne bryły. Naokół w rowach i zagłębieniach stała woda, nie woda, jakiś płyn ciemny, bez barwy, martwo i ciężko leżący w porozdzieranej ziemi, która już nie ma siły okryć trawą swoich obnażeń. Czarne prochy walą się na nią z przestworu i wszystko na jej powierzchni, co tylko słońce zasieje, wytracają. Za ogrodzeniem terytorium kopalnianego ciągnęły się rumowia kamieni zmięszanych z węglem. Dalej rozwalał się szmat czarnego miału jak łata na poszarpanej odzieży. Za nim jeżyła się chropawa przestrzeń pniaków, którą łupi burza, zjada skwar i miałki kurz pływający w powietrzu zasiewa. Te wystające resztki odziemków[41] drzew bujnych a dawno ściętych były dla oczu Judyma niby twarze jakichś krzywd, jakichś niedoli zdławionych i wdeptanych w ziemię. Zdawały się łkać płaczem rozdzierającym i strasznym, którego nikt nie słyszy. Wszędzie, dokądkolwiek oczy wybiegły, niespodziewane „zawalisko" ciągnęło na dół te martwe grunta, których racja bytu zniweczoną została.

Judym spoglądał na nie jakby na krajobrazy swej duszy. Widział doskonale wszelkie logiczne konieczności, wszystkie mądre, twórcze prawa przemysłu, ale w tej samej chwili wyczuwał bezrozumne wzruszenia płynące obok nich samopas jak rzeki niespokojne, burzliwe – albo ciche, sobie tylko samym i swym własnym prawom podległe. I płakał we wnętrzu duszy swej nad tą ziemią. Jakiś łańcuch niezgłębionej sympatii spoił go z tymi miejscami. Coś widział w tym wszystkim, czego rozum nie ima i czemu wyobraźnia nie jest w możności dotrzymać kroku...

Korzecki kazał stanąć przed domem zbornym i o coś zapytał. Powóz wjechał na dziedziniec kopalni. Obok sortowni obaj z Judymem wysiedli i weszli do kantoru. Był to mały parterowy domek, zabrudzony jak odzież kominiarska. W pierwszej izbie, dokąd weszli, Judym zastał wolne krzesło pod oknem i tam usiadł. Korzecki prosił go, żeby tutaj czekał, a sam poszedł do następnej, skąd dochodziły odgłosy dyskusji, prowadzonej przez ludzi z wybornymi płucami. Stancja, w której Judym został, była pusta. W kątach groźnie sterczały dwie szafy z papierami, powleczone czarną farbą. Stół i regestry leżące na nim okryty był kryształkami węgla wdzierającego się przez szczeliny okien, które dygotały pospołu z całym domostwem. Za szybami z hurgotem i trzaskiem pędziły „koleby" popychane na szynach przez silne robotnice. W te ruchome wagony zlatywały z rusztów sortowni bryły węglowe. Słychać było jakby grzmot nieustanny, wrzask surowy albo drgający śmiechem prostaczym.

Lampa elektryczna, przytwierdzona do stołu, zaczęła się słabo żarzyć. Głowa Judyma upadła na splecione ręce. To światło wniosło do jego serca uczucie przeraźliwej boleści. Zdało mu się, że to przez jego barki lecą wagony, że na jego głowę spadają czarne, połyskujące bryły o kantach ostrych jak siekiera. Dziki wrzask robotnic, krzyk dozorców, nieopisany łoskot, jaki wydają sita sortowni, i wpośród tego wszystkiego rozlegający się co pewien czas jęk dzwonka, gdy szala windy szła w przepaść sztolni... Spadało to na niego jak głosy upiorów. Szczególniej dźwięk dzwonka... Prze-

[41] *odziemek* - tu: pień pozostały w ziemi po ścięciu drzewa.

raźliwy, jakiś stłumiony, a sięgający do samego serca, prawdziwie głos na trwogę – miał w sobie coś z ludzkiego jęku, niby owa *vox humana*[42] w organie fryburskiej katedry.

Judym nierychło dźwignął głowę i spostrzegł przed sobą atrament, pióro i jakiś skrawek szorstkiego papieru. Zaczął pisać krzywymi literami: „Joasiu, Joasiu! Cóż pocznę bez Ciebie! Życie moje zostało przy Tobie, całe serce, cała dusza. Zdaje mi się ciągle, że któreś z nas umarło, a drugie błąka się po ziemi wśród nieskończonego cmentarza... W duszy mojej jęczy przeraźliwy dźwięk dzwonu. Jak jąkała wymawia sylaby pewnego wyrazu, którego dosłyszeć nie mogę..."

Przerwał, czując, że nie pisze tego, co jest w istocie, że prawdy samej, bezwzględnej, narywającej w sercu, nie sposób zeznać słowami. Gdy tak siedział nad papierem zgarbiony, odczuł, że ktoś nad nim stoi. Był to Korzecki. Judym podniósł się z krzesła i wtedy dostrzegł, że tamten zna jego tajemnicę.

– Przebaczcie – rzekł Korzecki – rzuciłem mimo woli okiem na papier, nie przeczuwając, że list piszecie. Czytałem tylko pierwsze wyrazy.

– To nie był list! – mruknął Judym.

Rozdarł papier na kilka części i schował je do kieszeni.

– Przepraszam was! – mówił Korzecki miękkim, delikatnym głosem, jakiego Judym jeszcze nigdy w jego ustach nie słyszał.

– Czy tu zostajemy?

– Ale gdzież tam! Jedziemy dalej.

– A dokąd?

– Do mnie. Ja tu przecie nie mieszkam. To wy się tu może z czasem przyczepicie. Po drodze rzucimy okiem na lecznicę.

– A do was daleko?

– Trzy wiorsty drogi. Jesteście znużeni?

– Dosyć. Chciałbym się przespać.

– Zaraz będziemy w domu. Powiem jeszcze tylko przez telefon, żeby nam przygotowali herbatę.

– Co znowu! Nie trzeba wcale. Ja przynajmniej nic jeść nie będę. Nic do ust nie wezmę.

Powiedziawszy te słowa Judym nie wiedzieć czemu zarumienił się. Korzecki to spostrzegł i cicho wymówił:

– A jeżeli wam każę zjeść befsztyk w imieniu panny Joasi?

Wziął go silnie za ramiona i ucałował w usta. Judym oddał mu uścisk, ale czuł się upokorzonym i milczał zmięszany do gruntu. Miał to gnębiące przeświadczenie, jak wówczas wobec Węglichowskiego, że staje się niewolnikiem, zależnym od czyjejś mocnej woli. Z najgłębszą odrazą pomyślał, że i sekret o Joasi, sprawa tajemna i święta, był oczywisty dla Korzeckiego, który zdawał się wszystko wiedzieć. Przyszła nawet taka sekunda, że te rozkoszne i bolesne dzieje straciły coś ze swego uroku.

W powozie Korzecki znowu zapadł w milczenie, w swoją martwą, nieruchomą zdrętwiałość. Ożywił się tylko na chwilę, gdy wskazywał towarzyszowi dom w kształ-

[42] *vox humana* (łac.) - dosł. głos ludzki; nazwa jednego z 74 rejestrów słynnych organów w katedrze we Fryburgu w Szwajcarii.

cie pudła, z oknami w równych odstępach i płaskim blaszanym dachem. Była to lecznica. Stał tam tłumek ludzi szarych: jeden z okiem szmatą zawiązanym, drugi z ręką w grubym bandażu, inny z fizjonomią wyrażającą silny ból n a w n ą t r z u. Judym widział ich wszystkich jakby przez deszcz ulewny. Myśl o tym, że może mu przyjdzie leczyć tych ludzi, zajmować się ich cierpieniami, była mu tak wstrętną jak samo cierpienie. Zastanawiał się nad tym, że niegdyś słyszał od kogoś wyraz: – motłoch. Od kogo mianowicie?... Od kogo? Zachodził w głowę, męczył się, był tuż, tuż obok zjawiska, obok wszelkich okoliczności, które towarzyszyły temu zdarzeniu... Po długich wysiłkach znalazł się w Wersalu w pokoikach Marii Antoniny i usłyszał ten wyraz z ust Joasi. Jak dobrze, jak zupełnie to słowo malowało istotę rzeczy!

– Gdybyście zechcieli, to może udałoby się zająć miejsce lekarza przy kopalni „Sykstus" – mówił inżynier.

– Nie teraz, nie teraz! Muszę przez kilka dni wypoczywać.

– Ja też mówię o przyszłości. Rozmawiałem z jednym wpływowym człowiekiem. Dobra by to rzecz była, gdybyście tu osiedli. Nudno tu i smutno, to prawda...

Zamilkł i przez chwilę siedział ze zwieszoną głową. Później śpiewnym szeptem mówił do siebie: *„Asperges me hysopo et mundabor; lavabis me et super nivem dealbabor..."*[43] Zwrócił się do Judyma i trochę zawstydzony, z bladym rumieńcem na twarzy, tłumaczył się:

– Czasami przychodzi skądś taki obraz nieoczekiwany. Uczucie jakby spod ziemi... Właśnie w tej chwili myślałem sobie o naszym kościele. Pewien stary kościół w górach... Otyły ksiądz wychodził w białej albie, z nim dwu ludzi: organista i kościelny. Ten zapach ziół, zboża, leszczyny z młodymi orzechami, bo to 15 sierpnia! Ksiądz intonował: *„Asperges me..."* i odchodził na kościół, między ludzi, tym jakby wygonem, który tworzy się pośrodku chłopów. Kropił na prawo i na lewo, wolno wznosząc rękę. Tymczasem organista sam śpiewał. Głos jego był czysty, męski, spokojny. Ogolona twarz wyrażała skupienie, prawie surowość. Gdy śpiewał te słodkie wyrazy: *„super nivem..."*, tony jego głosu były nieco ostre, schrypłe. Słyszę go w tej chwili... Ach, Boże! Zazwyczaj, gdy po wtóre zaczynał werset, ksiądz wracał i wtedy krople wody święconej padały na czoła pańskie, którzy staliśmy w ławce kolatorskiej. Krople wody święconej... Święte, chłodne krople... A ta melodia błagająca, ufna, ten śpiew dziecka, to westchnienie duszy prostej, która się nie boi... Czy pan nie widzisz, że z głębi tych wyrazów patrzą w niebo oczy wytężone, zalane łzami? *„Lavabis me et super nivem dealbabor..."*

Wieczór zapadał. W oddali widać było lampy elektryczne rozlewające dokoła siebie bladoniebieską zorzę. Dawał się słyszeć gwar oddalony. Powóz pędem wjechał w uliczkę czegoś w rodzaju mieściny i zatrzymał się przed piętrowym odrapanym domem. Judym wszedł za swym gospodarzem na górę. Mieszkanie było dość obszerne, ale puste jak psiarnia. W jednym pokoju sterczały wieszadła niby jakieś dziwaczne straszaki na wróble, w drugim tuliło się do ściany łóżko żelazne, w trzecim stał na środku stolik kartowy i znowu łóżko oraz trocha niezbędnych gratów.

---

[43] *„Asperges me hysopo..."* (łac.) - słowa z 51. psalmu Dawida: „Pokropisz mnie hyzopem, a będę oczyszczony, obmyjesz mnie, a ponad śnieg bielszy się stanę".

— Rozgośćcie się w tych salonach, jak potraficie, a ja zajmę się zdobyciem jadła tudzież napoju — żartował Korzecki wychodząc z mieszkania.

Za chwilę wszedł człowiek czarny jak węgiel, niosąc walizy. Pocałował Judyma w rękę, licho wie z jakiej racji, i zaczął znosić z sąsiednich lokalów szklanki, powyszczerbiane talerzyki, widelce, noże. Wkrótce potem zjawił się Korzecki z wiadomością, że będzie befsztyk i piwo.

— Czy nie podziwiacie spartańskiej skromności tego apartamentu? — zapytał rzucając swój kostium wykwintny.

— Będzie tu ładniej, gdy przyjdzie gospodyni... — rzekł Judym, aby tylko coś powiedzieć.

Korzecki roześmiał się głośno, zanadto głośno, z chichotem, który niemile raził. Wnet jednak umilkł i hałaśliwie począł myć się, chlustać wodą na głowę, parskać i fukać.

Gdy później wycierał twarz ostrym ręcznikiem, mówił:

— Wygłosiliście rzecz okropną. Gospodyni... cha!... cha!... Gospodyni! Co za wyraz!

— Dlaczegóż okropną? Jesteście może o rok, o dwa starsi ode mnie.

— Ale cóż to starość ma do tego? Tu nie chodzi o starość ani o młodość.

— Więc o cóż? Ba! — O cóż...

— Chcecie, to wam znajdę pannę.

— Ja sobie już sam znalazłem.

Oczy jego zabłysły złowrogim, srebrnym blaskiem i nieruchomo patrzyły na Judyma. Po kolacji siedzieli naprzeciwko siebie w milczeniu. Judym, aczkolwiek znużony, nie miał chęci spać, owszem, rad był rozmowie.

— Pragnąłbym — mówił z cicha Korzecki — żebyście tu osiedli na „Sykstusie”, notabene z czysto egoistycznych pobudek.

— A cóż wam ze mnie przyjść może?

— Bagatela! Przecie i teraz ściągnąłem was nie dlaczego innego, tylko dlatego, żebym sam coś na tym zyskał.

— No?

— Znacie mię przecie, a raczej znaliście cokolwiek przed kilkoma laty. Od tego czasu posunąłem się dzielnie w kierunku raz obranym.

— Czy wówczas kuracja szwajcarska nie pomogła?

— Gdzież tam! Pomogła. Ja i teraz jestem zdrów jak bawół. Pracuję tu przecie jako inżynier, wstaję o piątej, późno idę spać, a muszę mieć siły i zdrową głowę, żeby temu wszystkiemu podołać. To nie o to chodzi, nie o zdrowie... jakże to powiedzieć? — zewnętrzne...

— Ech, znowu mistyczne terminy.

— Niech sobie będzie! Otóż tedy... Właśnie chciałbym, żebyście tu gdzieś byli niedaleko, z waszymi rzetelnymi oczami, z waszą szkolarską nomenklaturą medyczną, z waszą mocną duszą, duszą... nie obrażajcie się tylko!... z sutereny, z waszą nawet tajemniczą panną Joasią...

— Słuchajcie no, tylko o tym...!

— Nic, nic! Ja przecie nie mówię nic złego. Tak mi dobrze, gdy siedzicie przy moim stole!

Judym usłyszał w tym głosie to, co było we wzroku Korzeckiego: dźwięk za wysoki, który się chybocze bezsilny w jakimś zawrotnym, niedoścignionym zenicie.

– Cóż wam jest? Powiadajcie... – rzekł do niego życzliwie. – Będę wam służył z całego serca i sił, choć wiem, że mi nieraz dokuczycie. I wyleczę was!

– Nie bójcie się tylko dokuczania, nie ma czego. Ja z wierzchu jedynie jestem pomalowany na kolor stalowego bagnetu. W środku wszystko jest kruche jak stearyna. A zresztą... *je m'en vais...*[44]

– Cóż to znowu ma być?

– To nic, takie sobie lokucje[45]. Ja, proszę was, jestem zajęty pracą duchową, która powinna by się nazywać kształtowaniem woli, a właściwie – zwalczaniem strachu. Chciałbym osiągnąć tego rodzaju panowanie nad cielskiem i jego tak zwanymi nerwami, żeby nie być od niego zależnym.

– Żeby od nerwów nie być zależnym?

– No! Źle mówię?

– Bardzo źle.

– Chcę znać życie i śmierć tak z bliska, abym mógł obojętnie spoglądać na jedno i na drugie.

– To są frazesy. Człowiek tak może znać tylko życie.

– Na przykład André![46] Ludzie, którzy wsiadali do jego balonu, znali śmierć dokładniej niż życie. Widzieli białe pola, szkliste od lodu, w blasku zorzy polarnej. Widzieli tam siebie samotnych i ją, z daleka przychodzącą. Widzieli ją przez całą zimę w ciepłych, wygodnych mieszkaniach, wśród banalnych rozmów z subtelnymi kobietami. I oto pewnego dnia wstali i wyszli na spotkanie tej nieznajomej. Żebym mógł wytworzyć w sobie taki spokój!

– Nie wiemy wcale, jakimi oczyma zaglądali w ślepie śmierci tamci ludzie. Może w nich był tylko namiętny wybuch ambicji, może wcale nie było spokoju, może była tylko żądza sławy – i strach.

– Ambicji! To mi się podoba! Umrzeć dlatego, że taka jest moja wola, umrzeć wtedy, kiedy chcę, kiedy ja chcę, *ja* – pan, duch, i za to, co biorę pod moją silną rękę, co *ja* biorę w obronę. Rozumie się, że w tym może być trocha jakiejś ambicji! André i jego towarzysze wykształtowali swą wolę do tego stopnia, że mogli spełnić czyn zamierzony. Chodzi o to, żeby obudzić się ze snu i śmierć, gdyby stanęła przy naszym wezgłowiu, powitać z takim samym uśmiechem jak kwietniowy poranek. O, Boże! Nie bać się śmierci...

– To jest niemożliwe... To jest wbrew naturze.

– To jest tylko bezmiernie trudne. Dla innych ludzi zresztą nie jest ta sprawa ani tak ważna, ani nawet, choć to głupio brzmi, pierwszorzędna. Ale dla nas, nieszczęśników z chorymi nerwami... Można zwalczyć obawę śmierci jako takiej, jej samej; ale niepodobna, dla mnie niepodobna, zdusić obawy czegoś, bojaźni niespodziewa-

---

[44] *je m'en vais* (fr.) - odchodzę.

[45] *lokucja* - powiedzenie.

[46] *André* - Salomon André (1854-1897) szwedzki badacz terenów podbiegunowych, 11 lipca 1897 r. poleciał balonem z dwoma towarzyszami do Bieguna Północnego i zaginął.

nej, dzieciątka bezsennych nocy. Ostatnimi czasy nie mogłem sypiać sam jeden. Nocował u mnie w przedpokoju pewien górnik.

– Widzicie, to są chore nerwy...

– Zaraz. Ten górnik jest wcale niegłupi, raczej mądry. Rozmawiałem z nim do upadłego, żeby się poddać jego sugestii i usnąć, ale mi się wśród frazesów walił na łóżko jak kłoda. Tyle miałem pociechy, że przy mnie chrapał. Ja przez całe noce siedziałem na tej sofie. Gdybym go tak był obudził z północka, tego z przewybornymi nerwami, tego z nerwami jak stalowe liny, i powiedział mu: Człowieku, zaraz umrzesz... – widzielibyśmy, co by się z nim działo! Byłby dygotał, byłby się wił po ziemi, modlił się i mdlał ze strachu. A ja, który sam tu marzyłem w proch zamieniony, którego nerwy zdawały się błądzić po wszechświecie, ja chory, dotykałem jej palcem, wyzywałem ją na rękę, patrzyłem na nią z moją ironią jak na człowieka, którego nienawidzę. Teraz doświadczam takiego wrażenia, że gdybyście wy tu zostali w okolicy, ja mógłbym sypiać. Mógłbym w taką noc myśleć: tu Judym jest niedaleko. Mógłbym myśleć: wstanę rano, zobaczę go, pójdę do niego...

Gdy to mówił, doktora przechodziło zimne mrowie. Jakieś uczucie niby zielony śliski wąż lazło po jego ciele. Oczy Korzeckiego jakoby patrzyły, ale właściwie wzrok ich zwrócony był do wnętrza duszy. Na ustach jego był uśmiech... Uśmiech niepojęty, a ciągnący do siebie jak błysk, który czasami można widzieć w górskiej przepaści.

W wyrazie jego twarzy nie było prośby ani żądania współczucia. Było tylko detaliczne, konkretne i umiejętne przedstawienie istoty rzeczy.

– Więc nie boicie się śmierci? – pytał Judym.

– Ja z nią walczę. Raz ja zwyciężam, kiedy indziej ona. Wówczas mam *pavor nocturnus*[47], jak małe dziecko. Oto siedzę tu z wami, rozmawiam, jestem spokojny i wesoły. Nie wiem nawet, czy może istnieć smutek? Co to jest smutek? Nic o nim nie wiem. Jestem jak filister, którego śmiech by ogarnął, gdyby mu kto mówił, że jest na ziemi dojrzały człowiek, który się „czegoś" boi. A oto może minąć godzina i stanie nade mną to bezosobowe widmo. Zacznę się bać samotności, zacznę cierpieć tak strasznie, tak przerażająco! W języku ludzi nie ma na to imienia. *Pavor...* Tylko straszliwa muzyka Beethovena czasami roztworzy podwoje tego cmentarza, gdzie w skrwawionych dołach leżą obdarte trupy, gdzie w nocy wiecznej wyje płacz jakiejś istności ludzkiej, która straciła rozum i błądzi, błądzi, błądzi bez końca, szukając ratunku.

– Powinniście, jak można tylko, chodzić w pole. Każdą wolną chwilę poświęcać na rozrywki. Jeździć koleją, a najgłówniejsza rzecz – unikać wszelkich wzruszeń.

– Tak: pójść po rydel i wykopać się z błota, w którym się leży. Dla mnie na ziemi nie ma miejsca.

– Ech, z tymi tam!

– Wiem, co mówię. Ja nie mogę żyć jak miliony ludzi. Przecie nieraz uciekam na dwa miesiące w Alpy, w Pireneje, na jedną wysepkę u brzegów bretońskich. Rzucam gazety, książki, nie odpieczętowuję listów... I cóż mi z tego? Zawsze i wszędzie widzę odbity świat w sobie, w mojej duszy nieszczęsnej. Gdy się nie spodzieję, wybucha tam wściekły gniew przeciw jakiejś podłości dawno widzianej, zbudzi mię ze snu,

[47] *pavor nocturnus* (łac.) - strach nocny, chorobliwa obawa ciemności.

przypomni wszystko, ukaże wszystko... Gniew bezsilny, a im bardziej bezsilny, tym większy!

— Może by zupełnie zmienić sposób życia? Rzucić wszelkie obowiązki? Wziąć się, czy ja wiem, do roli?

Korzecki zamyślił się i milczał przez kilka minut. Później mówił:

— Nie, to niemożliwe. Człowiek już do śmierci musi nosić pewien rodzaj ubrania, mieć taką a nie inną bieliznę. To darmo. Muszę zarabiać dużo. Ja nie mógłbym chadzać w tutejszym, łódzkim korcie. Musi mi go facet przynieść z zagranicy. To darmo! Potrzebuję także jeździć do Europy, widzieć w Paryżu salony wiosenne[48], wiedzieć wszystko, czytać rzeczy nowe, poznawać, co się zjawia nowego w mózgu ludzkim, iść ze światem, płynąć w fali. To darmo! Ach, ja rozumiem, co mówicie. Wrócić gdzieś, tam, w moją leśną okolicę, pędzić życie rolnicze, ziemiańskie, życie tych ludzi szczęśliwych, ludzi zupełnie od nikogo niezależnych! Rozumiem was. Ale to już nie dla mnie. Ja już za dużo wiem, zbyt dużo potrzebuję – a zresztą... ja mam naturę niespokojną; i tam bym sobie znalazł bałwana, z którym staczałbym walki.

— Ach, tak... – śmiał się Judym.

— Mówicie znowu: unikaj wzruszeń. Ja nie tylko unikam, ale nie mam wzruszeń. Co ja się mam wzruszać! Niech się filantrop wzrusza! Ale jakieś nie znane mi wzruszenie leży we mnie, pomimo mej wiedzy, jak złodziej, który się zakradł do mego mieszkania i wyłazi ze swej kryjówki dopiero w nocy. Podłości, nadużycia, łajdactwa, krzywdy, niedole... Przechodzę obok tego ze spokojem, z zimnym spokojem, kopię to nogą, pluję na to. Mówię sobie zawsze te najwyższe, najpotężniejsze, te boskie słowa, które z cieniów języka rodu ludzkiego On wyjął: „Co mnie i tobie, niewiasto?”[49] I, nie wiedząc wcale, wlokę w sobie zarazę. Umarł tutaj przed kilkoma tygodniami mały chłopczyk, syn jednego biednego ślepra. Przywiozłem mu był z Mediolanu czerwony kapelusik, podarunek z drogi... za franka. Tu w tym ogrodzie biegało to i skakało po całych dniach. Ta czerwona główka... Gdy się dowiedziałem, że zmarł na dyfteryt, umyślnie wziąłem sprawy najważniejsze, robiłem plany, żeby o nim nie myśleć. No i jakoś przeszło. Aż oto raz nad wieczorem siedzę w tym fotelu... Podnoszę oczy i widzę: sunie się wzdłuż ścian czerwona plama. A w uszach słyszę ten głos wesoły. Czy ja wiem zresztą, czy to była plama? Był to smutek czerwony, smutek przerażający jak sama śmierć takiego niewinnego życia. Nadeszła noc, a w niej – moje troski. I oto bezsenność. Jedna noc, druga, trzecia, czwarta... Wyjechałem na dwa dni. Pędziłem kurierami, gdzie oczy poniosą. Stojąc w oknie ciągle patrzyłem na krajobraz. No i, chwała Bogu, znikła czerwona plama. Usnąłem w pewnym hotelu. Będziecie się może śmiali ze mnie, ale tak było: ta czerwona plama została pokonana, starta przez zieloną, jasnozieloną...

— Macie chore nerwy.

— O, tak. Ale ja mam także inną jeszcze chorobę. Ja mam zanadto wyedukowaną świadomość. To jest ścierwo obolałe! Nieszczęściem, katuszą jest posiadanie prawdy. Zanadto duża przestrzeń leży między nią a padołem, czyli Zagłębiem.

---

[48] *salony wiosenne* - mowa o corocznych wystawach sztuki w Paryżu.

[49] *„Co mnie i tobie, niewiasto?”* - słowa, które według *Biblii* wypowiedział Chrystus do Matki Boskiej podczas uczty weselnej w Kanie Galilejskiej.

Glikauf![50]

Obudziwszy się następnego dnia rano, Judym nie zobaczył już gospodarza. Był sam w tym pustym mieszkaniu, którego nie ozdabiał ani jeden sprzęt milszy, wytworniejszy.

Zdawało mu się, że znowu jest w Paryżu, na Boulevard Voltaire, i że otacza go cudze, przemierzłe powietrze. Na ścianie izby, gdzie nocował, wisiał niewielki portret olejny człowieka z chudą twarzą, w której uderzało od razu podobieństwo do Korzeckiego.

„To musi być jego ojciec – myślał Judym. – Co za nieprzyjemna twarz! Gdyby kto chciał wymalować pychę w postaci człowieka, to mógłby za wzór śmiało wziąć to oblicze. Zdawało się, że te oczy ani na chwilę nie zwalniają widza i że ciągle maluje się w nich wyraz: ty chamie, ty obdartusie!"

Judym nie mógł usiedzieć w tym mieszkaniu. Wypił szklankę mleka, którą znalazł w sąsiednim pokoju, i wyszedł. Wlókł się ze zwieszoną głową uliczkami osady fabrycznej i przypatrywał wszystkiemu, co spotykał, z badawczą uwagą, która chyba tylko w chwilach najgłębszego smutku opuszcza człowieka z ludu.

Murowane, po większej części piętrowe domy zbite były w kupę i tworzyły niechlujne miasteczko. Jedną z ulic zajmowały dwa długie budynki, o jakich pięćdziesięciu okienkach na dole i na piętrze, przypominające owczarnię. Zewnętrzne ich mury były obłupane z dawnego, dawnego tynku i świeciły nagością sczerniałych cegieł, brudem i zaciekami wilgoci.

Dokoła nich nie rosło ani jedno drzewo, nie sterczał ani jeden badyl. Od frontu i z tyłu znajdowały się drzwi i sienie, przed którymi gniły kałuże pomyj i leżały kupy śmieci. Wgłębienia okien każdorazowy mieszkaniec danej izby ozdabiał jak mógł, malując je farbą jasnoniebieską albo brązową. Toteż futryny okien tworzyły istną polichromię w tym dziwnym schronisku ludzi. Tu i ówdzie wisiał biały kawałek tiulu w kształcie firanki i mokła w glinianym wazoniku jakaś zielona roślinka. Dalej, za osadą, wzdłuż szosy stały po jednej i po drugiej stronie domy, które wypada nazwać murowanymi chatami. Każdy z nich podobny był do sąsiedniego jak dwie krople wody.

Te budy, ciemne od urodzenia, gdyż nigdy ich nie tynkowano, były oberwane, chylące się ku ruinie, wyzute z jakiejkolwiek ozdoby. W głębi czarnego muru, który sypał się na wsze strony, dziwacznie połyskiwały okna z szyb przepalonych, rumianych, zielonkowatych i niebieskich. Mieszkania te nosiły na sobie cechę a raczej piętno tymczasowości pobytu tych, co tam gościli. Nikt nie dba o ich całość, zarówno ci, do kogo należą, jak ich chwilowi mieszkańcy. Nikt nie przywiązuje się do tych izb hotelowych, gdzie wędrowiec ukrywa przed zimnem i deszczem głowę strudzoną, ale je lada chwila opuszcza, idąc dalej. Te szczególne budowle wywoływały w pamięci Judyma obraz miasteczek niegdyś widzianych na włoskim zboczu Alp w okolicach Bel-

[50] *Glikauf!* (niem. Glück auf) - życzenie szczęścia i powodzenia w pracy, odpowiednik polskiego: Szczęść Boże!

linzony, Biasca i Lugano. Mieszkał tam jak i tu człowiek zgłupiały od walki z przyrodą, która mu nic nie daje prócz kromki chleba i łyka wódki, przerzucany z miejsca na miejsce, wegetujący z dnia na dzień.

Od jednej do drugiej zagrody lazł znudzony pies, z najgłębszą obojętnością spoglądający na przechodnia, wlokło się babsko zniedołężniałe, w kiecce szarej koloru bagna i tułało się zamoczone, brudne i smutne dziecko. Z jednego boku szosy w dużym rowie, ujęta w twarde brzegi, żywo płynęła rzeczka. Woda jej, pompami wypchnięta z dna kopalni, była ryża, osadzająca na piasku, na badylach trawy i odpadkach w głąb rzuconych muł rudy, jakby startą cegłę.

Był dzień mglisty. Prószył co pewien czas lekki deszcz.

Od chwili do chwili w oczy idącego Judyma rzucał się nowy, czerwony mur z cegły albo domostwo mieszkalne, które już przed dwudziestoma laty waliło się w gruzy. Świsty lokomotyw, we mgle na wszystkie strony pędzących, głuche wzdychanie sygnałów kopalnianych, oddech maszyn, wszędzie, daleko i blisko, robiących, wprowadzały uczucia Judyma do jakiegoś dziwnego kraju. Nie był sobą. Nie mógł znaleźć i pochwycić swych uczuć. Żyły w nim te same, ale się z nimi coś stało.

Było mu źle, ciężko, rozpaczliwie, ale nie tylko dlatego, że nie ma Joasi. Tysiące bolesnych wzruszeń wdzierały się do jego serca. Niektóre widoki i dźwięki, zdało się, pochłonęły tęsknotę za Joasią, zżarły ją olbrzymimi gardłami, i tylko słabe, zgubione jej echo odzywa się w ich mowie.

Tak przemawiał krzyk, zupełny krzyk dzwonka kopalni, odzywający się z dala, skoro tylko z zabudowań zionęły wielkie kłęby pary i szpule na ich szczycie puszczały się w ruch swój niespracowany. Tak przemawiał turkot wagonów z węglem, pędzących po ziemi w głębi wydrążonej.

Wolno idąc szosą Judym co pewien czas mijał przecinające ją szyny. Przy jednej z takich bocznic jak przez sen widział czarnego, zestarzałego człowieka, który siedział w budzie na pół w ziemi wykopanej i mętną, prawie oślepłą źrenicą pilnował jakiegoś porządku. Dalej na szynach, które szły wprost w terytorium kopalni, gdzie panował nieustający ruch dużych wagonów obładowanych węglem, uwijał się inny człowiek. Ubrany w baranią czapkę, sam podobny do ruchomej kupy węgla, gdy chciał zatrzymać wagon siłą rozpędu lecący, pełen czarnych brył, skropionych z wierzchu wapnem, siadał na drąg przytwierdzony do hamulca i podwinąwszy nogi, mocą swą i ciężarem wstrzymywał koła. W duszy Judyma błąkało się dla tych ludzi przywitanie czy pozdrowienie, ale na usta nie miało siły wypłynąć.

Obchodził ich w milczeniu. Piersi jego trzęsły się, a w nich serce. Najtajemniejsze, najbardziej istotne uczucie wewnętrzne witało w tych ciemnych i brudnych figurach ojca i matkę.

– To mój ojciec, to moja matka... – szeptały jego wargi.

Około szerokiego, drewnianego domu pewien człowiek zatrzymał go słowem:

– Pan inżynier prosi.

Judym wszedł do tego budynku i spotkał się z Korzeckim.

Olbrzymia izba, oświetlona lampkami elektrycznymi, zastawiona jakimiś beczkami, w jednej części przecięta była balustradą jak w urzędach gminnych. Tam był stół, przy którym zasiadał starszy sztygar i dozorca. Czytano listę robotników idących do kopalni na przeciąg czasu swego zatrudnienia, czyli na szychtę. Czytanie odbywało się numerami. Zawiędły, silny Niemiec, który jednak klął i wymyślał *expedite*[51] po polsku, czytał numery. Czarne figury stojące dokoła odpowiadały nazwiskami kolegów, którzy się nie stawili. Dozorca, awansowany z robotnika, huczał co chwila:

– Cicho! Milczeć! Co za hałasy! Tu nie karczma!

W drugim końcu sali rozdawano chleb. Co pewien czas nowy górnik wchodził, klękał pobożnie na środku i odmawiał modlitwę, twarzą zwrócony do stołu, zupełnie jakby się oddawał adoracji majestatu sztygarskiego.

Czasami spod powiek, niejako z głębi oblicza, błyskały białka oczu. Był to jedyny wyraz tych twarzy, jak u Murzynów. Gniew, radość, uśmiech – wszystko inne okrywała szczelna maska sadzy węglowej.

– Czy mógłbym zobaczyć kopalnię? – zapytał Judym Korzeckiego.

– Ij, dzisiaj? Co wam po tym?

– Jak to, co mi po tym!

– Zamknijcie oczy i będziecie widzieli zupełnie to samo.

– Więc nie można?

– Ale gdzież tam, można, tylko nie myślałem, żeby wam to dziś kwadrowało[52]. Skoro jednak... Więc chcecie zejść?

– Chcę, chcę...

– Buła – zwrócił się inżynier do kogoś w tłumie – idź no i przygotuj tam dwa kaganki, buty dla pana, kurtę i kapelusz.

Miejsce akcji – kopalnia „Sykstus"

Wkrótce później weszli na dziedziniec. Znowu otoczyło Judyma wczorajsze uczucie na widok sortowni, na widok walców połyskliwych ze spiralnymi karbami, wijących się w oku, jakby się wkręcały w oprawę swoją. Wózki z węglem, przez windę wyrzucone z głębi kopalni, stawały w maleńkich relsach i wysypywały się, pchnięte silnymi rękoma, na ruszty ze spiralnych walców. Stąd grube i kostkowe bryły zlatywały na ruszty niżej położone, a drobny miał i orzeszek węglowy sypał się w sita, które go wypychały na brzeg pochylni.

Sita żelazne na wygiętych wałach, czyniące ruchy ręcznego przetaka, które wytrząsają drobny węgiel, tworzą jakby upusty dwu rzek formalnych. Rzeki te leniwie, bez końca płyną ku wyjściu nad wagonami kolei.

W sąsiedniej hali, obok szybu, Judym przypatrywał się motorowi parowemu, który obraca dwie szpule szczytowe. Na nich okręcają się liny ze stali podtrzymujące windy, z których jedna idzie do sztolni, gdy druga w górę wstępuje. Spoglądając na błyszczące cylindry, w których pracowały tłoki, Judym szukał właściwie tylko ukrytego gdzieś dzwonka...

Ubrani w grube buty, w skórzane kaftany zapięte na sprzączki, trzymając w ręku mosiężne lampy, w których płonie knot umoczony w oleju, stanęli w szali.

W pierwszej sekundzie, kiedy jej deski stojące na równi z podłogą drgnęły, Judym doświadczył takiego wrażenia, jakby mu kto ściskał gardło. Wkrótce przyszło otrze-

---

[51] *expedite* (łac.) - doskonale.

[52] *kwadrować* - odpowiadać, pasować.

źwienie, szum w uszach i lekka bojaźń w sercu. Czarne belki cembrowiny migały się w oku niby szeregi jakichś schodów nieskończonych. Gdy szala stanęła, wyszli na korytarz suchy i oświetlony lampkami elektrycznymi. Uwijało się tam mnóstwo ludzi, przychodziły i odchodziły szeregi wozów ciągnionych przez wyuczone konie. Z tych pierwszych, widnych galerii dostali się przez kręte szlaki do maszyn pompujących wodę. W ich okolicy skończyło się światło. Jedynym jego źródłem stały się odtąd kaganki niesione w ręku. Miejsce było gładkie. Spód korytarza zajmowały szyny. Po nich wędrowały ciągle szeregi wózków z fedrunkiem, ciągnione przez konie.

Drzwi, niewidoczne w ciemności, ustawione tu i ówdzie dla skierowania powietrza do tych chodników, gdzie się „nie świeci", otwierały tajemnicze ręce ludzi zgrzybiałych, którzy na miejscu odźwiernych dokonywują żywota. Inżynier mijając takie drzwi rzucał wyraz:

– Glikauf!

– Glikauf! – odpowiadała ciemność.

Było w tym dźwięku coś ściskającego serce. Przywierał do mózgu obraz figur tych starców, ledwie dających się z mroku wyróżnić, tych czarnych brył, które za życia mieszkają w grobie, śnią w nim przez resztę dni swoich jak pająki, czekając cierpliwie na chwilę, kiedy już na zawsze wstąpią do ziemi, kiedy wejdą w jej zimne łono na „szychtę"[53] wieczną. Łańcuch ciemnej niedoli przykuwa ich do miejsca. W starczym drzemaniu widzą pewno ciepłe słońce wiosenne i jasne łąki, kwiatami zasiane...

Korytarze mało różniły się między sobą. Jedne z nich były wykute li tylko w węglu, inne posiadały wręby ze ścianami z cegły, wmurowanymi dla zatamowania ognia i mokrego a sypkiego piasku, który zowią „kurzawką". Zwyczajny chodnik o stropie półokrągłym zamieniał się stopniowo na korytarz ze stemplami, na których leżały kapy podtrzymujące rodzaj sufitu, czyli „okorki". Te korytarze doprowadziły do brzegu pochylni idącej w kierunku upadu warstw węgla. Z boku czarnej czeluści sunęła się w dół drewniana rynna, po której spychano drzewo. Obok szła stalowa czy żelazna lina wciągająca wózki.

Ciemność, ciemność gęstą od kwaśnego czadu rozświecał tylko czasem daleki ognik niewidzialnej postaci. W pewnych miejscach były tam schody, a właściwie szczeble do tarcic przybite; gdzie indziej szło się po oślizłej desce. Na dnie kopalni, w głębokości dwustu kilkudziesięciu metrów pod ziemią, zimny i wilgotny przeciąg wlókł się korytarzami. Była ich tam sieć cała, w której przychodzień doświadczał bolesnego niepokoju, jaki wstrząsać musi rybą, gdy się spotyka z gęstymi okami matni. Szli w jakimś kierunku, który wydawał się stroną prawą, do lochu dźwigającego się w górę pochyło a stromo i tworzącego ślepą sztolnię. Wkrótce musieli schylić się w pałąk, gdyż piętro było tak niskie, że pod nim ledwo mógł się przesunąć wózek z „urobkiem". Gdzieś daleko, jakby u szczytu tej góry, widać było chodzące z miejsca na miejsce bladożółte światełka. W zaklęsłej komorze, która się nagle znalazła, słychać było pracę kilku ludzi.

– Glikauf! – rzekł Korzecki.

Odpowiedziano chórem przyjaznymi głosami, które dziwne i głębokie zrobiły na Judymie wrażenie.

---

[53] *szychta* (gw.) - zmiana.

„G l i k a u f, g l i k a u f...” – mówił do nich i on w głębi duszy.

Właśnie wtedy przerwało jakby tamę swoją nowe źródło tęsknoty za Joasią, tęsknoty tak bolesnej, bardziej bolesnej niż w chwili pożegnania...

Górnicy w czarnych „kapach”[54] i w „bergledera ch”[55] nabijali prochem, grubym jak ziarna kukurydzy, długie tuleje papierowe. Otwory w miejscach właściwych już były wyświdrowane długimi „laskami” ze stali, o zakończeniach podobnych do grotów piki. Gdy ładunek został nabity, lont weń włożony i przystemplowany z wierzchu szczelnie gruzem za pomocą stępora, jak nabój w lufie – jeden z pracowników zapalił dwa żygadła[56], drugi – dwa, trzeci – dwa. W mroku gęstym od pyłu i dymu ukazały się niby jakieś niebieskawe strugi cieczy sączącej się z góry. Płomyczki doszły do muru – i znikły.

Wówczas drabiny szybko odstawiono i wszyscy z pośpiechem weszli do sąsiedniego chodnika. Tam czekali z dziesięć sekund, nim się odezwał pierwszy wybuch. Prąd powietrza runął w sąsiednie galerie i komory, dźwigając na sobie ostry zapach prochu. Bryły węgla hucząc waliły się za przyległym filarem, a na wszystkie strony w ścianach coś sypało się z prędkim trzaskiem i szelestem, na podobieństwo stada szczurów biegających za makatami. Potem nastąpił drugi wybuch, za nim trzeci i czwarty. Dym wypełnił galcric i ciągnął leniwie do przejść, w których się „świeci”. W dali słychać było huk ładunków dynamitowych i czuć słodkawy ich zapach.

W pewnym miejscu Korzecki przywołał kogoś po imieniu i zostawił go z Judymem, a sam odszedł. Musiał obejrzeć roboty w innej całkiem stronie. Doktór został w ciemności z widmem trzymającym swą lampę. W sąsiedztwie tego miejsca kilkunastu ludzi zajętych było podstemplowywaniem „piętra”. Chwilę obydwaj z górnikiem stali nic nie mówiąc do siebie. Wreszcie Judym podniósł lampę do góry i zobaczył sczerniałą twarz starego człowieka, którego siwe włosy wymykały się spod „kapy”.

– Co robią tutaj, ojcze? – zapytał.

– A caliznę[57] wyrabiamy między chodnikami.

– Caliznę?

– Juści. Filar wybieramy. Bierzemy jedno p o j ę c i e za drugim na długość i na szerokość, podpieramy strop słupem – i dalej. Po boku stawia się „organy”... Proszę łaski... pan może i nie znajomy z kopalnią?

– A nie. Pierwszy raz widzę.

– Tak ci...

– Cóż to za organy?

– To zaś są kłody na sztorc stawiane, żeby służyły tak jakby za ściankę. Z przodu też, od chodnika przy kończeniu ś t r e k i[58] drugą taką ścianę się buduje, a zostawia się zaś miejsce próżne, niby tak jakby drzwi. A wyrobi się całą ś t r e k ę i z okruchów się ją wyczyści, to się dopiero te słupy zaczyna w y j m a ć, a inne się tnie toporem.

---

[54] *kapa* (gw.) - opierająca się na stemplach belka podtrzymująca sufit w chodniku; także czapka górnicza.

[55] *bergleder* - skórzany pas górniczy.

[56] *żygadło* - zapalnik.

[57] *calizna* (albo filar) - pokład kopalny między chodnikami.

[58] *śtreka* (niem. Streck) - odcinek.

Gdy pracowity górnik usłyszy w cichości największej pierwszy, a b y maluśki trzask piętra, wtedy kilof do garści i umykaj z p o j ę c i a! Ziemia się urwie w tym miejscu i rumowiem całe to zawali. Na wierzchu, na górze zawalisko w dół wciągnie, tak jakby lej...

Judym podniósł do góry swą lampę i przyglądał się ścianom. Gładkie albo chropawe ich płaszczyzny tu i ówdzie miały na sobie rysy ostrego żelaza, jakby pismo jakieś klinowe[59] pracowicie wyryte. Idąc z wolna obok gładkiej ściany, miał złudzenie, jakby je czytał. Ze znaków koślawych, kierujących się to w tę, to w inną stronę składała się historia tych czeluści.

Zdawało mu się, że stoi w cudownym lesie, w puszczy odwiecznej, nie sianej, przez którą nie szła jeszcze stopa człowieka. Rosły naokół olbrzymie paprocie z pniami, jakich nie obejmie trzech ludzi, skrzypy w drzewa wybujałe, straszne widłaki i inne, niewidzianych form, mistycznej piękności albo potwornej brzydoty, jakieś sigillaria, odontopterydy, lepidodendrony...[60] Te wielkie potwory, splecione między sobą łańcuchami lian, krzewiły się na pulchnym trzęsawisku, gdzie mchy przepyszne i niewysłowione kwiaty pachniały w czarnym gorącu wieczystych cieniów. Słodkie, upalne lata wyciągały z ziemi pod chmury te pnie i gałęzie, dostępne tylko dla wzroku i skrzydeł; wilgotne, deszczowe zimy zasilały glebę na wieki. Swobodne wichry, w dalekich stepach i w śniegach łańcuchów górskich zrodzone, przylatywały bić puszczę rycząc jako szczenięta lwie.

Wtedy kołysała w łonie swoim pieśń huczącą na podobieństwo morza. Jakże często trzaskał w nią piorun, a huragan ją deptał, łupił i rwał! Dzikie chmury iskrą czerwoną zapalały jej głębie śpiewające. Wtedy gorzała jak wielki stos. Ale gdy deszcz ustawał, przychodziła wieczyście młoda, lilioworamienna wiosna, jak dziewczątko szukające kochanka, i swawolnymi usty zdmuchiwała pyły roślin w ziemię rozmokłą, marzącą o cieniu konarów. Nowe morze zieleni wylewało się na ten sam grunt, przez który pędziły krzemienne kopyta ognia i szprychy jego wozu tak samo prędkie jak wicher.

I znowu na ciszę gęstwin młodej puszczy przypadał niespodziewany krzyk wojenny jaguara i rozdzierał ją wrzask, śmierć głoszący, bezlitosnego orła.

Aż oto wielkie jakieś morza w głębi lądów próżnujące wyrwały się ze swoich grobel i puściły prądy szalone, które zdjęły z korzeniem olbrzymie lasy, niosły je w pianach swych niby flotę okrętów zdruzgotaną i pchały w te zaklęsłe niziny. Tu je niezmierną masą wwaliły jakby do grobu. Przykryły je warstwami gruntu zdjętymi z gór. W ciągu tysięcy lat w ciałach tych krzewów, na których gałęziach ptaki niezliczone gniazda sobie słały, ustało życie i począł się tajemny rozkład. Wielkie ciśnienie zapadniętych warstw, napływy wód i czas wiekami idący czyniły sprawę podziemną: stwarzanie wody z tlenu i wodoru tych cielsk obumarłych, wydobywanie z nich kwasu węglowego i tlenku węgla. Został tylko węgiel sam, jedyny, w olbrzymim nadmiarze, nie mający się z czym połączyć, jak samotny duch ciemności. Straszliwe jego cielsko

---

[59] *pismo klinowe* - znaki tego pisma miały kształt klinów, było używane w krajach Bliskiego Wschodu (Babilonia, Persja).

[60] *sigillaria, odontopterydy, lepidodendrony* - bardzo dawne gatunki olbrzymich roślin, w których powstały pokłady węgla kamiennego.

martwiało, stygło i umierało w sobie samym tysiące lat. W męczarni zrastało się samo ze sobą, tuliło się do siebie jak byt przeklęty. Z dawnej budowy nic nie zostawił czas długi. Tylko jakby jedyne echo z ojczyzny, gdzie wszystko kwitło, rosło i kochało się w niebiosach – został nikły rysunek warstw pnia albo odcisk powiewnego liścia w czarnym, żałobnym kamieniu.

Długie prace przyrody, nie dające się myślą ogarnąć zaczyny i odczynienia, człowiek chwyta jako łup swój za pomocą pracy krótkotrwałej, chytrej i ułatwionej. Przychodzi w święte czeluście z bladym płomykiem i krótkim swoim kilofem. Siłą nędznego ramienia wyniesie to, co tu schował ocean. Bierze cały pokład do cna, od wychodni do upadu, zgrzebie okruszyny i na świat wyda. Zostawi tylko hałdę na wierzchu i próżnię w głębinie.

Ziemia nie oddaje swej pracy i swojego dorobku bez walki. Prosta i obojętna jak dziecko, od człowieka uczy się zdrady. Czyha na niego z bryłami, które ruszył, ażeby mu je cisnąć na głowę, gdy się nie obejrzy. Rozsiewa w jego komorach śmiertelne gazy i czeka, jakby w niej biło serce pana puszcz zmarłych – tygrysa. Wylewa zaskórne, niewidzialne wody. Spuszcza ciemne jeziora, od wieków nieprzeliczonych kropla po kropli zebrane, a śniące na zimnych granitach. Otwiera podziemne baseny kurzawki, którą zawaliska ruszyły, i gliniastym jej mułem napełnia galerie pracowicie wykute.

– Nie porwał was skarbnik[61]? – zawołał znienacka Korzecki wynurzając się z mroku.

Poszli długim chodnikiem. Z bliska i z dala szły szeregi wózków ciągnionych przez konie. Każdy z tych pracowników wlókł tak za sobą całymi latami przeklęte wozy. Gdy mijali postępującego w ciemności, odwracał na bok głowę i oczy, które już razi żółty blask światła.

Przyszli wreszcie do szybu, który ich z dna kopalni miał podrzucić o sto metrów wyżej. Woda lała się tam strugami, kapała w szalę, ciekła po drzewie cembrowiny. Stanęli w mokrej windzie wśród ludzi wrzeszczących, przemokłych, ze złymi twarzami, i w ciągu jednego momentu wyniesieni zostali na powierzchnię górną. Szli stamtąd ciemnym i nieskończenie długim korytarzem. Było w nim zimno i wilgotno. Strop walił się tu i ówdzie, wyginał kapy i miażdżył okładziny. Śmiertelnej czarniawy nie rozświetlały nawet ogniki górnicze. Czasami tylko słyszeć się dawał odległy turkot i krzyk wozaka. I znowu z mroku wynurzał się koń-górnik, odwracał swe smutne, stęsknione, beznadziejne oczy, jakby mu był wstrętny widok człowieka, i ginął w wiecznym grobie.

W pewnej chwili Judym usłyszał przed sobą w ciemnościach rozmowę, a raczej monolog. Ktoś mówił dobitnym głosem:

– Fuks, mówię, nie zwalone!

Chwilę trwało milczenie i znowu odzywał się ten sam głos z podwójną natarczywością:

– Nie zwalone, Fuks! K i e j nie zwalone, to nie zwalone...

Korzecki pociągnął Judyma do ściany i szeptem objaśnił, co to znaczy:

– Czasami koła jednego z wózków, sczepionych między sobą, z szyn wyskoczą. Wówczas koń, imieniem Fuks, staje, gdyż nie ma siły uciągnąć, a zresztą i następne wózki zaraz się wykolejają. Poganiacz musi nadnieść i wstawić wózek w szyny. Gdy

[61] *skarbnik* - według legend górniczych: duch strzegący kopalni.

to uczyni, woła na konia, że już tę robotę wykonał. Ale nieraz przyczepi mu o jeden wózek za wiele i wówczas koń również staje sądząc, że to skutek wykolejenia. Poganiacz zapewnia go krzykiem, że „nie zwalone", ale koń, pociągnąwszy z lekka, nie rusza się z miejsca, gdyż czuje ciężar większy niż należy. Wówczas furman musi go przekonać: idzie wzdłuż wózków aż na sam ich koniec i stamtąd dopiero jeszcze raz uroczyście krzyczy swoje: „Fuks, nie zwalone!" Natenczas biedny koń godzi się z myślą, że go wyzyskują, zbiera siły i wlecze dalej w ciemności swoją dolę. Może nawet przychodzi do świadomości, co to jest, może nawet po cichu wzdycha albo ściska zębce, ale przystać musi na taki układ, bo gdyby marzył albo usiłował protestować za pomocą, dajmy na to, stania, toby mu poganiacz batem grzbiet wyłoił i na tym skończyłoby się polepszenie stosunków.

— No, ale wy powinniście tego zabronić... — rzekł Judym.

Inżynier podniósł wyżej swą lampę i rzekł z maltretującym, szyderczym uśmiechem:

— A, ja zabraniam, surowo zabraniam...

Po chwili rzekł jeszcze:

— Ja zabraniam, zabraniam z całej duszy, ale już nie mam siły...

Pielgrzym

Któregoś z dni następnych Judym w towarzystwie Korzeckiego udał się do samego Kalinowicza. Była to chytra machinacja, istna konstrukcja inżynierska przedsięwzięta w celu zapoznania się z figurą decydującą.

— Któż jest Kalinowicz? — pytał Judym zmierzając ulicą, która prowadziła do mieszkania jednej z potęg Zagłębia.

— Tego nie wiedzieć! Takich rzeczy elementarnych nie wiedzieć! No, rozumie się, że inżynier, ale wielki.

— To dopiero... Dlaczegóż dziś koniecznie mamy iść do niego!

— Dlatego, że tak rozkazuje chytrość tudzież przebiegłość.

— Zanosi się na burzę. Jest parno jak w piekle — mówił Judym. Po chwili dodał:

— Wolałbym dostać batem od ciotki Pelagii, niż iść dzisiaj z tą wizytą.

— Idźcie, będzie burza — mówił Korzecki rozglądając się po okolicy.

Stali na wzniesieniu. W głębi leżało miasto. Były to szeregi domów jednakowych, czarnych, zadymionych. W małej stosunkowo odległości z wielkich pieców wybuchały ognie jak z krateru wulkanów. Wicher porywał ich płaty, jakby je od masy udzierał i chciał cisnąć na miasto.

Drzewa zasypane kurzem i dymem wyglądały niby robotnicy. Zieloność murawy była obleczona żałobnym pokrowcem.

Za lasami i łańcuchem wzgórz rozciągała się na horyzoncie stalowa chmura z ciemnymi w sobie dołami. Szła wolno. Leciał od niej zimny wicher. W pewnych sekundach przycichał. Zdawało się, że łazi około murów, snuje się pod płotem, zagląda do ścieków i siada na drzewach drżących wierzchołkami niespokojnie i w bojaźni. Czasami pędził w cwał środkiem bezludnych ulic z hukiem i gwizdaniem, jak najezdnicza awangarda wojsk, które z dala ciągną. Naokół widać było kominy i kominy. Waliły się z nich pochyłe dymy szarpane przez wicher.

Z wyschłych bajor, zalegających całą długość i szerokość ulic, zrywały się co chwila góry śniadego kurzu, mknęły ponad domy, ponad dziwaczne retorty fabryk i ciskały się z wysoka na mieszkania ludzkie. Te latające błota zasłaniały co chwila miasto smutne dla oczu, dziwaczne, nieprawidłowe i zimne jak g e s z e f t pieniężny.

Za nim na pewnej wyniosłości stał w cienistym ogrodzie „pałac" dyrektora. Gdy wchodzili po wąskich schodach wysłanych dywanem, Korzecki przesadnie idąc z boku, żeby zaś nie nastąpić na ten chodnik, mówił półgłosem:

— Teraz zbierzcie wszystkie siły, albowiem nadszedł czas próby...

Wprowadzeni przez lokaja do mieszkania, znaleźli się w salonie, którego okna wychodziły na miasto. Miękki, puszysty dywan tłumił echo ich kroków. Rolki krzeseł wyściełanych atłasem ginęły w nim zupełnie i toczyły się bez szelestu. Na ścianach wisiały obrazy i sztychy w ramach niesłychanie szerokich i „bajecznie" ozdobnych.

Korzecki usiadł na fotelu ze skromną minką i przybrawszy pobożny wyraz prezentował Judymowi oczami sufit i tapety. Idąc mimo woli za tą wskazówką doktór zobaczył malowidło wyobrażające jakiś pejzaż z ruinami i pastuszkiem.

Zanim wszakże zdążył przyjrzeć się tapetom, ozwał się we drzwiach głos gospodarza:

— Szanownego inżyniera dobrodzieja, gościa miłego a rzadkiego...

Korzecki przywitał się z wchodzącym i zaraz głosem pełnym powagi wymówił nazwisko towarzysza:

— Doktór Judym.

Gospodarz wyciągnął rękę i uścisnął podaną prawicę z ukłonem, który go ze względu na tuszę musiał kosztować nieco fatygi. Zajęli atłasowe miejsca, pogrążyli nogi w miękkościach dywanu i toczyli rozmowę *de nihilo*[62], to jest o przedmiotach nie mających najmniejszej wartości. Mówiono o fizjonomii okolicy, o warunkach klimatycznych i higienicznych Zagłębia oraz o tym podobnych romansach. Gospodarz był to pan wyniosły i prawie otyły. Czaszkę miał nagą, błyszczącą i mocno sklepioną. Taki czerep mógłby dźwigać przyłbicę z żelaza. Nastroszone i w górę zadarte wąsy pasowałyby do niej także bardzo. Nos prosty, oczy duże, srogie pod krzaczastymi brwiami, znamionowały krew szlachecką silnie pulsującą w żyłach. Delikatność obejścia, miękkie ruchy zdawały się być utrudniającymi dla tej figury potężnej. Niemniej — płaty szerokie świetnego kortu, obejmujące kadłub jej i nogi, sprawiały efekt odzieży przypadkowej i tymczasowo narzuconej.

Korzecki rozglądając się z szacunkiem po salonie nachylił się w kierunku jego właściciela i szepnął:

— Widzę coś nowego...

— No, co?

— Jakaś niewielka sztuczka, ale aż oczy bolą.

[62] *de nihilo* (łac.) - o niczym.

— Ten zegar?...

— To, to!

— Kupiłem go — rzekł dyrektor z satysfakcją ukrywaną dyskretnie — w Monachium. Szczerze mówiąc, za bezcen.

Po chwili dodał:

— Za bezcen!

Wstał wkrótce i ułatwił gościom zbliżenie się do zegara *empire*[63] stojącego pod kloszem na gzymsie konsoli. W istocie było to coś bardzo ładnego w skromności swych linii i naiwności płaszczyzn.

— No, a Uhde[64] oprawiony? — żywo zapytał Korzecki.

— A jakże, a jakże! — i powiem koledze — bajecznie. Chcecie może zobaczyć?

— Ależ, jeśli łaska...

— Proszę, proszę tędy.

— Jakże panna Helena, czy wciąż jeszcze zajęta Ropsem[65]?

— A tak, ona swym Ropsem... proszę panów tędy...

Wszyscy trzej weszli do sąsiedniego gabinetu urządzonego z przepychem. Zaściełał go dywan i wypełniało mnóstwo sprzętów, nad którymi królowało niejako wspaniałe biuro. Kandelabry, figurynki, fotografie w ramach stojących, przyciski i mnóstwo książek — piętrzyło się na nim. Ściany zawieszone były malowidłami i rysunkami, a biblioteka, rzeźbiona misternie, połyskiwała od złoconych tytułów.

— Widziałeś pan to głupstewko?

Korzecki przymrużył powieki i z wyrazem najgłębszej ciekawości badał wskazany obrazek.

— Kupiłem tę sztuczkę w Mediolanie, w tej, wiecie panowie, budzie, co to *Cenacolo Vinciano*...[66] Otóż zaszedłem tam... Był upał. Za oknem, słyszę, musztruje jakiś oficerek z wrzaskiem oddział tych rycerzy, których później rozmiata jak śmiecie byle Menelik...[67] Patrzę, że kopiuje *Wieczerzę* jakiś młody w ł o c h i n o. Śliczny, szelma, jak najcudowniejszy obraz. Włosy na łbie wzburzone, nos, panie, usta, oczy jak u jastrzębia. Maluje, maluje... Przyskoczy do swych sztalug i tnie pędzlem, ale to w całym znaczeniu tego wyrazu — tnie. Widzę — zrobił tylko jedną figurkę, a reszta ledwo, ledwo naszkicowana. To mię, powiem panom, tak uderzyło, że tysiąc razy bardziej niż oryginał. Co za wyraz, co za twarz! Jak te oczy patrzą! To jest przecie apostoł... I nie tylko apostoł, ale człowiek, który z boleścią pyta: „Czy ja cię mam wydać, Mistrzu i Panie?" Ani sposobu wytrzymać; mówię do tego malarzyka:

— *Signore pittore, quanto* tego ten *cadro*?[68]

---

[63] *empire* - styl w sztuce i architekturze powstały we Francji za panowania Napoleona I.

[64] *Uhde* - Fritz (1848-11911) niemiecki malarz religijny.

[65] *Rops* - Felicjan (1833-1898) znany malarz i twórca sztychów belgijski.

[66] *Cenacolo Vinciano* (wł.) - mowa o „Ostatniej wieczerzy".

[67] *Menelik* (1844-1913) - cesarz Abisynii; gdy Włosi usiłowali narzucić Abisynii protektorat w 1896 r. cesarz Menelik pokonał ich w bitwie pod Audą.

[68] *Signore pittore, quanto* (...) *cadro?* (wł.) - panie malarzu, ile (kosztuje) ten obraz?

Spojrzał na mnie i mruknął, że jeszcze nie namalowane. Gadam mu, jak umiem, że mi jest wszystko jedno, pokazuję mu palcem na tego apostoła i krzyczę, że go chcę mieć i takiego, jak jest. Łypnął tylko okiem jak wilk i maluje dalej. Kiedy ja znowu do niego, warknął:

– *Mille lire*...[69]

– O – mówię – *signore pittore* to trochę *molto*[70].

Wreszcie targ w targ wpakowałem bestii sześćset franków i zabrałem obraz ledwo podmalowany. Tu w domu wystrzygliśmy z córką tylko naszego apostoła, a resztę się wyrzuciło. Ale co to za fizys! Nieprawdaż?

– O tak, w istocie... Jest to coś, coś...

Korzecki nachylił się do Judyma i szepnął mu do ucha w taki sposób, że gospodarz słyszał wyrazy:

– Prawda, z jakim smakiem urządzone mieszkanie?

Dyrektor uśmiechnął się pod wąsem i mówił:

– Ech, ze smakiem... Pochlebstwa... Jakkolwiek, aby, aby... Trudnoż mieszkać po naszemu, po sarmacku.

Ośmielony słowami Korzeckiego prowadził gości do następnego salonu, który nazwał „pracownią".

– Ale mieliśmy zobaczyć Uhdego! – przypomniał pochlebca.

– Właśnie... w pracowni.

Kiedy tam weszli, na spotkanie ich wstała zza szerokiego stołu młoda panna, lat może dziewiętnastu, w sukni różowej i tak lekkiej, że dozwalała nie tyle widzieć, ile odczuwać śliczne kształty. Włosy miała jasne, prawie białe, o kolorze połyskującym świeżo heblowanego drzewa świerku – oczy błękitne, tak samo jak ojciec, tylko bez surowości i zimna tamtych. Z dala wywarła na Judyma dziwne wrażenie róży ledwo, ledwo rozkwitłej. Coś pisała czy rysowała. Nieoczekiwane wejście obcych panów trochę ją zmięszało. W prawej ręce ściskała bezradnie ołówek i dopiero witając przybyłych zmuszona była rzucić go na stół. Spotkanie jej w pracowni uwolniło Judyma i Korzeckiego od zwiedzania dalszych ubikacji apartamentu.

Wrócili do pierwszego salonu. Panna Helena szła z Korzeckim rozmawiając swobodnie i życzliwie.

Twarz jej ładna, okrągła, kwitnąca od rumieńców, które ciągle ukazują się i znikają, zwracała się w jego stronę i jasne, niespokojne oczy wpatrywały się z natarczywą ciekawością. Korzecki w jej towarzystwie spochmurniał, jakby się raptem zestarzał. Mówił głosem oziębłym, bez sarkazmu i złośliwości. Patrzał na nią w zamyśleniu, ale z pewnym rodzajem niechęci. Judym wysłuchując z fałszowaną uwagą zdań dyrektora o rozwoju przemysłu w Zagłębiu, słyszał urywki dialogu tamtych dwojga. Obijały się kilkakrotnie o jego uszy nazwiska: Ruskin[71], Maeterlinck[72]...

---

[69] *Mille lire* (wł.) - tysiąc lirów.

[70] *molto* (wł.) - dużo.

[71] *Ruskin* - John (1819-1900) angielski publicysta, krytyk i teoretyk sztuki.

[72] *Maeterlinck* - Maurycy (1861-1949) pisarz belgijski, twórca dramatów symbolicznych.

Zanim wszakże zdołał pochwycić sens tej rozmowy, wszedł do salonu młodzieniec lat dwudziestu paru i witał się z Korzeckim za pomocą silnego wstrząsania jego prawicy.

Za chwilę przedstawił się Judymowi:

– Kalinowicz.

„Zapewne syn..." – pomyślał doktor.

Młody zwrócił się do Korzeckiego z widoczną satysfakcją i zawiązał z nim rozmowę. Panna Helena przysłuchiwała się jej także, a nawet stary dyrektor zwrócił wkrótce w tamtą stronę swoje krzesełko. Judym onieśmielony i pełen dziwnego smutku słuchał szelestu wyrazów, ale uczuciami błądził daleko. Zdawało mu się, że słyszy dziwny, piękny śpiew, tak jakby jedną z pieśni Griega[73], oddalającą się w górach wysokich i, szczególna rzecz, w pewnej miejscowości na Righi, pod samotnym szczytem Dossen, gdzie był raz w życiu.

„Kto to śpiewa i dlaczego to właśnie?" – marzył ustawiając swe nogi na puszystym dywanie w sposób, o ile to było w jego mocy, ozdobny.

– Ani myślę uznawać się za zwyciężonego! – wołał młody człowiek. – Ani trochę! Tego pan nie dowiedzie! Istnieją na pewno kryteria dobra i zła.

– A... skoro istnieją... – z cicha mówił Korzecki.

– Wiemy przecie, że niewolnictwo jest formą życia, do której wracać nie należy. Pan wiesz to samo i tak samo jak ja. I każdy człowiek...

– Więc cóż z tego?

– Nasza świadomość jest już kryterium. Dobro społeczne...

– Właśnie: dobro społeczne! Zawsze to mówimy i jakoby wiemy, co to jest szczęście i dobro społeczeństwa, ale nigdy nas nie zajmuje szczęście jednostki.

– O, to, to! Szczęście pojedynczego człowieka, jednostki... – wtrącił dyrektor machając ręką.

– Szczęście jednostki musi być podporządkowane dobru ogółu.

– To jest właśnie mowa przemocy nad duszą człowieka... – mówił Korzecki porozumiewając się oczyma z dyrektorem. Szatański uśmiech jak błysk iskierki elektrycznej latał w jego oczach i na wargach. – Ileż to ludzi święta inkwizycja spaliła na stosie dla tej zasady, dla tego kryterium.

– Święta inkwizycja! – pienił się młody. – Co pan za rzeczy wywłóczy, u licha! Ale co to jest szczęście jednostki? Niech no mi pan na to odpowie! Ja tego nie rozumiem.

– Istotnie, jest to coś tak od nas dalekiego, że pan tego nawet wcale nie rozumie. Coś, czego wcale nie znamy... O czym mówił Leopardi[74], że „jego lubej mary już nie nadzieja znikła, lecz pragnienie..." To jest jasna łąka, kwiatami zasłana, gdzie dusza ludzka może stawiać krok swój swobodny... Możność uczynku, mówienia, myślenia, a przynajmniej czucia, przynajmniej wzdychania według swej woli. Szukanie zadowolenia...

– Rozumiem: *hedoné*[75].

---

[73] *Grieg* - Edward (1845-1907) kompozytor norweski.

[74] *Leopardi* - Jakub (1798-1837) poeta włoski; załamany klęską ruchu narodowowyzwoleńczego stał się piewcą zwątpienia.

[75] *hedoné* (gr.) - rozkosz.

– Masz pociechę, znowu jakieś *hedoné*!

– Rozumie się. Ale tylko jedna uwaga. Chory umysłowo z manią prześladowczą albo jeszcze lepiej: samobójczą – szuka zadowolenia w dążeniu, na przykład, do wydłubania sobie oka. Czy mamy prawo zezwolić, żeby znalazł to zadowolenie?

– Człowiek chory umysłowo podlega fatalnej sile, która, rzecz prosta, do góry nogami wywraca jego myśli i uczucia, która... Ale, panie, jaki to zły przykład!

– Dlaczego?

– Niech sobie pan przypomni tego doktora, co to zdjął pierwszy kajdany z nóg i rąk obłąkanych[76]. Bo nie wiem, czy panu wiadomo, że niegdyś „kryterium" nakazywało trzymać chorego w kajdanach. Później nakładano im kaftan i zamykano w celi. Obecnie wynaleziono zasadę: *no restrain*[77]. Ja mam nadzieję, że kiedyś pobyt w szpitalu obłąkanych będzie prawie wolnością, że tam nieszczęsna chora głowa będzie snuła swe marzenia bez przeszkody.

– No, ja nie znam się na tych subtelnościach. Ale weźmy inny przykład: wychowanie dzieci. Najmilsze zadowolenie, gdy byłem w szkole, dawały mi „wagary", rozkosz prawie jakieś szczytne oszukanie belfra, jakieś „nabieranie", „ściąganie"...

– Tak, tak... Wychowanie. Jeszcze niedawno Wincenty Pol wzdychał, a jego czytelnicy również, nad metodą kształcenia dorosłych Benedyktów Winnickich[78] za pomocą batoga, za pomocą wsypywania im *pro memoria*[79] na kobiercu. Pan już nie zgodziłby się na system pana Wincentowy?

– On nie, ale ja.... kto wie... – westchnął dyrektor.

Młody człowiek spojrzał na ojca z uśmiechem i szczególnym przymrużeniem powiek.

– Pan by się już nie zgodził. Jesteśmy stamtąd o tysiąc mil w kierunku... jasnej łąki. To samo z tym wychowaniem maleńkich ludzi. Jesteśmy o tysiące mil od chederów, które lokują się, być może, gdzieś w sąsiednim domu. Ta sprawa wychowania dzieci pędzi jak pociąg. Widziałem dobrze szkoły szwajcarskie...

– Gdzie istnieje przymus szkolny.

– Gdzie sześcioletnie dziecko z największą przyjemnością idzie do wspólnego domu zabawy. Opowiadają mu tam cudowne baśni. Zawiera tam pierwsze w życiu znajomości i doznaje tajemnych pierwszych rozkoszy poznawania. Ale i z tej szkoły myśl idzie dalej.

– A idzie dalej... Nie ulega jednak wątpliwości, że wyuczenie się abecadła, sylabizowanie i bazgroty kaligraficzne – jest to męka.

– W chederze...[80] jeszcze jaka! Jaka piekielna!

– W szkole również. A tej torturze dziecko musi być poddane. Każde, które tylko przyjdzie na świat i dożyje wieku właściwego. Cierpienie! Wszelka praca jest cier-

---

[76] *doktor, co pierwszy zdjął kajdany...* - francuski psychiatra Filip Pinel (1745-1826), który wszczął kampanię przeciw nieludzkiemu traktowaniu obłąkanych.

[77] *no restrain* (ang.) - nie więzić, nie ograniczać.

[78] *metoda kształcenia dorosłych Benedyktów Winnickich* - w poemacie *Przygody JP Benedykta Winnickiego* Pol z uznaniem pisze o batożeniu dorosłego już bohatera.

[79] *pro memoria* (łac.) - dla zapamiętania, na pamiątkę.

[80] *cheder* - początkowa religijna szkoła żydowska.

pieniem. Cóż tu mówić! Taka sprawa higieny. Za pomocą czego mogą zwalczyć w naszych miasteczkach epidemie? Rozumie się, że za pomocą przymusu. Co czynić ze zbójami, rzezimieszkami?

— Dajmy pokój zbójom. Ilekroć kto zbyt nastaje na różnych zbójów, takiego doznaję wrażenia, jakby się o coś mścił na nich.

— Więc cóż byś pan z nimi zrobił?

— Ja... ja zrzekam się na to pytanie odpowiedzi.

Korzecki mówił to z oczyma płonącymi. Zdawało się, że między jego otwartymi powiekami stoją przezroczyste ognie.

— Dlaczego? – cichym głosem zapytała panna Helena.

— Dlatego, proszę pani... dlatego... Nie umiem na to odpowiedzieć.

— Dlaczego? – nastawała raz jeszcze.

— Nie umiem. Trochę mię głowa boli.

Młoda panna zarumieniła się. Usta jej drgnęły i wyraz upokorzenia skrzywił je na chwilę. Zapanowało milczenie dość przykre. Słychać było wycie wichru i uderzenia deszczu w szyby wielkich okien. Korzecki zdawał się tego wcale nie odczuwać. Jadowite uśmiechy mieniły się w jego twarzy. Zaczął mówić nie podnosząc oczu:

— Myli się pan twierdząc, że każda praca jest cierpieniem. Wcale tak nie jest. Pomijam to, że w dziedzictwie otrzymujemy po przodkach nałóg do pracy, co możemy stwierdzić na bardzo wielkiej liczbie ludzi bogatych, którzy po całych dniach bezinteresownie pracują, ale weźmy... Weźmy co innego. Wszystkie poświęcenia, trudy, ofiary, bohaterstwa. Mickiewicz mówi – niech pan posłucha tych słów przedziwnie mądrych: „Przez ofiarę ducha[81] rozumiem czyn człowieka, który otrzymawszy prawdę, utożsamiwszy się z nią, roznosi ją, objawia, służy jej za organ, za twierdzę i za wojsko, nie zważając na spojrzenia, na głosy i rysy nieprzyjaciela". Otóż, czy taka „ofiara ducha" jest, czy nawet może być cierpieniem? On sam mówi, że to jest „najboleśniejsza ze wszystkich ofiar", ale wydaje mi się, że ma na myśli tylko jej wysokość, jej wyniosłość. Człowiek, który utożsamił się z prawdą, musi czuć radość, rozkosz, wtedy nawet, gdy został pobity. Tak przypuszczam. Wtedy nawet, gdy został zmiażdżony...

— To chyba paradoks... – rzekł Judym. – Zdaje mi się, że w istocie jest to najboleśniejsza ze wszystkich ofiar.

— Nie sądzę. Taki człowiek w czynie swoim doznaje szczęścia. Objawia prawdę, którą otrzymał, to znaczy wyładowuje szczęście, które w nim jest. W tym musi leżeć takie samo zadowolenie jak w zabiegach i matactwach skąpca albo w szwindlach szachraja giełdowego.

Gdy się ta rozmowa toczyła, huczały ciągle gromy i zbliżający się łoskot burzy wstrząsnął całą kamienicą. Nikt na to uwagi nie zwracał, tylko panna Helena po każdym silniejszym ataku wichru spoglądała w okna. Pociski nawałnicy biły w nie, jakby kilka pięści chciało skruszyć ramy. Było prawie ciemno. Zaczął prać deszcz ulewny, ponury i bezlitosny. Kiedy niekiedy przeraźliwy blask oświecał pokój. Wtedy wszystkie brązy, okucia, świecidła i lśniące powierzchnie rzucały się w oczy i nagle gasły

[81] *„Przez ofiarę ducha..."* - słowa wygłoszone przez A. Mickiewicza podczas prelekcji w Collège de France w Paryżu 7 II 1844 r.

jakby wchłonięte przez szybkie westchnienie, które w głębi piersi twardy strach zapierał.

– Odbiegliśmy od przedmiotu... – rzekł młody. Głos jego wydał się czymś dziwnym w pomruku napełniającym przestwór.

– Nie odbiegliśmy wcale – mówił Korzecki, którego burza, widać, podniecała, bo mówił z jakąś wewnętrzną nagłością. – Czy dla człowieka, który otrzymał prawdę, istnieją pańskie kryteria? Czy pan postawisz je na drodze takiego człowieka?

– Rozumie się! Każdego obywatela należy przytrzymać za rękę, gdy coś przedsiębierze, i zapytać, czy działa z pożytkiem, zbadać, czy nie idzie wbrew, czy nie psuje tego, co ród ludzki pracowicie zbudował.

– Na mocy takich zasad przybito Jezusa Chrystusa do krzyża. Powiedzieli mężowie: „My mamy prawo nasze i według prawa on umrzeć powinien".

– Przez to cierpienie świat został zbawiony.

– Potęga zbawienia nie leżała w cierpieniu, lecz w nauce.

– Więc dla pana nie istnieją żadne pewniki? Czyliż nie wiemy na pewno, że dzieciobójstwo albo chińskie mordowanie starców – to są złe rzeczy, a uczucie solidarności między ludźmi – to jest rzecz dobra? Że mówić prawdę jest dobrze, a kłamać źle? I kto by chciał propagować ideę dzieciobójstwa albo niszczyć uczucie solidarności, powinien być usunięty...

– Że mówić prawdę jest dobrze, a kłamać – źle, tego ja, na przykład, który tu z panem siedzę w jednym pokoju, wcale nie jestem pewny. Częstokroć mówienie, a nawet wyznawanie kłamstwa jest najwyższą cnotą, zasługą i bohaterstwem. Jest ono zupełnie takie samo jak mówienie prawdy. Pozostawiam człowiekowi zupełną swobodę mówienia prawdy albo kłamania. Co jeden człowiek może wiedzieć o prawdzie albo fałszu duszy drugiego człowieka? W sercu ludzkim są takie oceany, pustynie, góry i wędrujące lodowce... Chrystus powiedział: „Nie sądźcie, abyście nie byli sądzeni". Oto wszystko. A co do tych dzieciobójstw, niewolnictw, to dialektycznie pan mię pobije, bo z takich pytań wywinąć się nie zdołam. Nie mam wyjścia. Istotnie, wszyscy wiemy na pewno, że wypoliczkowanie paralityka to jest z ł a czynność. I kto by to uczynił, powinien być skrępowany. To jest sylogizm – nie ma co. Ale czy pan sobie może wyobrazić człowieczeństwo, jakie mamy na myśli, i tego rodzaju uczynek? Szerzenie idei niewolnictwa jest niemożliwe wśród takich ludzi tak samo, jak niemożliwa to jest rzecz, żebyśmy dwaj weszli do towarzystwa, gdzie zgromadziły się subtelnie wychowane kobiety, i żebyśmy tam zaczęli prowadzić jakąś karczemną rozmowę albo, dajmy na to, pozrzucali ubranie. Dialektycznie można dowieść, że jest możliwe takie nasze zachowanie się, ale sam postępek *de facto*[82] – nie jest możliwy. A przecie nie ma żadnego pisanego prawa, które by zabraniało tej swobody. To cząsteczka właśnie tego u c z u c i a solidarności, które wszystko przeniknie, dyktuje nam tok rozumnej, miłej i dla wszystkich przyjemnej rozmowy. Złe niewątpliwie jest tylko jedno: krzywda bliźniego. Człowiek – jest to rzecz święta, której krzywdzić nikomu nie wolno. Wyjąwszy krzywdy bliźniego, wolno każdemu czynić, co chce.

---

[82] *de facto* (łac.) - w istocie, w rzeczywistości.

— Idylla, proszę pana, idylla, czyli Arkadia[83]. Krzywda bliźniego... Dobre sobie! A cóż to jest krzywda? Gdzież jej granica?

— Granica krzywdy leży w sumieniu, w sercu ludzkim.

— No, proszę pana, czyż to nie są żarty?

— Nie. To jest myśl najbardziej twórcza ze wszystkich. Na niej świat stoi. Niech no pan pomyśli, co by z nim było, gdyby wymazać te słowa: „Po tym poznają, żeście uczniami moimi, jeśli się wzajem miłować będziecie"[84]. Miłość między ludzi należy siać jak złote zboże, a kąkol nienawiści trzeba wyrywać i deptać nogami. Czcij człowieka... – oto nauka.

— Szybkość postępu ludzkiego zależy od rozwalenia czynników, które w poprzek jego łożyska się kładą.

Dyrektor nachylił się do Judyma i półgłosem szepnął:

— Wyznam panu, że wcale nie wiem, o co ci panowie sprzeczają się między sobą z taką zajadłością.

Korzecki, rozmawiając w dalszym ciągu ze swym antagonistą, zwrócił się raptem w tę stronę i rzekł:

— W istocie... *de lana caprina*[85].

— Jakże zimno... – szepnęła piękna panienka, z trwogą spoglądając w okno.

— Boi się pani trochę – pytał Korzecki. – Prawda, boi się pani?

— Ależ gdzież tam... Tylko tak raptownie się oziębiło. I ta ciemność...

— Aha, ta ciemność... – Po chwili mówił: – Jakże biednym jest ten, kto teraz iść musi nieznaną, straszną drogą. Kto spieszy się do niewiadomego celu, kto idzie, idzie bez końca... Ten „pielgrzym, co się w drodze trudzi przy blaskach gromu..."[86]

Ziarna gradu zmięszanego z deszczem zaczęły ciąć szyby. Rozmowa przycichła.

Judym wstał ze swego miejsca i patrzył w okno. Pośród ulewy i mroku buchał kiedy niekiedy płomień wielkich pieców.

Doktór był nieswój. Myślał o narzeczonej. Ulegał złudzeniu, że gdy się skończy ta burza, gdy zblednie ciemność, to jakaś wieść, jakieś echo, jakiś wyraz da się słyszeć... Ciche westchnienie niby-pociechy wyrwało się z jego piersi. Pisał już list i podał adres. Któż wie, może jaki traf dziwny stamtąd, z tych miejsc ukochanych, przyniesie słowo... Może i ona w tej chwili patrzy się w burzę, może te same uczucia jak prędkie błyskawice oświetlają żałobne mroki...

— Pan doktór, jak słyszałem, wraca właśnie z Paryża? – zagadnął znienacka dyrektor.

— Dwa lata już minęły od mojego powrotu...

Korzecki zwrócił się z żywością w ich stronę i czekał tylko chwili, żeby się do tego dialogu przyłączyć.

---

[83] *Arkadia* - kraina w starożytnej Grecji, gdzie głównym zajęciem było pasterstwo; w późniejszych wiekach uważana za krainę szczęśliwości.

[84] *„Po tym poznają, żeście uczniami moimi..."* - słowa te wyrzekł Chrystus do apostołów podczas ostatniej wieczerzy.

[85] *de lana caprina* (łac.) - (spór) o kozią wełnę, czyli o rzecz błahą.

[86] *„Pielgrzym, co się w drodze trudzi..."* - cytat z *Hymnu o zachodzie słońca* J. Słowackiego.

W tym samym momencie lokaj odchylił portierę i złożył ukłon pannie Helenie. Ta wstała i prosiła na herbatę. Przeszli do sąsiedniego pokoju i zasiedli przy obszernym stole zastawionym mnóstwem talerzy, półmisków, szkieł lśniących.

Młody Kalinowicz siedział przy Judymie. Zawiadomił go, że dopiero co skończył politechnikę w Charlottenburgu[87], że wraca tam jeszcze dla „zrobienia doktoratu", a tymczasem przypatruje się temu rynsztokowi, którym złoto płynie do Francji.

– Panie! – wołał – włosy powstają na głowie, kiedy się patrzy na to, co się tu dzieje. Nie chcę ubliżać nikomu, ale taka, na przykład, pomoc lekarska odbywa się w sposób zupełnie pocztowy. W dniu oznaczonym lekarz, „mający pod sobą" z osiem fabryk, jedzie z miejsca na miejsce... Czy to panu nie sprawia czasem przykrości?

– Nie, Boże broń... Pragnąłbym sam znaleźć tutaj zatrudnienie, więc muszę poznać stosunki do gruntu i z każdej strony.

– Czy tak? A wie pan, że to ciekawe... Więc pan pragnąłby tu osiąść... I poczynił pan już w tym celu jakieś kroki?

– Nie, wcale.

– Czy ma pan jakie znajomości?

– Żadnych.

– Ach, tak.

– Niech pan doktór nie bierze czasem do serca wszystkiego, co mój syn mówi o Zagłębiu – wmięszał się dyrektor. – Jest to niechęć specjalna. Proszę pana...

– Tak, jest to niechęć, a właściwie antypatia specjalna! – cedził młodzieniec.

– Ci ludzie zamordowują tych poczciwych eskulapów. Jest lekarz z a d a r m o c h ę, więc do niego kto żyw. Chory, nie chory, z przywidzeniami, z imaginacją... Tu u mnie w lecznicy nasz doktorek ma na swej godzinie po sześćdziesięciu chorych. Niechże kto powie, czy może być tyle ludzi istotnie chorych w małej osadzie...

– Faktem jest – rzekł młody – że w całym kraju korzysta z porady lekarskiej na koszt właścicieli 41%, a wcale jej nie doznaje 59.

– Skądże znowu takie cyfry?

– Z 856 przedsiębiorstw zbadanych w 818 nie było żadnej pomocy lekarskiej, w 10 ta pomoc istniała faktycznie, w 24 była znośna, a tylko w 4 należyta.

Judym przymrużył powieki i zaśmiał się w głębi swego serca. Jak mara mknęło przed nim wspomnienie walk warszawskich.

– Egzageracja[88] nie tylko we wnioskach, ale nawet w cyfrach – mówił stary z flegmą wytrawnego polemisty. – Rozumiem do gruntu konieczność pomocy lekarskiej, jestem jej zwolennikiem... fanatycznym, że się tak wyrażę higieny... *et cetera.* Ale oto fakt świeży. Przy wielkich piecach istnieją szale do wciągania rudy. Pod najsurowszą karą nie wolno człowiekowi siadać w szali ani dla wjazdu, ani celem szybkiego spuszczenia się z góry. Czy pan uwierzy, jaka jest statystyka wjeżdżań i zjeżdżań windą? To jest także statystyka, którą powinien byś notować sobie w którejkolwiek półkuli mózgu...

– Nie ma gwałtownej potrzeby.

[87] *Charlottenburg* - w owym czasie miasto pod Berlinem, dziś jedna z jego dzielnic.

[88] *egzageracja* - przesada.

— Aha.

— Z wszelką pewnością.

— Albo drugie. Między dwoma piecami jest pewne zagłębienie, obok którego przechodzi szala. Nikomu do głowy by nie przyszło, że tam wleźć można. Cóż panowie powiecie? Usiadł sobie w tej dziurze na połowie wysokości i gwizdał gapiąc się na dół. Szale idą cicho. Huknęło w czerep i na miejscu. Za to odpowiada fabryka! Tam daszka nie było, uważa pan, daszka nie było!

— Pochlebiam sobie, że w tym miejscu jest teraz daszek... — rzekł młody Kalinowicz nabierając z półmiska ogromną porcję rostbefu.

— Taki człowiek przy piecach martenowskich, przy walcach, przy drucie zarabia dziennie parę rubli. I jakże to żyje, co robi z tymi pieniędzmi?

— Ciekawa rzecz...

— Hula, żyje nad stan i wpada w długi. Zobacz no pan w niedzielę takiego ryfusia[89]: krawacik modny, chusteczka... Wchodzi do sklepu i rozkazuje: „Daj no pan kołnierzyki, tylko przecie z lepszych, z modnych". Mydła pachnące sprowadzają sobie specjalne. Teraz właśnie w modzie są mydełka pachnące.

— Czy to w samej rzeczy nie może oburzać? — mamrotał młody zajadając z wilczym apetytem.

— Jest to nie tyle oburzające, ile smutne.

— A czegóż znowu smutne?

— Wszędzie zbytek, zbytek! We wszystkich warstwach społeczeństwa życie nad stan, rozrzutność...

— Mydełko — to jest rozrzutność?

— Nikt nic nie oszczędza. Przy takich zarobkach jest to zbiorowisko bankrutów...

— Zmniejszyć bestiom zarobki, to się zaraz utemperują! Nie będzie ani mydełek, ani tych oburzających krawatów.

— Przeciwnie, trzeba podnosić, co tchu podnosić! Niech sobie posprowadzają cylindry z Paryża, paltoty z Wiednia...

Lokaj obniósł półmisek i zmienił talerze.

Był to już wieczór, kiedy po wypiciu herbaty wszyscy, z wyjątkiem panny Heleny, opuścili jadalnię i znaleźli się w gabinecie. Palono cygara. Korzecki z przepyszną miną trzymał w ustach olbrzymie jak marchew. Młody Kalinowicz rozpoczynał dalszy ciąg swej dysputy z ojcem, gdy wtem znowu wszedł lokaj, ostrożnie zbliżył się do Korzeckiego i coś mu szepnął do ucha.

— Ach, do mnie... Zapewne z listem?

— Nie wiem, proszę łaski pana inżyniera. Mówi, że ma pilny interes.

— Tutaj? — spytał Korzecki z niedbałym ruchem.

Nie wyjmując z ust cygara poszedł za lokajem.

Judym pragnął przyspieszyć koniec tej wizyty, wyjść co prędzej. Ujął pod rękę młodego Kalinowicza i zapytał, dokąd poszedł Korzecki.

— Rozmawia z jakimś posłańcem, który go aż tu odnalazł.

W sercu Judyma przesunęło się marzenie: list od Joasi...

---

[89] *ryfuś* - prostak, cham.

– Panie – rzekł cicho do młodego człowieka – czy nie mógłbym zobaczyć tego posłańca? Oczekuję na pewną wiadomość, która mię bardzo niepokoi... Może to list do mnie.

– Proszę uprzejmie... – krzyknął młody bursz rozsuwając krzesła po drodze.

Znaleźli się w pustym korytarzu, z którego drzwi wychodziły na schody. Schody te nie były załamane, lecz stromo jak drabina stały przyparte do budynku, prowadząc z piętra na ziemię.

Judym, stojąc we drzwiach sieni, zobaczył na dole światło. Korzecki trzymał w ręku świecę, której płomieniem chwiał wicher wdzierający się przez szczeliny desek. Drzwi na dole były zamknięte, ale bryzgi deszczu wpadały wszystkimi otworami. Ulewa dudniła po dachu przybudówki.

Obok samych drzwi stał posłaniec. Był plecami wsparty o ścianę.

Miał na głowie czapkę z daszkiem, na sobie obszerne letnie palto, grube buty. Był przemoczony do suchej nitki. Struga wody lała się z niego i dokoła nóg tworzyła kałużę.

Przypatrując się z uwagą, Judym spostrzegł, że ten człowiek drży na całym ciele. Głowa jego zwisła na piersi i była charakterystycznie bezwładna, jak u ludzi z przemoczoną koszulą.

Inżynier rozmawiał z nim półgłosem, który ginął w szumie wiatru.

„To nie do mnie..." – pomyślał Judym i serce jego ścisnęło się od bezbrzeżnego żalu.

Korzecki wziął w rękę pakunek przyniesiony przez mokrego drapichrusta i szedł w górę po schodach. Gdy na ich szczycie ujrzał Judyma, żachnął się i ostrym głosem krzyknął:

– Co tu robicie?

– Myślałem, że to może do mnie z poczty...

– Nie, nie... Co znowu! To ten głupiec, przemytnik.

– Przemytnik?

– Tak. Dowiedział się od kogoś, że tu jestem... Widzicie, jakie to nerwy! Nie myślałem, że was tu zastanę, i od razu... Piękny głosik ze siebie wydobyłem, ani słowa... Samemu głupio go usłyszeć, a cóż dopiero mówić o delikatnych bliźnich.

– Przepraszam was, bo to ja niepotrzebnie...

– Ale gdzież tam! Przemytnik... – mówił szeptem. – W Katowicach dwa tygodnie temu zostawiłem paczkę kortu na ubranie. Kupiłem ten kort w Krakowie. Bardzo lubię taki gatunek. Może i wy weźmiecie dla siebie. Nie chciało mi się płacić. Szepnąłem temu frantowi, żeby mi to przyniósł którego dnia. Dziś miał chwilę pomyślną, więc mię aż tu wygrzebał.

– Ten człowiek się rozchoruje. Widziałem, jak drży.

– Tak sądzicie?

– Cóż tu sądzić?

– Trzeba mu dać kieliszek wódki. Trzeba co prędzej... Człowiek się rozchoruje!

Poszedł prędko i zdybawszy przy drzwiach stołowego pokoju lokaja mówił:

– Mój bracie, weź też z łaski swej i wynieś człowiekowi, co tam stoi, kieliszek wódki. Daj mu, wiesz, zresztą dwa kieliszki, a nawet trzy.

– Niech wypije trzy kieliszki... – dorzucił Judym.

— Wiecie co, doktorze, bądźcie tak dobrzy i sami mu zanieście. Zobaczycie, czy w samej rzeczy tak przeziąbł...

— Z chęcią...

Judym wziął z rąk lokaja ozdobną flaszkę z wódką, kieliszek, świecę i zszedł po schodach.

Przemytnik stał w ciemności.

Zdawał się drzemać...

Judym postawił świecę na ziemi i nalał płynu w kryształową lampkę.

Wtedy drab podniósł głowę i otworzył oczy.

Były to duże, jasnoniebieskie oczy...

Ręka Judyma, w której trzymał kubek, zdrętwiała jakby od gwałtownego zimna.

Przemytnik wypił chciwie jeden kieliszek, drugi, trzeci. Potem, nie kiwnąwszy głową, otworzył drzwi i znikł w czarnej czeluści nocy, którą zalewała nawałnica.

We dwie godziny później Judym wracał z Korzeckim do domu powozem. Deszcz ustał. Była ciemna noc, pełna oparu i wstrętnego chłodu. W mroku niezdobytym zdawały się chodzić cielska mgliste, białawe, zgniłych wyziewów. Drogi były zalane wodą, która spod kół z wrzeszczącym sykiem rozlatywała się na wsze strony. Gdy wyjechali z zaułków, Korzecki wstał ze swego miejsca i trzymając się rękoma sztaby przedniego siedzenia coś furmanowi tłumaczył. Siadając rzekł do Judyma:

— Może zechcecie przejechać się? Czas pyszny! Wilgoć...

Po chwili dodał:

— Możemy jechać do krawca, któremu oddam zaraz ten materiał na ubranie. Po co to mam trzymać w domu? Nieprawdaż? Miejsce tylko zawala i nic więcej...

— Jak uważacie. Co do mnie, to przejechałbym się z ochotą.

— Więc wal, bracie, a ostro, ostro... Dostaniesz tylego rubla jak przednie koło.

Konie, ściągnięte batem, skoczyły z miejsca i poszły. Jechali dosyć długo, w milczeniu.

W pewnym miejscu ukazały się lampy elektryczne otoczone grubymi mgłami. Światło zanurzone tworzyło dokoła siebie kręgi smutne niby obwódki, które są cieniami oczu ludzi chorych. Między drogą a tym światłem leżały jakieś martwe wody. Sinawe lśnienie pełzało po ciemnych falach płaskiego zawaliska. Szło z biegiem powozu, biegło z nim, jakby pewna wskazówka ostra, z ciemności nocnej wychodząca.

— Gdzie my jesteśmy?

— Nad kopalnią.

— A skąd tu ta woda?

— Pokład węgla jest tu bardzo gruby, ale w głębokości paruset metrów. Ten węgiel jest już wybrany. Ziemia się osunęła w próżnię, wgięła się jej powierzchnia. Teraz w takiej miednicy gromadzi się woda.

Umilkł. Znowu jechali długo, nic do siebie nie mówiąc. Byli w jakichś polach. Korzecki siedział wtulony w kąt trzymając na kolanach swój pakunek. Zaczął coś szeptać.

— Co powiadacie? — zapytał doktór.

— Nic, ja tak do siebie często mamroczę. Czy pamiętacie taki wiersz:

Żem prawie nie znał rodzinnego domu,
Żem był jak pielgrzym, co się w drodze trudzi
Przy blaskach gromu...[90]

Judym nic nie odpowiedział.

– „Żem był"... Co za straszne słowo!...

Była to niewymowna minuta wcielenia się dwu ludzi w jedno...

Korzecki odezwał się pierwszy:

– Musiały wam się głupimi wydawać moje dzisiejsze popisy. Paplałem jak pensjonarka.

– Jeżeli mam prawdę powiedzieć...

– Właśnie. Ale to było konieczne. Miałem w tym swój interes. Czy nie rozumieliście, o co mi chodzi?

– Były chwile, że doświadczałem wrażenia, jakbyście mówili na przekór sobie.

– A gdzież tam! To nie.

– Więc myślicie, że zbrodnia jest to absolutnie to samo co cnota?

– Nie. Myślę tylko, że „zbrodnia" powinna być tak samo wyzwolona jak cnota.

– Ach!

– Duch ludzki jest niezbadany jak ocean. Spojrzyjcie w siebie... Czy nie zobaczycie tam ciemnej otchłani, w której nikt nie był? O której nikt nic nie wie? Siłą przymusu ani żadną inną nie może być wytrzebione to, co nazywamy zbrodnią. Wierzę mocno, że w tym duchu nieogarniętym sto tysięcy razy więcej jest dobra – ależ co mówię! – w nim wszystko, prawie wszystko jest dobre. Niech tylko będzie wyzwolone! Wtedy okaże się, że złe zginie...

– Czyliż w to można uwierzyć?

– Widziałem gdzieś rycinę... Na słupie obwieszony został zbrodniarz. Tłum sędziów schodzi ze wzgórza. Na każdym obliczu maluje się radość, zwycięstwo... Każą mi wierzyć, że ten człowiek był winien.

– A cóż wam dowodzi, że tak nie było. Może to był ojcobójca? Co wam pozwala czynić przypuszczenie, że tak nie było?

– Mówi mi o tym... Dajmonion[91].

– Kto?

– Mówi mi o tym coś boskiego, co jest we mnie.

– Cóż to jest?

– Mówi mi to w głębi serca. W jakimś podziemiu to słyszę... Poszedłbym i całował stopy tego, co zawisł. I gdyby tysiące świadków wiarogodnych przysięgły, że to jest ojcobójca, matkobójca, zdjąłbym go z krzyża. Na podstawie tamtego szeptu... Niech idzie w pokoju...

Furman zatrzymał się przed jakimś domem.

---

[90] *„Żem prawie nie znał rodzinnego domu..."* – cytaty z *Hymnu o zachodzie słońca.*

[91] *Dajmonion* (gr.) – według greckiego filozofa Sokratesa (469–399 p.n.e.) głos wewnętrzny pochodzenia boskiego, powstrzymujący człowieka przed niewłaściwymi czynami.

Było tak ciemno, że Judym ledwo odróżniał czarną masę budowli. Korzecki wysiadł i znikł. Przez chwilę słychać było szelest jego kroków, gdy brnął w kałużach. Później otwarły się jakieś drzwi, pies zaszczekał...

Asperges me...

W sąsiedztwie miał Korzecki jeden dom znajomy, gdzie czasem, raz około Wielkiejnocy, bywał z wizytą. Była to niezamożna, prawie uboga familia szlachecka. Ci państwo dzierżawili kilkusetmorgowy folwark donacyjny[92] w lichej, kamienistej glebie. Jechało się do tej wioski lasami, po wertepach, jakich świat nie widział.

Pewnego dnia, wróciwszy z włóczęgi pieszej na obiad, Judym zastał we wspólnym mieszkaniu ucznia gimnazjum, który czerwieniąc się i blednąc rozmawiał z Korzeckim daremnie usiłującym go ośmielić. Gdy Judym wszedł, gimnazista ukłonił mu się kilkakroć i jeszcze bardziej spuszczał oczy.

— Pan Daszkowski... — rekomendował go inżynier. — Przyjechał prosić was, czybyście, panie konsyliarzu, nie chcieli odwiedzić jego chorej matki. Są konie. Ale was uprzedzam, że to dwie mile drogi. Prawda, panie Olesiu?

— A tak, droga... bardzo zła...

— Ech, źle pan usposabia doktora! Trzeba było zapewnić, że jak po stole...

— A tak... ale ja...

— Niechby pocierpiał.

Uczeń, nie wiedząc, co mówić, miął tylko czapkę w rękach i przestępował z nogi na nogę.

— A na co chora mama pańska? — zagadnął Judym tonem jak najbardziej delikatnym, tym głosem, co jest jak ręka czuła i dźwigająca do góry z całej mocy, z całej duszy.

— Na płuca.

— Czy kaszle?

— Tak, proszę pana doktora.

— I dawno to już?

— Tak, już dawno.

— To jest... jakie dwa, trzy lata?

— Jeszcze dawniej... Jak tylko zapamiętam...

— Jak tylko pan zapamięta, mama była chora?

— Kasłała, ale się do łóżka nie kładła.

— A teraz leży?

— Tak, teraz już tylko ciągle w łóżku. Już mama nie może chodzić.

---

[92] *folwark donacyjny* - w Królestwie Polskim majątki skonfiskowane Polakom rząd carski przekazywał w darze zasłużonym urzędnikom i wyższym oficerom.

– Dobrze, proszę pana, to pojedziemy. Można zaraz.

– Jeżeli tylko pan doktór...

– O, musimy naprzód zjeść obiad – to darmo!– wtrącił się Korzecki.

– Ale jeśli pan doktór... – z pośpiechem mówił uczeń.

W tej samej chwili zauważył, że pali głupstwo, i do reszty się zmięszał.

– Widzi pan... doktór musi się najeść. A i pan pewnie głodny, panie Olesiu.

– Ja... o, nie! Ja nie. Pan inżynier tak łaskaw...

Wkrótce dano obiad.

Uczniaczek wzbraniał się, jadł półgębkiem i ani na chwilę nie odrywał oczu od talerza. Korzecki tego dnia był jakiś zimny i skulony. Rozmawiał z trudem. Gdy konie przed dom zaszły i Judym już schodził, inżynier ujął młodego chłopczyka za szyję i wlókł się tak z nim po schodach.

Na samym dole rzekł:

– Niech się pan pokłoni ode mnie mamie, ojcu. Chętnie bym państwa odwiedził, ale cóż... Żadną miarą... Tyle tu roboty. Niech pan jednakże powie mamie, że da Bóg, zobaczymy się wkrótce.

Judym przypadkowo rzucił okiem na jego twarz. Korzecki był jakiś szary. Z oczu jego płynęły dwie łzy samotnice.

– Da Bóg, zobaczymy się wkrótce... – powtórzył na swój sposób.

Licha, rozklekotana bryczka ruszyła się z miejsca. Ciągnęły ją dwie szkapy zbiedzone i w dodatku nierówne. Jedna z nich – było to kobylsko chłopskie, z wielkim, spuszczonym łbem, a druga pochodzić musiała z jakiejś „stajni". Teraz już tylko grzbiet jej, wystający jak piła, imponował towarzyszce z gorszej rasy. Na koźle siedział chłop w kaszkiecie i guńce, który budził z odrętwienia c h a b e t y wiozące godne osoby takimi samymi środkami, jak wówczas gdy odstawiał nawóz albo ziemniaki.

W istocie, droga prowadząca do owego folwarku należała do bezwzględnic polskich. Jechało się wciąż lasem. Jakaś chmurna ciemność kryła się między martwymi drzewami, co rosły w sapowatej[93] glebie. Droga zarośnięta zdeptaną trawą, pełna kamieni, które w nią wrosły, wiła się wśród gęstej, młodej świerczyny. Skręty jej wciąż przepadały między zielenią, jakby się leśnym obyczajem, na wzór zwierząt, kryły przed oczyma ludzkimi.

Wzrok Judyma błądził w zadumaniu po miękkich mchach i biało-zielonych listkach borówek. Każda łodyżka mchu była zbudowana z gwiazdek świetlistych, jakby z promieni słońca, co zetknąwszy się z ziemią w czułe roślinki się przeistoczyły. Gdzieniegdzie pośród tej królewskiej, kochanej, miękkiej zieleni widać było kamionkę szarosinych głazów. Szpakowate, w mech suchy obleczone pnie jodełek przecinały widnokrąg daleki. Gdy konie weszły w las głębszy, pod cień jodeł i świerków, przecięły drogę wężowiska czarnych korzeni. Co chwila wózek trzeszczał, gdy jego szprychy zanurzały się po osie w głębokie bajorka kisnące w tych miejscach od wieków. Już tam mchy ledwo się mogły wybić z głębi żółtaworudej powłoki zeschłych igieł. Wszędzie leżały szyszki i obłamane, suche, białawe gałęzie.

---

[93] *sapowaty* - grząski, błotnisty.

Tu i ówdzie czerniał stos gnijącego chrustu i daleko rozmiecione trzaski po drzewie ściętym.

Czasami wózek wlókł się w głębokim, szczerym, żółtym piasku, który sypał się z obręczy cicho sycząc.

Był to jedyny szelest w tym obszarze. Raz tylko gdzieś w oddali rozległo się chrupiące wołanie żołny.

Słońce wchodziło do głębi leśnej jakby ukradkiem. Cienie drzew i gałęzi były tak głębokie, że o tej porze stała tam jeszcze rosa.

W jakimś miejscu otwarła się przed oczyma polanka, ze wszystkich stron lasem jakby ramieniem kochającym objęta na śmierć i życie, na wieczne czasy. Wśród tej darni zielonej czerniały kępy jałowca. Pod przeciwległą ścianą świerków bielał jak czaszka samotny, obdarty z kory pniak drzewa nisko ściętego.

W ciszy latał biały motyl siadając na listkach kędzierzawej murawy, ledwie okrywającej nieurodzajną ziemię.

Pomiędzy siwymi kamieniami stał żółty, przyziemny kwiatuszek i patrzał w słońce rozwartą źrenicą.

Była cisza tak głęboka, że słyszało się ciche, drżące dzwonienie świerszcza polnego. Człowiek mógł liczyć bicie swego serca i uczuwać szelest krwi biegnącej w żyłach.

Przychodziły myśli dziwne, natchnione, jakby nie myśli człowieka, tylko jej, tej zaklętej, zaczarowanej polany. Widziało się, że ten skrawek leśnej łąki jeden jedyny jest na świecie, że człowiek po to żyje, aby weń zatopił ducha swego i marzył. Żeby marzył o tych rzeczach, które leżą w głębi, w ciemności, w zamknięciu, które nie przemijają, nie giną, które są proste, naiwne i bezczelne jak ta polanka. Żeby dozwalał z serca swego płynąć wszystkiemu, co w nim jest, wszelkiej świętości i brzydocie.

Uczniaczek wciąż milczał. Był z uszanowaniem zwrócony w stronę Judyma i tylko t a k i n i e odpowiadał na jego pytania.

Około godziny czwartej las się urwał, a za nim odkryły się pola. W dali widać było grupę drzew i folwark.

— To już Zabrzezie... — rzekł uczeń.

Wkrótce wjechali na podwórze folwarku. Była to nędzna siedziba. Dwór opuszczony, jeszcze bardziej niż budynki folwarczne, przed którymi gnił nawóz i szkliła się fioletowa gnojówka, bielał w cieniu czterech lip rzędem rosnących u wejścia. Tam stało posłanie, na którym leżała chora.

Zjawienie się bryczki wywołało istny popłoch w otoczeniu domu. Biegały tam różne osoby. Naprzeciwko Judyma wyszedł jegomość mocno szpakowaty, ogorzały i rekomendował się jako mąż chorej. Za nim sunęły z ciekawą trwogą dwie nieładne panny, dla których ten przyjazd był zapewne fenomenalnym zdarzeniem.

Judym wziął się bez zwłoki do badania chorej. Była to kobieta lat czterdziestu paru, zeschnięta niby wiórek. Ceglasty wypiek jak równa elipsa płonął na jej lewym policzku. Pierwsze zbadanie wykazało od razu suchoty w ostatnim stadium. Tylko dla zamaskowania istoty spostrzeżeń Judym długo i szczegółowo słuchał, jak resztką siły pracują te biedne płuca. Gdy już nic nie zostawało do zrobienia, uczuł dziwny smutek.

„Cóż tu powiedzieć? – myślał. – Czy kłamać i udawać?”

– Jakże pan konsyliarz znajduje stan mego zdrowia? – spytała chora, gdy usiadł na krzesełku i myślał.

– Proszę pani... nie będę ukrywał, że to jest stan dość ciężki, ale z tym ludzie żyją, osobliwie na wsi. Znam wiele wypadków tego rodzaju. Ja pani przepiszę szczegółową kurację.

– Ach, będę panu konsyliarzowi wdzięczna do śmierci... – szepnęła patrząc w twarz jego płomiennym wzrokiem. – Tak pragnę żyć jeszcze, tak pragnę... Dzieci, całe gospodarstwo na mojej głowie, a ja tu leżę i leżę. Gdyby mi tak piasku na oczy nasypano, cóż by się stało.

– Proszę pani, o gospodarstwie trzeba zapomnieć zupełnie.

– Ach, czyż to można, panie konsyliarzu... Te łotry, chłopy tutejsze! Czy można mieć taką służbę, żeby sobie dać radę. Wszystko to złodziej na złodzieju.

– Dobrze, dobrze. Musi pani zapomnieć, że oni na świecie istnieją. Trzeba leżeć na świeżym powietrzu, jeść...

– Ja tu piłam odwar wygotowany z kory sosnowej.

– Z czego?

– Z kory sosnowej. To się suszyło na blasze...

– Teraz już pani tego nie będzie używała. Trzeba pić koniak i mleko.

Przez cały czas wykładu o kuracji, jaką stosować należy, w pokojach dworu słychać było bieganie, szepty, szczęk talerzy. Wkrótce szlachcic prosił Judyma do stołu. Chorą, za chwilę, wobec zbliżającej się nocy, miano przenieść do sypialni.

Puklerz słoneczny schodził we mgły szerząc w nich krwawe koło. Ciemny opar rozpościerał się nad ziemią i wchłaniał słońce, które ociężale zapadało w jego toń głęboką i pełną stokrotnego smutku. Do serca wkradał się bolesny zgiełk i trwożliwy żal, jakby ta święta, płomienna kula już nigdy wstać nie miała z ciemności. Judym doznał żałobnego tchnienia w samej głębi siebie. Nie mógł zrozumieć, co mu jest. Oczy jego przypadkiem zwróciły się na chorą...

Siedziała na swym posłaniu w koszuli, taka biedna, znędzniała, taki ubogi szkielet... Wargi jej szeptały słowa modlitwy, dłonie były złożone, ściśnięte, a z oczu kapały łzy ciche. Oczy te patrzyły daleko, w słońce, które szło w zaświaty, w noc niewiadomą, w drogę wieczną. Judym pierwszy raz w życiu swym wsłuchiwał się w ciszę taką, w ciszę polną i leśną.

Symbolizm – krzyk pawia

Wówczas gdy siedział zadumany, rozdarł to milczenie krzyk przerażający. To stary paw, który co noc siadywał na szczycie dworu, wydał ze siebie ten dziki, surowy, żelazny, zardzewiały wrzask. Echo jego leciało przez pola utopione w milczeniu, przez mgły, przez lasy otaczające. Chora wzdrygnęła się i chuda jej ręka spotkała się z ręką doktora...

– Jak ja się boję, panie doktorze...

– Czego, pani?

– Czegoś takiego...

– Nic, nic... Niech pani ściśnie mię za rękę. Czegóż się tu bać...

– Tak nie lubię, kiedy ten stary paw krzyczy. Zdaje mi się, że to nie on, tylko...

– Ach, któż to widział!

Zniżyła głowę i, wlepiając ogromne płomienie oczu swych w jego twarz, szeptała:

— Panie konsyliarzu, niech się pan zlituje i trochę, trochę przedłuży mi jeszcze życie. Ja pragnę, muszę jeszcze żyć! Chcę wiedzieć, co będzie z Olesiem! Chcę wiedzieć, co się z nim stanie...

Judym podniósł oczy i zobaczył figurkę ucznia stojącego przy plecionym parkanie. Ten chłopiec płakał ukrywszy twarz w dłoniach.

— To taki jedyny mój syn... On mię tylko jeden kochał... I córki to samo, ale on... Któregoś tu dnia nasza kucharka poszła na jarmark, bo to już teraz każdy robi, co mu się żywnie podoba, to on wziął, sam zabił, oprawił i upiekł mi kurczę na rożnie. Ale zapomniał osolić... Zjadłam calutkie, słowa mu nie mówiłam, że bez soli... Łzami sobie osoliłam te kosteczki...

Słońce zagasło. Zorza jego była ruda i skąpa, siejąca nie światło, lecz trwogę.

— Tak żałuję — mówiła chora — że pan Korzecki nie może przyjechać. Obiecał, że nas odwiedzi, a już tyle czasu nie był... Kiedy się też znowu zobaczymy...

— Pan Korzecki — odezwał się Oleś — mówił, że ma nadzieję niedługo zobaczyć się z mamusią...

Judym zjadł na kolację mnóstwo kurcząt, sałaty ze śmietaną i wieczorem odjechał.

Milczący furman wiózł go tą samą drogą.

Było ciemno. Księżyc nie świecił, tylko gdzieniegdzie rozpraszała swój cichy blask gwiazda samotna. Czarny las tonął w mroce, we mgle chłodnej, co jak woda lała się przez gałęzie.

Judym zamknięty był w sobie. W duszy jego budziły się myśli, jak dzieci, które dotąd spały, a teraz podnoszą cudowne główki i szczerymi usty wypowiadają, co przez serce ich płynie.

Dziwne myśli...

Zdawało mu się, że ta chora kobieta, której nic pomóc nie mógł, jest to najbliższa jego istota. Były chwile, kiedy mu się widziało, że to on sam leżał na tym posłaniu, wpatrywał się w gasnące światło, że jego usta szeptały cichą modlitwę... Sennym, drzemiącym okiem wpatrywał się w całe życie tej kobiety, przechodził je wzdłuż ostrymi myślami i widział jak na dłoni.

Bryczka wtoczyła się na polankę.

Jasna mgła rozlała się tam jakby śniąca woda. Nieruchome szczyty świerków ledwo się odbijały na ciemnym tle nieba. Niżej stał mrok leśny, nieprzebity, kamienny.

Symbolizm – krzyk pawia

Judym wytężył oczy i zaczął szukać białego pniaka, który tu przejeżdżając widział — i oto nagle zląkł się aż do gruntu serca. Z dala, z dala nadleciał po rosach krzyk pawia.

Doktor zamknął oczy, głowę wtulił w ramiona, zgarbił się i drżącymi wargami coś do siebie szeptał.

Dajmonion

Doktór Judym otrzymał urząd lekarza fabrycznego i zamieszkał w pobliżu kopalni węgla. Życie jego weszło w fazę zwyczajnej, poziomej pracy. Korzecki, który blisko o milę drogi rezydował, był jedynym jego znajomym. Zjeżdżali się wieczorem od czasu do czasu i trawili na rozmowie parę godzin. Było to jednak towarzystwo niezdrowe. Korzecki męczył. Z jego zjawieniem się wchodziła do mieszkania trwoga i jakiś bolesny smutek.

Pewnego popołudnia w sierpniu Judym otrzymał list przez umyślnego człowieka. Była to ręką Korzeckiego na jakimś urywku schematów kancelaryjnych skreślona cytata z Platonowej *Apologii Sokratesa*[94]:

Objawia się we mnie jakieś od Boga czy od bóstwa pochodzące zjawisko... Zdarza się to ze mną począwszy od dzieciństwa. Odzywa się głos jakiś wewnętrzny, który, ilekroć się zjawia, odwodzi mię zawsze od tego, cokolwiek w danej chwili zamierzam czynić, sam jednak nie pobudza mię do niczego...

To, co mnie obecnie spotkało, nie było dziełem przypadku; przeciwnie, widoczną dla mnie jest rzeczą, że umrzeć i uwolnić się od trosk życia za lepsze dla mnie sądzono. Dlatego właśnie owo Dajmonion, ów głos wieszczy nie stawił mi nigdzie oporu.

Judym bez szczególnego niepokoju przeczytał te wyrazy. Był przyzwyczajony do dziwactw Korzeckiego i sądził, że ma przed sobą jemu tylko właściwą formę zaproszenia do odwiedzin.

Mimo to żądał koni.

Ledwie wyjechał za bramę, ujrzał powóz, co koń skoczy, w tumanach kurzu, bocznymi drogami pędzący w stronę jego mieszkania. Myślał, że to konie ponoszą... Kazał swemu furmanowi stanąć i czekać.

Tamten pojazd wypadł na szosę i gnał co pary w koniach. Gdy obok przelatywał jak burza, Judymowi udało się spostrzec, że siedzi w nim tylko furman na koźle. Człowiek ten coś krzyczał.

O jakie ćwierć wiorsty zdołał zatrzymać swe konie i nawrócić. Płaty piany padały z ich pysków, powóz okryty był szarą masą pyłu. Furman krzyczał:

Korzecki – samobójstwo

— Pan... inżynier...

— Kto taki?

— Pan inżynier!

— Korzecki?

— Tak, pan... Korzecki...

[94] *Platonowa „Apologia Sokratesa"* (właść. *Obrona Sokratesa*) - uczeń Sokratesa Platon napisał dzieło zawierające mowę, którą Sokrates wygłosił w swojej obronie przed ateńskim sądem oskarżającym go o demoralizację młodzieży.

Judym wysiadł ze swego powozu i ruchem instynktownym skoczył w tamten. Konie poleciały znowu jak huragan. Patrząc na ich mokre kadłuby lśniące się w burym kurzu, Judym myślał tylko o tym, jak piękną jest taka jazda. Było mu dobrze, miło, pysznie, że to po niego mianowicie pędzono z taką furią. Rozparł się, wytężył nogi...

Zanim zdążył przejść do jakiegokolwiek innego uczucia, powóz stanął przed mieszkaniem.

Jacyś ludzie rozbiegli się.

Ktoś przytulił się do ściany na schodach, aby nie tamować drogi. Drzwi były otwarte.

W drugim pokoju na sofie, która służyła za łoże gościnne, leżał Korzecki w ubraniu, okropną masą krwi do szczętu zwalanym.

Głowa jego była roztrzaskana.

Naturalizm

Na miejscu lewej części czoła i na całym lewym policzku stała kupa krwi stygnącej.

Judym rzucił się do tego ciała, ale natychmiast wyczuł, że ma przed sobą zwłoki. Serce nie biło. Rozstawione palce jednej ręki były twarde i czarne jakby z żelaza.

Doktór przymknął drzwi i bezmyślnie usiadł. Huk rozlegał się w jego głowie i trzask kopyt, w galopie pędzących po twardych kamieniach. Trzask kopyt, w galopie pędzących po twardych kamieniach...

Oczy szły leniwie z przedmiotu na przedmiot.

Wszystkie sprzęty były rozwarte i odzież z nich wywalona. Oto nie zamknięta szuflada stołu. Leżał tam wielki atlas anatomiczny. Rozłożony był na karcie z wizerunkiem głowy.

Od tyłu czaszki ku przodowi szła grubo naprowadzona czerwonym ołówkiem kresa w kierunku lewego oka. Tuż przy niej były kilkakroć wypisane jakieś cyfry i literki.

Judym odrzucił ten atlas i usiadł w kącie. Był tam rodzaj niszy między dwiema szafami.

Tyle razy widział już śmierć, tyle razy badał ją jak zjawisko... Dziś pierwszy raz w życiu spostrzegł niby to rysunek jej istoty. I oddawał jej pokłon głęboki. Linia czerwona ze strzałką u końca swego zdawała się zbliżać, i rzecz dziwna, przypominała tę wskazówkę na wodzie zawaliska widzianą tamtej nocy. Drżenie tajemnicze przejmowało go w najgłębszej komorze serca, jakby miał usłyszeć bicie okrutnej godziny.

Gdy tak siedział zatopiony w sobie, drzwi się cicho otwarły i ktoś wszedł.

Był to wysoki blondyn. Miał duże, jasnoniebieskie oczy.

Judym go poznał.

Człowiek ten wszedł szybko do izby, gdzie leżał umarły. Nie dostrzegł wcale Judyma.

Oczy jego skierowały się na bezduszne ciało z jakimś dziecięcym zdumieniem. Wylękłe usta coś szepnęły. Schylił się nad zwłokami, podłożył delikatnie i ostrożnie ręce swoje z dwu stron pod głowę nieżywą, unosił ją do góry, jakby pragnął ocucić śpiącego.

Z kolei wziął w swoje dłonie rękę lewą.

Usiłował rozprostować pięść zaciśniętą, zgiąć palce. A gdy nie poddawały się zmartwiałe członki, chuchał na te bolesne stawy i rozgrzewał je wargami. Zdziecinniałymi w bólu ruchy poprawiał włosy zmarłego, zapinał guziki jego surduta... Dopiero po długiej chwili zatrzymał się i stanął nieruchomy.

Trwożliwą ręką otarł swe czoło...

Judym widział głębinę jego duszy, która wtedy ujrzała istotę śmierci.

Nieznajomy przychodzień usiadł obok nóg Korzeckiego i patrzał nań szerokimi oczyma.

Piersi jego wznosiły się z jękiem urywanym i rzężącym, jakby z nich miał wybuchnąć krwotok. Skrzywione usta ciskały jakieś krótkie, urwane słowa...

Rozdarta sosna

Rano przed ósmą Judym zdążał piechotą na dworzec kolejowy. Był to jeden z pierwszych dni września. Jeszcze słońce pieściło się z ziemią i posępne, czarne domy obłóczyły na się szaty jego świetliste.

Poprzedniego dnia Judym otrzymał kartkę od Joasi z zawiadomieniem o jej przyjeździe. Razem z babką i panną Wandą dążyła do Drezna, gdzie miały się spotkać z Karbowskimi. Babka chciała spędzić dwa dni w Częstochowie. Ona, panna Joasia, jeden dzień miała poświęcić na odwiedzenie kuzynki mieszkającej w pewnej miejscowości Zagłębia. Donosiła, że wysiadłszy na dworcu, pragnie zobaczyć twarz kuzynki, że chciałaby spędzić ten cały dzień „kochany" na zwiedzaniu fabryk i rzeczy godnych widzenia.

Podkreśliła także grubymi liniami sentencję, gdzie wyrażona była decyzja nieodwiedzania nikogo. Judym czytając te wyrazy doświadczył wrażenia, że litery krwią spływają i kurczą się z bólu... Szedł na dworzec myśląc właściwie tylko o tym, co zawierało się w tym życzeniu. Świst lokomotyw na stacji ściskał mu serce.

— Ach, gdyby to nie dziś, gdyby tylko nie dziś... Żeby się to chociaż już było zdarzyło... — szeptały jego blade wargi.

Na dworcu spotkał już kilka osób, które go uchyleniem kapelusza witały. To jeszcze bardziej odbierało mu pewność siebie.

W dali rozległ się sygnał zwiastujący pociąg i wkrótce, jak barwne dzwona węża, długie ciało zaczęło się przeginać w zwrotnicach. W jednym z okien doktor zobaczył Joasię. Była ubrana w skromny kapelusik podróżny. Miała szarą suknię. Gdy szła ze schodków wagonu cudna jak uśmiech szczęśliwy, jakoś dziwnie urocza, rozpiękniona, Judym doświadczał śmiertelnych dreszczów. Zdawało mu się, że u jej stóp, u jej nóg najdroższych umrze z boleści...

Przez chwilę nie mogli przyjść do słowa. Nawet uściśnięcie rąk wydało mu się czymś dziwnym, a wzajemna obecność i możność rozmowy bez świadków, gdy szli ulicą poza obrębem dworca, zdumiewającą niespodzianką. Judym czuł na prawej dłoni rozkosz dotknięcia śliskiej, delikatnej, ogrzanej rękawiczki. Jak drogi skarb, nieznacznie przycisnął tę rękę swą do piersi, niby dla wyprostowania klapy surduta, i powierzył ten uścisk sercu, w którym wiła się zamknięta żmija. Szli szeroką ulicą, po bruku uwalanym w błocie, mówiąc o rzeczach obojętnych. Panna Joasia zmuszona była dbać o swą suknię.

Kiedy niekiedy podnosiła oczy pełne blasku i wówczas odrobina żalu za tak sztywne przyjęcie ukazywała się na jej czystej twarzy.

Judym dostrzegł i to także.

— Będzie pan łaskaw pokazać mi fabryki tutejsze? — spytała z odrobiną zalotności.

— Z wielką chęcią... Właśnie idziemy...

Gdy nie protestował przeciwko tytułowi „pan" i gdy natychmiast zgodził się na to zwiedzanie fabryk, lekka mgła bladości przebiegła po jej twarzy.

Weszli w podwórze fabryczne.

Otoczyła ich puszcza machin i warsztatów.

Tu hale otwarte, w których wiły się złote węże drutu, gdzie indziej zionęły ogniem jamy pieców martenowskich, dalej jęczały młoty parowe bijące w belki białej stali.

Kupy węgla, szmelcu, stosy szyn, „gęsi" — zagradzały im drogę. Judym miał już wyrobione pozwolenie zwiedzenia wszystkich robót, a nawet delegowanego specjalistę technika, który miał go, wraz z „kuzynką", oprowadzać. Technik nawinął się wkrótce, bardziej zapewne usposobiony do oprowadzania „kuzynki", choćby też w towarzystwie lekarza, niż do ślęczenia nad jakimś rysunkiem w kantorze.

Poszli tedy we troje. Technik był człowiekiem młodym o wykwintnych manierach. Powierzchowność „kuzynki" sprawiała mu widoczną dystrakcję[95] w układaniu zdań,

---

95 *dystrakcja* - roztargnienie.

objaśniających procent żelaza w rudzie miejscowej i rozmaitych gatunkach sprowadzanej. Weszli po schodach na wielki piec.

Widzieli kaskadę ochładzającą mur rozpalony, trąbę, która prowadzi do jego wnętrza upalne powietrze i która zdaje się oddychać jak aorta.

Joasia nie mogła się dosyć napatrzeć cienkiej smudze szlaki tryskającej jak krew z górnego otworu. Właśnie przy nich przebito piec i ognista rzeka wylała się na ziemię. Cudne iskry strzelały z tego złotego strumienia. Fale jego posłusznie płynęły do łożysk swoich, które im długimi drągami otwierali czarni ludzie w siatkach na twarzy. Łuna stała jeszcze nad tą sadzawką ognistą, gdy ją opuścić musieli dążąc gdzie indziej.

Wprowadzono ich do sali maszyn pompujących gorący wicher. Olbrzymie koła o kilkunastu metrach średnicy, do połowy zanurzone w ziemię, toczyły się w swych miejscach bez szelestu, w jakimś milczeniu i chwale. W cylindrach, błyszczących jak lustra, coś nieustannie cmokało, jakby wielka gęba niechlujnego potwora chłeptała napój. Z innego miejsca wyrywał się dźwięk nie istniejący.

Był to krótki, urwany śmiech szatana. Serce Joasi było strwożone. Czuła, że ten głos do niej się stosuje, że radosne marzenia o szczęściu, jej cichą miłość zobaczył. Spojrzała na Judyma szukając w jego oczach zaprzeczenia, ale ta twarz droga była martwa...

Obejrzeli piece martenowskie, które wytwarzają stal odlewaną w kubłach na belki. Te „kolby" wędrują stamtąd do walcowni, gdzie znowu w czeluść pieca wrzucone zostaną i do białości się rozpalą.

W wielkich halach wyłożonych żelaznymi płytami wszystkie wrota stały otworem.

Przeciągi rwały wzdłuż i w poprzek, ochładzając czoła, plecy i ręce, które pali białe żelazo. Nie istnieją tam płuca chore, nie ma nerwów. Kto chory, ten umiera.

Jak ognista kula, pędzi na ręcznym wózku przez halę biała belka. Nie widać ludzi, którzy ją dźwigają. Pada na ruszt, który się z posadzki wydobywa. Jest on jak plecy o kilkunastu metrach długości, wyginające się zupełnie wzorem kręgosłupa i niby z kręgów złożone z kół wydłużonych.

Czterej olbrzymi czarni ludzie z jednej i czterej z drugiej strony walców, w siatkach na twarzy, dzierżąc w ręku długie obcęgi, ujmują belkę w swą władzę. Pchną ją mocno między szeroko rozdziawione walce dolne. Jak bryła masła stal się między nie wślizguje. Po tamtej stronie czeka na nią ruszt, który się z ziemi wysunął. Czyny ludzi są płynne, rytmiczne, prawie jak taniec.

Gdy biała płyta zgnieciona i wygięta, niby podpłomyk, zjawia się przed nimi, ujmą ją wraz długimi rękoma swymi i popchną między cylindry górne.

Wypływa po drugiej stronie dwa razy cieńsza, gdzie czterej na nią czatują. Przystąpią pewnymi ruchy, jak machiny z żelaza, raz – dwa – trzy – cztery.

Wyciągną długie ręce zbrojne w żelazo, uderzą ją i odepchną.

Zanurzą w wodzie szczypce rozpalone.

Pochwycą inne i jak żołnierze czekają.

Wstęga białej blachy coraz dłuższa, coraz dłuższa, niby pływająca smuga ognia, ukazuje się to w górze, to na dole, to tu, to tam. Pływa w powietrzu... Zdaje się uciekać z pośpiechem, jak gad bajeczny ścigany przez złośliwe dzieci. Chowa się w szczeliny i męczy.

Ruszty szczękają i drżą. To się dźwigną do wysokości poziomu szczeliny między górnymi walcami, to się do najniższej zsuwają.

Wysoko w milczeniu stoi nieruchomy człowiek obracający korbę, która ściska walce.

Tuż obok latają po ziemi węże stalowe.

Biały ucinek sztaby płonącej, wprowadzony w ciasny otwór, wybiega co chwila w przestrzeń, zmierzając do coraz węższych kryjówek. Tam stoją młodzi ludzie z krótkimi szczypcami, którzy chwytają pysk węża, gdy się wysuwa, i niosą go swobodnie na salę. Dopiero gdy ogon stukać zacznie po ziemi, kierują go do innej szczeliny. Drut pędzi z szaloną szybkością. Ogon, ginąc w otworze, trzepie się na prawo i lewo jak żywy...

Ogłuszający huk...

Belka stalowa spada na kowadło.

Nieruchomy młot parowy zlatuje na nią jak piorun, razem prostym niby uderzenie pięści. Zgnieciona kolba przybiera formę płaskiego kręgu. Wtedy w środek jego stawiają przyrząd, który ma wybić otwór, doskonale okrągły. Młot spada raz za razem ze wściekłą siłą. Dzwoni potężnym jękiem, który odbija się w halach, w powietrzu, w ziemi... Z hukiem rozlega się lwi ryk żelaza... Stęka w nim gniew kopalni zwyciężonej przez silne ramię człowiecze. Krąg z wybitym otworem jest kołem lokomotywy. Jako kupa żółtej gliny z głębin wydobytej, ma teraz wzdłuż i w poprzek ziemi, do najdalszych zakątków, nosić szczęście i rozpacz, przemoc i braterstwo, cnoty i zbrodnie.

Nim stanie na szynach, walczy z ujarzmicielem. Wyżera mu oczy, a twarz zalewa potem; płomieniami, którym je poddał, napełnia jego płuca i serce, na ostre przeciągi wystawione. Szarpie mu nerwy w tej samej minucie, gdy młot parowy szarpie i rozbija jego cząsteczki...

Zdjęte z kowadła umieszczono na zakrzywionych widłach i w bok wysunięto. Przyszło doń dwu ludzi: jeden z ostrym młotkiem w rodzaju ciupagi tatrzańskiej, drugi z młotem na długim toporzysku. Ostrze siekierki przystawiono do wystającego brzegu koła i młot spadać zaczął na jej obuch. Ani jeden cios nie chybił. Słychać było suchy szczęk żelaza o żelazo... Joasia doznała wrażenia, że to jest śpiew. Po wielkim huku organów w jakiejś katedrze daje się słyszeć śpiew, śpiew z tłumu, bojaźliwy, strwożony... Stygnące koło poszło dalej w swą drogę.

Judym nachylił się do swej towarzyszki i zapytał:

— Czy widzi pani dobrze pracę tych ludzi?

— Widzę... — rzekła głosem zdumionym.

— Tak, tak... niech się pani dobrze im przyjrzy.

Nie mówili nic więcej ani w halach, ani na ogromnych dziedzińcach zawalonych istnymi górami miału, gruzów, piasku. Wiatr porywał i nosił z miejsca na miejsce pyły i dziwne jakieś rdze lotne.

Gdy pożegnali uprzejmego mentora, minęli wrota fabryki i gdy jej mury daleko zostały, szli za miasto. Było już blisko południe.

Domy obok drogi i jej kanałów zarażonych zjadliwymi wyciekami fabryk były coraz mniejsze, coraz bardziej nędzne. Na końcu miasta wzdłuż drogi ciągnęły się budy, resztki chałup wiejskich, imitujące domy miastowe. Grunt tam był bagnisty. Dookoła stały zamokłe pastwiska, na których czarnym dnie ropiała zohydzona woda. Nieco wyżej ciągnęły się glinianki napełnione wodą deszczową.

Gdzieniegdzie sterczała jeszcze sosna po wyciętym lesie. Judym wchodził z Joasią na podwórza domostw śmierdzących, otwierał drzwi nieproszony i oczami wskazywał jej ludzi. Były tam dzieci robotników z cynkowni. Wynaturzone okazy gatunku ludzkiego, przedwcześni starcy z obliczami trupów i wzrokiem, który woła o pomstę do nieba. Spoglądały na nich babska paskudne i złe, twarze chorych, którzy może sądzili, że to śmierć nareszcie drzwi uchyliła...

Szli tak od domu do domu...

Zanim stamtąd zdołali się wydostać, Judym spytał nie podnosząc oczu:

– Gdzie zamieszkamy?

Długo nie odpowiadała. Oczy jej tylko jaśniały.

– Czy tu? – szeptał rysując coś na piasku.

– Gdzie zechcesz...

– Ale czy chciałabyś tutaj?

– Tak.

– Dlaczego tutaj?

– Chciałabym pomagać ci w pracy.

– Mnie... w pracy...

– Myślisz teraz: – „Co mnie i tobie niewiasto..."

Judym spojrzał na nią straszliwymi oczami i rzekł cichym, sennym głosem:

– Skądże ty te wyrazy...

– Założymy szpital, jak w Cisach. Och, mój Boże! Będzie to coś zupełnie innego. Ja będę twoją felczerką...

– Dobrze... Ale czy potrafisz dom prowadzić?... Dom?

– Ho! ho! Nie traciłam czasu na darmo. Wstawałam co dzień, w ciągu całego czasu, rano i szłam do gospodyni uczyć się gotować, prać, prasować, smażyć...

– Konfitury...

– Ale jakie! Żeby mój pan wiedział, jakie...

– Czy tak?

– A właśnie, że tak. Ułożyłam już wszystko, od *a* do *z*, jak to będzie w naszym domu.

– W domu...

– W naszym własnym domu... Nie myśl, że chcę dużego mieszkania albo mebli. Och, wcale! Brzydzę się meblami, politurą, lakierem. Firanki, dywany, jakież to wszystko brzydkie! Poczekaj, ja ci powiem...

– Joasiu...

– Poczekaj... Będziemy wszystko albo prawie wszystko, co inni obracają na zbytek, oddawali dla dobra tych ludzi. Ty nie wiesz, ile szczęścia... Z tej resztki, którą dasz swej żonie, z tej najostatniejszej, zobaczysz, co ona zrobi.

– Cóż ona zrobi?

– Ani się obejrzysz, kiedy nasze mieszkanie pełne będzie sprzętów prostych jak u najuboższych ludzi, ale za to pięknych jak u nikogo. My tu stworzymy źródło poczucia piękna, nowego piękna, sztuki jeszcze nie znanej, która obok nas śpi jak zaczarowana królewna. Będą to stołki sosnowe, ławy, stoły. Będą je okrywały proste kilimy...

— Tak, tak...

— Chodnik do sieni, utkany w chłopskim warsztacie ze skrawków niepotrzebnej materii, jest tak samo miły jak perski dywan. Ściany wyłożone drzewem świerkowym są cudnie piękne...

— Masz rację!... — rzekł Judym patrząc w jej twarz pełną szczęścia szeroko rozwartymi oczyma — to jest tak, niewątpliwie. Tak i ja myślałem. Człowiek tak samo przywiązuje się, musi się przywiązać do prostego kilimka jak do gobelinu, do zydla jak do otomany, do światłodruku wystrzyżonego z czasopisma jak do cennego obrazu.

— Wszystko to pokochamy, bo będzie nasze, w krwawym trudzie zdobyte, bez krzywdy niczyjej. Gdzież tam! Za każdą rzeczą będą szły przyjazne spojrzenia tych, co z miłością dla ciebie będą próg nasz opuszczali. Wszystkich ludzi, których ty uzdrowisz, dobry lekarzu... Dobry lekarzu...

Boski szept uwielbienia płynął z jej ust.

— Istotnie, jak ty wiesz wszystko, jak ty wszystko widzisz dokładnie! Wszystko to pokocham, bo będzie pochodziło od ciebie, z rąk twoich czystych. Te przedmioty staną się częścią mojej osoby, tak jak ręka, noga, może jak sama głowa, jak samo serce. I gdyby przyszło to wszystko porzucić, odtrącić jednym zamachem...

— Gdy przyjdzie gość albo pacjent, sam się zadziwi, że ludzie żyją szczęśliwie, a tak inaczej. Proste, czyste sprzęty, polne kwiaty w glinianym wazonie... Po cóż nam zimny blask wyrobów fabrycznych? Po co stroje, powozy? Nigdy nie czułam większej rozkoszy, jak kiedy ojciec mój zabierał mię na wózek bez resorów i wiózł do lasu po drodze pełnej wystających korzeni drzew, przeciętej wyrwami. Żaden resor nie potrafił uginać się tak doskonale jak dębowa „literka”[96] wystrugana przez cieślę. Ach, ja już tak dawno straciłam gniazdo rodzinne! Prawie nigdy go nie miałam. W piątej klasie byłam zaledwie, gdy mię ojciec odumarł! Mamy prawie nie pamiętam... Każda istota ma swe ognisko, swój dach. Mały skowronek — i ten... Gdy pomyślę, że teraz moje życie tułacze ma się już skończyć...

— A cóż się stanie z tymi chałupami, cośmy je widzieli przed chwilą? — zapytał Judym głosem pełnym jakiegoś jąkania się i zgrzytu.

Stanęła na drodze i ze zdumieniem czekała. Patrzył na nią — to prawda, ale jej nie widział. Oczy jego były jakby zezowate i zbielałe.

— Cóż zrobimy z nimi? — pytał się stojąc na tym samym miejscu.

— Z kim?

— Z nimi! Z tymi z budów!

— Nie rozumiem...

— Ja muszę rozwalić te śmierdzące nory. Nie będę patrzył, jak żyją i umierają ci od cynku. Polne kwiaty w doniczce, to tak... To dobrze... Ale czy można?

Wzięła go za rękę, gdyż pewne przeczucie wolno jak zimna stal wpychało się w jej serce. Wyrwał rękę i mówił szorstkim, obrażającym głosem, patrząc przed siebie:

— Muszę ci wszystko powiedzieć, chociaż to dla mnie gorsze od śmierci. Doprawdy, doprawdy wolałbym umrzeć, jak Korzecki...

— Korzecki?

---

[96] *literka* - drabinka u wozu.

– Gdybym to mógł słowem nazwać! Ja tak cię kocham! Nigdy nie myślałem, że może się z człowiekiem stać coś takiego... Twoje uśmiechy, które odsłaniają serce, jakby zdejmowały z niego zasłonę. Twoje czarne, puszyste włosy... Budzę się w nocy i, już nie śpiąc, widzę cię, czuję cię na sercu moim. Minie długa, święta chwila i dopiero wiem, że nie ma nikogo... A odkąd tu przybyłem i zacząłem patrzeć, coś we mnie rozdmuchuje ogień. Pali się we mnie! Nie wiem, co to płonie, nie wiem, co trawi ten pożar...

– Mój Boże...

– Widzisz, dziecko...

– Mój Boże, jaką ty masz twarz!...

– Widzisz... Ja jestem z motłochu, z ostatniej hołoty. Ty nie możesz mieć wyobrażenia, jaki jest motłoch. Nie możesz nawet objąć tego dalekim przeczuciem, co leży w jego sercu. Jesteś z innej kasty... Kto sam z tego pochodzi, kto przeżył wszystko, wie wszystko... Tu ludzie w trzydziestym roku życia umierają, bo już są starcami. Dzieci ich – to idioci.

– Ale cóż to ma do nas?

– Przecie to ja jestem za to wszystko odpowiedzialny! Ja jestem!

– Ty... odpowiedzialny?

– Tak! Jestem odpowiedzialny przed moim duchem, który we mnie woła: „nie pozwalam!" Jeżeli tego nie zrobię ja, lekarz, to któż to uczyni? Tego nikt...

– Tylko ty jeden?

– Otrzymałem wszystko, co potrzeba... Muszę to oddać, com wziął. Ten dług przeklęty... Nie mogę mieć ani ojca, ani matki, ani żony, ani jednej rzeczy, którą bym przycisnął do serca z miłością, dopóki z oblicza ziemi nie znikną te podłe zmory. Muszę wyrzec się szczęścia. Muszę być sam jeden. Żeby obok mnie nikt nie był, nikt mię nie trzymał!

Joasia stanęła w miejscu. Powieki jej były spuszczone, twarz martwa. Nozdrza chwytały powietrze. Z ust padło krótkie słowo:

– Ja cię nie wstrzymam...

Judym i Joasia – pożegnanie

Były to wyrazy ciche i oblane krwią wstydu. Zdawało się, że z żył, gdy to mówiła, krew rozpalona wytryśnie.

Judym odrzekł:

– Ty mię nie wstrzymasz, ale ja sam nie będę mógł odejść. Zakiełkuje we mnie przyschłe nasienie dorobkiewicza. Ja siebie znam. A zresztą... nie ma już co mówić...

Wzdrygnęła się, jakby ją to słowo w tył pchnęło. Szli obok siebie w milczeniu, daleko, daleko...

Ciągnęły obok nich furmanki z rudą galmanu[97], przeróżne bryki, powozy... Szło dużo ludzi... Nie widzieli tego wszystkiego. Gościniec zaprowadził ich do lasu. Tam usiedli pod drzewem.

Joasia uczuła, że ramię Judyma wsparło się o jej ramię, widziała jego głowę zwieszoną na piersi. Nie była w stanie poruszyć ręką. Siedziała, jakby w twardy sen pogrążona, kiedy wypijamy morza boleści, nie mając siły wydać jednego westchnienia.

---

97 *galman* - ruda cynku.

W pewnej chwili Judym usłyszał jej płacz samotny, jedyny, płacz przed obliczem Boga.

Nie dźwignął głowy.

O jakiejś godzinie usłyszał jej głos cichy, z głębi łez:

— Szczęść ci Boże.

Nie mógł odpowiedzieć sam za siebie, ale jakiś głos obcy, tak jakby Dajmonion, o którym pisał przed śmiercią Korzecki, wymówił z głębi jego serca:

— Daj Panie Boże.

Joasia wstała.

Przez chwilę widział spod bezwładnych, ciężkich, obwisłych powiek jej twarz bolesną. Była jak maska pośmiertna z gipsu.

Za chwilę stracił ją z oczu.

Odeszła szosą w stronę miasta, w stronę dworca kolei...

Siedział tam długo. Kiedy znowu rzucił oczyma na drogę, nie było już widać nikogo. Wiatr tylko porywał z niej kurz wapienny, miotał go w górę jak plewy. Kurz wapienny, naśmiewający się...

Judym uciekł.

Szedł brzegiem lasu, później środkiem pastwisk błotnistych. Gdzieś błądził. Nad wieczorem ujrzał przed sobą w polu szkielet zabudowań kopalni.

Straszna nienawiść do tego widoku i wyniosła wzgarda, jak pysk w kły uzbrojony, otwarła się w jego piersiach. Szedł dalej.

Stanął nad brzegiem szerokiej wody, płytko rozlanej. W niskich, nędznych, zżółkłych trawach kisł ten czarny zalew śmierci, który nad otchłanią kopalni chwieje się lichymi falami. Ciemna woda zdawała się marzyć, zdawała się czekać, kiedy runie w głębinę wydrążoną, kiedy napełni puste lochy, kuszące próżnie, które ją ciągną, ssą, wzywają.

Judym ją poznał. To ona! Widział ją w nocy. Tej nocy... Szukał na falach świetlistego znaku, długiej ruchomej wskazówki, która przeszywa jak doborowa stal damasceńska. I uczuł w sobie ostrze.

Daleko, daleko za lasami łkał świst pociągu, niby słowo tajemnicze zawierające sens życia.

Tuż obok stóp Judyma było szerokie, suche zawalisko, otwór w postaci leja zwróconego wierzchołkiem na dół. W głębi ziemi pod nim były niegdyś galerie kopalni. Warstwy skał piaskowca i łupku gliniastego, wskutek „wyrabowania"[98] budynku podtrzymującego piętro, zarwały się od własnego ciężaru i spadając, odłamami swymi napełniły puste przestrzenie pokładów węgla. Gleba zewnętrzna zsunęła się w przepaść wraz z murawą, krzewami i utworzyła dół głębokości dwudziestu metrów.

W miejscu rozdarcia widać było pręgi piachu siwe i jasnożółte. Naokół stały karłowate, nędzne sosny.

Symbolizm – rozdarta sosna

Jedna z nich rosła na samym brzegu zawaliska. Oberwana ziemia ściągnęła w głębinę prawy jej korzeń, a lewy został na twardym gruncie. Tak ją dzieje kopalni rozdarły na dwoje. Pień

[98] *wyrabować* - wybrać, wydobyć (surowiec kopalny).

jej stał jedną połową swoją w górze, a drugą szedł wraz z zawaliskiem, niby istota ludzka, którą na pal wbito. Tamten, z bryłami ziemi w dół ściągnięty, prężył się jak członki na torturach. Wszczepione w glebę pazury górne trzymały się z całej siły.

Judym zsunął się w zawalisko, żeby go nikt nie widział. Rzucił się na wznak. Pod sobą w głębi ziemi słyszał od czasu do czasu huk wystrzałów dynamitu i prochu. W górze widział obłoki sunące po niebie lazurowym.

Obłoki jasne, święte, zaczerwienione obłoki...

Tuż nad jego głową stała sosna rozdarta.

Widział z głębi swojego dołu jej pień rozszarpany, który ociekał krwawymi kroplami żywicy. Patrzał w to rozdarcie długo, bez przerwy.

Widział każde włókno, każde ścięgno kory rozerwane i cierpiące. Słyszał dokoła siebie płacz samotny, jedyny, płacz przed obliczem Boga.

Nie wiedział tylko, kto płacze...

Czy Joasia? – Czy grobowe lochy kopalni płaczą?

Czy sosna rozdarta?

Zakopane. Jesień 1899 r.

OPRACOWANIE

BIOGRAFIA STEFANA ŻEROMSKIEGO

Stefan Żeromski urodził się **14 X 1864** r. w Strawczynie, położonym 12 km od Kielc. Całe dzieciństwo pisarza związane było z Górami Świętokrzyskimi, których krajobraz kształtował jego wrażliwość, oddziaływał na wyobraźnię. Rodzina mieszkała kolejno w Woli Kopcowej, Krajnie, najdłużej w Ciekotach. Malownicza okolica u podnóża Puszczy Jodłowej stała się natchnieniem i inspiracją licznych w jego utworach opisów przyrody.

Pochodził ze szlacheckiej, ale ubogiej rodziny. Ojciec, Wincenty, był człowiekiem pogodnym, towarzyskim, patriotą i romantykiem, wrażliwym na piękno i urodę życia – te cechy odziedziczył po nim syn. Matka, Józefa z Katerlów, wrażliwa, uczuciowa, oczytana, kochała poezję i syna, z którym związana była głęboką więzią duchową. Pisarz darzył matkę równie silnym uczuciem i stworzył później wiele postaci kobiecych, dla których była pierwowzorem.

Duży wpływ na osobowość przyszłego pisarza wywarło powstanie styczniowe. Wyrastał w cieniu wielkiej narodowej tragedii, wśród świeżych wspomnień, pamiątek i niezatartych śladów. W związku z powstaniem ucierpiała również rodzina Żeromskiego: ojciec został na kilka miesięcy uwięziony za pomoc powstańcom; jego siostra, Jozafata Saska, wysłała do powstania męża i trzech synów – najmłodszy z nich, Gustaw, zginął. Te wydarzenia wpłynęły na zainteresowanie pisarza problemem narodowym, niepodległościowym. Dołączyły się do tego obserwacje nędzy okolicznych chłopów, domowe troski i kłopoty, a po śmierci matki, już w Kielcach, własna bieda, często głód. Z tych chłopięcych doświadczeń wynikła tendencja wyraźnie widoczna w dziełach pisarza – ich rzetelny, prawdomówny realizm.

W 1874 r., po jednorocznym przygotowaniu w szkole elementarnej w Psarach, Żeromski zaczął uczęszczać do gimnazjum kieleckiego. Lata kieleckie były dla pisarza bardzo trudne. Uczył się słabo, miał kłopoty ze zdrowiem, aby zarobić na utrzymanie, zmuszony był dawać korepetycje. Jeden z nauczycieli wpłynął znacząco na jego świadomość – polonista Antoni Gustaw Bem, który był pierwszym krytykiem nieśmiałych prób pisarskich Żeromskiego, zachęcał go do czytania, skłonił też do prowadzenia dziennika.

W 1879 r. umarła Żeromskiemu matka, w 1883 r. zmarł ojciec. Pisarz pozostał sam, bez środków do życia. Nie przystąpił do matury, więc po ukończeniu gimnazjum zapisał się do warszawskiej Szkoły Weterynaryjnej, gdzie nie wymagano świadectwa dojrzałości. W tym czasie przyszły autor *Przedwiośnia* związał się z czasopismem

„Głos", w którym ukazały się niebawem jego pierwsze utwory. Niestety, bieda zmusiła go do porzucenia Warszawy i zatrudnienia się w charakterze guwernera w szlacheckich dworach. Dzięki takiej kilkuletniej wędrówce pisarz poznał środowisko ziemiańskie i pogłębił wiedzę o polskiej wsi.

W 1890 roku Żeromski objął posadę w Nałęczowie – był to przełomowy moment w jego życiu. Poznał wówczas wielu interesujących ludzi, którzy przyjeżdżali do uzdrowiska na kurację. Wielkie znaczenie miała zwłaszcza znajomość z Oktawią z Radziwiłłowiczów Rodkiewiczową, która po dwóch latach została jego żoną. Dzięki staraniom Oktawii oraz jej utytułowanej rodziny otworzyła się przed pisarzem perspektywa osiedlenia się w Szwajcarii w Rapperswilu, gdzie znajdowało się założone przez emigrantów muzeum narodowe i biblioteka. Żeromski objął w niej posadę pomocnika bibliotekarza.

W Rapperswilu wracał do zdrowia, czytał i wiele pisał. W 1895 r. ukazały się drukiem pierwsze utwory pisarza: *„Rozdziobią nas kruki, wrony..."* oraz *Opowiadania*. W 1896 r. Żeromski opuścił Szwajcarię i próbował osiedlić się w Kielcach. Ostatecznie podjął pracę w Bibliotece Ordynacji Zamoyskich i przeniósł się z rodziną do Warszawy. We wrześniu 1899 r. urodził się syn pisarza, Adam.

W latach 1900-1910 pojawiły się najgłośniejsze i najwybitniejsze utwory Żeromskiego, m. in.: *Ludzie bezdomni* (1899), *Popioły* (1904), *Dzieje grzechu* (1908). Po sukcesie *Popiołów* pisarz mógł porzucić pracę zarobkową i całkowicie poświęcić się tworzeniu. W 1902 roku wyjechał na kurację do Włoch, a w 1904 Żeromscy przenieśli się do Zakopanego.

Burzliwe czasy rewolucji pobudziły aktywność artysty, pisał wiele artykułów, nowel, wędrował między Zakopanem, Nałęczowem i Włochami, gdzie leczył się on i syn, Adaś, który odziedziczył po ojcu chorobę płuc. Pisarz głęboko przeżył dramat zawiedzionych nadziei i rozwianych złudzeń, związanych z wydarzeniami rewolucji 1905 r. W 1909 roku rodzina Żeromskich przeniosła się na trzy lata do Francji, aby po powrocie (1912 r.) ponownie osiedlić się w Zakopanem. Tu zastał pisarza wybuch wojny. W tym czasie skomplikowało się też życie osobiste Żeromskiego. Rozszedł się z Oktawią i związał z Anną Zawadzką. W maju 1913 r. urodziła się córka Monika. Cztery lata później Żeromski stracił syna, Adama. Jego śmierć była dla pisarza bolesnym ciosem.

Pierwsze lata niepodległości przyniosły przypływ energii twórczej. Pisarz zajął się twórczością publicystyczną i dramatopisarską. Właśnie wtedy powstała znana komedia *Uciekła mi przepióreczka* (1924). Z tego okresu pochodzi także *Przedwiośnie* (1925). Wydanie powieści spowodowało liczne dyskusje i ataki na samego autora. W takiej sytuacji zaskoczyła Żeromskiego śmierć. Autor *Przedwiośnia* zmarł **20 XI 1925** roku u szczytu wielkości i bezprzykładnej kampanii przeciw niemu.

KALENDARIUM ŻYCIA I TWÓRCZOŚCI

14 X 1864 – data urodzin (Strawczyn).
1879 – śmierć matki.
1883 – śmierć ojca.
1886 – początek trwającej kilka lat pracy w dworach szlacheckich w charakterze guwernera.
1891–1894 – w czasopiśmie „Głos" ukazały się korespondencje Żeromskiego z Nałęczowa oraz nowele i opowiadania.
1892 – małżeństwo z Oktawią z Radziwiłłowiczów Rodkiewiczową i wyjazd do Szwajcarii.
1895 – w Warszawie ukazały się *Opowiadania* (*Zapomnienie, Zmierzch, Doktor Piotr, Siłaczka* i inne).
– w Krakowie pod pseudonimem Maurycy Zych pisarz wydał opowiadania: *Rozdziobią nas kruki, wrony..., Obrazki z ziemi mogił i krzyżów.*
1896 – powrót z Rapperswilu do kraju, podjęcie pracy w Bibliotece Ordynacji Zamoyskich w Warszawie.
1898 – powieść *Syzyfowe prace* oraz *Utwory powieściowe* (*Promień, O żołnierzu tułaczu*).
1899 – narodziny syna Adama.
– **powieść *Ludzie bezdomni*** (wydana z datą 1900).
1904 – powieść *Popioły*.
– osiedlenie się w Zakopanem.
1905 – proza poetycka *Powieść o Udałym Walgierzu.*
– opowiadanie *Echa leśne.*
1906 – *Nagi bruk.*
1907 – *Nokturn.*
1908 – *Słowo o bandosie.*
– powieść *Dzieje grzechu.*
– rapsod *Duma o hetmanie.*
1909 – rodzina Żeromskich przenosi się na kilka lat do Francji.
– dramat *Róża.*
1910 – dramat *Sułkowski.*
1912 – powrót do Zakopanego, rozwód z Oktawią, małżeństwo z Anną Zawadzką.
– powieści *Uroda życia, Wierna rzeka.*
1913 – narodziny córki Moniki.
1916–1919 – trylogia *Walka z szatanem* (*Nawracanie Judasza, Zamieć, Charitas*).
1918 – nowela *Wisła.*
– śmierć syna Adama.
1919 – *O Adamie Żeromskim wspomnienie.*

1921 – dramaty: *Ponad śnieg bielszym się stanę...*, *Biała rękawiczka*.
1922 – *Wiatr od morza*.
– studium *Snobizm i postęp*.
1923 – dramat *Turoń*.
– nowela *Międzymorze* (wraz z wydanymi wcześniej *Wisłą* i *Wiatrem od morza* stanowią tzw. trylogię morską).
1924 – dramat *Uciekła mi przepióreczka*.
1925 – powieść *Przedwiośnie* (ukończona w 1924).
20 XI 1925 – śmierć pisarza.

GENEZA UTWORU

Powieść powstała w latach 1898–1899. Charakterystyczną cechą tych czasów było ścieranie się i współistnienie różnych kierunków literackich oraz prądów umysłowych. Kierunkiem dominującym był nadal realizm, zwłaszcza w powieści. W latach 90. do głosu doszło już jednak pokolenie młodych zwolenników nowych koncepcji światopoglądowych i nowych kierunków w sztuce – zaczęto atakować idee pozytywistyczne. Powstał nowy wzorzec osobowy inteligenta – subtelnego, wrażliwego indywidualisty. Postulowano tworzenie sztuki wolnej od obowiązków narodowych i społecznych. Stworzono nowy model artysty – jednostki wybitnej, niezwykłej, nieprzeciętnej, wolnej, dla której najważniejsze są cele estetyczne.

W konwencji literackiej powieści w okresie Młodej Polski obserwuje się **łączenie realizmu z naturalizmem,** który pojawia się zwłaszcza w szczegółowych, drastycznych opisach życia warstw niższych oraz w motywacji działań bohaterów (Zapolska, Reymont). Teoretycy postulują też **powieść psychologiczną, na której koncepcję miały wpływ impresjonizm literacki i symbolizm,** umożliwiające kreowanie niezwykłych, skomplikowanych, niejednoznacznych osobowości.

Stefan Żeromski wszystkie te prognozy, koncepcje, kierunki znał, osobiście uczestniczył w dyskusjach, kształtując jednocześnie własną indywidualność literacką. Znał też nowe kierunki, z zainteresowaniem, choć nie bezkrytycznie, czytał dzieła modernistów.

Na ostateczny kształt powieści miały też wpływ osobiste przeżycia i doświadczenia pisarza. W pamiętniku Joasi, pielgrzymującej do rodzinnych Głogów leżących koło Kielc, umieścił wspomnienie o miejscach, gdzie spędził dzieciństwo. Uzdrowisko Cisy przypomina pod wieloma względami znany pisarzowi i lubiany przez niego Nałęczów. W powieści znalazła też odbicie dyskusja, jaka toczyła się w Nałęczowie w czasie pobytu Żeromskiego, a dotycząca podniesienia zdrowotności wilgotnego i malarycznego uzdrowiska. W lecie 1896 r. pisarz przez krótki czas gościł u rodziny w Dąbrowie Górniczej. Poznał wtedy kopalnie, huty, co zaowocowało w ostatniej części powieści. Bohaterowie utworu mają swoje pierwowzory w ludziach, których Żeromski znał osobiście. Joanna Podborska ma rysy żony pisarza, Oktawii Rodkiewiczowej. Postacie zwierzchników pisarza w Rapperswilu, z którymi często wchodził w konflikty, dostarczyły mu pomysłów przy kreowaniu Krzywosąda Chobrzańskiego i doktora Węglichowskiego. O informacje na temat paryskiego Château-Rouge pisarz prosił przyjaciela przebywającego w Paryżu, wykorzystał je potem w powieści. Życie Warszawy, zwłaszcza jej dzielnic robotniczych, znał z autopsji z okresu studenckiej biedy. Cały ten materiał znakomicie przetworzył w realistycznej warstwie powieści.

CO JEST TEMATEM UTWORU?

Żeromski stworzył **historię człowieka, który musi wybrać między miłością i szczęściem osobistym a pomocą pokrzywdzonej warstwie społecznej.** Tomasz Judym to altruista, idealista, społecznik. Przypomina mitologicznego Prometeusza i bohaterów romantycznych. Tak jak oni poświęca swe życie dla innych ludzi. Cechuje go tytułowa bezdomność – rozumiana dosłownie i symbolicznie.

Ludzie bezdomni to powieść uniwersalna, poświęcona trudnym wyborom wrażliwego człowieka w świecie nierówności społecznych.

WYJAŚNIENIE TYTUŁU UTWORU

Tematem *Ludzi bezdomnych* są historie życia kilku postaci, prowadzone w powieści równolegle. Wszystkie te życiorysy łączy **problem bezdomności** rozumianej bardzo różnie w zależności od postawy reprezentowanej przez bohatera.

Bezdomność w powieści Stefana Żeromskiego ma różne oblicza: od dosłownego, polegającego na **braku godnych człowieka warunków życiowych, poprzez wyobcowanie, osamotnienie, niezrozumienie, emigrację z powodów politycznych i społecznych,** będącą świadomym wyborem człowieka, który decyduje się na poświęcenie osobistego szczęścia dla szlachetnego celu, jakim jest wolność, sprawiedliwość, służba bliźnim, aż po **bezdomność w sensie metafizycznym.**

(Dokładniejsze omówienie problemu bezdomności w utworze patrz: *Problem bezdomności*, str. 253)

CZAS I MIEJSCE AKCJI

Akcja powieści toczy się **w latach 90. XIX wieku.** Pierwszy rozdział rozpoczyna się **w Paryżu** i rozgrywa się w czasie dwóch dni obejmujących spotkanie Judyma w Luwrze z panią Niewadzką i towarzyszącymi jej dziewczętami oraz wyprawę z nimi do Wersalu. W następnym rozdziale akcja przenosi się **do Warszawy.** *„Po upływie roku, jednego z ostatnich dni czerwca Judym obudził się w Warszawie."* (s. 22). Przebywał tam kilka miesięcy. W marcu otrzymał propozycję pracy **w Cisach** i z końcem kwietnia udał się do uzdrowiska. W lutym tego roku wyjechał za granicę Wiktor Judym. W czerwcu Judymowa z dziećmi udała się **do Austrii i Szwajcarii** (Wintertur).

Doktor Judym pracował w Cisach przeszło rok. W czerwcu doszło do awantury z Krzywosądem i Węglichowskim, w wyniku której Judym stracił pracę i przeniósł się **do Sosnowca.** Na początku września po raz ostatni spotkał się z Joasią. Wydarzenia wspomniane we fragmencie pamiętnika Joasi miały miejsce trzy lata wcześniej. Joasia wspomina w nim o mężczyźnie, którego zauważyła w tramwaju. Był to Judym. Później w Cisach zapytała go, czy jeździł tramwajem na Chłodną lub na Waliców i stwierdziła: *„To było ze trzy lata temu, a może nawet więcej"*. (s. 176). Miejsca wymienione w pamiętniku to: Warszawa, Kielce, Głogi, Mękarzyce, Krawczyska (wsie w okolicach Kielc). **W retrospektywnych partiach powieści narracja obejmuje dzieciństwo Judyma, a więc wydarzenia sprzed około 20 lat.**

BOHATEROWIE UTWORU

Tomasz Judym – główny bohater powieści, lekarz, ukochany Joanny Podborskiej.
Wiktor Judym – brat Tomasza, robotnik, emigruje z kraju.
Joanna Podborska – ukochana Tomasza Judyma, guwernantka, pisze pamiętnik.
Natalia i Wanda Orszeńskie – wnuczki pani Niewadzkiej, podopieczne Joanny Podborskiej.
Niewadzka – właścicielka Cisów.
Karbowski – karciarz, ukochany i mąż Natalii Orszańskiej.
Leszczykowski – współzałożyciel zakładu leczniczego w Cisach.
Węglichowski – dyrektor uzdrowiska w Cisach.
Jan Bogusław Krzywosąd Chobrzański – administrator uzdrowiska w Cisach.
Antoni Czernisz – doktor, w jego salonie Judym wygłasza odczyt pt. „Kilka uwag w sprawie higieny".
Korzecki – inżynier w kopalni w Sosnowcu, dekadent, popełnia samobójstwo.
Kalinowicz – dyrektor kopalni.
Wacław Podborski, Henryk Podborski – bracia Joasi.

PLAN WYDARZEŃ

Tom I

1. Spotkanie Judyma z pannami Orszeńskimi w Luwrze pod posągiem Wenus symbolizującym miłość i piękno.
2. Wycieczka do Wersalu, rozmowa o obrazie *Ubogi rybak* Pierre'a Puvis de Chavannese'a.
3. Wędrówka Judyma przez warszawską dzielnicę żydowską do domu brata Wiktora, mieszkającego na Ciepłej.
4. Spotkanie z bratem i rozmowa o dzieciństwie doktora.
5. Odczyt *„Kilka uwag w sprawie higieny"* wygłoszony przez Judyma w salonie doktora Czernisza.
6. Powrót do domu z poczuciem klęski w towarzystwie doktora Chmielnickiego.
7. Refleksje Judyma nad życiem, dawnymi ideałami, poczuciem klęski i zagubienia, zastanawianie się nad sensem dalszych działań.
8. Starania Judyma, by zaistnieć jako lekarz w Warszawie: bezskuteczne półroczne oczekiwanie na pacjentów w prywatnym gabinecie.
9. Przyjęcie propozycji doktora Węglichowskiego objęcia posady lekarza w Cisach.
10. Podróż do Cisów „urozmaicona" przez nieznośnego chłopca podróżującego z matką.
11. Zapoznanie się Judyma z historią zakładu, poznanie jego twórców: prezesa Leszczykowskiego, dyrektora Węglichowskiego i administratora Krzywosąda Chobrzańskiego. Historia nieżyjącego już pana Niewadzkiego.
12. Spotkanie z panią Niewadzką, jej wnuczkami oraz ich nauczycielką – miłość Natalii do utracjusza Karbowskiego.
13. Wspomnienia Joasi.

Tom II

1. Praca Judyma w uzdrowisku i w szpitalu dla ubogich.
2. Przypadki malarii zaobserwowane przez Judyma wśród robotników folwarcznych.
3. Szukanie przyczyny zachorowań.
4. Brak aprobaty ze strony dyrekcji i storpedowanie projektów Judyma dotyczących podniesienia poziomu sanitarnego zakładu.
5. Pożegnanie Wiktora Judyma z Warszawą i rodziną; wyjazd na emigrację.
6. Niespodziewane spotkanie idącego do pacjentów doktora z Joasią:
   a) wiadomość o ucieczce Natalii z Karbowskim;
   b) uświadomienie sobie miłości do Joasi.
7. Wyjazd Judymowej z dwójką dzieci do Szwajcarii, do męża.
8. Wyznanie przez Judyma miłości Joasi, przyjęcie jego oświadczyn.
9. Racjonalizatorski pomysł Krzywosąda spuszczającego szlam ze stawów do rzeki.
10. Protest Judyma wywołany obawą o zdrowie mieszkańców wsi czerpiących wodę do picia z tej rzeki.

11. Awantura zakończona wepchnięciem administratora do stawu.
12. Utrata pracy przez Judyma.
13. Rozpacz, żal, ból spowodowane rozstaniem z Joasią.
14. Spotkanie z Korzeckim i propozycja wyjazdu do Zagłębia Dąbrowskiego.
15. Zwiedzanie kopalni, wstrząs wywołany warunkami pracy ludzi i traktowaniem koni.
16. Wizyta w pałacu dyrektora kopalni Kalinowicza.
17. Wizyta doktora u chorej na gruźlicę pani Daszkowskiej. Rozmyślania Judyma o nieszczęśliwej kobiecie, która bardzo chce żyć, a jej dni są policzone.
18. Samobójstwo Korzeckiego.
19. Przyjazd Joasi do Sosnowca:
    a) zwiedzanie huty, osiedli robotniczych;
    b) radosne plany Joasi dotyczące wspólnego życia;
    c) oświadczenie Judyma o wyborze samotności celem poświęcenia się pracy.

KRÓTKIE STRESZCZENIE

Doktor Tomasz Judym, od piętnastu miesięcy przebywający na praktyce lekarskiej w Paryżu, pewnego dnia postanowił odwiedzić galerię w Luwrze. Spotkał tam cztery Polki: panią Niewadzką, jej wnuczki – siedemnastoletnią Natalię i piętnastoletnią Wandę oraz ich nauczycielkę, Joannę Podborską. Judym zagadnął panie podziwiające posąg Wenus z Milo, symbol piękna i miłości. Następnie umówił się z nimi na wycieczkę do Wersalu. Rozmawiają m.in. o obrazie Pierre'a Puvis de Chavanne-se'a *Rybak*, symbolizującym świat biedy, krzywdy i poniżenia.

Po roku Judym był już w Warszawie. Spacerował, obserwował nędzę dzielnicy żydowskiej i robotniczej, odwiedził brata Wiktora, który wraz z rodziną mieszka w takiej dzielnicy i pracuje w stalowni. Doktor zauważał trudne warunki bytowe robotników, a także ciężką pracę kobiet w fabryce cygar, gdzie pracuje jego bratowa, oraz hutników i kowali w stalowni. W rozmowie z bratem poruszył sprawę swego trudnego dzieciństwa spędzonego w domu ciotki, która w młodości prowadziła rozwiązły tryb życia. Tomasz był bity, poniewierany, poniżany, pełnił funkcję sprzątaczki, pomywaczki, był chłopcem na posyłki. Mógł się uczyć, ale kosztowało go to wiele wyrzeczeń i upokorzeń. Dlatego, gdy był w piątej klasie, uciekł od swej opiekunki i rozpoczął samodzielne życie.

Pragnąc wejść w lekarskie środowisko stolicy, Judym wygłosił odczyt na zebraniu w salonie doktora Antoniego Czernisza. Odczyt miał tytuł *„Kilka uwag w sprawie higieny"*. Autor opisuje w nim warunki życia paryskiego proletariatu, a także nędzę i demoralizację klasy robotniczej w Polsce. Wyraża przekonanie, że obowiązkiem lekarzy jest zapobiegać chorobom, walczyć z opłakanym stanem higieny w zakładach pracy i w dzielnicach nędzarzy. Zebrani nie zgodzili się z Judymem. Uważali, że lekarze muszą tak pracować, by zapewnić utrzymanie swym rodzinom, a propozycje Judyma dotyczą nie ich, lecz instytucji charytatywnych. Judym wyszedł z zebrania z poczuciem klęski. Otworzył w Warszawie prywatny gabinet, ale nie miał pacjentów. W dodatku brat Wiktor stracił pracę i Judym czuł się w obowiązku pomóc bratowej. Przyjął więc propozycję objęcia posady lekarza – asystenta w uzdrowisku Cisy.

Znalazł się tam na wiosnę. Rozpoczął pracę od poznania historii zakładu, jego właścicieli i zarządzających. Spotkał tam też swe dawne znajome z Paryża. Pani Niewadzka była wdową po właścicielu majątku Cisy, leżącego obok uzdrowiska. Judym z zazdrością stwierdził, że piękna Natalia jest zakochana w utracjuszu Karbowskim.

Z rozpoczęciem sezonu Judym pogrążył się w pracy, zajmował się kuracjuszami, pracował w szpitalu, udzielał się też towarzysko. Szpital był niezwykle zaniedbany. Doktor z przykrością stwierdził liczne przypadki malarii wśród folwarcznych chłopów. Przyczyną były stawy rybne założone przez administratora majątku. Judym zgłosił konieczność albo osuszenia stawów w celu zmiany mikroklimatu uzdrowiska, albo informowania kuracjuszy o szkodliwości wilgotnego powietrza w okolicy. Kierownictwo zakładu odrzuciło propozycję młodego lekarza, zaczęto się do niego odnosić z niechęcią. Wiosną Tomasz Judym zwrócił baczniejszą uwagę na Joasię Podborską i poczuł, że jest mu ona bardzo bliska. Myślał tylko o niej, chciał się z nią ożenić. Jego oświadczyny zostały przyjęte. Sielankę przerwał nowy spór z dyrekcją uzdrowiska. Administrator Krzywosąd postanowił oczyścić stawy ze szlamu. W związku z tym nakazał wrzucić go do rzeki. Judym zaprotestował, gdyż rzeka była źródłem wody pitnej dla okolicznych wiosek. Cynizm administratora doprowadził go do szewskiej pasji, nazwał Krzywosąda *„starym osłem"* i wepchnął go do stawu. Po tym incydencie został zwolniony z pracy. Największy ból sprawiła mu konieczność rozstania z Joasią.

Zamierzał wrócić do Warszawy, ale na stacji przesiadkowej spotkał dawnego znajomego z Paryża, inżyniera Korzeckiego, który zaproponował mu wyjazd do Zagłębia Dąbrowskiego. W Sosnowcu Judym objął posadę lekarza zakładowego przy kopalni „Sykstus". Doktor zwiedził kopalnię i był wstrząśnięty warunkami pracy ludzi i traktowaniem koni. Poznał też dyrektora kopalni Kalinowicza i jego rodzinę. Znowu zauważył kontrast między pałacem dyrektora a nędznymi domostwami górników. Często spotykał się z Korzeckim, dyskutował z nim. Mimo to był zaskoczony jego samobójstwem. We wrześniu odwiedziła go Joasia. Pragnęła zostać z ukochanym, pomagać mu. Judym odrzucił jej miłość i pomoc, oświadczył, że musi zostać sam, choć bardzo ją kocha. Zapragnął całkowicie poświęcić się pracy dla ubogich. Powieść kończy się obrazem rozdartej na dwoje przez osunięcie gruntu sosny, symbolizującej cierpienie i rozterki głównego bohatera.

STRESZCZENIE SZCZEGÓŁOWE

Tom I

Wenus z Milo

Tomasz Judym przebywa w Paryżu. Postanowia zwiedzić Luwr. Przy posągu Afrodyty spotyka Polki – panią Niewadzką, jej dwie wnuczki (Wandę i Natalię) oraz nauczycielkę panien – Joannę Podborską. Nawiązuje się między nimi rozmowa. Następnie jadą na wycieczkę do Wersalu.

W pocie czoła

Mija rok. Judym wraca do Warszawy i odwiedza brata Wiktora. Ponieważ nie zastaje go w domu, idzie do fabryki cygar, gdzie pracuje żona brata. Tu doktor widzi jej ciężką pracę, katastrofalne warunki panujące w fabryce. Potem Tomasz spotyka się z Wiktorem. Opowiada mu o swoim życiu u ciotki, dzięki której zdobył wykształcenie, ale też przeżył wiele upokorzeń.

Mrzonki

W salonie doktora Antoniego Czernisza Tomasz Judym wygłasza odczyt pt. „Kilka uwag w sprawie higieny". Zarzuca w nim lekarzom, że opiekują się tylko bogatymi, a nie interesuje ich los chłopskich dzieci. Słuchacze są oburzeni tym wystąpieniem, uważają, że postulaty Judyma dotyczące zajęcia się przez lekarzy warunkami życia najbiedniejszej ludności to głupie i bezzasadne mrzonki. Sedno problemu nikogo nie interesuje.

Smutek

Smutny Judym spaceruje Alejami Ujazdowskimi. Ma poczucie klęski. Wśród ludzi dostrzega panny, które poznał w Paryżu. Idzie ze spuszczonymi oczami.

Praktyka

Doktor otwiera prywatną praktykę lekarską. Nie ma jednak pacjentów. Przez pół roku nikt go nie odwiedza. Judym spotyka doktora Chmielnickiego, który oferuje mu pracę w modnym zakładzie leczniczym w Cisach, w posiadłości Niewadzkiej. Tomasz cieszy się i przyjmuje propozycję.

Swawolny Dyzio

Pod koniec kwietnia Judym pociągiem jedzie do Cisów. W podróży towarzyszy mu kobieta z chłopcem Dyziem, który jest bardzo żywym i nieznośnym dzieckiem. Tomasz z niecierpliwością wyczekuje końca podróży. Ostatecznie, zniecierpliwiony, spuszcza chłopcu lanie i resztę drogi do Cisów pokonuje na piechotę.

Cisy

Żeromski przedstawia uzdrowisko w Cisach. Judym zwiedza miejscowość i poznaje dyrektora zakładu leczniczego, doktora Węglichowskiego, oraz administratora Cisów – Krzywosąda Chobrzańskiego.

Kwiat tuberozy

Judym zostaje zaproszony przez proboszcza na śniadanie. Spotyka tu znajome damy z Paryża i Karbowskiego, w którym kocha się panna Natalia. Tomasz zazdrości mu uczucia pięknej dziewczyny.

Przyjdź

Bohater marzy o miłości. Spaceruje, patrzy w niebo, na drzewa. W jego sercu zapanuje radość. Ma wrażenie, że w jego życiu niedługo wydarzy się coś niesamowitego, niezwykłego.

Zwierzenia

Ten rozdział to pamiętnik Joasi. Dowiadujemy się o jej życiu przed poznaniem Judyma. Podborska musiała po śmierci rodziców opuścić dom rodzinny i w Warszawie opiekowała się dziećmi Heleny Predygierowej. Zarobione pieniądze przeznaczała na pomoc bratu Henrykowi. Z tego pamiętnika wyłania się obraz Joasi jako osoby bardzo pracowitej, wrażliwej na krzywdę ludzką, lubiącej literaturę, kochającej swe uczennice, znajdującej satysfakcję w pracy nauczycielskiej. Jest tu też fragment o spotkaniu w tramwaju z Judymem: *„spostrzegłam, że w rogu siedzi ten śliczny jegomość w cylindrze. To już trzeci raz go spotykam."*

Tom II

Poczciwe prowincjonalne idee

W Cisach doktor Judym jest bardzo zajęty. Do południa pracuje w sanatorium, po obiedzie bawi damy i spaceruje. We wrześniu nastają deszczowe dni, dużo dzieci choruje. Judym proponuje przeniesienie chłopskich czworaków na suchy teren, ale nie otrzymuje na to zgody dyrekcji.

Starcy

Doktor ma dużo pracy, odwiedza chorych i cały czas myśli, jak osuszyć teren. W tej sprawie pisze listy do Leszczykowskiego. Przedstawia też swoje poglądy Krzywosądowi i Węglichowskiemu, ale spotyka się z ostrą krytyką. Panowie uważają, że dla jego idealistycznych, niesprawdzonych pomysłów nie ma sensu ponosić ryzykownych kosztów.

„Ta łza, co z oczu twoich spływa..."

Dzięki pieniądzom Tomasza jego brat może wyjechać za granicę. Wiktor żegna się z rodziną. Opuszcza Warszawę, zostawiając żonę z dziećmi.

O świcie

Odwiedzając chorych, Tomasz spotyka Joasię. Podborska wraca z Woli Zameckiej, gdzie szukała panny Natalii, która uciekła z domu z Karbowskim. Joasia dowiedziała się, że młodzi wzięli ślub i wyjechali za granicę. Jako opiekunka Natalii czuje się winna zaistniałej sytuacji, gdyż wielokrotnie rozmawiała z dziewczyną o konieczności zawierania małżeństwa wyłącznie z miłości.

Tomasz uświadamia sobie, że kocha Joasię i pragnie się z nią ożenić.

W drodze

Wiktorowa dostała list od męża ze Szwajcarii, aby do niego przyjechała. Zabiera więc dzieci i wyrusza w podróż. Niestety wysiada z pociągu na niewłaściwej stacji. Ponieważ nie zna języka obcego, jest zrozpaczona. Pomaga jej Natalia z mężem, których przypadkowo spotyka. Wyczerpana i przerażona Wiktorowa dociera do męża do Szwajcarii. Ten oświadcza jej, że planuje dalszą podróż do Ameryki.

O zmierzchu

Tomasz wyznaje Joasi miłość. Jest szczęśliwy, że ona odwzajemnia jego uczucie.

Szewska pasja

Krzywosąd wpuszcza szlam ze stawu do rzeki, z której wodę do picia czerpią mieszkańcy wsi. Kierując się troską o zdrowie ludzi, Judym rozmawia o tym incydencie z dyrektorem. Niestety, dowiaduje się, że to nie są jego sprawy i że *„higiena jest dla ludzi bogatych. Chłopy i ich bydło niech piją muł z naszego stawu."* (str. 181) Judym jest wściekły. Między nim a Krzywosądem dochodzi do awantury i Tomasz wpycha administratora do stawu.

Gdzie oczy poniosą

Wydarzenie to spowodowało, że dyrektor rozwiązuje z Judymem umowę o pracę. Tomasz żegna się z ukochaną i opuszcza Cisy. W pociągu płacze.

Na dworcu spotyka Korzeckiego, który proponuje mu, aby pojechał z nim do Zagłębia. Judym zatrzymuje się w domu inżyniera. Wieczorem rozmawiają szczerze o swoich bolączkach. Tomasz bardzo tęskni za Joasią.

Glikauf!

Z samego rana Judym idzie do kopalni. „Glikauf" to pozdrowienie wymieniane między jej pracownikami. Doktor przygląda się robotnikom, kopalni i miastu. Jest wstrząśnięty nieludzkimi warunkami pracy ludzi i brutalnym traktowaniem pracujących przy wyciąganiu węgla koni.

Pielgrzym

Judym i Korzecki idą z wizytą do Kalinowicza, dyrektora kopalni. Tomasz podziwia jego bogato urządzone mieszkanie. Rozmawia też z synem Kalinowicza na temat wolności człowieka, wyborów między dobrem i złem, relacjami między szczęściem jednostki, traktowanym jako dobro najwyższe, a obowiązkami człowieka wobec ogółu.

Asperges me

Do domu Korzeckiego po Judyma przychodzi Oleś. Prosi, aby doktor zbadał jego matkę. Okazuje się, że kobieta jest chora na gruźlicę i nie ma dla niej ratunku. Judym bardzo przeżywa tę sytuację, żal mu pacjentki i jej syna.

Dajmonion

Tomasz otrzymuje pracę jako lekarz fabryczny i przeprowadza się do nowego mieszkania blisko kopalni. Pewnego dnia otrzymuje list od Korzeckiego. Inżynier pisze, że pragnie uwolnić się od trosk dnia codziennego. Judym natychmiast jedzie do niego. Korzecki nie żyje, popełnił samobójstwo.

Rozdarta sosna

Joasia przyjechała do Tomasza do Sosnowca. Razem zwiedzają kopalnie i osiedla robotnicze. Rozmawiają na temat dalszego życia. Podborska chce być z ukochanym, planuje wspólne życie. Judym uważa jednak, że ma do spełnienia misję społeczną. Twierdzi, że musi zrezygnować z osobistego szczęścia. Chce całkowicie poświęcić się pracy lekarza. Postanawia być sam i rozstaje się z Joasią. Dziewczyna życzy mu szczęścia i odchodzi, a Judym błąka się po okolicy, aż w końcu siada pod rozdartą prawie na pół sosną.

CHARAKTERYSTYKA GŁÓWNYCH BOHATERÓW

Doktor Tomasz Judym

Nic nie wiadomo na temat wyglądu bohatera. Jedynie Joasia umieściła w swym dzienniczku zdanie: *„w rogu siedzi ten śliczny jegomość w cylindrze”* (s. 101), które, jak wyznała później, odnosiło się do Judyma. Poznajemy go za pośrednictwem innych osób, a najczęściej charakteryzuje się on sam poprzez działania, czyny, słowa, przemyślenia. Można się domyślać, że pisarz aprobuje ideały doktora, ale nigdzie nie wyraża bezpośrednich ocen. Nie kreuje bohatera idealnego, tak dobiera fakty z jego życia, by ukazać zalety i słabości Judyma.

Gdy go poznajemy, jest to człowiek ukształtowany, ma 26–28 lat, po studiach medycznych i praktyce w Paryżu. Jest **wykształcony, obyty, wrażliwy** na piękno świata i sztuki. **Ma też kompleksy wynikające z jego pochodzenia.** W obecności pań z arystokracji jest zmieszany, traci pewność siebie i prowokująco opowiada o ojcu-alkoholiku, szewcu z ulicy Ciepłej. Zachwyca się urodą, wykwintem kobiet z wyższych sfer. W ich obecności czuje się niezgrabny, ale pragnie z nimi przebywać, zachwyca go ich zachowanie, otaczająca je atmosfera, zazdrości im takiego życia. Z drugiej strony jest **bardzo wrażliwy na wszelkie przejawy krzywdy, nędzy ludzkiej, nie może zapomnieć, skąd pochodzi i że ma obowiązki wobec swego środowiska.**

Pragnie zacząć realizować młodzieńcze marzenia o niesieniu pomocy i zmienianiu świata na lepsze. Widzi, ile jest wokół do zrobienia, ile nędzy go otacza, ilu ludzi pracuje ponad siły w warunkach urągających ludzkiej godności. Judym nie rozprawia o działaniu, nie wygłasza deklaracji, nie epatuje demokratycznymi poglądami, on **przystępuje do działania.** Taką rolę miał odegrać referat wygłoszony na zebraniu lekarzy. Judym zgłasza w nim szereg konkretnych propozycji działań, ale spotyka się z pogardliwą oceną.

Ciekawym zagadnieniem jest stosunek Judyma do nędzarzy. Wędrując po ulicach Krochmalnej i Ciepłej, Judym czuje **obrzydzenie, wstręt, odrazę.** Wszędzie widzi brud i ludzi zdegenerowanych przez nędzę i pracę w niehigienicznych warunkach. Czuje też nienawistne spojrzenia ludzi zazdroszczących mu porządnego ubrania i wykształcenia. Przypadek, łaskawy kaprys ciotki, umożliwiający mu kształcenie się, spowodował, że jest **wyobcowany ze swego rodzinnego środowiska.** Nie chce do niego wracać. **Chce zmienić warunki życia biedaków** przy pomocy ludzi wykształconych, a gdy i to środowisko go odrzuca, **wybiera samotne działanie.**

Przeżyte rozczarowania – odrzucenie przez warszawskie środowisko lekarskie i niepowodzenie w prowadzeniu prywatnej praktyki – nie załamują Judyma. Nadal czuje w sobie *„potężną energię człowieka z ludu”* (s. 55), pamięta swe marzenia, szalone plany i zamierzenia, ale jednocześnie zaczyna się zastanawiać, *„że można pływać tylko po wiadomej, przez wszystkich sprawdzonej toni. Z cichego szelestu liści płynęło do jego serca rozumienie, że się na świecie nie jest niczym osobliwym, że się będzie jednym z wielkiego szeregu.”* (s. 55).

Z radością przyjmuje propozycję pracy w Cisach. Jedzie do uzdrowiska z entuzjazmem i z lękiem. Boi się przyzwyczaić do wygodnego, dostatniego życia, czuje zapał do pracy. Rzuca się więc w wir pracy, prowadzi szpital w uzdrowisku dla ludności ze wsi, odwiedza chorych w ich domach. **Wykazuje wiele energii i przedsiębiorczości.** Zjednuje sobie przychylność jednego z członków rady nadzorczej, pana Leszczykowskiego, który, informowany listownie o zamiarach Judyma, wspomaga je z prywatnej kasy, co budzi niechęć dyrekcji zakładu leczniczego. Jednocześnie doktor udziela się towarzysko. Odnawia paryską znajomość z panią Niewadzką i jej wnuczkami, bywa w willi dyrektora, bawi bogate kuracjuszki, durzy się w Natalii, marzy o miłości. *„Były w nim tego lata jakby dwa prądy ścigające się wzajem. (...) Doktor czuł w sobie ciągłą przeszkodę w staraniu około chorych i zwalczał ją za pomocą silnej pracy, ale skoro tylko zetknął się że światem zabawy, ulegał mu z tym większą bezwładnością, im namiętniej pracował w szpitalu. Było mu wszakże z tym wszystkim bardzo dobrze na świecie."* (s. 135). Cytat ten znakomicie oddaje sytuację doktora w Cisach. I tak mogło być dalej, gdyby nie **bezkompromisowość** Judyma i niecierpliwa chęć ciągłego poprawiania, zmieniania świata. Doszło do konfliktu, w którym Judym musiał przegrać, bo znowu był sam i **nie umiał dążyć do celu powoli, drogą ustępstw i małych sukcesów. Nie umiał poskromić swego temperamentu, iść na ugodę.** Nie umiał nawet pomyśleć o sobie. W tym samym czasie przecież zakochał się w Joasi, był szczęśliwy, marzył o wspólnym życiu. W Cisach było to możliwe. Czuł, że *„to jest miejsce, do którego szedł przez całe swoje, długie, tułacze życie."* (s. 177). Ale zapomniał o tych marzeniach w chwili, gdy ogarnęła go *„szewska pasja"* wobec Krzywosąda spuszczającego szlam ze stawów do rzeki, z której wieśniacy czerpali wodę. Bardzo żałował swej gwałtowności, bo przez nią musiał rozstać się z ukochaną. Po raz pierwszy odczuł boleśnie swe rozdarcie.

W Zagłębiu z jeszcze większą mocą poczuł, jak wiele ma do zrobienia, doświadczył duchowej, wręcz rodzinnej więzi z pracującymi tam górnikami, dokonał ostatecznego wyboru. Jednak uświadamiając sobie ogrom pracy, która go czeka, doszedł do wniosku, że musi zabić w sobie miłość, by nic nie odciągało go od obowiązków, musi zerwać wszelkie więzy ze światem symbolizowanym przez Wenus, który miał dla niego tak wiele uroku. **Cel ma wielki i szlachetny:** *„Ja muszę rozwalić te śmierdzące nory."* (s. 232), **a więc trzeba poświęcić mu się bez reszty.** Ta decyzja Judyma budzi najwięcej kontrowersji. Wynikała ona z altruizmu doktora i romantycznego przekonania o konieczności całkowitego oddania się wybranej idei przez szlachetną jednostkę. Jest w tej postawie wiele **romantycznego prometeizmu.**

Nie jest łatwo ocenić postępowanie Judyma. Żeromski tak skonstruował swego bohatera, by każdy czytelnik sam dokonał oceny, biorąc pod uwagę zalety Tomasza, jego **szlachetne intencje i altruizm** oraz wady: niecierpliwość, gwałtowny temperament, **emocjonalne podejście do ważnych spraw, bezkompromisowość, nierozwagę,** zastanawianie się nad skutkami działań po czasie, zamiast przed podjęciem decyzji, brak pokory i umiejętności zjednywania sobie ludzi do wspólnych działań.

Joanna Podborska

Ma około 26 lat, jest guwernantką, czyli domową nauczycielką panien Orszeńskich. Wcześnie straciła rodziców, utrzymywała się z własnej pracy i jeszcze wspomagała młodszych braci: Wacława i Henryka. Wacław zmarł na zesłaniu w Irkucku, Henryk studiował w Szwajcarii.

Postać Joasi została scharakteryzowana w bardzo ciekawy sposób. W wątku głównym patrzymy na nią oczami Judyma, który rejestruje tylko odbicie uczuć na jej twarzy. Doktor zauważa w trakcie pierwszego spotkania, że Joasia jest to *„ciemna brunetka z niebieskimi oczami, prześliczna i zgrabna."* (s. 7). Dostrzegł też, że jej oczy były *„szczere aż do naiwności. Zarówno jak i cała twarz odzwierciedlały subtelne cienie myśli przechodzących, oddawały niby wierne echo każdy dźwięk duszy i wszystko mówiły bez względu na to, czy kto widzi lub nie, ich wyraz."* (s. 9). Poczuł w niej bratnią, przyjazną duszę, bo erotycznie bardziej pociągała go Natalia. Podobnie było po ponownym spotkaniu w Cisach. Zainteresowany był Natalią, zazdrościł Karbowskiemu, nie dostrzegał uczuć Joanny. Widział w niej miłą pannę, dobrą kobietę, chętnie niosącą pomoc ubogim, obowiązkową nauczycielkę, odpowiedzialną za swe uczennice. Dopiero podczas spotkania o świcie, prawie po roku pobytu w Cisach, podziałał na niego jej urok, poczuł, że ją kocha i pragnie, by była jego żoną. Joasia nie odrzuciła miłości Judyma, ale co czuła, jak przeżywała miłość, nie wiemy, znamy tylko doznania doktora. Tomasz podziwiał jej urodę, wykwintność, delikatność. Widział w niej istotę nie z tego świata, z którego sam pochodził. Dlatego, gdy dokonywał ostatecznego wyboru, nie widział dla niej miejsca w swych planach, nie wierzył, by mogła go wesprzeć i zrozumieć jego uczucia. Joasia czuje się wówczas skrzywdzona, porzucona, samotna. Nie narzuca mu się jednak i odchodzi z godnością.

O wiele więcej informacji o Joasi zawiera jej pamiętnik. Dowiadujemy się z niego, iż była **rozumną, samodzielną kobietą,** pracującą na siebie i braci. Wiele zawdzięczała samokształceniu, **wciąż się uczyła, wiele czytała,** interesowała się literaturą i teatrem. Pracę nauczycielską traktowała jako posłannictwo, jak duchowe rodzicielstwo. Była **dumna, pełna godności.** Będąc emancypantką, samodzielnie utrzymującą się kobietą, nie kryła się ze swym zainteresowaniem mężczyznami. Lubiła wielu z nich, ale nie kokietowała. **Pragnęła miłości, ale nie polowała na męża.** Z godnością odrzucała awanse bogatych panów, których spotykała w domach uczennic. **Bardzo kochała swych braci.** Boleśnie przeżyła wiadomość o śmierci Wacława, nie chciała wierzyć plotkom, że Henryk nie robi doktoratu, że ją wykorzystuje, hula i gra w karty. Po tych ciężkich przeżyciach zapragnęła powrócić do korzeni, do miejsc zapamiętanych w dzieciństwie, na grób matki. Odbyła pielgrzymkę do domu. Zrozumiała w jej trakcie, iż nie pozostało nic z jej dzieciństwa i z dawnej niej samej. Wróciła wzmocniona, zahartowana, upewniona w swych postanowieniach i dumna z dokonań. Joasia chciała być nowoczesną kobietą. **Wierzyła w dobro, postęp, chciała się do niego przyczynić.** Pragnęła się stale uczyć, doskonalić, uczestniczyć w kulturze. Ceniła sobie swoją samodzielność, lubiła pracę.

Była też po kobiecemu wrażliwa i **głęboko odczuwała swe sieroctwo i samotność.** Tęskniła za utraconym domem, za przystanią, do której można schronić się przed światem. Pragnęła mieć kogoś bliskiego. Dlatego tak bardzo kochała braci, choć buntowała się przeciw temu przywiązaniu, szczególnie w związku z plotkami o Henryku. **Dlatego tak bardzo pokochała Judyma,** bo widziała też jego bezdomność. Myślała, że razem, wspólnym wysiłkiem zbudują sobie dom, co pozwoli zakończyć tułaczy okres w ich życiu. Zawiodła się bardzo, ale z godnością odeszła, nie chcąc wstrzymywać Judyma przed realizacją szlachetnego celu.

CHARAKTERYSTYKA POZOSTAŁYCH POSTACI

Wiktor Judym

Brat doktora, jest robotnikiem w stalowni. Wmieszał się w bliżej nieokreślone działania konspiracyjne i musiał z tego powodu emigrować. Zazdrości bratu wykształcenia i zmiany pozycji społecznej, ale jest też z niego dumny. Jest **szorstki, gburowaty, zadziorny. Buntuje się przeciw wyzyskowi,** spiera się z majstrami, często zmienia pracę. Emigruje do Szwajcarii, ale i tu nie czuje się dobrze, więc zamierza wraz z rodziną wyjechać do Ameryki, gdyż dowiaduje się, że tam można żyć w jeszcze lepszych warunkach.

Natalia Orszeńska

Jest to starsza wnuczka pani Niewadzkiej, siedemnastoletnia panna, **cyniczna kokietka,** śmiała, niezależna w sądach i czynach. Szuka wrażeń, przygód, odrzuca konwenanse, uciekając z pięknym „jak kwiat tuberozy" Karbowskim, utracjuszem i karciarzem.

Korzecki

Jest inżynierem pracującym w kopalni w Sosnowcu. Z Judymem poznali się w Paryżu i potem razem podróżowali. Jest to człowiek o **bardzo skomplikowanej osobowości.** Czasami przybiera maskę salonowca i cynika. Bardzo dba o swą powierzchowność, starannie dobiera stroje. W istocie jest **wrażliwy na cierpienia i niedolę ludzi,** przeżywa głęboko nieszczęścia bliźnich. Jeśli może, stara się pomóc (Judym, Daszkowscy), ale jeszcze częściej czuje swą bezradność. Mimo niezłych zarobków żyje skromnie, bo brzydzi się filisterstwem. Jest samotny i zżyma się, gdy Judym o to pyta. Ideowo jest człowiekiem pokrewnym Judymowi, jest też bezdomny, ale inaczej. Jest on subtelnym intelektualistą, **dekadentem,** ma, jak sam mówi: *„zanadto wyeduko-*

waną świadomość" (s. 198) zła istniejącego w świecie, niedoli, krzywdy. Nie skłania go to – jak Judyma – do działania (gdyż nie wierzy on w jego skuteczność), ale do samounicestwienia. Czuje się **znużony, bezradny, bezsilny.** Reakcją Korzeckiego na zło jest ucieczka w głąb duszy, własnej osobowości, emigracja wewnętrzna. Dręczy go nieustanna myśl o śmierci, której pragnie i której się boi. Pragnąc uciec przed tymi lękami, dużo podróżuje, czyta, ale nie znajduje ukojenia. Ostatecznie przezwycięża strach przed śmiercią, uwalniając się od trosk życia przez misternie zaplanowane samobójstwo.

Leszczykowski

Kupiec, filantrop, **współzałożyciel zakładu leczniczego w Cisach.** Po upadku powstania styczniowego musiał opuścić Polskę. Jest więc **emigrantem politycznym.** Mieszka w Konstantynopolu. Z powodzeniem prowadzi przedsiębiorstwo handlowe. Chętnie pomaga innym. Jest **idealistą i entuzjastą,** dlatego rozumieją się z Judymem. Był jedynym człowiekiem, który chciał pomóc doktorowi w realizacji jego śmiałych planów.

Doktor Węglichowski

Jest **naczelnym dyrektorem uzdrowiska w Cisach** i przyjacielem Leszczykowskiego i nieżyjącego już pana Niewadzkiego. Kiedyś także był idealistą. Zakład leczniczy to dzieło wspólne przyjaciół i doktor jest z niego dumny. Teraz zbiera owoce swej pracy, chce spokojnie żyć, dlatego niechętnie patrzy na zapał i śmiałe reformatorskie plany młodego Judyma.

PROBLEMATYKA UTWORU

Ludzie bezdomni charakteryzują się szeroką i złożoną problematyką. Tematy, których podjął się autor, nadają powieści wymiar uniwersalny, dotyczą każdego człowieka w każdym czasie.

Problem bezdomności

Na plan pierwszy wysuwa się **problem bezdomności**. Żeromski pokazuje różne jej znaczenia, a tytuł wskazuje na jej symboliczny wymiar (Związek tytułu z problematyką dzieła jest dokładnie omówiony w rozdziale *Wyjaśnienie tytułu utworu* – str. 241). Autor pokazuje bezdomność zarówno **w dosłownym znaczeniu** – bohaterowie tracą swoje domy rodzinne, korzenie, jak i w **ujęciu symbolicznym**; wtedy mamy do czynienia z postaciami wyobcowanymi, niezrozumianymi, samotnymi z przymusu lub dobrowolnie.

Bezdomni w sensie dosłownym to ludzie pozbawieni domu, godziwych warunków mieszkaniowych, mieszkający w walących się domostwach, brudnych, zaniedbanych ruderach, norach, budach, czworakach, mieszkańcy Château-Rouge w Paryżu, robotniczych i żydowskich dzielnic Warszawy, czworaków w Cisach i górniczych osiedli Zagłębia Dąbrowskiego.

Doktor Judym jest bezdomny zarówno w sensie dosłownym – **nie ma stałego miejsca zamieszkania**, jest pielgrzymem – jak i w przenośnym: **wyrwał się ze swego środowiska, ale nie został przyjęty przez środowisko inteligenckie, lekarskie.** Pozostał samotny, bo jest altruistą w tłumie egoistów, nie znajduje wielu bratnich dusz, które myślą podobnie jak on, chcąc poświęcać się dla innych. Doktor jest także **bezdomny w znaczeniu emocjonalnym:** wybiera samotność, wyrzeka się miłości, bezdomność rozumie jako warunek realizacji celów, które sobie stawia.

Joanna Podborska jest też bezdomna. Jej bezdomność również ma wiele znaczeń. Jest sierotą, **utraciła dom w dzieciństwie, wraz ze śmiercią rodziców.** Odtąd prowadziła tułacze życie w cudzych domach, grzejąc się przy ogniskach domowych swych uczennic, które zastępowały jej rodzinę. Wraz z wyemancypowaniem się, zdobyciem samodzielności, wyobcowała się z rodzinnego, ziemiańskiego środowiska. Należy do ludzi gotowych żyć dla innych, jak Judym. Marzy jednak o własnym domu, pragnie mieć schronienie, przystań, tęskni za kimś bliskim, za rodziną. Bezgraniczny altruizm Judyma staje się przyczyną ostatecznego zniszczenia szansy na realizację tych marzeń.

Wiktor Judym jest **emigrantem** z powodów politycznych i społecznych. Nie może pogodzić się z krzywdą i niesprawiedliwością, podejmuje walkę, traci pracę i **wyjeżdża w poszukiwaniu zajęcia i w obawie przed aresztowaniem. Jest bezdomny, bo utracił dom – ojczyznę.**

Leszczykowski też jest **emigrantem politycznym po powstaniu styczniowym**. Nie może wrócić do kraju, żyje więc na emigracji. Z daleka, jak może, służy ojczyźnie i ludziom potrzebującym.

Wacław Podborski, brat Joasi, jest **zesłańcem,** jak można się domyślać, z powodów politycznych. Umiera na zesłaniu, z dala od ojczyzny i rodziny.

W przypadku wymienionych wyżej osób (Wiktor Judym, Leszczykowski, Wacław Podborski), bezdomnych z powodu braku ojczyzny, bezdomność wynika także z wyboru walki o wolność i sprawiedliwość. Temat ten nie jest najważniejszy w powieści, ale daje się wyraźnie zauważyć wnikliwemu czytelnikowi.

Natalia Orszeńska, wnuczka pani Niewadzkiej, wybiera bezdomność, wyrzeka się domu i rodziny z powodów osobistych. Samowolna dziewczyna goni za przyjemnościami, chwyta łapczywie uroki życia, odrzuca konwenanse i ucieka z domu, idąc za głosem nieposkromionego uczucia, pragnąc być z ukochanym człowiekiem.

Inżynier Korzecki jest, podobnie jak Judym, **bezdomny z wyboru**. Mógłby żyć dostatnio, cieszyć się osobistym szczęściem i sukcesami zawodowymi, jednak odrzuca taki model życia. Nie może pogodzić się ze złem świata, rezygnuje więc z dalszej, z góry przegranej walki. **Nie akceptując życia z jego niesprawiedliwością, krzywdą, cierpieniem, wybiera śmierć.**

Pani Daszkowska też opuszcza dom, bo wzywa ją śmierć. Bezdomność w jej przypadku, jak i w sytuacji Korzeckiego, jest odejściem z domu-życia ku śmierci. Pani Daszkowska **odchodzi, bo jest śmiertelnie chora**; nie chce porzucać dzieci ani domu.

Bezdomność w sytuacji Korzeckiego i pani Daszkowskiej jest pojęciem metafizycznym, porzuceniem domu wszystkich ludzi – Ziemi. Łączą się z nim pojęcia samotności, porzucenia, opuszczenia, także związane ze śmiercią – samotności nie tylko odchodzących, ale i tych, którzy pozostają.

Człowiek a społeczeństwo

Kolejnym ważnym zagadnieniem w powieści jest **temat powinności człowieka wobec społeczeństwa.** Tomasz Judym poświęcił swoje szczęście osobiste dla dobra innych. Nie uznaje kompromisów. Swoją pracą pragnie spłacić *„dług przeklęty"*, pomóc tym, spośród których udało mu się wyrwać ku lepszemu życiu. Bohater jest prawdziwym altruistą. Niesienie pomocy chorym i biednym, troska o innych to sens jego życia. Wyrzekając się miłości, pozostaje sam niczym rozdarta sosna. To symbol oznaczający cierpienie człowieka samotnie walczącego o wielką sprawę, **rozdartego między pragnieniem osobistego szczęścia a koniecznością służby społeczeństwu.** Judym przypomina mitycznego Prometeusza i bohaterów romantycznych, np. Konrada Wallenroda.

Stosunki społeczne i nierówności społeczne na przełomie XIX i XX w.

W *Ludziach bezdomnych* wyraźnie widoczna jest romantyczna wizja zmieniania świata na lepszy. Dlatego Judym nie zgadza się na istniejące stosunki społeczne i na bierność ludzi. I tu dotykamy kolejnego ważnego tematu powieści – **panoramy społeczeństwa w Polsce na przełomie XIX i XX wieku.** Z jednej strony poznajemy bogactwo obywateli; salony lekarzy warszawskich, apartamenty Kalinowicza, życie Niewadzkich. Z drugiej strony obserwujemy warunki życia, które uwłaczają godności ludzkiej; ulica Ciepła i Krochmalna, fabryka cygar, kopalnia, czworaki chłopskie w Cisach. **Krańcowa nędza, głód, brud, zaniedbanie kontrastują z wygodą, pięknymi strojami, przyjęciami i przepychem.** Tomasz Judym, widząc tę sytuację, postanawia poświęcić swoje życie dla dobra skrzywdzonego społeczeństwa. Obrazy, które zaobserwował w fabryce cygar czy idąc ulicą Krochmalną, budzą jego gniew. Robotnicy i górnicy pracują ponad siły, a ich wynagrodzenie nie zapewnia im godnych warunków bytowych. Żeromski, opisując morderczą pracę ludzi z nizin społecznych, wykorzystał technikę naturalistyczną. W ten sposób wyraźnie pokazał **kontrasty i antynomie wśród ludzi**, starając się uwrażliwić na nie czytelników i skłonić ich do zastanowienia się nad otaczającą ich rzeczywistością. Otwarte zakończenie powieści sugeruje, że każdy sam powinien odpowiedzieć sobie na pytanie, czy droga, jaką wybrał Judym, jest słuszna, czy też mimo bez wątpienia szlachetnych pobudek jego działania należy szukać innych sposobów poprawy losu najbiedniejszych.

GATUNEK UTWORU – POWIEŚĆ MODERNISTYCZNA

Realizm i naturalizm

Pisząc powieść, Żeromski wykorzystał **technikę realistyczną i naturalistyczną,** stworzył **powieść społeczno-obyczajową,** zawierającą dość szeroką prezentację różnych grup społecznych. Zastosowanie techniki naturalistycznej jest wyraźnie widoczne w opisach ubogich dzielnic Warszawy, fabryk, domów noclegowych dla bezdomnych, w opowiadaniach o przeszłych losach bohaterów. Charakteryzują się one **szczegółowością, dokładnością i naturalistyczną drastycznością.** Dbałość o realia, prawdopodobieństwo, dokładność w określeniu czasu i miejsc akcji są też typowe dla metody realistycznej, podobnie jak **motywacja postępowania bohaterów, wynikająca z ich pochodzenia społecznego.** Prezentując świat przedstawiony, autor posługuje się zasadą kontrastu, uwypuklając nędzę proletariatu i chłopów oraz bogactwo ludzi z wyższych warstw społecznych.

Subiektywizm i liryzm narracji

Jednak w sposobie konstruowania świata przedstawionego można zauważyć wyraźne odstępstwa od realistycznej konwencji. Żeromski często odbiera głos narratorowi wszechwiedzącemu i oddaje go bohaterom, np. w pamiętniku Joasi **(narracja pierwszoosobowa)** i w opowiadaniu Wiktorowej o jej podróży do Austrii i Szwajcarii, a zwłaszcza w obserwacjach świata z punktu widzenia doktora Judyma **(narracja personalna).** Powoduje to, że **obraz świata traci cechy obiektywne, staje się prezentacją stanowisk bohaterów wobec tego świata,** nabiera więc cech subiektywnych. Takie widzenie rzeczywistości jest charakterystyczne dla dwudziestowiecznej **powieści psychologicznej.** Cechuje ją też nastrojowość, wprowadzenie impresji, poetyckich opisów stanów duchowych bohaterów. Na warstwę realistyczną nakłada się warstwa poetycka, impresjonistyczna, symboliczna.

Psychologizacja prozy powoduje, iż czytelnik patrzy na bohatera oczami innej postaci powieściowej. Narrator unika analiz charakterów, opisuje natomiast chwilowe przeżycia, nastroje. Widać w tym sposobie prezentacji bohaterów zastosowanie **techniki impresjonistycznej.** Dostrzec ją można także w opisach przyrody oraz w metaforach. Takie rozdziały jak: *Smutek*, *Przyjdź* służą tylko przedstawieniu chwilowych nastrojów bohatera i mają charakter liryczno-poetycki. Wykorzystanie obrazów przyrody w opisach stanów duchowych bohaterów sprawia, że pełnią one czasem rolę **symbolu.**

Symbole w *Ludziach bezdomnych*

- **rozdarta sosna** – symbol cierpienia, wewnętrznego rozdarcia Judyma między pragnieniem szczęścia osobistego a potrzebą poświęcenia się pracy dla dobra społeczeństwa.
- **krzyk pawia** – symbol śmierci, zwiastun nieszczęścia.
- **kowal** – symbol potęgi pracy, zwycięstwa człowieka nad własną słabością.
- **kwiat tuberozy** – symbol pięknego, ale bezużytecznego życia lub człowieka.
- **Wenus z Milo** – symbol miłości, radości, urody życia.
- **Starcy** – symbol zacofania, tkwienia w starych poglądach, niezrozumienia dla zmian, postępu, nowoczesności.
- **Rybak** – symbol wrażliwości i współczucia dla ludzkiej nędzy.

BUDOWA UTWORU

Ludzie bezdomni składają się z **dwóch tomów**. Każdy z nich został podzielony na **zatytułowane rozdziały**, w tomie pierwszym — 10, w tomie drugim — 13. Część z nich charakteryzuje się **narracją trzecioosobową**, natomiast kończący tom pierwszy rozdział *Zwierzenia*, stanowiący wyjątki z pamiętnika Joasi Podborskiej – **narracją pierwszoosobową**. Narracja trzecioosobowa jest wszechwiedząca lub personalna (prowadzona z punktu widzenia danego bohatera, zwykle Judyma). Tytuły rozdziałów odnoszą się albo bezpośrednio do wydarzeń lub przeżyć bohaterów, albo są cytatami, albo wreszcie mają znaczenie symboliczne (patrz rozdział *Gatunek utworu – powieść modernistyczna*).

Powieść ma **zakończenie otwarte** – nie wiemy, jak dalej potoczą się losy Judyma i Joasi, ich historia nie została opowiedziana do końca. Występują w niej także **epizody** – luźne sceny, niezwiązane z akcją (w rozdziałach *Swawolny Dyzio* i *W drodze*). Mogą one stanowić oddzielne opowiadania.

CYTATY, KTÓRE MOGĄ SIĘ PRZYDAĆ

„Minąwszy ogród i plac za Żelazną Bramą, był u siebie i przywitał najściślejszą ojczyznę swoją. Wąskimi przejściami, pośród kramów, straganów i sklepików wszedł na Krochmalną. Żar słoneczny zalewał ten rynsztok w kształcie ulicy. Z wąskiej szyi między Ciepłą i placem wydzielał się fetor jak z cmentarza. Po dawnemu roiło się tam mrowisko żydowskie." – początek opisu dzielnic nędzy (s. 23)

„Przenigdy! Ja już jestem człowiek.
Sucha kromka chleba, ale moja własna; niebogata przyszłość, ale urobiona własnymi rękami. Z obu stron mojej samotnej, kamienistej ścieżki, po której idę, roztacza się świat nowoczesny jak dojrzewające zboża pól nie ogarniętych oczami. Rozum mój i serce karmią się kulturą żyjącego świata, w której z dnia na dzień przybywa pierwiastka dobra." – z pamiętnika Joasi (s. 124)

„Widział w niej dotąd siostrę-człowieka, rozum i serce, istotę ze swej dziedziny, z tego kręgu, gdzie o jedno nic, wysokie a niezrozumiałe dla motłochu egoistów, kłopocą się bez wytchnienia i trudzą z radością braterskie duchy. I oto szalał ze szczęścia: ona nie tylko taka!" – Judym o Joasi (s. 158)

„Było mu źle, ciężko, rozpaczliwie, ale nie tylko dlatego, że nie ma Joasi. Tysiące bolesnych wzruszeń wdzierały się do jego serca. Niektóre widoki i dźwięki, zdało się, pochłonęły tęsknotę za Joasią, zżarły ją olbrzymimi gardłami, i tylko słabe, zgubione jej echo odzywa się w ich mowie." – Judym podczas pierwszej wizyty w kopalni (s. 200)

„Ja muszę rozwalić te śmierdzące nory. Nie będę patrzył, jak żyją i umierają ci od cynku. Polne kwiaty w doniczce, to tak... To dobrze... Ale czy można?" – cele i rozterki doktora (s. 232)

„Otrzymałem wszystko, co potrzeba.... Muszę to oddać, com wziął. Ten dług przeklęty... Nie mogę mieć ani ojca, ani matki, ani żony, ani jednej rzeczy, którą bym przycisnął do serca z miłością, dopóki z oblicza ziemi nie znikną te podłe zmory. Muszę wyrzec się szczęścia. Muszę być sam jeden. Żeby obok mnie nikt nie był, nikt mię nie trzymał!" – doktor o powodach zdecydowania się na samotność (s. 233)

INDEKS KOMENTARZY DO TEKSTU

CZAS I MIEJSCE AKCJI

BOHATEROWIE

KONWENCJE LITERACKIE

INNE INFORMACJE

SPIS TREŚCI